NUEVAS TECNOLOGÍAS 2023

ACCESO GRATIS *a la Lectura en la Nube*

Para visualizar el libro electrónico en la nube de lectura envíe junto a su nombre y apellidos una fotografía del código de barras situado en la contraportada del libro y otra del ticket de compra a la dirección:

ebooktirant@tirant.com

En un máximo de 72 horas laborables le enviaremos el código de acceso con sus instrucciones.

NUEVAS TECNOLOGÍAS 2023

Director:

Enrique Ortega Burgos

Coordinadores:

Manuel García-Villarrubia Bernabé

Pilar Sánchez-Bleda

Alejandro Touriño Peña

Juan Francisco Rodríguez Ayuso

Antonio Serrano Acitores

Joaquín Muñoz Rodríguez

Koldo Díaz Bizkarguenaga

Marlen Estévez Sanz

tirant lo blanch

Valencia, 2023

Director de la colección:

ENRIQUE ORTEGA BURGOS

© Enrique Ortega Burgos

© TIRANT LO BLANCH
EDITA: TIRANT LO BLANCH
C/ Artes Gráficas, 14 - 46010 - Valencia
TELFS.: 96/361 00 48 - 50
FAX: 96/369 41 51
Email: tlb@tirant.com
www.tirant.com
Librería virtual: www.tirant.es
DEPÓSITO LEGAL: V-1816-2023
ISBN: 978-84-1169-501-5

Si tiene alguna queja o sugerencia, envíenos un mail a: *atencioncliente@tirant.com*. En caso de
no ser atendida su sugerencia, por favor, lea en *www.tirant.net/index.php/empresa/politicas-
de-empresa* nuestro procedimiento de quejas.

Responsabilidad Social Corporativa: http://www.tirant.net/Docs/RSCTirant.pdf

Índice

El entendimiento de los tribunales civiles acerca de los fraudes mediante el uso de las nuevas tecnologías

ÁLVARO ALARCÓN DÁVALOS
Asociado Principal Deloitte Legal

ANTONIO SIQUIER CARBONELL
Asociado Deloitte Legal

CARLOS FERRER MOYA
Abogado Deloitte Legal

1. INTRODUCCIÓN

El vertiginoso desarrollo de la tecnología ha supuesto un incuestionable impacto, tanto en nuestra vida cotidiana como en nuestra forma de trabajar, hasta el punto de que muchos afirman que nos encontramos en la "era tecnológica".

La tecnología supone una clara ventaja para la sociedad, pero, a su vez, entraña un riesgo por quienes pretenden obtener un beneficio ilícito mediante su utilización. Este es el caso de los ciberestafadores.

Tanto los consumidores como las empresas son víctimas, cada vez de forma más recurrente, de cada vez menos sofisticadas estafas cometidas a través de medios tecnológicos e informáticos, es decir, son víctimas de los llamados fraudes digitales.

En este sentido, el Instituto Nacional de Ciberseguridad registró un total de 109.126 incidentes de ciberseguridad en el año 2021[1].

El incremento de los ataques cibernéticos es una de las principales inquietudes de las empresas españolas. Así se refleja en el Informe sobre el Fraude en España 2020-2021 elaborado por la Asociación de Empresas contra el Fraude donde el 92% de las empresas consultadas sitúan esta preocupación en el top 10 de sus prioridades[2], el 46% alega tener unas pérdidas a causa del fraude digital de entre 100.000 a 300.000 euros y el 36% de más de un millón de euros[3].

Los fraudes digitales se sitúan en el orden del día, tanto de los pequeños consumidores como de las grandes corporaciones.

La principal problemática con la que se encuentran las víctimas de estos fraudes es la dificultad de encontrar al autor material. Por ello, agudizando el ingenio y planteando reclamaciones para obtener un resarcimiento, fijan su atención con posterioridad en distintos sujetos como son las entidades bancarias, las empresas de ciberseguridad, aseguradoras, empresas encargadas de gestionar los pagos e incluso los propios empleados personas físicas de la empresa víctima del fraude digital.

Estamos siendo testigos de una evolución vertiginosa en las reclamaciones por responsabilidad civil que cuentan cada vez más con un componente tecnológico. La sociedad evoluciona más rápido que nuestro ordenamiento jurídico y, como sucede con cualquier problemática novedosa, no existe un criterio uniforme por el momento por parte de nuestros tribunales para analizar, desde una óptica civil, los fraudes digitales y la responsabilidad de los sujetos ajenos a la estafa.

En el presente artículo, analizaremos las distintas alternativas en la vía civil que utilizan las víctimas para intentar recuperar el importe defraudado, la interpretación del fraude digital por parte de nuestros tribunales y la complejidad práctica que entrañan estos procedimientos.

---

[1]   MINISTERIO DEL INTERIOR, 2021. *Informe sobre la cibercriminalidad en España*, pág. 40.

[2]   ASOCIACIÓN ESPAÑOLA DE EMPRESAS CONTRA EL FRAUDE, 2021. I*nforme sobre el fraude en España 2020-2021*, pág. 7.

[3]   ASOCIACIÓN ESPAÑOLA DE EMPRESAS CONTRA EL FRAUDE, 2021. I*nforme sobre el fraude en España 2020-2021*, pág. 11.

2. EL FRAUDE DIGITAL O TECNOLÓGICO: DEFINICIÓN Y TIPOS

El concepto de fraude digital o tecnológico conlleva, respecto del término fraude, una suplantación de identidad a fin de obtener los datos personales de un tercero para su ilegítima utilización y, respecto del término digital, la utilización de medios informáticos para llevar a cabo esa suplantación.

Por tanto, podemos definir el fraude digital como la suplantación de identidad mediante la utilización de medios informáticos, esto es, la suplantación digital.

En este sentido, encontramos multitud de categorías de fraude digital; *phishing, smishing, vishing, pharming, scam,* fraude del CEO, etc. La diferencia entre una y otra es, a menudo, el medio tecnológico utilizado para llevar a cabo el fraude. Mientras que en el *phishing* el ciberdelincuente hace uso de correos electrónicos, en el *smishing* se apoya en el envío de un SMS.

A continuación, y dada su relevancia para las cuestiones sobre las que versa el presente artículo, veamos la definición de los siguientes fraudes digitales:

- *Phishing:* técnica en la que un ciberdelincuente envía un correo electrónico haciéndose pasar por una entidad legítima; una red social, un banco o una institución pública. Asimismo, suele ser frecuente que se incluyan enlaces a páginas web fraudulentas o se adjunten archivos infectados. Mediante estos correos, el ciberestafador solicita información privada al receptor a fin de apropiarse de sus datos bancarios para llevar a cabo un cargo económico[4].

- Fraude del CEO: en este caso, el ciberdelincuente suplanta la identidad de un alto cargo de la empresa a fin de engañar al empleado encargado de efectuar los pagos. La forma para proceder con la suplantación puede ser tanto la utilización de una dirección de correo similar a la original o el *hackeo* de la cuenta de correo en cuestión del alto directivo. Por tanto, los estafadores solicitan que se realicen una serie de pagos a un tercero en el marco de una operación urgente y confidencial[5].

---

[4] ASOCIACIÓN ESPAÑOLA DE USUARIOS DE TELECOMUNICACIONES Y DE LA SOCIEDAD DE LA INFORMACIÓN, 2021. *Suplantación digital,* pág. 4.

[5] *Íbidem.*

Tal y como se puede observar, en ambos casos, las víctimas, bajo la creencia de estar actuando correctamente, facilitan los datos bancarios o realizan los pagos.

Expuesto lo anterior, resulta necesario distinguir dos grandes tipologías de fraudes digitales puesto que, como veremos, esto es el punto de partida para analizar las posibles vías de reclamación frente a terceros: el fraude digital perpetrado mediante un ataque informático o mediante la utilización de un soporte tecnológico (por ejemplo, correo o SMS).

En este sentido, estamos ante un ataque informático si se produce una intromisión ilegítima en el sistema informático de la víctima. Es decir, si se produce lo que comúnmente se conoce como *hackeo*, siendo este el mecanismo mediante el cual el ciberdelincuente suplanta la identidad.

Un ejemplo de ataque informático sería la introducción de un *malware* en el móvil u ordenador de la víctima que permita al ciberdelincuente tener acceso a la información personal deseada.

Por el contrario, cuando lo que se produce es una mera suplantación a través de un correo electrónico similar al original o una llamada haciéndose pasar por otra persona[6], nos hallamos ante un fraude digital llevado a cabo mediante la utilización de la tecnología pero en el que no se ha producido ninguna intromisión. En estos casos, la víctima, bajo engaño y la creencia de estar actuando correctamente, facilita sus datos bancarios o realiza los pagos.

En consecuencia, el fraude digital sin intromisión no deja de ser como la suplantación de identidad tradicional por lo que el tratamiento de nuestros tribunales desde la óptica civil debería ser idéntico. La única diferencia es que a principios del siglo pasado engañaban a la víctima con un sombrero y unas gafas y ahora lo hacen con una dirección de correo electrónico parecida a la original.

En definitiva, no todo fraude digital implica necesariamente que se haya producido un ataque informático, por lo que habrá que analizar cada caso concreto en aras de determinar las vías y la procedencia para exigir responsabilidad frente a terceros.

---

[6]   Este tipo de fraude digital es conocido como *vishing*, definido por el Instituto Nacional de Ciberseguridad de la siguiente manera: *un tipo de estafa de ingeniería social por teléfono en la que, a través de una llamada, se suplanta la identidad de una empresa, organización o persona de confianza, con el fin de obtener información personal y sensible de la víctima.*

3. LAS POSIBLES VÍAS PARA RECUPERAR EL IMPORTE DEFRAUDADO DESDE LA ÓPTICA CIVIL

La lógica nos lleva a pensar que ante un fraude digital la víctima se dirigirá frente al estafador por la vía penal con el objeto de recuperar el importe defraudado.

No obstante, como ya anticipábamos, la realidad es que los fraudes realizados a través de sistemas informáticos enmascaran una dificultad para localizar a delincuentes ya que estos operan desde cualquier lugar del mundo y utilizan sistemas que impiden el rastreo.

A todo ello, hay que sumar los recursos económicos que hay que invertir, así como la dispar colaboración de las fuerzas y cuerpos de seguridad del estado y el tiempo necesario, si hay suerte, para dar con ellos.

Ante este escenario, las víctimas buscan alternativas, ajenas a la vía penal, para recuperar, todo o en parte, el importe defraudado. A continuación, analizaremos cuáles son estas vías y los argumentos sobre los que se sustentan.

3.1 Entidad bancaria

La principal vía que utilizan las víctimas de los fraudes digitales para intentar recuperar el importe defraudado es la reclamación frente a las entidades bancarias en su condición de proveedor de servicios de pago. Todo ello, bajo el pretexto de que la operación no habría sido correctamente autorizada a causa de un fraude que, conviene recordar, resulta ajeno al banco.

En primer lugar, hay que traer a colación el marco normativo que regula el régimen de responsabilidad de las entidades prestadoras de servicios de pago respecto de la ejecución de órdenes de pago:

- Directiva (UE) 2015/2366 del Parlamento Europeo y del Consejo de 25 de noviembre de 2015 sobre servicios de pago en el mercado interior;

- Real Decreto-ley 19/2018, de 23 de noviembre, de servicios de pago y otras medidas urgentes en materia financiera ("Ley de Servicios de Pago" o ("LSP") que derogó la Ley 16/2009, de 13 de noviembre, de Servicios de Pago (derogado por el Real Decreto).

En este sentido, la Ley de Servicios de Pago establece las siguientes premisas respecto de la autorización y responsabilidad por la ejecución de órdenes de pago:

- La operación de pago se entiende autorizada cuando el ordenante ha dado el consentimiento para su ejecución conforme al procedimiento pactado[7].

- El proveedor de servicios de pago, cuando el ordenante niegue que la operación ha sido autorizada, tiene la carga de acreditar que la operación de pago fue autenticada, registrada y que no se vio afectada por ningún fallo técnico u otra deficiencia[8].

- El registro de la utilización del instrumento de pago no es suficiente para acreditar que la operación de pago fue autorizada ni una actuación fraudulenta o con negligencia grave por parte del cliente[9].

- El ordenante soportará todas las pérdidas derivadas de las operaciones de pago no autorizadas cuando haya actuado de manera fraudulenta o con negligencia grave[10].

---

[7]   Art. 36.1 de la LSP: *Las operaciones de pago se considerarán autorizadas cuando el ordenante haya dado el consentimiento para su ejecución. A falta de tal consentimiento la operación de pago se considerará no autorizada. El consentimiento para la ejecución de una operación de pago podrá darse también por conducto del beneficiario o del proveedor de servicios de iniciación de pagos.*
El ordenante y su proveedor de servicios de pago acordarán la forma en que se dará el consentimiento, así como el procedimiento de notificación del mismo.

[8]   Art. 44.1 de la LSP: *Cuando un usuario de servicios de pago niegue haber autorizado una operación de pago ya ejecutada o alegue que ésta se ejecutó de manera incorrecta, corresponderá al proveedor de servicios de pago demostrar que la operación de pago fue autenticada, registrada con exactitud y contabilizada, y que no se vio afectada por un fallo técnico u otra deficiencia del servicio prestado por el proveedor de servicios de pago.*

[9]   Art. 44.2 de la LSP: *A los efectos de lo establecido en el apartado anterior, el registro por el proveedor de servicios de pago, incluido, en su caso, el proveedor de servicios de iniciación de pagos, de la utilización del instrumento de pago no bastará, necesariamente, para demostrar que la operación de pago fue autorizada por el ordenante, ni que éste ha actuado de manera fraudulenta o incumplido deliberadamente o por negligencia grave una o varias de sus obligaciones con arreglo al artículo 41.*

[10] Art. 46.1 de la LSP: *El ordenante soportará todas las pérdidas derivadas de operaciones de pago no autorizadas si el ordenante ha incurrido en tales pérdidas por haber actuado de manera fraudulenta o por haber incumplido, deliberadamente o por negligencia grave, una o varias de las obligaciones que establece el artículo 41. En esos casos, no será de aplicación el importe máximo contemplado en el párrafo primero.*

- La entidad es quién tiene la carga de probar que el usuario del servicio de pago actuó de forma fraudulenta o con negligencia grave[11].

Por tanto, al amparo de la Ley de Servicios de Pago, se produce una inversión de las reglas de la carga de la prueba y la entidad bancaria debe probar que: (i) la operación de pago fue debidamente autorizada y (ii) en su caso, que existió fraude o negligencia grave del usuario.

Al amparo de la citada normativa, vamos a analizar el tratamiento e interpretación que hacen nuestros tribunales de estas reclamaciones en función de la tipología de fraude digital:

(i) *Fraude del CEO*

El fraude del CEO consiste en engañar al empleado encargado de los pagos de la compañía para que realice una transferencia a través de la suplantación de identidad del CEO.

La suplantación se suele producir a través de la utilización de medios informáticos como, por ejemplo, un correo electrónico similar al original. En consecuencia, el empleado, bajo la creencia de estar actuando correctamente, ordena una serie de transferencias a la entidad bancaria por los cauces habituales y pactados.

En este sentido, la jurisprudencia es partidaria de desestimar este tipo de reclamaciones bajo el pretexto de que el fraude resultó ajeno a la entidad bancaria y la operación de pago fue debidamente autorizada ya que siguió los trámites habituales pactados con la compañía y éste vino motivado por la ausencia de controles internos por parte de la compañía.

Entre otras, podemos referir la Sentencia de la Audiencia Provincial de Madrid, Sección 18ª, núm. 28/2022, de 27 de enero que desestimó el recurso de apelación interpuesto por parte de una compañía que había sido víctima de una estafa del fraude del CEO al amparo de la Ley de Servicios de Pago por las siguientes razones:

- La conducta culposa de la estafa no provino por parte de la entidad, sino de la demandante por su falta de control interno.

---

[11]   Art. 44.3 de la LSP: *Corresponderá al proveedor de servicios de pago, incluido, en su caso, el proveedor de servicios de iniciación de pagos, probar que el usuario del servicio de pago cometió fraude o negligencia grave.*

- El método empleado para llevar a cabo la operación era un mecanismo utilizado, reconocido y autorizado por las partes para realizar transferencias.

- La entidad bancaria actuó conforme al deber de diligencia que le resultaba exigible dado que cotejó la firma que figuraba en las órdenes con la registrada en su base de datos y tras ello, confirmó telefónicamente las transferencias fraudulentas con la persona de referencia de la compañía.

Por tanto, dado que el fraude resulta ajeno a la entidad bancaria, ninguna responsabilidad se le puede achacar al amparo de la Ley de Servicios de Pago en la medida que ésta se limita a tramitar las órdenes de pago bajo los procedimientos pactados entre las partes. No podemos obviar que el engaño recae directamente sobre el empleado encargado de realizar los pagos.

Cuestión distinta sería que el banco, al margen del fraude, hubiera infringido el procedimiento para la autorización de las órdenes de pago (p. ej. firma mancomunada, no confirmación de la operación, etc.). No obstante, este supuesto no es objeto de este artículo.

(ii) *Phishing, smishing* o análogos

A pesar de la claridad del criterio para enjuiciar el fraude del CEO, la posición de los tribunales en relación con el resto de los fraudes digitales como el *phishing* o el *smishing* es distinta.

Todo ello, en nuestra opinión, porque se parte de una premisa errónea fruto del desconocimiento acerca de su naturaleza y funcionamiento.

El *phishing* o el *smishing* (como el fraude del CEO) son una mera suplantación de identidad a través del uso de las nuevas tecnologías (correo o sms). El objetivo del delincuente sigue siendo robar información privada o realizar un cargo económico y para alcanzar su objetivo envían archivos infectados o enlaces a páginas fraudulentas[12]. El hecho de que haya un componente informático no debe alterar el criterio.

En estos fraudes, al igual que sucede con el fraude del CEO, el usuario, bajo la creencia de estar actuando correctamente, facilita al estafador sus credenciales y el resto de los datos para poder efectuar los pagos. Dicho en términos informales, el cliente "pica en la trampa" del estafador y le

---

[12]   ASOCIACIÓN ESPAÑOLA DE USUARIOS DE TELECOMUNICACIONES Y DE LA SOCIEDAD DE LA INFORMACIÓN, 2021. *Suplantación de identidad digital*, pág. 4.

da todo lo que necesita para que pueda ordenar o realizar pagos desde su cuenta o tarjeta.

No obstante, la jurisprudencia menor, de forma más o menos generalizada, está apreciando la responsabilidad de las entidades bancarias porque considera que: (i) las operaciones no se pueden considerar autorizadas al no haberse realizado personalmente por éste y (ii) no se acredita de forma fehaciente la negligencia grave por parte del cliente.

En primer lugar, hay que recordar que el artículo 36.1 de la LSP dispone que "las operaciones de pago se consideran autorizadas cuando el ordenante haya dado el consentimiento en su ejecución" y continúa añadiendo que "el ordenante y el proveedor de servicios de pago acordarán las formas en que se dará ese consentimiento".

Por tanto, imaginemos que el banco y el cliente han pactado que para realizar una transferencia bancaria hay que cumplir los siguientes pasos:

- Paso 1: Acceder a la banca online con el usuario y clave.

- Paso 2: Poner el número clave de firma digital.

- Paso 3: Ejecutar una doble confirmación a través del envío de una clave por SMS.

Es decir, al amparo del artículo 36.1 de la LSP, estos son los pasos que las partes han pactado para que el cliente pueda prestar su consentimiento y, en consecuencia, que la operación de pago se considere debidamente autorizada.

El hecho de que el cliente no haya realizado personalmente estos pasos porque haya facilitado al estafador los datos necesarios para obtener esos datos, no puede suponer que la operación no se considere autorizada porque, recordemos, el banco es ajeno a ese engaño.

Es el mismo supuesto que aquel en el que el cliente dejó apuntado el pin a la vista de un tercero o bien bajo amenaza se lo proporcionó.

Por tanto, la concepción del consentimiento debe ser interpretada por nuestros tribunales conforme lo dispuesto en la Ley de Servicios de Pago y la sana crítica. En nuestra opinión, no es dable que el simple hecho de que el cliente afirme que no realizó operación sirva *per se* para concluir que la operación no está autorizada.

En consecuencia, si la entidad bancaria logra acreditar que se han seguido todos esos pasos y que sus sistemas no se han visto comprometidos, la operación de pago debería considerarse autorizada y, por ende, eximirle de responsabilidad.

En segundo lugar, la acreditación de la negligencia grave del cliente como causa de exoneración de la responsabilidad respecto de operaciones no autorizadas se configura como una prueba diabólica para las entidades bancarias.

Nótese que se exige a los prestadores de servicios de pago que acrediten que el propio cliente no custodió debidamente sus claves de acceso, que las facilitó a un estafador a través de la técnica del *phishing* o *smishing*, etc.

Resulta patente que nos hallamos ante cuestiones probatorias que escapan del alcance de las entidades bancarias y, por el principio de facilidad probatoria, deberían recaer sobre el propio cliente. Sin embargo, la configuración legal es clara en este sentido.

Por tanto, la responsabilidad de las entidades bancarias derivada de los fraudes como el *phishing* o el *smishing* es una cuestión incipiente que se encuentra en auge y, sin lugar a duda, requerirá de un pronunciamiento por parte del Tribunal Supremo que clarifique y determine su alcance a través de una correcta interpretación de la Ley de Servicios de Pago.

3.2 Aseguradoras

Otra de las alternativas con las que cuentan, sobre todo las empresas, para garantizar la recuperación de los daños derivados de esta tipología de fraudes digitales es la contratación de una póliza de seguros que cubra tales contingencias.

En este caso, nos referimos a las llamadas pólizas de riesgos cibernéticos que pueden llegar a asegurar las pérdidas derivadas de este tipo de fraudes.

La conveniencia de contratar estos seguros es evidente, debido, no solo al notable incremento de ciberataques, sino también porque los riesgos cibernéticos no están cubiertos por las tradicionales pólizas de daños.

No obstante, tal y como reconoció D. Francisco Pérez Bes, exsecretario general del Instituto Nacional de Ciberseguridad *en el sector es algo sabido que existe polémica entre el alcance de la cobertura de estos seguros y las expectativas de las compañías*[13].

---

[13]   MERCADER, A. (2022). *El auge de los ciberataques aflora los agujeros de los seguros.* Crónica Global.

Por tanto, la mayor traba a la hora de contratar un seguro de estas características es el desconocimiento frente a la multitud de tecnicismos y variantes que condicionarán el alcance de la póliza. Ante esta situación, resulta aconsejable contar con un asesoramiento experto para asegurar los riesgos efectivamente cubiertos. De lo contrario, el tomador podría tener una idea completamente errónea de aquello que ha contratado y verse en una situación en la que el daño ocasionado por un *phishing* o fraude del CEO no quede cubierto por la respectiva póliza.

En consecuencia, la contratación de un seguro es una alternativa idónea para resarcirse de los daños sufridos, pero es necesario asegurar la cobertura de las pérdidas ocasionadas por los fraudes digitales.

3.3 *Proveedores de servicios informáticos y otros colaboradores*

La mayoría de las compañías cuentan con proveedores de servicios informáticos ("IT") que ofrecen distintas herramientas para prevenir y evitar los fraudes digitales en el seno de las empresas. Dentro de tales servicios destacan los llamados sistemas anti-*phising* que bloquean mensajes o correos electrónicos sospechosos. El hecho de contar con estos aliados se hace cada vez más necesario ante el incremento de esta tipología de fraudes.

Si bien lo ideal al contratar a una empresa que ofrezca estos servicios es que no se perpetue ningún fraude, la realidad es que en ocasiones no son capaces de evitarlos porque los sistemas no son infalibles. En estos casos, la víctima podría contemplar al servidor de IT como un potencial demandado.

Asimismo, en el caso de los fraudes digitales perpetrados mediante ataques informáticos (no con mera suplantación), cuando el proveedor de IT se ha comprometido a evitar estas intrusiones o, en su caso, el fraude deriva de una intromisión en su propio sistema, cabe igualmente plantearse la posibilidad de interponer una reclamación civil.

En cualquier caso, hay que analizar las condiciones contractuales para determinar las obligaciones que asume el proveedor de IT y, en concreto, comprobar si se trata de obligaciones de medios o, por el contrario, de resultado. En este último supuesto, los visos de que la reclamación civil prospere son superiores en la medida que sería suficiente con acreditar la existencia del fraude y el daño sufrido.

Además de los proveedores de IT, existen otros colaboradores que pueden llegar a responder civilmente del importe defraudado. Esto sucede con los gestores de pago que se encargan de tramitar las órdenes de pago en nombre de las empresas.

Imaginemos un supuesto del fraude del CEO en el que el ciberestafador, a través de una dirección de correo similar a la original, remite al gestor de pagos subcontratado una factura para que proceda a su pago.

En este caso, parece lógico pensar que debería responder el subcontratista.

No obstante, cuando el fraude del CEO se comete en el seno de la propia compañía y el ciberestafador no tiene contacto ni relación con el gestor de pagos, la respuesta no es tan clara.

Por último, y sin perjuicio de que resulta ajena a la jurisdicción civil, conviene traer a colación la sentencia dictada por el Tribunal de Cuentas de 3 de junio de 2022 que resuelve las demandas de responsabilidad contable interpuestas por parte de la Empresa Municipal de Transportes de Valencia y el Ministerio Fiscal contra una de sus empleadas que ordenó transferencias por más de 4M€ con motivo de una estafa del fraude del CEO.

En este caso, el Tribunal de Cuentas condenó personalmente a la empleada a satisfacer el importe defraudado —4M€— por actuar de forma negligente al haber llevado a cabo actos de disposición sin haberlo comunicado a nadie, extralimitándose de sus poderes y omitiendo sus obligaciones "invigilando".

Por tanto, a través de una interpretación analógica, se puede concluir que es posible articular demandas de responsabilidad civil frente a aquellos empleados que, a causa de una actuación negligente en el ejercicio de sus obligaciones, hayan permitido que se fraguara el fraude dentro de la empresa.

En consecuencia, deberemos estar al caso concreto para determinar si existe o no un incumplimiento contractual en atención a las obligaciones asumidas y al origen del propio fraude que permita recuperar el importe defraudado.

4. LA COMPLEJIDAD Y ESPECIALIDAD DE LOS PROCEDIMIENTOS CIVILES POR FRAUDE DIGITAL: INFORME PERICIAL Y ARBITRAJE

Las distintas alternativas con las que cuentan las víctimas de un fraude digital para obtener un resarcimiento en la vía civil han motivado la incoación de procedimientos judiciales que requieren de un conocimiento técnico y especializado para su correcto enjuiciamiento. Entre otras, por las siguientes razones:

- Tal y como hemos detallado en el apartado segundo, el fraude digital sin intromisión no es más que una mera suplantación de identidad a través de un soporte tecnológico. No obstante, la concepción de nuestros tribunales es dispar ya que, en nuestra opinión, parten de una premisa errónea de la naturaleza del fraude.

- Asimismo, las entidades bancarias, al amparo de la Ley de Servicios de Pago, tienen la carga de acreditar que el pago fue debidamente autorizado conforme el procedimiento pactado. Por tanto, deben aportar una prueba fehaciente sobre los pasos seguidos para autorizar la operación.

- De igual modo, cuando el fraude digital se ha perpetrado con una intromisión, es necesario que las partes demuestren dónde se ha producido y la causa de éste a través de una prueba objetiva.

Por tanto, nos hallamos ante procedimientos que requieren de una especialización y conocimiento técnicos que se pueden garantizar a través de dos vías: el informe pericial y la sumisión a arbitraje.

En primer lugar, en ciertos asuntos es fundamental en esta tipología de procedimientos la aportación de un informe pericial informático que analice, desde un punto de vista técnico, la naturaleza del fraude sufrido, la trazabilidad de la autorización de pago o la existencia de la intromisión ilegítima.

Nos hallamos ante una forma de ilustrar a los jueces acerca de cómo se ha perpetrado ese concreto fraude y aportar una prueba objetiva y fehaciente que sustente nuestros argumentos.

No obstante, en ocasiones la aportación del informe puede llegar a resultar antieconómica en atención al importe reclamado.

En segundo lugar, la sumisión de la controversia a arbitraje es una garantía de la especialización de quién vaya a resolver tal pretensión. Y ello porque el árbitro o tribunal arbitral que resuelva será experto en la resolución de esta tipología de controversias relacionadas con fraudes digitales, extremo que ofrece mayor seguridad a ambas partes.

En este punto, hay que indicar que la sumisión debe ser tomada con cautela cuando figuren en contratos con consumidores o contratos de adhesión en la medida que pueden llegar a ser declaradas nulas ya que la Sala

Primera ha reiterado que es imprescindibles que las partes conozcan y se refleje su voluntad de someter la controversia a arbitraje[14].

Por tanto, el arbitraje se plantea como una alternativa a la jurisdicción que ofrece grandes posibilidades al contar con árbitros expertos en fraude digital que puedan resolver la controversia.

5. CONCLUSIONES

La implementación de las nuevas tecnologías ha supuesto una auténtica revolución en aspectos esenciales de nuestro día a día, en la forma de comunicarnos o la manera de trabajar. En definitiva, son una clara ventaja y oportunidad para la sociedad.

Sin embargo, también se han convertido en una herramienta valiosa en manos de los delincuentes para perpetrar los llamados fraudes digitales, es decir, los delitos de suplantación de identidad a través de la utilización de los sistemas informáticos como correo electrónico o SMS.

En estos casos, los ciberdelincuentes, a través del uso de las nuevas tecnologías, logran engañar a sus víctimas haciéndose pasar por otro sujeto (entidad bancaria, proveedor, CEO, etc.) para que faciliten sus credenciales del banco o realicen pagos ilegítimos. Todo ello, bajo la creencia de estar actuando de forma correcta al ser víctimas de un engaño.

Por tanto, los fraudes digitales, con carácter general y con independencia de su concreta denominación, no dejan de ser meras suplantaciones de identidad. Antes se hacían por carta, por medio de disfraz o simple y llanamente con la aplicación de picardía y técnicas de ingeniería social y ahora a través de medios tecnológicos. No obstante, en ocasiones, la concepción de nuestros tribunales respecto de la naturaleza de los fraudes digitales es distinta.

---

[14]   Art. 9 de la Ley 60/2003, de 23 de diciembre, de Arbitraje:
1. El convenio arbitral, que podrá adoptar la forma de cláusula incorporada a un contrato o de acuerdo independiente, deberá expresar la voluntad de las partes de someter a arbitraje todas o algunas de las controversias que hayan surgido o puedan surgir respecto de una determinada relación jurídica, contractual o no contractual.
2. Si el convenio arbitral está contenido en un contrato de adhesión, la validez de dicho convenio y su interpretación se regirán por lo dispuesto en las normas aplicables a ese tipo de contrato.

No cabe duda de que los medios a través de los que se cometen estos fraudes suponen una traba para localizar a sus autores y, en consecuencia, reducen las posibilidades de recuperar el importe defraudado.

Ante este escenario, las víctimas utilizan vías alternativas para garantizar su recuperación. Algunas de ellas de carácter preventivo como son la contratación de un seguro de ciber riesgo o de sistemas antifraudes; otras de carácter reactivo como las reclamaciones civiles frente a las entidades bancarias, prestadores de servicios informáticos o gestores de pago, entre otros.

En relación con las reclamaciones civiles, la vía más recurrente es la interposición de acciones frente a las entidades bancarias en su condición de prestador de servicios de pago. Tal y como hemos desarrollado, el tratamiento de la responsabilidad civil de las entidades bancarias resulta dispar por parte de la jurisprudencia en función de la denominación del fraude (fraude del CEO, *phishing, smishing, vishing, etc.*).

En nuestra opinión, tal disparidad deriva de una concepción sesgada del fraude digital y de la noción de consentimiento para considerar que una operación de pago ha sido debidamente autorizada. La novedad de estos pleitos determina que no exista, por el momento, un pronunciamiento por parte del Tribunal Supremo que, no cabe duda, será necesario para concretar los parámetros que deben regir el enjuiciamiento de estos procesos.

Asimismo, el componente tecnológico del fraude determina que nos hallemos ante procedimientos civiles con una especialización y complejidad técnica que hace necesario contar con informes periciales que pongan de manifiesto la forma en la que se han perpetrado estos fraudes y la trazabilidad de las operaciones de pago. De igual modo, la sumisión de la controversia a arbitraje se presenta como una solución idónea para garantizar la resolución por parte de expertos en la materia.

En definitiva, los fraudes digitales se encuentran a la orden del día y, sin duda, las reclamaciones civiles que se deriven de los mismos se van a convertir en un marco recurrente de litigación en el ámbito civil.

Por ello, resulta necesario dotar a nuestros tribunales de recursos y formación específica en este ámbito con el objeto de que, más allá de las pruebas o periciales que puedan aportar las partes del pleito, comprendan la auténtica naturaleza y funcionamiento de los fraudes digitales como premisa para determinar el alcance de la responsabilidad civil de terceros ajenos al engaño.

6. REFERENCIAS BIBLIOGRÁFICAS

Artículos

Asociación española de usuarios de telecomunicaciones y de la sociedad de la información (2021). *Suplantación digital.*

DOMÍNGUEZ LEANDRO, J. (2021). *El fraude de redireccionamiento del pago de facturas a la luz de la teoría de la responsabilidad civil extracontractual. ¿Quién ha de responder?* Diario La Ley, Nº 9828.

MARTÍN VEGA, E. & MENDIETA GRANDE, J. (2020). *La ausencia de responsabilidad extracontractual del banco receptor de transferencias realizadas mediante el sistema "sepa" por la falta de la comprobación de la corrección de datos adicionales al código iban indicados por el ordenante en la orden de pago.* La Ley 7014/2020.

MELIÁN SANTANA, S. E. & DE LA ROSA YANES, P. C. (2018). *La pericial judicial en el proceso civil. La figura del perito judicial, dictámenes periciales y aplicación práctica en el ámbito civil.* La ley digital.

MERCADER, A. (2022). *El auge de los ciberataques aflora los agujeros de los seguros.* Crónica Global.

Ministerio del interior, 2021. *Informe sobre la cibercriminalidad en España.*

MORET MILLAS, V. & RODRÍGUEZ-SASTRE, I. & SEVILA, E. (2021). *La ciberseguridad: nuevo paradigma en el mundo del arbitraje.* La Ley, Mediación y Arbitraje, Nº 7.

VELASCO NÚÑEZ, E. (2010). *Los delitos informáticos: la reparación y las indemnizaciones. Especial referencia al fraude.* LEFEBVRE, Noticias Jurídicas y Actualidad.

Legislación

Directiva (UE) 2015/2366 del Parlamento Europeo y del Consejo de 25 de noviembre de 2015 sobre servicios de pago en el mercado interior.

Ley 60/2003, de 23 de diciembre, de Arbitraje.

Real Decreto-ley 19/2018, de 23 de noviembre, de servicios de pago y otras medidas urgentes en materia financiera ("Ley de Servicios de Pago" o ("LSP") que derogó la Ley 16/2009, de 13 de noviembre, de Servicios de Pago (derogado por el Real Decreto).

Jurisprudencia

Audiencia Provincial de Madrid, sección 18ª, nº 28/2022, de 27 de enero.

Audiencia Provincial de Pontevedra sección 6ª, nº 539/2021, de 21 de diciembre.

Audiencia Provincial de Madrid, sección 11ª, sentencia 738/2019, de 28 de febrero de 2022.

Audiencia Provincial de Madrid sección 9ª, nº 244/2020, de 8 de junio.

Juzgado de Primera Instancia nº 19 de Sevilla nº 1 287/2018, de 5 de octubre.

Juzgado de Primera Instancia nº 2 de Madrid nº 100/2019, de 3 de mayo.

Juzgado de Primera Instancia nº 87 de Madrid nº 65/2020, de 9 de marzo.

Juzgado de Primera Instancia nº 1 de Madrid. Sentencia nº 380/2021, de 27 de diciembre.

Tribunal de Cuentas, Sentencia nº 4/2022, de 3 de junio.

Tecnologías aplicadas a la economía colaborativa y sus implicaciones jurídicas

TEODOSIO ALONSO-PESQUERA ÁLVAREZ

Abogado. Experto en Transformación Digital

SUMARIO: 1. INTRODUCCIÓN. 2. CONCEPTO Y CONSIDERACIONES GENERALES DE LA ECONOMÍA COLABORATIVA. BREVE APUNTE. 3. INTERNET COMO BASE DE LA ECONOMÍA COLABORATIVA. 4. TECNOLOGÍAS DE LA CUARTA REVOLUCIÓN INDUSTRIAL APLICADAS A LA ECONOMÍA COLABORATIVA. 4.1 El big data. 4.2 El Internet de las cosas (IOT). 4.3 El blockchain. 5. A MODO DE CONCLUSIÓN. 6. REFERENCIAS BIBLIOGRÁFICAS.

1. INTRODUCCIÓN

"*Ayúdame, Obi-Wan Kenobi, eres mi única esperanza*" rogaba la princesa Leia en aquella mítica escena de la Guerra de las Galaxias[1]. Esta forma parte del imaginario colectivo sobrepasando la generación que creció viendo la saga mientras se rodaba y estrenaba. Gracias a ella pudimos ver, por primera vez, lo que era un holograma tridimensional. En ese momento, para nuestros padres era pura ciencia ficción y para nosotros un elemento de nuestros juegos e imaginación. Han pasado cuarenta y cinco años desde estreno de esa película y lo que parecía sólo posible en la mente de un niño ahora está dando sus primeros pasos. A consecuencia de la evolución y desarrollo de la tecnología lo imposible se está convirtiendo en realidad, reafirmando uno de los postulados de Julio Verne. Este afamado autor mantenía que "*todo lo que una persona puede imaginar, otras podrán hacerlo realidad*".

La transformación de la sociedad se refleja a través de las innovaciones entre las que la tecnología juega un papel fundamental. Un ejemplo de ello es el teléfono cuya adopción provocó una acalorado debate por sus repercusiones. Todavía recuerdo como en los años ochenta unos ancianos familiares nos recriminaban a los jóvenes nuestra actitud frente a este dispositivo. Para ellos el teléfono era un medio mediante el cual se trans-

---

[1]   LUCAS, G. (dir.), *Star Wars*, 1977.

mitía cortos e importantes mensajes, posiblemente derivado de su coste y escasez de épocas pretéritas. No les era comprensible su utilización para "largas" y "banales" conversaciones pudiendo ser realizadas siempre de una manera mas económica, en persona o por carta. La total implantación de esta tecnología en el siglo XX amplió el potencial humano, facilitó las comunicaciones, la transmisión de la información y transformó la forma de relacionarnos.

La última revolución tecnológica que está cambiando nuestra sociedad es la transformación digital. La película *La Red*[2], hace mas de veinte años, intentaba vaticinar como la digitalización podía transformar el mundo. Lo que en ese momento podía considerarse pura ciencia ficción, especialmente para el espectador, poco a poco, con las ventajas y desventajas mostradas en el film, se ha ido trasladando a nuestra realidad. La transformación está siendo exponencial y continua. Así el email ha desbancado al correo postal; los videoclubs y los cines o han desaparecido o han visto peligrar su negocio por la nueva forma de distribuir películas planteada por Netflix; la forma de obtener información es distinta gracias a Google; la actividad política ha cambiado siendo parcialmente condicionada por Twitter y así un extenso etcétera. El conjunto de estos cambios se ha denominado la Cuarta Revolución Industrial. En ella se produce una confluencia de la conectividad, capacidad tecnológica e inteligencia que desarrollan una transformación digital de una manera exponencial nunca antes vista con un efecto igualmente transformador y disruptivo[3]. Es habitual en cualquier tramo de edad (de una manera directa o indirecta) contratar con Cabify o Uber el transporte cuestionando el monopolio del taxi; Tripadvisor o Booking han permitido el control, la programación y contratación de todo nuestro periodo vacacional sin intermediaros de ningún tipo suponiendo la práctica desaparición de las agencias de viajes. Estamos insertos en una revolución digital en la cual cambias o te cambian[4].

La economía colaborativa o economía del sharing es uno de los ejes fundamentales de la Cuarta Revolución Industrial. No es una innovación

---

[2]   WINKLER, I. (dir.), *The Net*, 1995.

[3]   SERRANO ACITORES, A., "La verdad en el contexto de la cuarta revolución industrial", en PRADA RODRÍGUEZ, M. (dir.), *El derecho a la Verdad. Perspectivas y regulación*, Tirant lo Blanch y Centro de Estudios Garrigues, Valencia, 2021, pag. 407.

[4]   SERRANO ACITORES, A., "La cuarta revolución industrial: o cambias o te cambian", en ROMERO MARTÍN, J. M. (dir.), *Lidera tu empresa en la cuarta revolución*, Exlibric, Antequera, 2019, pags. 161 y 162.

reciente sino que viene de lejos pero debido a la digitalización su desarrollo ha sido exponencial en los últimos años. Hace no tanto tiempo un estudiante podía colgar en el tablón de anuncios de la universidad un cartel de clases de repaso, participando en una incipiente economía colaborativa. Estos anuncios no han desaparecido todavía pero las plataformas digitales han desplazado al corcho siendo estas punto de encuentro entre usuarios y proveedores que ha terminado siendo un modelo de negocio. En conclusión se ha pasado de actuar en un entorno limitado a tu ámbito cercano a la posibilidad, mediante internet, de conectar, sin importar la distancia a donadores y demandantes con intereses en común.

2. CONCEPTO Y CONSIDERACIONES GENERALES DE LA ECONOMÍA COLABORATIVA. BREVE APUNTE

En 2007 Ray Algar acuñó el concepto de economía colaborativa, siendo después popularizado en 2010 gracias a la obra de Rachel Botsman y Roo Rogers[5]. A pesar del tiempo transcurrido no existe un único concepto mayoritariamente aceptado y por ello dar con una definición no es sencillo. Para la Comisión Europea la economía colaborativa se refiere a "*modelos de negocio en los que se facilitan actividades mediante plataformas colaborativas que eran un mercado abierto para el uso temporal de mercancías o servicios ofrecidos a menudo a particulares*"[67] . En ella están implicados tres tipos de agentes:

- Prestadores de servicios que comparten activos, recursos, tiempo y/o competencias[8].

- Usuarios de los mencionados servicios.

---

[5]   BOTSMAN, R. y ROGERS, R., *What's mine is yours: the rise of collaborative consumption*, Harper Collins, Nueva York, 2010.

[6]   Comunicación de la Comisión de 2/6/2016: "*Una Agenda Europea para la economía colaborativa*".

[7]   Las transacciones, en la economía colaborativa, pueden llevarse a cabo con o sin ánimo de lucro y no suelen implicar un cambio de propiedad.

[8]   Pueden ser o particulares ofreciendo servicios de una manera ocasional o prestadores de servicios actuando de forma profesional.

- Intermediarios que conectan a los prestadores con los usuarios y facilitan transacciones entre ellos, gracias a una plataforma colaborativa online[9].

Como hemos dicho al no existir un concepto mayoritariamente consensuado existen otras definiciones distintas que inciden en distintas características según su objeto de estudio. Así[10] para la Comisión Nacional de los Mercados y la Competencia *"es el intercambio entre particulares de bienes y servicios que permanecían ociosos o infrautilizados"*. El Comité Económico y Social Europeo considera el consumo colaborativo como la manera tradicional de intercambiar, compartir, prestar, alquilar y regular redefinida a través de la tecnología y las comunidades. En último lugar Wikipedia define la economía colaborativa como la *"interacción entre dos o mas sujetos a través de medios digitalizados o no, que satisface una necesidad (no necesariamente real), a una o mas personas"*.

Al igual que para el concepto tampoco existe unanimidad para la determinación de los distintos modelos de negocio. Según el Comité Económico y Social Europeo el problema se encuentra en la delimitación de las distintas modalidades de esta economía con la finalidad de establecer diferentes enfoques reguladores. La relación establecida entre las partes será la base de mi clasificación. Así podemos determinar los siguientes tipos de economía colaborativa:

- *Consumo colaborativo*: los usuarios practican un intercambio de bienes y servicios gratuita y desinteresadamente a través de las plataformas digitales.

- *Finanzas colaborativas*: en primer lugar están los sistemas de créditos llamados peer-to-peer (P2P) lending (o *crowdlending*) cuya finalidad es conectar a los inversores con quienes necesitan un préstamo y

---

9   Es importante diferenciar la economía colaborativa de otros negocios con características similares pero que no encajan en esta definición. *"Así cuando un portal de internet gestiona reservas de hotel (v.gr. Booking.com), o presta servicios de música o visionado de películas a través de la red (v.gr. Spotify o Netflix) o simplemente, vende libros electrónicos o bienes diversos (v.gr. Amazon), no puede decirse que, estrictamente, nos encontremos en el ámbito de la economía colaborativa, sino únicamente ante un nuevo canal de distribución (on-line)"*. LUCAS DURÁN, M., *Problemática jurídica de la economía colaborativa: especial referencia a la fiscalidad de las plataformas*, en *Anuario de la Facultad de Derecho* (Universidad de Alcalá), núm. 10, 2017.

10 SÁNCHEZ IGLESIAS, A. L. (Coord.), *Situaciones jurídicas fronterizas con la relación laboral*, Ed. Thomson Reuters Aranzadi, Madrid, 2016.

en segundo la financiación colectiva directa y en masa denominada crowdfunding[11].

- *Crowdwork o producción colaborativa*: la prestación de un servicio realizado tradicionalmente por un trabajador se descentraliza a un gran número de personas en forma de llamamiento o convocatoria[12]. Consiste en una externalización productiva dirigida a una cantidad indeterminada de prestadores de servicios y abierta. En ella a su vez se puede distinguir entre crowdwork online[13] y el crowdwork offline[14].

- *Aprendizaje colaborativo o conocimiento abierto*: la divulgación del conocimiento es realizado por las plataformas sin ánimo de lucro, barreras legales o administrativas. El acceso puede ser realizado por cualquier usuario en el momento que considere mas oportuno, pues la información no está sujeta a derechos de autor.

La economía colaborativa ha prosperado en los mas diversos sectores y por ello los tipos de negocios están en constante transformación y son muy variados. Los mas conocidos son:

- Transporte: se pone en contacto a conductores y pasajeros para que viajen juntos mediante una aplicación (por ejemplo Blablacar).

- Segunda mano: la venta de electrodomésticos, ropa u objetos que ya no utilizamos se hace mediante muchas aplicaciones (por ejemplo Vinted, Segunda Mano, Wallapop …).

- Alojamiento: una primera opción son las plataformas que fomentan el intercambio gratuito de las viviendas (por ejemplo Home for Home, HomeExchange…). Un segundo grupo son las que hacen de intermediación entre los gestores (propietarios o no) de los apartamentos turísticos y sus huéspedes (por ejemplo Airbnb…).

---

[11] Los proyectos se financian mediante las aportaciones económicas gratuitas de distintas personas.

[12] HOWE, J., *The rise of Crowdsourcing*, en Wired magazine, núm. 14, 2006.

[13] A través de una plataforma virtual las empresas pueden conectar a una gran cantidad de trabajadores distribuyendo las tareas entre todos ellos trabajando frente a su ordenador. Dependiendo del ámbito territorial se puede dividir el *crowdwork online* en local o general.

[14] En el *crowdwork offline* las tareas o servicios realizadas por el trabajador requieren una ejecución "física" del trabajo o su realización en un sitio concreto.

Los principales sectores de la economía colaborativa de 2005 a 2015 fueron el transporte, el alojamiento, la financiación y el intercambio de productos y servicios[1516]. Su auge es propiciado por la crisis económica de 2008 debido a los siguientes factores:

- Cambio de cultura: ahora tiene un mayor valor el acceso al bien que a la propiedad. En otras palabras, se prefiere de manera ocasional utilizar o disfrutar unos determinados bienes o servicios antes de ostentarlos conforme a la manera tradicional.

- Eficiencia en el mercado: se posibilita la explotación de servicios y bienes infrautilizados (especialmente en mercados muy fragmentados) teniendo unos prestadores de servicios potencialmente ilimitados. Así los propietarios de estos bienes o servicios se convierten en micro emprendedores aumentando la competencia en este nicho del mercado.

- Tecnología: creada por el intermediario al diseñar, difundir y regular una aplicación informática con la cual conecta a usuarios y prestadores de servicios.

- Confianza del cliente: una de las claves del éxito de los sistemas colaborativos ha sido generar una gran seguridad entre sus usuarios.

El éxito de la economía colaborativa está siendo propiciado por la generación de unas nuevas externalidades positivas. Entre las ventajas mas destacadas cabe señalar:

- Aprovechamiento de forma mas eficiente de bienes y recursos infrautilizados. Para una gran cantidad de plataformas de economía colaborativa es su rasgo distintivo y definitorio. El uso y disfrute por un breve periodo de tiempo de esos bienes y servicios produce mas alicientes que su compra en muchos particulares[17].

- Sostenibilidad ecológica y una mayor contribución a la economía circular. Se evita la producción de nuevos bienes y se alarga la vida de aquellos que están siendo infrautilizados, reduciendo nuestra huella ecológica.

---

[15] Un 62%, 18%, 6%, 5%, y 4% respectivamente de las inversiones totales realizadas.
[16] MÉNDEZ PICAZO, T. y CASTAÑO MARTÍNEZ, S., "Claves de la Economía Colaborativa", en *Economía industrial*, núm. 402, 2016.
[17] Por ejemplo, el alquiler de piscinas a través de la plataforma Swimmy.

- Mayor oferta y ahorro de costes de consumo. Se produce un aumento de productividad, oferta y calidad del servicio como consecuencia de la entrada de nuevos competidores en un sector económico, redundando en una reducción de precio al consumidor.

- Ganancia económica y trueque de servicios. El ahorro de costes producido por un trueque (como por ejemplo los bancos de tiempo) o la ganancia económica directa (por ejemplo una reducción en los gastos del servicio o del consumo) son beneficios que obtienen el oferente y el demandante.

- Nuevas formas de consumo, creación de una oferta mas acorde a la demanda e innovación. Se consigue crear y adoptar una oferta mas ajustada a la realidad gracias a que las necesidades y demandas de los usuarios son apreciadas por el constante flujo de información de los usuarios y a la inmediatez y acceso a las plataformas.

- Equilibrio de las asimetrías informativas y una mayor facilidad de acceso. Se han creado sistemas públicos de evaluación del servicio a través de la recopilación de las opiniones de distintos usuarios. Han conseguido reducir las asimetrías informativas entre las partes al producir una mayor credibilidad de la información recibida. Las transacciones son ahora mas sencillas y viables por la facilidad de acceso a estas aplicaciones frente a las dificultades anteriores.

- Componente ético. El uso de las plataformas reafirman y resaltan valores como la sostenibilidad, ecología, la innovación, un estilo alternativo, la ética o el compartir por encima de la propiedad.

Existen algunos aspectos negativos que contrarrestan los anteriormente expuestos. Estos son:

- Incumplimiento de las obligaciones fiscales. Las plataformas digitales, generalmente, buscan pagar un tipo impositivo mas ventajoso que en los países donde se produce el servicio contratado entre el oferente y el demandante. Así no pagan impuestos donde se genera la actividad sino donde se encuentra domiciliada la plataforma[18] con un tipo mucho mas bajo[19].

---

[18]   Blablacar paga sus impuestos en Francia o Airbnb en Irlanda.
[19]   Por ejemplo, en Irlanda el impuesto de sociedades es de un 12,5% frente al 25% de España.

- Una aparente falta de control a consecuencia de una deficiente intervención administrativa.

En muchos casos no es preceptivo el control y la intervención administrativa al prestarse la actividad de una manera digital y entre particulares. Se está creando la apariencia de que estas plataformas (aplicaciones) no están bajo ningún tipo de control aunque sea falso. Las aplicaciones pueden estar obteniendo una ilegítima ventaja competitiva frente a los prestadores de la economía tradicional (u *offline*) por una falta de aplicación de normativa sanitaria, administrativa o específica de un determinado mercado.

- Competencia desleal con los actores tradicionales del mercado. La supuesta falta de exigencia en el cumplimiento de las obligaciones fiscales o administrativas por parte de las plataformas digitales, en el país donde se presta el servicio, permitiría la posibilidad de ofrecer un servicio a menor coste que el prestado por el oferente de la economía tradicional (u *offline*). No es infrecuente la convocatoria de paros y manifestaciones de los prestatarios tradicionales (o prestatarios *offline*) por el malestar generado ante esta ventaja competitiva de los nuevos operarios[20].

- Desconocimiento y desconfianza tanto a nivel de usuario como de la sociedad en general. Preocupa al usuario la falta de calidad esperada del servicio; el funcionamiento y fiabilidad de la plataforma[21]; la asunción de responsabilidades en caso de accidente o problema y la falta de confianza en el prestatario del servicio. Suelen perder importancia estas cuestiones por el paso del tiempo y cuanto mayor sea el conocimiento de dichas plataformas.

Estos nuevos modelos de negocio causan preocupación y revuelo entre los ciudadanos que conviven con ellos. El desconocimiento de los mismos lleva a temer que se produzcan molestias o posibles perjuicios asociados a la salud. Un reciente ejemplo es la alarma generada por la implantación de los denominados los "supermercados

---

[20] Cabe recordar el colapso del servicio del taxi, en 2018, en Madrid por las manifestaciones contra Uber.
[21] Especialmente cuando son nuevas, poco conocidas y llevan escaso tiempo de funcionamiento.

fantasma" (o *dark super*) en la alteración de la vida de los distritos de la metrópoli[22].

- Los riesgos y las molestias debidas a un servicio de menor calidad y la falta de protección del consumidor frente a las prácticas desleales y la tutela de sus derechos. El usuario al contratar un servicio puede esperar unos mínimos requisitos de calidad que se dan en la economía tradicional (u offline) y no corresponden con la realidad de lo contratado. En este caso se produce una falta de control administrativo tanto de requisitos como de calidad realizados de una manera individual a cada prestatario por la administración (a modo de ente independiente) y que da unos estándares previos de seguridad al usuario. Las plataformas han intentado suplir este déficit con la creación de un sistema de valoración como de críticas (emitidas por los usuarios) donde advierten de la calidad del servicio.

- Aumento de nuestra huella ecológica. La economía colaborativa en cuestiones medioambientales produce a la vez efectos beneficiosos[23] y negativos. En este último caso debido al aumento en la emisión de CO_2 generada del desarrollo masivo del almacenamiento de datos, la fabricación, adquisición y uso excesivo de los dispositivos. Por ello se comienza a tratar la sobriedad digital intentando promover un empleo mas responsable de estas tecnologías tanto a nivel usuario como de las empresas.

- Los posibles riesgos relativos a la seguridad e integridad física. Las partes intervinientes en las transacciones de las plataformas, al ser desconocidos, pueden tener un mayor riesgo que las supervisadas y reguladas por las administraciones[24].

---

[22]   Cabe recordar la protesta vecinal en el barrio de Les Corts de Barcelona por la ubicación del supermercado de la empresa Getir destinado a satisfacer a domicilio los productos de este negocio mediante una plataforma digital. Se puede consultar en: https://www.larazon.es/cataluna/20211101/buqe2nxrpzgsrms27irz-4qvqd4.html

[23]   Al aumentar la eficiencia energética, la optimización de los procesos de productivos o servicios y de sectores industriales buscando una economía neutra de carbono.

[24]   Se usa como ejemplo la posibilidad de un mayor riesgo de sufrir robos o agresiones al viajar o compartir gastos en un vehículo cuyos pasajeros no se conocen.

3. INTERNET COMO BASE DE LA ECONOMÍA COLABORATIVA

La economía colaborativa no se puede entender sin Internet y sin él no se habría desarrollado de una manera tan exponencial. Gracias a la innovación del Internet móvil de la Web 2.0 se cambiaron nuestros hábitos de uso respecto a esta tecnología llevando, en última instancia, a modificar nuestra cultura, los modelos de negocio, etc.

La evolución experimentada por Internet en estas tres últimas y disruptivas décadas (en la que hemos participado todos) ha sido mayoritariamente anticipada por Bill Gates en su ensayo *"Shaping the Internet Age"*[25] escrito en diciembre del año 2000. La denominada *"era de Internet"* no ha tenido un desarrollo uniforme y constante pudiéndose diferenciar tres etapas[26]:

- Web 1.0, basada en los links. La gran innovación fue la conexión en línea posibilitada por Netscape. La información contenida en servidores informáticos era el gran activo; así como su acceso y consumo la única finalidad perseguida por los internautas. A pesar de la aparición del lenguaje de programación web HTML (o *Hyper Text Mark Languaje*), que mejoró la organización de los elementos visualizados en la pantalla, la navegación continuó siendo netamente textual con consultas e interacciones muy limitadas[27].

- Web 2.0, basada en los likes. El gran aporte de esta etapa ha sido la conexión a las comunidades en línea gracias a Facebook. Los internautas ya no solo leen o acceden a la información sino que ahora participan y son generadores de contenidos al publicarlos en blogs, foros de usuarios, redes sociales, etc. En conclusión se produce un fomento de interacción entre las páginas web y los usuarios. El Internet móvil supuso una disrupción al cambiar la forma, el lugar el momento y la motivación de usar Internet. Esto ha llevado a un cambio en los servicios, las empresas y productos utilizados y demandados, así como nuestros modelos de negocio, la cultura y la política.

- Web 3.0, basada en los Tokens. Nos encontramos inmersos en su desarrollo desde que *Decentraland* nos conectó a un mundo virtual comunitario. Gracias a tecnologías como el *machine learning* (o aprendizaje automático), el *big data* o *blockchain* los sitios web y las aplicaciones

[25] GATES, B., *Shaping the Internet Age*, Microsoft Corp. Redmond, W. A., 2000.
[26] SERRANO ACITORES, A., *Metaverso y Derecho*, Tecnos, Madrid, 2022.
[27] Sólo se podía leer la información y no comentarla.

procesarán la información de una manera inteligente pareciéndose a la humana. Para ello es imprescindible que los programas deban comprender la información conceptual y contextualmente. En conclusión tanto los usuarios como las máquinas podrán interactuar con los datos.

El camino iniciado con la economía colaborativa se continuará con un mayor empoderamiento de cada usuario individual. El gran objetivo es el control absoluto de nuestros datos que permitirá una navegación hecha a media. Obtendremos una experiencia general y de navegación mas rica donde aparecerán nuevas oportunidades de negocio y tecnologías desarrollando la economía colaborativa.

4. TECNOLOGÍAS DE LA CUARTA REVOLUCIÓN INDUSTRIAL APLICADAS A LA ECONOMÍA COLABORATIVA

La implantación de fábricas inteligentes y la gestión online de la producción dio lugar a la digitalización de los procesos industriales y los sistemas. Su implementación es la base de lo que se ha denominado la Cuarta Revolución Industrial.

Desde su inicio en 2014 la característica fundamental de esta revolución es la concurrencia simultánea de numerosas tecnologías como el *blockchain*, el *Internet de las cosas*, el *big data*, entre otras. Anualmente tienen un desarrollo exponencial porque se producen simultáneamente multitud de avances tecnológicos y muchas de ellas son implementadas en base de otras.

4.1 El big data

No existen precedentes del actual volumen de datos que se recopilan y tratan. Existen dos formas de obtenerlos: de una manera directa (facilitando los usuarios su nombre, apellidos, origen, edad, etc.) o indirecta (a través de los hábitos y costumbres del usuario en la navegación, consumo, ubicación, etc.). Debido a la importancia que están tomando podemos aventurar que los datos serán el petróleo del siglo XXI[28] y su gestión y obtención clave para las personas y las empresas.

---

[28]   SERRANO ACITORES, A., "El big data en el contexto de la normativa de protección de datos", en MUÑOZ, A .F. (dir), *Revolución Digital. Derecho Mercantil y Token Economía*, Tecnos, Madrid, 2019.

La definición de *big data* expuesta en 2001 por la compañía Gartner es una de las mas aproximadas y con mas relevancia de esta tecnología. El "*big data son datos que contienen una mayor variedad y que se presentan en volúmenes crecientes y a una velocidad superior*"[29]. De este concepto se deducen las características conocidas como las "*cinco Vs*":

- Volumen. No es posible determinar una cuantía exacta de datos a partir de la cual se considere big *data* pero hablamos, como mínimo, de *Terabytes* o *Petabytes*. La gestión de información es inmensa pudiendo ser estructurada o, mas frecuentemente, no estructurada.

- Velocidad. La inmediatez caracteriza la forma de recopilación y tratamiento de estos datos. La velocidad puede lograr una mayor ventaja competitiva y ser mas importante que el volumen.

- Variedad. El *big data* supera a las bases de datos. Ahora no se trabaja solo con textos y números dentro de un campo establecido, sino que se gestionan también datos no estructurados como vídeos, imágenes o textos en blogs o *Twitter*.

- Veracidad. Además de la cantidad el *big data* busca la calidad (o integridad) de los datos recopilados.

- Valor. Los datos generados debe ser útiles, accionables y tener valor. Su correcto uso facilitará la toma de decisiones, el correcto conocimiento de sus clientes y mejorará la competitividad.

Los principales beneficios aportados por la tecnología del *big data* son:

- La toma rápida de decisiones.

- La retención y fidelidad de los clientes.

- Una mayor eficiencia y mejora de los costes.

- Una mejora en la accesibilidad de la información dentro de la empresa.

El principal pilar de la economía colaborativa es el *big data* al basar sus modelos de negocio en esta tecnología. Gracias a la recopilación de los datos de sus usuarios podrán obtener réditos mediante su uso con fines publicitarios y ofrecer un mejor servicio y seguridad a sus clientes.

---

[29]   BEYER, M., *Gartner Says Solving 'Big Data' Challenge Involves More Than Just Managing Volumes of Data*, Gartner, 2011.

En la recopilación, tratamiento y privacidad de los datos es donde se plantean los mayores desafíos en el ámbito jurídico. La información recopilada es ingente abarcando desde datos de carácter personal hasta otros relacionados con el servicio específico ofrecido. Para salvaguardar esta información se deberá cumplir con las obligaciones contenidas en la Ley Orgánica 3/2018, de 5 de diciembre, de Protección de datos personales y garantía de los derechos digitales que van desde cuidar con diligencia y secreto la información tratada, el atender el derecho de información acceso, rectificación, limitación de tratamiento y supresión. Esta norma traspone a nuestro ordenamiento el Reglamento (UE) 2016/679 del Parlamento Europeo y del Consejo, de 27 de abril de 2016, relativo a la protección de las personas físicas en lo que respecta al tratamiento de datos personales y a la libre circulación de estos datos, que ante la ingente cantidad de datos recopilados y tratados los niveles de protección resultan básicos.

4.2 El Internet de las cosas (IOT)

Se define como Internet de las cosas (*Internet of things* o IOT) el "*sistema de dispositivos de computación interrelacionados, máquinas mecánicas y digitales, objetos, animales o personas que tienen identificadores únicos y la capacidad de transferir los datos a través de una red, sin requerir de interacciones humano a humano, o humano a una computadora*"[30]. En otras palabras los objetos adquieren la capacidad de comunicarse e interactuar tanto con los humanos y como con otros objetos, gracias a esta tecnología. Esto supone una revolución en las comunicaciones de como se ha entendido hasta ahora.

Los modelos de comunicación mas utilizados en dispositivos IOT son:

- Comunicaciones "dispositivo a dispositivo". Dos o mas dispositivos se comunican y conectan directamente entre si sin usar un servidor de aplicaciones intermedio.

- Comunicaciones "dispositivo a la nube". La conexión del dispositivo se hace directamente a un servicio en la nube.

- Modelo "dispositivo a puerta de enlace". Un software de aplicación actúa de intermediario entre el dispositivo y el servicio en la nube para permitir la conexión entre ellos. Se obtiene una mayor seguridad y otras funcionalidades tales como traducción de protocolos.

---

[30]   SERRANO ACITORES, A., *Metaverso…*, op. cit.

- Modelo de intercambio de datos a través del *back-end*. A través de una arquitectura de comunicación se exportan los datos a un servicio en la nube permitiendo que terceros accedan a ellos y puedan utilizarlos.

El Internet de las cosas está revolucionando nuestras vidas de una manera exponencial, pues afecta a aspectos tan distintos como la gestión de datos, el acceso a la conexión en lugares remotos o la creación de unos nuevos modelos de negocio. Por ejemplo, la monitorización del campo de cultivo con sensores (de luz, humedad, temperatura...) y la automatización del riego permite una mayor eficiencia de los recursos (el agua, los fertilizantes...). y un aumento de la producción agrícola. La evolución del IOT promete revolucionar nuestras vidas de formas inimaginables a día de hoy. Así aparece el *Internet of robotic things* o IORT que es a la vez un concepto evolucionado y complementario del IOT. Los datos aportados por el IOT, mediante parámetros u órdenes, a la red IORT permite realizar tareas básicas autónomas y automatizables en dispositivos como robots. De esta forma se mejorará la eficiencia en el trabajo que se realice.

El mercado ha pasado de una oferta eminentemente local a una completamente global. Ello ha sido posible porque el Internet de las cosas ha facilitado el conocimiento de la oferta existente a un innumerable número de consumidores finales. El IOT ha elevado exponencialmente las posibilidades del consumo colaborativo.

No somos conscientes de como estamos cediendo, gracias al IOT, toda clase de datos, incluso los mas íntimos y personales. Un ejemplo serían los *Wearables* (como pulseras, relojes o zapatillas GPS) capaces de registrar todo tipo de indicadores de nuestro estado de salud (las pulsaciones, la actividad física desarrollada...). Esta cesión puede ser consciente o inconsciente (probablemente en la mayoría de los casos) teniendo efectos en nuestra vida. El tratamiento de los datos obtenidos mediante los *Wearables* pueden servir para ajustar las primas de los seguros de cada sujeto en función del riesgo que asume la aseguradora, produciendo una innovación en la forma del cálculo de la cuantía. Supuestamente las obligaciones contempladas en la Ley Orgánica 3/2018, de 5 de diciembre, de Protección de datos personales y garantía de los derechos digitales (a ámbito nacional) y el Reglamento (UE) 2016/679 del Parlamento Europeo y del Consejo, de 27 de abril de 2016, relativo a la protección de las personas físicas en lo que respecta al tratamiento de datos personales y a la libre circulación de estos datos (en el ámbito europeo) deben salvaguardar dicha información. La realidad es que acaba la protección siendo muy básica por la ingente cantidad de datos recopilados y cedidos. No considero suficiente el consentimiento legal obtenido a través de contratos con innumerables hojas. Su complejidad técnica y conceptual lleva al usuario a no entenderlo ni reparar en su contenido. Para obtener el consentimiento de una persona para el tratamiento de sus datos recogidos por el IOT debe requerirse algo mas que hasta ahora.

4.3 El blockchain

Antes de empezar a hablar de la cadena de bloques o *blockchain* debo de puntualizar que, junto con el Metaverso, es en estos momentos la tecnología de moda y un tema en boga en el discurso público. Existe un consenso generalizado de que cambiará la forma de relacionarnos, la economía colaborativa o el mismo espacio cibernético. No es ciencia ficción sino que está aquí, implantándose y desarrollándose con unas perspectivas de tener un gran potencial. La cuestión radica en si las altas expectativas generadas se cumplirán o no. Dentro de unos cinco o diez años, gracias a su desarrollo y evolución, podrá comprobarse lo acertado de estos vaticinios. Hoy por hoy está introduciendo interesantes innovaciones las cuales obligan a detenernos en el estudio de esta tecnología.

No es sencillo dar con una definición de *blockchain* pues no existe un único concepto mayoritariamente aceptado. Así, podemos partir de una mas técnica en la cual se definiría esta tecnología como un mecanismo de sincronización de una base de datos, cuyos componentes (los datos) son replicados en la red sin necesidad de confirmar y recurrir a un nodo central.

Desde un punto de vista mas académico podríamos recurrir a la Unión Internacional de Telecomunicaciones (UIT) que define a *blockchain* como "*un tipo de libro mayor distribuido que se compone de datos registrados digitalmente organizados como una cadena de bloques en crecimiento sucesivo con cada bloque vinculado criptográficamente y protegido contra la manipulación y la revisión*"[31].

A los neófitos en la materia ninguna de las posibles definiciones planteadas, a día de hoy, son lo suficientemente claras para ser comprendida esta tecnología de una forma fácil, sencilla, rápida y global. En mi opinión

---

[31] UIT, *FG DLT D1.1. DLT terms and definitions*, Recomendación de la ITU-T.1 de agosto de 2019. Puede consultarse en https://www.itu.int/en/ITU-T/focusgroups/dlt/Documents/d11.pdf.

lo mejor es hacer una comparación histórica del almacenamiento de los datos y su verificación. Hasta ahora los datos eran aportados por los usuarios a un servidor central (o centro de datos) donde estarían almacenados y él sería el garante de su seguridad, acceso y veracidad. Con *blockchain* el concepto cambia al tener un registro común de datos (o libro mayor distribuido), dividido en entradas o bloques, al que acceden todos sus usuarios siendo replicado en multitud de nodos[32]. Estos para alterar o modificar el registro deben verificar unánimemente la validez de las entradas antiguas (o bloques). Ahora no depende la certificación, validez, almacenamiento y acceso de un servidor central sino que dependerá de una multitud de nodos distintos e independientes.

En conclusión, la cadena de bloques o *blockchain* se sustenta en los siguientes elementos:

- *"Una política de participación que establece en qué condiciones y con qué rol se interviene en la red.*
- *Una política de almacenamiento distribuido de la información.*
- *Una política de intercambio de datos.*
- *Una política de consenso para validar la nueva información en el sistema.*
- *Una política de gestión de la integridad de la información"*[33].

Las tres características claves de la red *blockchain* son: la seguridad[34], la descentralización y la inmutabilidad de los datos que se registran.

La cadena de bloques ha obtenido su fama gracias a la criptomoneda *Bitcoin*. Sus aplicaciones son infinitas afectando a campos tan diversos como la ciberseguridad, la certificación de documentos, la trazabilidad de objetos, la identidad digital, entre otros. Un ejemplo de ello es su aplicación a la industria alimentaria, pues se podrá saber el lugar de procedencia de una determinada hortaliza comprada en el mercado o los fertilizantes y plaguicidas usados en su cultivo. Si por algún caso se produce una alerta sanitaria con algún producto se puede trazar su origen para destruir esa partida en vez de toda la producción nacional.

---

[32] Estos nodos están geográficamente y computablemente asilados.

[33] AGENCIA DE PROTECCION DE DATOS, *Blockchain: Conceptos básicos desde la protección de datos*, 2020. Puede consultarse en https://www.aepd.es/es/prensa-y-comunicacion/blog/blockchain-II-conceptos-basicos-proteccion-de-datos

[34] Se vuelve prácticamente imposible hackearla.

Blockchain puede profundizar en el concepto de economía colaborativa cambiándolo por uno mas descentralizado y transparente. Hasta ahora se ha producido una centralización de los principales *marketplaces* donde un regulador externo (intermediario) adopta las decisiones y retiene la mayoría de los beneficios por su actividad de intermediación. Con la invención de los *smart contracts* (o contratos inteligentes) en *blockchain* se permite la auto ejecución cuando se cumplen las condiciones fijadas en su programación. Esto permitirá tomar decisiones conjuntas, que el programa ejecutará para poder regir a grupos o comunidades (denominado gobernanza). Así se están creando las denominadas *DAOs* u Organizaciones Autónomas y Descentralizadas. Esta organización se caracteriza por carecer de jerarquías, tiene un carácter democrático y las decisiones conjuntas adoptadas afectarían a toda la comunidad. Gracias a *blockchain* y a las *DAOs* se producirá una mayor redistribución económica en la economía colaborativa, grandes grupos de personas se podrán organizar sin que un tercero (o intermediario) centralice el proceso, habrá una mayor transparencia (al conocerse toda la información), participación y descentralización.

Existe una incompatibilidad entre la inmutabilidad como característica inherente al *blockchain* con el derecho al olvido (o supresión) recogido en el Reglamento (UE) 2016/679 del Parlamento Europeo y del Consejo, de 27 de abril de 2016, relativo a la protección de las personas físicas en lo que respecta al tratamiento de datos personales y a la libre circulación de estos datos. El reto planteado es tanto jurídico como técnico (en la programación informática de los bloques) debiendo buscar fórmulas para aunar ambos conceptos inicialmente incompatibles.

La gobernanza de las *DAOs* plantea numerosas y novedosas implicaciones jurídicas. ¿Puede un juez intervenir en la corrección de la cadena? ¿En la lectura de datos? ¿En otras operaciones que se configuran a través de políticas técnicas que son autoregulables? Si es una red pensionada pública la respuesta a todas estas cuestiones es negativa. Esto es consecuencia de su configuración pues son automáticas. En el caso de ser una red de tipo pensionado si sería posible la intervención del juez para todos los casos planteados.

Uno de los temas mas candentes del *blockchain* (en especial relativo a los *Bitcoins* y los *NTF*) es el cumplimiento de las obligaciones tributarias a causa de la operación realizada. Las ganancias obtenidas serán objeto de gravamen en el Impuesto sobre la Renta de las Personas Físicas. En el caso específico del *NTF* (al ser considerados una prestación de servicios) tributarán por el tipo general del IVA del 21% y no por el IVA reducido del 10% aplicable a las transacciones de obras de arte. Por último, no debe obviarse que el *Bitcoin* puede ser utilizado como un posible mecanismo de blanqueo de capitales.

5. A MODO DE CONCLUSIÓN

Nadie puede aventurar al cien por cien lo que va a pasar en los próximos cinco o diez años pero es innegable que se continuará con este profundo cambio tecnológico; el cual acabará modificando nuestras costumbres y hábitos sociales de una manera palpable.

Estas nuevas tecnologías aplicadas a la economía colaborativa crearán, probablemente, una nueva generación. Se pasará de unas plataformas centralizadas, donde la gobernanza y el beneficio económico se encuentra concentrado en sus dueños, a otras donde la infraestructura es descentralizada, con una gobernanza mas democrática y unos modelos de valor distributivos. En conclusión, la tendencia en la economía colaborativa es pasar de unos monopolios centralizados a uno mercado mucho mas abierto, accesible y competitivo.

Los retos planteados a nivel económico y jurídico son muy interesantes y complejos. Merece un estudio futuro la reacción de los usuarios ante este fenómeno y las estrategias adoptadas por los gobiernos y las empresas establecidas para dominar estos nuevos modelos de negocio.

6. REFERENCIAS BIBLIOGRÁFICAS

BEYER, M., *Gartner Says Solving 'Big Data' Challenge Involves More Than Just Managing Volumes of Data*, Gartner, 2011.
BOTSMAN, R. y ROGERS, R., *What´s mine is yours: the rise of collaborative consumption*, Harper Collins, Nueva York, 2010.
Bruselas, 2.6.2016 COM (2016) 356 final Comunicación de la Comisión al Parlamento Europeo, al Consejo, al Comité Económico y Social Europeo y al Comité de las Regiones: *Una Agenda Europea para la economía colaborativa*.
CAI, W., WANG, Z., ERNST, J. B., HONG, Z., FENG, C. Y LEUNG, V. C. M., "Decentralized apllications: The blokchain-empowered software system", IEEE Access, 6, 2018.
GATES, B., *Shaping the Internet Age*, Microsoft Corp. Redmond, W. A., 2000.
HOWE, J., *The rise of Crowdsourcing*, en Wired magazine, núm. 14, 2006.
MÉNDEZ PICAZO, T. y CASTAÑO MARTÍNEZ, S., "Claves de la Economía Colaborativa", en *Economía industrial*, núm. 402, 2016.
SÁNCHEZ IGLESIAS, A. L. (Coord.), *Situaciones jurídicas fronterizas con la relación laboral*, Ed. Thomson Reuters Aranzadi, Madrid, 2016.

SERRANO ACITORES, A., "El big data en el contexto de la normativa de protección de datos", en MUÑOZ, A .F. (dir), *Revolución Digital. Derecho Mercantil y Token Economía*, Tecnos, Madrid, 2019.

SERRANO ACITORES, A., "La verdad en el contexto de la cuarta revolución industrial", en PRADA RODRÍGUEZ, M. (dir.), *El derecho a la Verdad. Perspectivas y regulación*, Tirant lo Blanch y Centro de Estudios Garrigues, Valencia, 2021.

SERRANO ACITORES, A., "La cuarta revolución industrial: o cambias o te cambian", en ROMERO MARTÍN, J. M. (dir.), *Lidera tu empresa en la cuarta revolución*, Exlibric, Antequera, 2019.

SERRANO ACITORES, A., *Metaverso y Derecho*, Tecnos, Madrid, 2022.

UIT, *FG DLT D1.1. DLT terms and definitions*, Recomendación de la ITU-T.1 de agosto de 2019.

VIVANCOS, D., *Big data. Hacia la inteligencia artificial*, The Valley Digital Business School, 2016.

La incidencia del metaverso en la privacidad de las personas

ESTRELLA ARANA GÁLVEZ

Abogada en PONS IP. Delegada de Protección de Datos Certificada

SUMARIO: 1. INTRODUCCIÓN Y NOCIONES BÁSICAS. 2. TIPOLOGÍA DE DATOS OBJETO DE TRATAMIENTO Y RIESGOS INHERENTES. 3. NORMATIVA ACTUAL Y LAS PROPUESTAS EUROPEAS. 3.1 Decisiones automatizadas basadas en elaboración de perfiles. 3.2 La Propuesta de Ley de Inteligencia Artificial. 4. CONCLUSIONES. 5. REFERENCIAS BIBLIOGRÁFICAS.

1. INTRODUCCIÓN Y NOCIONES BÁSICAS

¿Qué es el metaverso? Conocer el origen de este vocablo es el primer paso para comenzar a comprender su repercusión. El término de "metaverso" puede estar relacionado con el concepto de "metafísica" que, de manera didáctica, se ha definido como "aquello que sigue a las explicaciones sobre la naturaleza" o "lo que viene después de la física". Así, la aceptación antigua de "física" se refiere al estudio de la φύσις, es decir, de la naturaleza y sus fenómenos, no limitados al plano material. Fue Andrónico de Rodas (siglo I a.C.) el que, al publicar la primera edición de las obras de Aristóteles, ordenó, en primer lugar, los ocho libros sobre física y después colocó los libros que trataban las cuestiones más allá de la física (por tanto, la metafísica). A partir de ahí surgió el término. En cualquier caso, la primera vez que se utilizó el término "metaverso" fue en la novela *Snow Crash* de Neal Stephenson, publicada en 1992. En ella, dicho término se refiere a un mundo virtual ficticio que se comparte de forma colectiva y recrea un universo consensuado basado en nuestro propio universo.

Si extrapolamos este concepto a la actualidad, estaríamos ante la recreación de un universo que va más allá del mundo real donde desarrollamos nuestra vida cotidiana. Así, el metaverso se ha concebido por la industria como la consecuencia (o producto) que deriva de un conjunto de tecnologías capaces de involucrar al usuario en múltiples dimensiones cotidianas, como la esfera social, económica, laboral o emocional, y que —hasta ahora— ha desempeñado en el "mundo físico". Por tanto, el uso del metaverso por parte de los individuos viene a generar un impacto en la vida personal de estos usuarios y en su relación con el resto de la sociedad.

El metaverso no es una nueva tecnología, sino que se trata de un nuevo entorno o interfaz que bebe de otras tecnologías que, interconectadas y gracias a haber alcanzado un estado de madurez en su desarrollo, van a favorecer que el entorno funcione. Estas tecnologías sobre las que se va a sustentar son, entre otras, la realidad virtual (RV), la realidad aumentada (RA), sistemas de Inteligencia Artificial[1], *blockchain* o NFT. La combinación de todo ello va a generar la creación del metaverso. Por este motivo, se entiende que el metaverso es "el próximo Internet", entendiéndolo como la evolución lógica que permite aunar el desarrollo de varias tecnologías dentro de un mismo entorno, una nueva revolución como lo fue la creación de la World Wide Web. Se creará un nuevo sistema inmersivo más allá del 3D que dejará atrás Internet como la hemos conocido hasta el momento y a la que accedíamos a través de un PC sin apenas abandonar la bidimensionalidad de los navegadores Web. Este próximo Internet se conoce como "Web3". En principio, van a existir dos tipos de metaversos diferenciados:

1. Metaversos cerrados o centralizados: se basan en entornos controlados por una sola organización/compañía que tiene en su poder los datos de los usuarios y el control de la economía que se produce en ese entorno cerrado. Este primer caso sería muy similar a cualquier plataforma o entorno privado que conocemos en la actualidad en la denominada Web 2.0.

2. Metaversos abiertos o descentralizados: se denominan de esta forma porque funcionan por medio de una organización autónoma descentralizada (en inglés, Decentralized Autonomous Organization, "DAO") y su economía también es autónoma y controlada por los propios usuarios. Cada uno puede generar su propia presencia e identidad, apoyada en un estándar de almacenamiento criptográfico (denominado "wallet", billetera), de manera que son los propios

---

[1]   Definición de "Sistema de Inteligencia Artificial": el software que se desarrolla empleando una o varias de las técnicas y estrategias que figuran en el anexo I de la Ley de Inteligencia Artificial y que puede, para un conjunto determinado de objetivos definidos por seres humanos, generar información de salida como contenidos, predicciones, recomendaciones o decisiones que influyan en los entornos con los que interactúa (artículo 3.1 de la Propuesta de Ley de Inteligencia Artificial).

usuarios los que controlan la economía que se produce en ese entorno en forma de DAOs.

El metaverso descentralizado se basa en la Web3, que opera gracias a las redes de *blockchain,* que, a su vez, usan criptografía de clave pública para identificar a todos los actores de la red. Así, se pretende diseminar la información en Internet de forma que no esté alojada en un solo operador o servidor, sino que el usuario tendrá el acceso, la disponibilidad y el control sobre sus datos en todo momento, generando una mayor sensación de propiedad sobre los mismos. Por lo tanto, el equipo de cada usuario va a hacer las veces de servidor, utilizando identificadores descentralizados. De esta manera, cada usuario podrá gestionar su identidad digital en este nuevo entorno mediante su wallet, sin depender de terceros que la almacenen y custodien.

Una identidad descentralizada proporcionará una mayor capacidad de control sobre los datos personales que comparte, lo cual generará un mayor nivel de seguridad y privacidad. Por este motivo, se entiende que el metaverso descentralizado representa una experiencia mejorada de Internet, ya que todos los usuarios serán propietarios. Finalmente, en el modelo descentralizado no existirá un "responsable del tratamiento" tal y como lo conocemos porque, al ser plataformas controladas por DAOs, las reglas son generadas por máquinas o algoritmos que tomarán decisiones en el entorno virtual, sin que exista un intermediario claro que actúe como responsable determinando los fines y los medios del tratamiento de datos personales. Esta circunstancia representa un reto para la privacidad, por lo que los creadores del metaverso deberán desarrollar protocolos y mecanismos basados en el consenso que protejan estos derechos.

Es probable que ambos metaversos coexistan, si bien las redes descentralizadas parecen tener mayores incentivos para los creadores y emprendedores que no pertenecen a ninguna gran organización.

Desde el punto de vista de la materia de protección de datos de carácter personal, resulta irrelevante si nos encontramos ante un metaverso de tipo centralizado o descentralizado, ya que, en ambos casos, a partir del momento en que estas tecnologías impliquen la recogida y tratamiento de datos de personas físicas identificadas o identificables, la normativa de protección de datos personales será de plena aplicación a estos entornos digitales.

Además de datos de carácter personal, el uso del metaverso también va a generar el tratamiento de otros tipos de información, tanto de datos no personales, que no hagan identificable a ninguna persona física, como de los datos denominados "datos sintéticos"[2], los cuales serán muy necesarios para entrenar y mejorar el sistema de Inteligencia Artificial (en adelante, "sistema de IA"), el cual va a ser un pilar fundamental para el metaverso. Sin perjuicio de las referencias que se realicen a los datos no personales a lo largo de este artículo, el objeto de este estudio se centra en el impacto del metaverso y las tecnologías que incorpora en los ciudadanos en cuanto sujetos de derechos y libertades fundamentales (en particular, su derecho a la privacidad vinculado a los derechos a la intimidad, honor y propia imagen reconocidos en el artículo 18 de la Constitución Española). Asimismo, el artículo 8 de la Carta de los Derechos Fundamentales de la Unión Europea y el artículo 16, apartado 1, del Tratado de Funcionamiento de la Unión Europea ("TFUE") establecen que toda persona tiene derecho a la protección de los datos de carácter personal que le conciernan.

La implementación de cualquier tecnología que conlleve el tratamiento de datos en Europa o de ciudadanos europeos deberá llevarse a cabo respetando la normativa al efecto y, en particular, el Reglamento (UE) 2016/679 del Parlamento Europeo y del Consejo, de 27 de abril de 2016, relativo a la protección de las personas físicas en lo que respecta al tratamiento de datos personales y a la libre circulación de estos datos y por el que se deroga la Directiva 95/46/CE (en adelante, "RGPD"). Adicionalmente, conforme a la normativa española, será de aplicación lo previsto por la Ley Orgánica 3/2018, de 5 de diciembre, de Protección de Datos Personales y garantía de los derechos digitales (en adelante, "LOPDGDD"), así como cualquier otra normativa que resulte de aplicación como la Ley 34/2002, de 11 de julio, de servicios de la sociedad de la información y de comercio electrónico (LSSICE) o la Ley General de Consumidores y Usuarios, entre otras.

---

[2] Los "datos sintéticos" son datos que, en su momento, estuvieron vinculados a una persona física —ya que a través de ellos el interesado podía llegar a ser identificable—, si bien, tras un proceso de anonimización de la información, dejaron de identificar a una persona física concreta. Son datos generados de forma artificial y que pueden ser utilizados para entrenar modelos de IA, en el caso de que los datos reales carezcan de calidad o no sean suficientes. En sectores como el industrial o el sanitario, tanto los datos no personales como los datos sintéticos van a adquirir gran importancia en los próximos años, puesto que se pueden utilizar para entrenar estos sistemas.

A lo largo del presente análisis se comprobará cómo el metaverso no difiere de cualquier otro proyecto de *Big Data*, toda vez que va a conllevar el tratamiento de datos de forma masiva, siendo todos ellos combinados con diversas tecnologías entre las que se incluyen sistemas de IA. Además, al tratarse de una experiencia inmersiva, los datos personales se van a recoger mediante dispositivos con sensores —principalmente cascos, gafas o incluso ropa especial— que utilizan tecnología IoT (*Internet of Things*) para transmitir dicha información al sistema de IA y, de forma automática, producir respuestas. Gracias a la combinación de estas tecnologías y al innegable desarrollo de la realidad virtual y aumentada, así como las tecnologías háptica y proxémica, se podrá captar la información de forma directa y automática del propio usuario que acceda al entorno generando una mejor experiencia global. Más cercana a una nueva realidad, que es lo que se busca.

En cualquier caso, las entidades que tengan acceso a datos personales en relación con estos entornos —ya sea como responsables o como encargados de tratamiento—, deberán cumplir escrupulosamente los principios establecidos en el artículo 5 RGPD, incluyendo el principio de privacidad desde el diseño y por defecto ("*privacy by design*"), el cual resulta esencial cuando se pretende implementar proyectos de estas características.

2. TIPOLOGÍA DE DATOS OBJETO DE TRATAMIENTO Y RIESGOS INHERENTES

En el momento en que se ha redactado este artículo, el metaverso no existe todavía, sino que se encuentra en fase de desarrollo y se prevé que pueda ser una realidad en torno al año 2035. No obstante, y conforme a la información que se ha ido ofreciendo por parte de las organizaciones que están invirtiendo en el metaverso, es posible establecer una cierta clasificación de datos personales que serán objeto de tratamiento, ya sea tanto en metaversos cerrados como abiertos.

Conforme establece el artículo 4.1 RGPD, se define "datos personales" como toda información sobre una persona física identificada o identificable ("el interesado"). Así, se considera "persona física identificable" toda persona cuya identidad pueda determinarse, directa o indirectamente, mediante un identificador, como por ejemplo un nombre, un número de identificación, datos de localización, un identificador en línea, o bien uno o varios elementos propios de la identidad física, fisiológica, genética, psíquica, económica, cultural o social de dicha persona. En consecuencia, toda la información que se recopile y encaje en esta definición, deberá analizarse bajo el paraguas que ofrece la normativa europea y española de protección de datos de carácter personal.

Presumiblemente, los usuarios que decidan acceder al entorno del metaverso cerrado serán personas que se registren voluntariamente aceptando previamente unas condiciones de uso de este entorno privado. Por tanto, desde un primer momento, el responsable del metaverso tratará datos de una persona física identificada o identificable. Deberá existir un control de acceso a dicho entorno a través un usuario y contraseña o cualquier otro autentificador que permita dicho acceso y deniegue el mismo en caso de no ser la persona vinculada al usuario registrado en la plataforma. En cuanto a los metaversos abiertos, al no existir un único intermediario que actúe como responsable con capacidad para determinar las finalidades y los medios, deberán desarrollarse protocolos a lo largo del tiempo que regulen la interacción dentro del entorno. Una opción podría ser que cada entidad que ofrezca servicios sea considerada como responsable, si bien es una cuestión no solucionada en la actualidad.

Los datos identificativos que se recolecten pueden ser variados. Desde una dirección de correo electrónico, hasta el nombre y apellidos del usuario, su número de teléfono, la dirección IP desde la que se conecta o la dirección MAC de sus dispositivos. Por otro lado, cabe la posibilidad de que, dentro del entorno, el usuario se identifique con su nombre real, pero también es posible que quiera interactuar con un alias inventado. En cualquier caso, dado que el alias estará vinculado a una persona física identificable, dicho alias también será considerado como un dato personal.

Desde el punto de vista de la normativa de protección de datos personales, resulta irrelevante si el acceso al metaverso va a ser gratuito o previo pago de una cantidad de dinero. En este sentido, recordar que la tendencia general es que, si un servicio es gratis, el producto es el usuario y la información sobre éste lo que genera interés para las entidades que inviertan en estos entornos. Por ello, aunque el servicio sea gratuito, también habrá interés por parte de las empresas inversoras en el metaverso en conocer información sobre el estado financiero de los usuarios. Por ejemplo, si es consumidor de marcas de lujo o no, si es una persona ahorradora o si tiende más al riesgo en cuestiones financieras, si suele realizar más compras a principios o finales de mes, etcétera. Es decir, aunque sea de manera indirecta, a través del metaverso se tendrá la capacidad obtener información de forma que se podrá clasificar a los usuarios en función de su nivel de renta o disposición al gasto, por ejemplo. En este sentido, destacar que el metaverso es un entorno concebido como lugar donde ejecutar y registrar transacciones de propiedad, por lo que la información sobre la capacidad financiera de los usuarios va a ser un importante activo para los desarrolladores y administradores de estos entornos. Así, para dotar de mayor seguridad a todo el proceso, se pretende que las transacciones de propiedad que se produzcan dentro del mismo se lleven a cabo mediante criptomonedas, quedando registradas a través de *blockchain*.

Cabe imaginar que, en principio, cada usuario querrá utilizar su propia imagen para crear el avatar con el que interactuar dentro del metaverso. De hecho, muy presumiblemente se utilizará un sistema de reconocimiento facial para la recreación de la imagen y el cuerpo de los usuarios. Así se conseguirá que la recreación sea lo más fiel posible a la realidad, de forma que el usuario se sienta totalmente integrado en el entorno digital. Recordemos que esta es, precisamente, la esencia y el sentido de las experiencias inmersivas.

En cualquier caso, no hay que presuponer que todos los usuarios del metaverso utilizarán su imagen real, sino que es muy posible que algunos prefieran utilizar su imagen alterada o incluso la imagen de otra persona sin su permiso. Llegados a este punto cabe preguntarse si esta práctica podría conllevar uno de los riesgos que podría generar el uso del metaverso: la suplantación de la identidad de una persona.

Como se ha comentado con anterioridad, el RGPD nace con el objetivo principal de proteger a las personas físicas —sean ciudadanos europeos o no— en relación con el tratamiento de sus datos de carácter personal por ser éste un derecho reconocido en el TFUE, la Carta de Derechos Fundamentales de la UE y estar estrechamente vinculado a los derechos al honor, intimidad y propia imagen (artículo 18.4 CE). En este sentido, el Considerando 51 del RGPD establece que existe cierta tipología de datos personales que merecen especial protección, toda vez que, por su naturaleza, son particularmente sensibles en relación con los derechos y las libertades fundamentales, ya que el contexto de su tratamiento podría entrañar importantes riesgos para los derechos y las libertades fundamentales. Estas son las denominadas "categorías especiales de datos personales", las cuales se establece de forma expresa en el artículo 9 RGPD, siendo *numerus clausus*: (i) datos personales que revelen el origen étnico o racial, (ii) las opiniones políticas, (iii) las convicciones religiosas o filosóficas, (iv) la afiliación sindical, (v) datos genéticos, (vi) datos biométricos dirigidos a identificar de manera unívoca a una persona física, (vii) datos relativos a la salud, y (viii) datos relativos a la vida sexual u orientación sexual de una persona física.

El propio artículo 9, apartado primero, prohíbe, como regla general, el tratamiento de los anteriores datos personales. No obstante, el apartado 2 del mismo artículo viene a establecer los casos en los que dicha prohibición se levantaría por tratarse de circunstancias excepcionales. El consentimiento explícito del interesado sería una de las causas que permitiría el tratamiento de datos de carácter especial y, *a priori*, la única aplicable al caso concreto de los datos personales que se tratan dentro del metaverso.

El artículo 9.4 RGPD dispone que los Estados miembros podrán mantener o introducir condiciones adicionales, inclusive limitaciones, con respecto al tratamiento de datos genéticos, datos biométricos o datos relativos a la salud, facultad que aprovechó el legislador español, ya que el artículo 9 de la LOPDGDD viene a establecer ciertas restricciones en cuanto al tratamiento de datos de carácter especial con el fin de evitar situaciones discriminatorias. Así, el apartado 1 establece que no bastará solamente con el consentimiento del afectado para levantar la prohibición del tratamiento de datos cuya finalidad principal sea identificar su ideología, afiliación sindical, religión, orientación sexual, creencias u origen racial o étnico.

Desde un punto de vista teórico, no parece que la finalidad principal del metaverso vaya a ser la identificación de la ideología, afiliación sindical[3], religión, orientación sexual, creencias u origen racial o étnico de sus usuarios, si bien no cabe descartarse que esto no vaya a producirse como consecuencia de su uso, aunque sea de manera indirecta o incluso involuntaria en un primer momento. En otras palabras, aunque el usuario no previese inicialmente que revelaría esta información tan privada por el hecho de utilizar el metaverso, el responsable y el resto de los usuarios sí tendrían la capacidad de acceder a esta información.

Además, desde el punto de vista político o incluso ideológico, la información que se pueda extraer en el metaverso también podría resultar de gran importancia para algún organismo o entidad —tanto pública como privada—. Y es que tanto a raíz del proceso de creación del avatar o perfil de usuario como a lo largo de la interacción de éstos cuando utilicen el metaverso, los usuarios estarán constantemente comunicando información que pertenece a la esfera más íntima de los humanos y que tendemos a reservarla para las personas de nuestra mayor confianza, los usuarios del

---

[3]   Advertir que, si la finalidad del metaverso fuese la recreación de un entorno laboral en el que los usuarios desempeñasen sus tareas, entonces sí sería esperable que el responsable del metaverso tratase datos sobre la afiliación sindical de sus empleados (artículo 9 RGPD).

metaverso podrían comunicarla de forma abierta, inconsciente e involuntaria, sin pensar siquiera en las consecuencias que, en algún momento, ello podría acarrear. Por ello, y unido al uso de inteligencia artificial, se debe determinar que el metaverso es un entorno altamente intrusivo respecto de la privacidad de las personas. Algunas de las preguntas más relevantes para la privacidad son: ¿por cuánto tiempo se conservarán los datos personales de los usuarios? ¿Va a haber acceso a la información de éstos por parte de terceros? ¿Qué tipo de información? ¿Quiénes serán esos terceros?

Aquí radicaría otro de los riesgos del metaverso, que consiste en la pérdida de autonomía. Si el usuario proporciona tanta información a un sistema de IA (*estímulos*), el sistema tendrá la capacidad de ofrecernos respuestas o reacciones que pueda predecir basadas en el perfil que se ha creado, en las acciones o reacciones pasadas y en el perfil de otros usuarios con características similares a dichos usuarios. En otras palabras, el metaverso podría llegar a mostrarnos una realidad hecha "a medida", basada en el seguimiento sobre el comportamiento de muchos usuarios que el sistema de IA habría recogido sin que éstos hubieran sido conscientes de ello.

Si nos pusiéramos en el peor de los escenarios, los resultados que podría recibir un usuario podrían originarse a partir de lo que en un determinado momento un tercero quisiera que viéramos o pensásemos. Por tanto, el usuario sería objeto de una realidad alterada o mostrada en función de los intereses de los controladores del metaverso. La pérdida de la autonomía se produciría a través de la manipulación, que puede producir un cambio respecto de las ideas y de la percepción del mundo de los ciudadanos. Imaginando un escenario extremista, aunque no por ello imposible, la mayor consecuencia de cualquier manipulación se produciría, por ejemplo, con una alteración de la intención de voto de dichos ciudadanos, que podría generar, a gran escala, un cambio político a nivel mundial. ¿Podría ser el metaverso un lugar en el que cupiera la manipulación del individuo en función de cómo se le mostrara ese mundo virtual? En este sentido, hay que recordar lo ocurrido en Estados Unidos en 2016 con motivo de las elecciones presidenciales cuando la consultora británica, *Cambridge Analytica,* recopiló datos de millones de usuarios de Facebook sin su consentimiento y después los utilizó, principalmente, con fines de propaganda política durante las campañas de Ted Cruz y Donald Trump.

Dado que el metaverso va a ser un lugar de encuentro en el que mantener reuniones virtuales e interactuar con otros usuarios en tiempo real, el sistema precisará de herramientas de captación y reproducción de voz, lo cual nuevamente representa un dato biométrico. Además, el lenguaje cor-

poral también formará parte de las interacciones virtuales, lo que supondrá el tratamiento de datos relativos a las características físicas, fisiológicas
o conductuales de las personas. Para que el sistema recoja toda esta información sobre movimientos, voz, gesticulaciones y conductas se precisará
que el usuario utilice algún tipo de casco, ropa o mecanismos similares
mediante el que el sistema capte dichos movimientos y los reproduzca en
el entorno virtual. Cuanto más parecido sea todo a la realidad conocida,
mejor será la experiencia y durante más tiempo querrá el usuario participar en el metaverso.

¿Cómo se logra este nivel de perfección? En este punto resulta relevante tratar una cuestión esencial para que el metaverso genere la mejor
experiencia para el usuario, y es el uso de las tecnologías háptica y proxémica, así como otras ramas específicas vinculadas a la percepción visual y
auditiva. Por ejemplo, la industria del entretenimiento y del videojuego se
encuentra muy habituada desde hace años al uso de estas tecnologías. La
tecnología háptica se basa en la percepción del tacto, si bien algunos teóricos como Herbert Read han extendido el significado de la palabra háptica,
refiriéndose por exclusión a todo el conjunto de sensaciones no visuales y
no auditivas que experimenta un individuo. Por otro lado, se conoce como
proxémica la parte de la ciencia semiótica dedicada al estudio de la organización del espacio en la comunicación lingüística. Más concretamente,
estudia las relaciones —de proximidad, de alejamiento, etcétera— entre
las personas y los objetos durante la interacción, las posturas adoptadas y
la existencia o ausencia de contacto físico. Además, pretende estudiar el
significado que se desprende de dichos comportamientos.

Estas tecnologías serán necesarias para conseguir una óptima interpretación del entorno en relación con las acciones de los usuarios en el metaverso, toda vez que la mejor experiencia precisa de una interacción que
abarque al menos tres sentidos: el oído, la vista y el tacto. Así, nos encontramos ante sistemas complejos de recogida de datos personales, los cuales
deberán ser objeto de protección durante todo el proceso de tratamiento.

Como se ha adelantado, toda la información se recogerá a través de un
casco o mecanismo similar que incorporará sensores y que captará los movimientos y gesticulaciones de los usuarios en el mundo real. De forma casi
instantánea, estos movimientos y gesticulaciones se verán reproducidos en
el metaverso. Para ello resultará imprescindible el uso de dispositivos IoT
que incorporen dichos sensores y permitan la conexión entre toda la información recopilada, el procesamiento y análisis de la misma gracias a la
inteligencia artificial y, en la mayoría de los casos, la toma de decisiones

automatizadas que produzcan la generación de reacciones. Por tanto, se producirán estímulos y reacciones tanto dentro como fuera del entorno. Además, como sistema de IA, la tecnología irá aprendiendo de los datos (no siempre personales) que procese.

Una vez analizada la tipología de datos personales que, en principio, serán objeto de tratamiento, cabe comentar algunos riesgos adicionales que puede generar el uso combinado de estas tecnologías en la privacidad si éstas no se utilizan correctamente. En primer lugar, la potencial generación de sesgos respecto de las respuestas automáticas e información que se ofrezca los usuarios. Además, esta cuestión está cercanamente relacionado con el potencial riesgo de discriminación que podría producirse como consecuencia de la información que podría llegar a captarse basada en la ideología, religión u origen étnico de dichos usuarios, por ejemplo. En definitiva, dependiendo del uso que se llegue a hacer de la información personal recopilada y tratada, las consecuencias para los usuarios podrían ser muy positivas, pero también, dependiendo de cómo se utilice el sistema, también podrían ser muy negativas.

Por otro lado, una de las características esenciales que hay que destacar del metaverso es el volumen de datos de todo tipo que será capaz de procesar. Si lo que el metaverso busca es la creación de un universo paralelo en el que los individuos puedan llegar a desempeñar muchas actividades de su vida, la capacidad de procesamiento de información resulta enorme y, sin lugar a dudas, a gran escala.

Así, en relación con el procesamiento de datos a gran escala, se deben destacar dos cuestiones que están directamente relacionadas y que, tanto juntas como de forma separada, hacen que el metaverso sea altamente intrusivo. En primer lugar, la monitorización y vigilancia masiva de los individuos, ya que cualquier actividad que realice será registrada. En segundo lugar, la obtención de perfiles casi perfectos y fieles a individuos reales. Además, cuanto más datos e información personal se obtengan de dichos individuos, más fiel será el perfil y, en consecuencia, más respuestas automáticas será capaz de generar el sistema basándose en experiencias pasadas, las cuales podrán dirigirse tanto a ese mismo individuo como a otros usuarios que tengan perfiles similares.

El metaverso va a tener la capacidad de procesar información directa sobre perfilado y decisiones comportamentales a un nivel desconocido hasta el momento, lo cual se podrá aprovechar por entidades de todo tipo (marcas, por ejemplo) para introducir marketing directo basado en los comportamientos y las reacciones de los usuarios. Así, éstos serán sujetos de publicidad contextual y subliminal sin que, probablemente, se haya dado el consentimiento para ello, ni sea advertido. Por tanto, estaríamos ante tratamientos de datos que producen decisiones automatizadas basadas en perfiles, lo cual se encuentra prohibido por el artículo 22 RGPD, salvo que se apliquen ciertas excepciones.

Otros potenciales riesgos asociados al metaverso, que deberán irse desgranando y resolviendo a lo largo del uso que se le dé finalmente, son, por ejemplo:

(i) La posibilidad de suplantación de la identidad del usuario si un tercero comienza a hacerse pasar por el avatar y, en consecuencia, por el usuario real. Esto se puede producir como consecuencia de una intrusión en el sistema al vulnerar las medidas de seguridad implementadas. Así surgen nuevas preguntas. ¿Qué medidas de seguridad se implementarán? ¿Estos escenarios de suplantación de la identidad pueden llevar a que se vea necesaria la recogida de más datos biométricos —como la huella dactilar o el iris del ojo— como mecanismos de autenticación del usuario? ¿Son estos mecanismos realmente los más efectivos o existen otros menos invasivos para los individuos?

(ii) Por otro lado, el resto de los usuarios del metaverso también podrán llegar a obtener gran cantidad de información sobre los individuos como, por ejemplo, sus costumbres, horarios o incluso podrían saber cuándo una persona va a abandonar su domicilio y ello generar una oportunidad para que otros usuarios —con malas intenciones— entren en él aprovechando que no hay nadie. En este sentido, circunstancias idénticas ya se llevan produciendo desde hace años a través de la información que los usuarios comparten en redes sociales cuando se marchan de vacaciones o si han comprado un nuevo objeto de lujo.

(iii) Riesgos físicos para la salud. Quizás el uso de los dispositivos imprescindibles para introducirse en el metaverso pueda generar algún tipo de problema físico para los usuarios. ¿Si se produce una pelea en el metaverso, el usuario siente los golpes? ¿El uso prolongado del metaverso puede generar sedentarismo?

Los anteriores supuestos generan que nos preguntemos si cabría la reclamación por parte de los usuarios afectados frente al responsable de la plataforma o frente al resto de usuarios por acciones sancionadas por el Derecho en el mundo no virtual. En general, supuestos anteriores a los anteriores ya se llevan produciendo desde hace muchos años y para los que los juristas y los legisladores ya han ido dando respuestas basadas en el Derecho penal, el Derecho civil o procesal para determinar, por ejemplo, la jurisdicción y las autoridades u órganos competentes en función del hecho acaecido.

En cualquier caso, la Comisión Europea se encuentra firmemente involucrada en dotar de seguridad jurídica a las entidades públicas, privadas y a los ciudadanos. Muestra de ello son el paquete de medidas desarrollado para el despliegue de la IA a través del Libro Blanco de la IA, de 19 de febrero de 2020, la Propuesta de Reglamento de Inteligencia Artificial, de 21 de abril de 2021, y más recientemente mediante la Propuesta de Directiva para adaptar las normas de responsabilidad extracontractual en la Inteligencia Artificial (AI Liability Directive), presentada el 28 de septiembre de 2022, que viene a facilitar las reclamaciones de daños causados por sistemas de IA estableciendo nuevas reglas y reduciendo la carga de la prueba en los procedimientos de reclamación de daños y perjuicios causados por los sistemas de IA.

3. LA NORMATIVA ACTUAL Y LAS PROPUESTAS EUROPEAS

3.1 *Decisiones automatizadas basadas en elaboración de perfiles*

Como se ha indicado, el metaverso tendrá la capacidad de crear perfiles casi perfectos de los usuarios, ya que a través de su software se va a poder obtener información sobre sus gustos, intereses, formas de pensar, formas de actuar, si se debaten entre adquirir un producto u otro, cuáles son sus hábitos de consumo, cuáles son sus inclinaciones políticas, religiosas o su orientación sexual al interactuar con otras personas, entre otras circunstancias. Por ello, el responsable podrá analizar o predecir aspectos relativos al rendimiento profesional, situación económica, salud, preferencias personales, intereses, comportamiento, ubicación o movimientos de forma imperceptible e involuntaria para el usuario. En definitiva, el sistema realizará perfilados exhaustivos basados en información sensible y, debido al gran volumen de información, se precisará que la tecnología genere respuestas de forma automática para que el mundo creado dentro del metaverso sea lo más fiel posible a la realidad.

Como consecuencia de todo lo anterior, será de aplicación lo previsto en el artículo 22 RGPD, toda vez que se producirán tratamientos de datos personales relativos a la elaboración de perfiles y toma de decisiones automatizadas de los usuarios del metaverso. El citado precepto establece que *"todo interesado tendrá derecho a no ser objeto de una decisión basada únicamente en el tratamiento automatizado, incluida la elaboración de perfiles, que produzca efectos jurídicos en él o le afecte significativamente de modo similar"*. En este sentido, el Grupo de Trabajo 29 (actualmente denominado como "Comité Europeo de Protección de Datos" o "EDPB" en inglés) estableció que[4]:

> *"El término "derecho" de la disposición no significa que el artículo 22, apartado 1, se aplique solo cuando se invoque de forma activa por parte del interesado. El artículo 22, apartado 1, establece una prohibición general de las decisiones basadas únicamente en el tratamiento automatizado. Esta prohibición se aplica tanto si el interesado adopta una acción relativa al tratamiento de sus datos personales como si no lo hace (…)"*

Partiendo de la citada interpretación, queda claro que el RGPD establece una prohibición general respecto de la toma decisiones. No obstante, esta prohibición queda sujeta, a su vez, al cumplimiento de determinadas condiciones:

(i) Que la decisión esté basada únicamente en el tratamiento automatizado.

(ii) Que la decisión produzca efectos jurídicos o significativamente similares para el interesado.

(iii) Independientemente de lo anterior, el responsable deberá establecer las garantías adecuadas a efectos de proteger los derechos, libertades y los intereses legítimos de los interesados, incluyendo como mínimo el derecho a obtener intervención humana por parte del responsable, a expresar su punto de vista y a impugnar la decisión. En aras de la protección de las personas, el EDPB detalla en las mismas Directrices una lista orientativa de las garantías que debería implementar toda organización que desee llevar a cabo un tratamiento de decisiones basadas únicamente en el tratamiento automatizado y en elaboración de perfiles.

Finalmente, el artículo 22.4 RGPD establece que las decisiones automatizadas no se basarán en las categorías especiales de datos personales, salvo que se den los siguientes condicionantes:

a) El interesado dé su consentimiento explícito (artículo 9.2, letra a).

---

[4] Grupo de Trabajo sobre Protección de datos del Artículo 29. Directrices sobre decisiones individuales automatizadas y elaboración de perfiles a los efectos del Reglamento 2016/679, adoptadas el 3 de octubre de 2017. Revisadas por última vez y adoptadas el 6 de febrero de 2018.

b) El tratamiento sea necesario por razones de interés público esencial, sobre la base del Derecho de la Unión o de los Estados miembros (artículo 9.2, letra g).

c) Se hayan tomado medidas adecuadas para salvaguardar los derechos y libertades y los intereses legítimos del interesado.

Así las cosas, cabe concluir que este tipo de tratamiento sí estaría permitido si se basa en un consentimiento explícito e informado, de conformidad con los requisitos citados, así como los establecidos en el artículo 13 RGPD.

3.2 La Propuesta de Ley de Inteligencia Artificial

Desde hace años existe por parte del legislador europeo una firme intención de regular el uso y desarrollo de los sistemas de IA, si bien al tiempo en que se ha escrito este artículo no existe todavía un texto definitivo, motivo por el que se va a analizar brevemente la última Propuesta de Reglamento del Parlamento Europeo y del Consejo por el que se establecen normas armonizadas en materia de inteligencia artificial (Ley de Inteligencia Artificial), de 21 de abril de 2021 (en adelante, "la Propuesta").

La Exposición de motivos de la Propuesta establece que el motivo por el que se ha elegido el Reglamento como instrumento jurídico para desarrollar esta materia es por la necesidad de aplicar uniformemente las nuevas normas, tales como la definición de IA, la prohibición de determinadas prácticas perjudiciales (por ser contrarias a los valores de la UE) que la IA permitiría y la clasificación de determinados sistemas de IA. La definición de "sistema de IA" que se establece pretende ser lo más tecnológicamente neutra posible y resistir al paso del tiempo, habida cuenta de la rápida evolución tecnológica y del mercado en relación con la IA.

Al ser los Reglamentos europeos directamente aplicables, se pretende reducir la fragmentación jurídica y facilitar el desarrollo de un mercado único de sistemas de IA legales, seguros y fiables. Además, la promoción de la innovación impulsada por la IA está estrechamente vinculada a la Ley de Gobernanza de Datos —aprobada el 16 de mayo de 2022—, la Directiva 2019/1024 relativa a los datos abiertos y otras iniciativas emprendidas en el marco de la Estrategia de Datos de la UE, que establecerán mecanismos y servicios de confianza para reutilizar, compartir y poner en común datos esenciales para el desarrollo de modelos de IA de gran calidad basados en datos.

La Propuesta sigue un enfoque basado en los riesgos y únicamente impone cargas normativas cuando es probable que un sistema de IA entrañe altos riesgos para los derechos fundamentales y la seguridad. De este modo, el enfoque basado en riesgos distingue entre los usos de la IA que generan: (i) un riesgo inaceptable (artículo 5), (ii) un riesgo alto (artículo 6), y (iii) un riesgo bajo o mínimo.

En cuanto a los sistemas de IA de alto riesgo, se establecen requisitos de obligado cumplimiento referidos a la documentación y la trazabilidad los datos; la comunicación de información y la transparencia; la vigilancia humana, y la solidez y la precisión de estos sistemas. Asimismo, se contemplan medidas específicas en favor de la innovación, tales como espacios controlados de pruebas y medidas concretas que ayuden a los usuarios y proveedores de sistemas de IA de alto riesgo a pequeña escala a cumplir las nuevas normas. Estos espacios controlados generan un entorno para probar, durante un tiempo limitado, tecnologías innovadoras sobre la base de un plan de pruebas acordado con las autoridades competentes. Y es que las obligaciones relativas a la realización de pruebas *ex ante*, la gestión de riesgos y la vigilancia humana facilitarán el respeto de otros derechos fundamentales, ya que contribuirán a reducir al mínimo el riesgo de adoptar decisiones asistidas por IA erróneas o sesgadas en esferas críticas como la educación y la formación, el empleo o servicios esenciales. En caso de que se produzcan violaciones de los derechos fundamentales, la transparencia y la trazabilidad garantizadas de los sistemas de IA, unidas a unos controles *ex post* sólidos, permitirán ofrecer a las personas afectadas una compensación efectiva.

La lista de prácticas prohibidas (artículo 5) abarca todos los sistemas de IA cuyo uso se considera inaceptable por ser contrario a los valores de la Unión, por ejemplo, por violar derechos fundamentales. Las prohibiciones engloban aquellas prácticas que tienen un gran potencial para manipular a las personas mediante técnicas subliminales que trasciendan su consciencia o que aprovechan las vulnerabilidades de grupos vulnerables concretos (como menores o personas con discapacidad) para alterar de manera sustancial su comportamiento de un modo que resulta probable que les provoque perjuicios físicos o psicológicos a ellos o a otras personas.

La Exposición de motivos indica que la legislación vigente en materia de protección de datos, protección de los consumidores y servicios digitales garantizan que las personas físicas sean debidamente informadas y puedan decidir libremente no ser sometidas a la elaboración de perfiles (artículo 22 RGPD) u otras prácticas que puedan afectar a su conducta, de forma que estas legislaciones podrían cubrir otras prácticas de manipulación o de explotación contra adultos producidas por sistemas de IA, pero que no estarían incluidas en esta lista de prácticas prohibidas. Así las cosas, cabría considerar que los tratamientos que se realizan dentro del metaverso, aunque conllevarían un alto riesgo conforme al artículo 6 y se deberían acatar los requisitos que impondrá la Ley de Inteligencia Artificial, no representarían una práctica de IA prohibida, salvo para el tratamiento de datos de menores o personas con discapacidad.

Finalmente, destacar, por un lado, que se establece un Comité Europeo de Inteligencia Artificial, integrado por representantes de los Estados miembros y la Comisión. Por otro, la Propuesta hace hincapié en la obligación de todas las partes de respetar la confidencialidad de la información y los datos, y establece normas para el intercambio de información que se obtenga durante la aplicación del Reglamento. Asimismo, contiene medidas para garantizar su aplicación mediante la ejecución de sanciones efectivas, proporcionadas y disuasorias en caso de que se incumplan sus disposiciones.

4. CONCLUSIONES

El metaverso conlleva el procesamiento de datos masivos, así como la capacidad de monitorización del individuo, el acceso a información altamente sensible que se proporciona de forma inconsciente e involuntaria, y la capacidad de tener acceso a un nivel desconocido hasta ahora sobre perfilado y decisiones comportamentales, lo cual podrá aprovecharse por diversos agentes que actúen en este nuevo entorno.

Dado que consistirá en tratamientos altamente intrusivos que afectarán de forma directa y clara a la privacidad de los usuarios, resulta de vital importancia que la privacidad forme parte de la tecnología de manera indisoluble. Pensada desde el inicio y por defecto, de manera que nos encontramos ante un claro ejemplo de la necesidad de cumplir con el principio de privacidad desde el diseño y por defecto (*"privacy by design"*). Por ello, todos los actores presentes en el metaverso deberán ser especialmente cautos con los riesgos asociados a sus procesos de identificación, análisis y recolección de información, de manera que todos los riesgos sean identificados y gestionados antes de la implementación del sistema. Esto incluye la elaboración de una evaluación de impacto de datos personales que venga a demostrar que dicho tratamiento pretende lograr un objetivo específico y legítimo, y que el riesgo en la privacidad una vez adoptadas las medidas de seguridad necesarias, es residual. Teniendo en cuenta lo anterior, no debe olvidarse la obligación de presentar consulta previa ante la autoridad control pertinente cuando una evaluación de impacto muestre que el tratamiento entrañaría un alto riesgo si el responsable no toma medidas para mitigarlo (artículo 36 RGPD).

Los tratamientos que se realicen, aunque conllevarían un alto riesgo conforme al artículo 6 y se deberían acatar los requisitos que imponga la Ley de Inteligencia Artificial, no representarían una práctica de IA prohibida, salvo para el tratamiento de datos de menores o personas con discapacidad. Salvo que se prevea una base legitimadora diferente, se deberá recoger el consentimiento expreso de cada usuario. En cualquier caso, estas entidades deberán cumplir con los principios establecidos en el artículo 5.1 RGPD, la exigencia de diligencia y responsabilidad proactiva prevista en el artículo 5.2 y mantener las obligaciones de información y transparencia previstas en el artículo 13. Igualmente, el artículo 35.2 RGPD establece la obligación de recabar el asesoramiento del delegado de protección de datos cuando se prevean tratamientos que incorporen tecnologías de estas características y datos a gran escala.

Finalmente, no se debe pensar que el metaverso va a ser una suerte de *"wild far west"* sin reglas en las que será posible actuar con impunidad, sino que nos encontramos una vez más ante un momento de cambio y revolución tecnológica, pero no es algo que no haya ocurrido con anterioridad. Aparte de la vigencia del Derecho civil y penal, que proporcionan normas básicas de convivencia y que han logrado adaptarse a cada época, el ordenamiento europeo proporciona una batería suficiente de normas que ayudarán a regular las relaciones y las transacciones que se produzcan en los futuros entornos. En cualquier caso, si la legislación europea no se pudiera adaptar a la tecnología, cabría la interpretación de las normas, de manera que pudieran encajar con la realidad de los tiempos. Por todo ello, estamos ante la oportunidad y la responsabilidad por parte de los creadores del metaverso de crear un entorno seguro que respete la privacidad de los ciudadanos.

5. REFERENCIAS BIBLIOGRÁFICAS

Reglamento (UE) 2016/679 del Parlamento Europeo y del Consejo, de 27 de abril de 2016, relativo a la protección de las personas físicas en lo que respecta al tratamiento de datos personales y a la libre circulación de estos datos y por el que se deroga la Directiva 95/46/CE.

Ley Orgánica 3/2018, de 5 de diciembre, de Protección de Datos Personales y garantía de los derechos digitales.

Grupo de Trabajo sobre Protección de Datos del Artículo 29. Directrices sobre decisiones individuales automatizadas y elaboración de perfiles a los efectos del Reglamento 2016/679, adoptadas el 3 de octubre de 2017. Revisadas por última vez y adoptadas el 6 de febrero de 2018.

Propuesta de Reglamento del Parlamento Europeo y del Consejo por el que se establecen normas armonizadas en materia de inteligencia artificial (Ley De Inteligencia Artificial), de 21 de abril de 2021 y se modifican determinados actos legislativos de la Unión.

Proposal for a Directive on adapting non contractual civil liability rules to artificial intelligence 28 September 2022.

Propuesta de Reglamento relativo a la gobernanza europea de datos (Ley de Gobernanza de Datos).

Directiva (UE) 2019/1024 del Parlamento Europeo y del Consejo, de 20 de junio de 2019, relativa a los datos abiertos y la reutilización de la información del sector público.

El Metaverso y el Derecho

MOISÉS BARRIO ANDRÉS

Letrado del Consejo de Estado. Profesor de Derecho digital. Asesor de diversos Estados y de la Unión Europea en materia de regulación digital

1. INTRODUCCIÓN

La palabra "metaverso" es un acrónimo compuesto por *meta*, que proviene del griego y significa "después" o "más allá", mientras *que* verso hace referencia a "universo", por lo que hablamos de un universo que está más allá del que conocemos actualmente. En este caso, el Metaverso es un nuevo ecosistema virtual y tridimensional (3D) en el que los usuarios pueden interactuar entre ellos, trabajar, jugar, estudiar o realizar transacciones económicas, entre muchas otras posibilidades que ahora apenas podemos atisbar.

El Metaverso pretende que podamos desarrollar cualquier tipo de actividad del día a día de las personas, desde el ocio (videojuegos, *e-sports*, esparcimiento, eventos culturales) hasta los negocios (inversiones, adquisiciones de empresas o propiedades, transacciones, comercio electrónico…), pasando por la interacción social. Por eso, el Metaverso aspira a ser la nueva revolución industrial que nos va a introducir como especie en la digitalización total y global en sus diferentes campos. Incluso, el Metaverso podría cuestionar el papel del propio Estado. Ante la revolución digital que promete el Metaverso, SCHMITT reescribiría hoy su *dictum* sobre la soberanía[1] señalando ahora que *soberano es quien manda sobre la información en la Red.*

---

[1] SCHMITT, Carl: *Teología política. Cuatro capítulos sobre la doctrina de la soberanía.* Editorial Trotta, 2009, pág. 17.

El Metaverso ha cobrado renovada actualidad. Ello ha sido impulsado por el reciente cambio de nombre corporativo de Facebook a Meta Platforms, Inc. (Meta). Pero también es debido a que el mundo de los negocios digitales está buscando nuevas fuentes de beneficios. Según algunas predicciones, como las de JP Morgan y Forbes, el mercado de los metaversos alcanzará un billón de dólares en los próximos diez años. Una parte de estas inversiones las están realizando ya empresas de la talla de Microsoft (61.600 millones de euros), Meta (la antigua Facebook, 8.800 millones de euros), Qualcomm (88 millones de euros) o Google (39 millones de euros).

El Metaverso es objeto de atención porque, presuntamente, es un "nuevo" espacio en el que no hay leyes, y algunos erróneamente lo equiparan a la primigenia Internet de los años 90. En cambio, ya hay normas jurídicas en vigor que son aplicables en el Metaverso, como son los grupos normativos relativos a los servicios digitales (en puridad, jurídicamente son servicios de la sociedad de la información), los datos y la inteligencia artificial, al menos en la Unión Europea, aunque no faltan proyectos legislativos, similares al RGPD y al futuro Reglamento europeo regulador de ciertos usos de la IA (la *AI Act*), tramitándose en Estados Unidos y otros países. Y, por último, el Metaverso genera mucho interés también porque es un viejo sueño. Se trata, en efecto, de una red de mundos virtuales en los que nos sumergiremos para disfrutar de diversas experiencias sin movernos de nuestro asiento. Una propuesta atractiva, que se adapta a nosotros, a nuestros deseos y órdenes, y no al revés. Pero, ¿qué es exactamente el Metaverso? ¿Y qué cuestiones jurídicas fundamentales subyacen a su desarrollo? A ello dedicaré las próximas páginas de este capítulo.

2. ORIGEN DEL METAVERSO

El término Metaverso es una noción *vintage*, que lleva en uso varias décadas. Así, se acuñó y apareció por primera vez en la novela de ciencia ficción titulada *Snow Crash*, de Neal Stevenson, que fue publicada en 1992. Esta obra representaba un universo paralelo de realidad virtual creado a partir de gráficos por ordenador, al que los usuarios de todo el mundo pueden acceder y conectarse a través de gafas y auriculares. La columna vertebral del Metaverso es un protocolo llamado "Street", que enlaza diferentes barrios y lugares virtuales, un concepto análogo al de superautopista de la información. Los usuarios se materializan en el Metaverso en cuerpos digitales configurables llamados avatares. Aunque el Metaverso de Stevenson es digital y sintético, las experiencias en él pueden tener un impacto real en la persona humana. Ahora bien, esta idea de Stevenson no era totalmente nueva, sino que, a su vez, acusa una profunda influencia de la novela de ciencia ficción de William Gibson titulada *Neuromancer* y publicada en 1984. En ella, Gibson introdujo el concepto de ciberespacio y esbozó un entorno virtual denominado "Matrix".

Una reencarnación literaria más reciente del Metaverso es el "OASIS", desarrollado en la novela de ciencia ficción de 2011 *Ready Player One*, escrita por Ernest Cline. Este "OASIS" es un juego de realidad virtual multiusuario masivo que se ha convertido en el destino *online* predominante para el trabajo, la educación y el entretenimiento. Es un mundo de juego abierto, una constelación de planetas virtuales. Los usuarios se conectan a "OASIS" con auriculares, guantes hápticos y trajes. En cuanto a la educación, "OASIS" es mucho más que una biblioteca pública que contiene todos los libros del mundo de acceso libre y gratuito para los ciudadanos. Presenta una visión tecno-utópica de la educación virtual en línea. Así, la experiencia de una clase de la escuela metaversiana es superior a la de una impartida en un colegio del mundo analógico. Los profesores llevan a los alumnos de excursión virtual a civilizaciones antiguas, países extranjeros, museos de élite, otros planetas e incluso al interior del cuerpo humano. Como resultado, los alumnos prestan atención, se comprometen y se interesan por las lecciones.

Esta noción literaria se ha aplicado técnicamente en videojuegos de construcción de mundos como Roblox, Minecraft y Fortnite, en los juegos de rol multijugador masivos en línea como Halo, Final Fantasy y World of Warcraft, así como en los mundos virtuales como Second Life. Estas plataformas en línea permiten a los usuarios interactuar entre sí, relacionarse con personajes generados por ordenador y jugar o realizar actividades utilizando elementos del entorno virtual. Para fomentar la interacción entre los participantes, cada uno de ellos está representado por un avatar. Los avatares pueden estar diseñados para parecerse al usuario del mundo real, para ser muy fantasiosos o para ser cualquier cosa intermedia. Como expresan estas manifestaciones iniciales del Metaverso, ya hay metaversos disponibles para el público, y el Metaverso aspira a identificar un multiverso compuesto por diferentes metaversos. De ahí que debamos precisar a renglón seguido el concepto de Metaverso.

3. CONCEPTO

Como acabamos de señalar, de momento no existe un único Metaverso. En 2023 podemos encontrar metaversos dedicados a los deportes, películas, obras de arte, casinos, construcción, comercio electrónico, relaciones sociales y otras tantas aplicaciones.

De este modo, al igual que existe la Web y los sitios web, existe el Metaverso y los "metaversos" en plural. Aludir al Metaverso se refiere probablemente a la ambición de proporcionar la interfaz para el Metaverso y sus metaversos. Es decir, una suerte de programar el navegador para acceder a la Web.

El "Metaverso", aunque en realidad deberíamos hablar de metaversos en plural, ya que no existe por el momento una única plataforma y no es probable que pueda lograrse a medio plazo, lo he definido[2] en un reciente artículo académico del modo siguiente:

"una aplicación de Internet que consiste en un ecosistema virtual y tridimensional (3D) en el que los usuarios interactúan entre ellos, desarrollan actividades de ocio (muy destacadamente, jugar a videojuegos o e-sports), entablan relaciones económicas o de cualquier otro tipo, como sucede hoy en la Red".

El Metaverso (con mayúsculas de nombre propio) aspira, por tanto, a crear todo un nuevo mundo virtual que complemente, mejore —e incluso sustituya, según algunos— al mundo físico, digitalizando por el momento algunas experiencias de índole lúdica, educativa, social, laboral, de información, de comercio electrónico, etc. Así, y como he señalado, Second Life, Fortnite, Minecraft y Roblox son ejemplos de juegos colaborativos y de construcción de mundos que incluyen *ciertas* características del Metaverso en su forma de jugar.

Es decir, el Metaverso sería una *versión 2.0* del ciberespacio, diferenciada por basarse en un ecosistema virtual y tridimensional, donde sus participantes interactúan social y económicamente como avatares, a través de una plataforma específica que se construye como una metáfora del mundo real, pero sin los condicionamientos físicos, económicos y jurídicos del mundo *offline*. Devendrá un mundo en 3D que se superpondrá al mundo real, donde los participantes podrán comprar, jugar y entablar relaciones

---

[2]   BARRIO ANDRÉS, Moisés: "Metaverso: origen, concepto y aplicaciones", en *Revista La Ley Derecho Digital e Innovación*, N.º 12, 2022, al que me remito también para las referencias bibliográficas.

en entornos virtuales colaborativos. Muy resumidamente, el Metaverso será la versión evolucionada y en 3D de las actuales redes sociales en 2D.

Técnicamente, el Metaverso es una fusión de múltiples tecnologías emergentes como el 5G, la inteligencia artificial (IA), la realidad extendida y los gemelos digitales. Las principales tecnologías necesarias en el Metaverso son las siguientes:

1) La tecnología fundamental para la realización del Metaverso es la tecnología de realidad extendida, incluidas la realidad aumentada (RA o AR en inglés) y la realidad virtual (RV o VR). Mientras que la RA puede superponer y sobreponer información digital al entorno físico, la RV permite a los usuarios experimentar el mundo digital de forma intensa. Ambas tecnologías son capitales en el desarrollo del Metaverso, que crea un espacio digital donde los usuarios pueden interactuar como en el mundo real, o más allá del mismo.

2) La segunda tecnología relevante es el gemelo digital (*digital twin* o DT), que genera un gemelo virtual de un objeto del mundo real utilizando sus datos para predecir su comportamiento esperado. Estos gemelos digitales hacen posible el manejo y control remoto de máquinas o vehículos con una mejor visualización y coordinación, y beneficia tanto al sector industrial como al militar. Ya se utilizan en el ámbito del IoT industrial. En el Metaverso, el gemelo digital puede reflejar el mundo real en el mundo virtual. En consecuencia, el Metaverso también ayuda a encontrar algunas soluciones de prueba para los problemas no resueltos en el mundo real.

3) La tercera tecnología estructural, la cadena de bloques, desempeña dos funciones insustituibles en el Metaverso. Por un lado, la tecnología *blockchain* sirve de repositorio, por lo que los usuarios pueden utilizarla para almacenar datos en cualquier lugar del Metaverso. Por otro lado, la tecnología *blockchain* puede proporcionar un sistema económico completo para conectar el mundo virtual del Metaverso con el mundo real. Especialmente, los *tokens* NFT (Non Fungible Tokens) permiten que los bienes físicos se conviertan en objetos virtuales. Los usuarios pueden comerciar con objetos virtuales de la misma manera que en el mundo real. Por lo tanto, la cadena de bloques tiende un puente entre el mundo real y el Metaverso.

Así las cosas, el Metaverso es la solución que amalgama todas estas tecnologías pertinentes en un contexto global. Este concepto crea un entorno digital simulado que se configura como un mundo virtual inmersivo para sus prosumidores. Los usuarios pueden interactuar con este ecosistema virtual a través de sus "avatares" o *alter egos* digitales. Concretamente, los avatares son las personificaciones virtuales de los usuarios, y habrá que determinar su estatuto jurídico; es decir, si tienen o no los mismos derechos que en el mundo físico.

Para acceder al Metaverso es preciso disponer de un dispositivo hardware inmersivo habilitado para la RV/RA, fundamentalmente unos auriculares o unas gafas, como las Oculus de Facebook o las Hololens de Microsoft. Ahora bien, los trajes hápticos de cuerpo entero, como el Teslasuit o el Holosuit, tienen el potencial de llevar la experiencia inmersiva a su máxima expresión con la capacidad de rastrear los movimientos y extraer la retroalimentación háptica junto con la biometría trascendida. Es decir, con ellos el usuario experimentará una sensación de inmersión total dentro de ese otro mundo paralelo.

Clave en el Metaverso es la interacción dual entre ambos mundos, el físico y el virtual. Será factible volcar al mundo digital virtual del Metaverso toda la vida y el trabajo del mundo físico, así como el entorno social e incluso el país, lo cual abre posibilidades que aún no podemos atisbar. En consecuencia, el vínculo entre el mundo físico y el mundo virtual se consigue a través de una serie de tecnologías inmersivas ya desarrolladas en el marco del IoT[3], como guantes táctiles, cascos, zapatos de inducción, equipos de realidad virtual, etc. Todo este hardware ayuda a establecer un vínculo con el mundo virtual. El vínculo entre el mundo físico y el mundo virtual sólo puede generarse técnicamente mediante servicios interactivos. Por ejemplo, si el contenido de este artículo se muestra en la pantalla de un Metaverso, se lleva a cabo mediante un enlace con un servicio de presentación de contenidos. Si introduzco el contenido del teclado del mundo físico en un dispositivo del mundo digital, se trata de la vinculación de periféricos de entrada. Y la información del mundo virtual también puede transferirse al mundo físico.

A la postre, la esencia técnica del Metaverso es, en realidad, establecer un vínculo entre el mundo físico y el mundo virtual, y proporcionar una serie de métodos, plataformas y herramientas en el mundo virtual para construir el Metaverso deseado. Eso es precisamente lo que expresa el término "Metaverso": *meta*, como elemento de abstracción de los componentes (como los metadatos en un esquema XML), y *verso*, como abreviatura de universo.

No obstante, por el momento y a pesar de las fuertes inversiones corporativas que recogíamos al inicio de este capítulo, todavía no se ha creado

---

[3]   BARRIO ANDRÉS, Moisés: *Internet de las Cosas*. Editorial Reus, 3.ª edición, 2022.

un Metaverso "operativo", y es probable que tarde en lograrse varios años, si no décadas. Eso no ha impedido que un montón de empresas desarrollen herramientas de construcción y proto-mundos que, con toda seguridad, se convertirán en partes clave del Metaverso.

4. APLICACIONES Y ELEMENTOS

A fecha de escribir estas líneas, el Metaverso no existe como tal. Actualmente encontramos una primera iteración de esta tecnología, es decir, su *versión 1.0.* Mundos virtuales como Roblox y Fortnite ofrecen una representación aspiracional de lo que es el Metaverso, pero ni siquiera son representaciones exactas.

Cualquier lector que haya utilizado Second Life, un precursor del Metaverso, recordará que los gráficos y la inmersión eran decididamente pobres. La experiencia era del todo menos "extendida", y hacía falta bastante paciencia e imaginación para sentirse "inmerso". Hoy en día, el realismo de los metaversos ha avanzado diversos grados, pero todavía la tecnología se haya en un estado incipiente. En los metaversos aún no hay sabores, fragancias ni sensaciones en la piel.

Por el momento, esos mundos virtuales son, en realidad, "jardines amurallados" en 3D, que ofrecen *algunas* experiencias similares a las del Metaverso dentro de un entorno cerrado en lugar de un mundo completo de realidad aumentada. El Metaverso necesitará tiempo e ingenio para evolucionar más allá de sus límites artificiales y convertirse en algo más grande, al igual que lo hizo la primera Internet.

Y aunque nos encontramos en un estado inicial de esta tecnología, por el momento podemos apuntar algunas de sus aplicaciones, como serían las siguientes:

a) Reuniones en línea. La eclosión de videoconferencias durante la pandemia también ha puesto de relieve lo esencial que resulta la comunicación cara a cara para paliar algunas de sus debilidades, como los retrasos en las interacciones o las confusiones y equívocos. Por eso, en el Metaverso las personas pueden usar un avatar amigable para caminar y trabajar en el espacio virtual. Incluso se puede utilizar el lenguaje corporal o la interacción visual para comunicarse con el interlocutor desde diferentes ángulos, lo que mejorará en gran medida las reuniones a distancia.

b) Bienes inmuebles digitales. En el Metaverso existen activos digitales, incluyendo bienes inmuebles. También, los mismos factores urbanísticos del mundo físico, como la ubicación, los servicios y el transporte, pueden influir en el precio de la vivienda en el mundo virtual. Por ejemplo, en el Metaverso los usuarios pueden comprar y vender casas, así como organizar exposiciones de arte, festivales de música, competiciones de juegos, etc. Ya hemos asistido a transacciones sobre estos activos, algunos de los cuales se han ofrecido por medio de subasta y se intercambian por criptoactivos del tipo NFT. Un estudio más detallado lo ha realizado Rosario Jiménez Rubio, Registradora de la Propiedad y Decana de los Registradores de Andalucía Oriental, en las páginas del número 12 de la Revista La Ley de Derecho digital e innovación.

c) Arte digital. Tradicionalmente, los autores crean imágenes 3D a través de algunas herramientas de modelado como Photoshop o ZBrush. Sin embargo, el Metaverso permite controlar la capa de visualización, lo que aporta nuevas formas de expresión y creación de obras de arte, así como de gestión de los correspondientes derechos de autor. Del mismo modo, con la creciente popularidad de las obras artísticas generadas, en todo o en parte, mediante IA, cada vez existe más interés por el arte digital. En fin, en una galería virtual situada en el Metaverso los usuarios pueden entrar ella para apreciar, desde todas las dimensiones, las obras expuestas.

d) Ocio y entretenimiento. Precisamente los videojuegos son una de las aplicaciones que ahora están espoleando el desarrollo de los metaversos. Ya hemos asistido incluso a algún espectáculo en el Metaverso, como son los conciertos celebrados en las plataformas de juegos Roblox y Fortinite, con las actuaciones del rapero Travis Scott y de la cantante Ariana Grande.

e) Deportes. Los tecnocomplementos *werables* existentes en el Internet de las Cosas, unidos a herramientas de realidad virtual, permiten construir entornos deportivos virtuales y envolventes, con posibilidades de adaptación y personalización adicionales. Será posible jugar al fútbol dentro del estadio de nuestro equipo favorito o presenciar los espectáculos deportivos desde distintos ángulos, por ejemplo.

f) Educación. Otro campo de aplicación actualmente en desarrollo es el ámbito educativo, a fin de aprovechar las características en 3D e inmersivas de esta tecnología. Algunas universidades españolas, como la Universidad CEU San Pablo, ya están desarrollando experiencias en este campo por medio de la herramienta "Minecraft Education Edition", que potencia la creatividad, la colaboración y la resolución de problemas a través de una experiencia inmersiva tridimensional.

g) Comercio. Al igual que sucedió en su momento con Internet y el comercio electrónico, el Metaverso es un canal de contratación de bienes y servicios, tanto físicos como digitales. Del mismo modo, se abrirán nuevos mercados que permitirán conectar directamente a los prestadores de servicios con sus clientes, con la posibilidad de pagar el precio en una criptomoneda, hacer uso de emisiones de *tokens* o utilizar una DAO (Descentralized Autonomous Organization).

De esta gavilla de aplicaciones se desprende la idea de cómo la esencia del Metaverso es gestionar los recursos. Habrá que determinar cuáles serán los modelos de negocio, quién paga qué o quién es realmente el propietario de algo. A mi juicio, esta gestión tiene dos aspectos clave. En primer lugar, debe ordenar qué recursos están disponibles en el Metaverso. En segundo lugar, y en torno a estos recursos, debe determinar cómo crear valor. Desde el punto de vista de los recursos, normalmente están disponibles el avatar o *alter ego* digital, el espacio, la experiencia inmersiva, los contenidos y los activos digitales, como los NFT y otros tipos de criptoactivos. En cuanto a la creación de valor, se trata de una cuestión más complicada en el Metaverso, dada la existencia de muchos escenarios. Los conceptos de empresa, trabajo, vida, país, mundo, etc., pueden existir en el Metaverso. Todo ello abre un elenco de posibilidades inéditas.

Asimismo, y como hemos insistido, no puede hablarse de un único Metaverso, sino de metaversos en plural. Incluye una variedad de plataformas, contenidos, servicios y activos que constituyen los elementos más importantes del Metaverso virtual. Los componentes y servicios se presentan en una experiencia inmersiva. Por ejemplo, la capacidad de edificar una plataforma permite construir una gran cantidad de espacios tridimensionales en el mundo digital, determinar las formas que se deseen y crear productos y servicios inéditos.

Desde la perspectiva de la gestión, los impulsores del Metaverso buscan que estos recursos generen valor en el Metaverso, lo que es coherente con nuestros objetivos de gestión en el mundo físico. Además de gestionar los recursos, también es preciso gestionar las finanzas correspondientes. Por lo tanto, la gestión financiera, la gestión de la cadena de suministro, la gestión de los recursos humanos o la gestión de los proyectos en el Metaverso son direcciones que deberán ser estudiadas. Como ya se ha hecho con las relaciones laborales. En cuanto a la gestión de equipos, incluye la comunicación social y las relaciones virtuales. Para crear servicios valiosos en el espacio virtual, hay que atraer a los clientes y fidelizarlos. Por tanto, hay que gestionar a los clientes, y también hay que hacer *marketing* y promoción en el mundo virtual.

Pensemos por ejemplo en la construcción de una plataforma de aprendizaje en línea, como ya están haciendo algunas universidades españolas y latinoamericanas. Lo primero a determinar es si se basará en una plataforma metaversiana existente o supondrá programar una nueva plataforma. Una vez determinada la base tecnológica, el paso siguiente vendrá dado por la construcción de escenarios educativos y empresariales, el contenido educativo correspondiente y los servicios relacionados en esta plataforma. Por ejemplo, al explicar en la asignatura Derecho digital el funcionamiento de un operador de telecomunicaciones, podremos en el Metaverso visitar sus instalaciones y las centrales telefónicas.

De este modo, en el Metaverso ya estamos asistiendo al nacimiento de plataformas o metaversos cerrados que incorporan tecnologías de última generación (*blockchain*, criptoactivos, *smart contracts*, IA, realidad virtual y aumentada…) con el propósito no sólo de crear en su entorno un mercado económico de compraventa, innovación, inversión o especulación, sino también de imponer el marco jurídico a través de las políticas de uso arbitradas al modo de contratos de adhesión. Por tanto, se suscitan los mismos problemas que plantean las plataformas[4] en el Derecho digital. Y, como sucede en la vigente Web 2.0, son imprescindibles terceros que provean y brinden confianza en la identificación de los usuarios y avatares y las transacciones electrónicas.

Otra cuestión clave será la localización de los recursos. En el Internet actual, se teclea en el navegador web la dirección URL (por ejemplo, https://editorial.tirant.com/) —o el nombre de dominio correspondiente—. O, lo que es más habitual, se recurre a un buscador o a hacer clic en un enlace compartido en una publicación de una red social. Pero en el Metaverso, aunque ahora también existe una página web de la plataforma experimental, más adelante aparecerá otro método —o métodos— de identificación directa de los recursos. A mi juicio, surgirá una nueva tecnología de direccionamiento en el Metaverso, similar al DNS. Las lecciones que brinda el Derecho digital derivadas de la gestión de los nombres de dominio y los

---

[4]   Sobre estos problemas, me remito a BARRIO ANDRÉS, Moisés: *Manual de Derecho digital*. Editorial Tirant lo Blanch, 2.ª edición, 2022, pág. 156 y ss., y 187 y ss.

fenómenos de registro de dominios de mala fe (la ciberocupación o *cybersquatting*), serán muy útiles para resolver esta cuestión.

5. ALGUNOS DESAFÍOS JURÍDICOS

Por el momento, el Metaverso supone más bien una tecnología *in fieri*. Y plantea diversos retos y problemas pragmáticos en torno a él.

El más crítico es la falta de una infraestructura digital robusta para ofrecer los servicios y aplicaciones garantizados con las capacidades de procesamiento y de trabajo en red necesarias. Aquí la tecnología 5G resulta esencial, al igual que la ciberseguridad de estas infraestructuras.

Otro reto importante se concreta en la imprescindible compatibilidad e interoperabilidad entre los mundos virtual y físico, que deben definirse y estandarizarse antes de lanzar el Metaverso. Sin embargo, las lecciones extraídas por ejemplo del IoT en este campo no son nada alentadoras. Los organismos de estandarización deben tener presentes cuestiones relacionadas con derechos de propiedad industrial e intelectual, entre las que destacan las obligaciones de divulgación de patentes esenciales (SEP) y la oferta de licencias a los usuarios del estándar en términos FRAND (Fair, Reasonable and Non-Discrimatory, esto es, justos, razonables y no discriminatorios). Avanzando en la estandarización del Metaverso, el 21 de julio de 2022 fue constituido el Metaverse Standards Forum (MSF)[5], como entidad de cooperación entre empresas y organismos de desarrollo de estándares lógicos para generar estándares de interoperabilidad que permitan dar lugar a un Metaverso abierto.

Del mismo modo, también se suscitan cuestiones derivadas del acceso a esta tecnología y de eventuales brechas de acceso. Dado que es preciso que el usuario esté equipado con un casco u otro dispositivo hardware *ad hoc* con mayores funcionalidades pero más económicamente costoso, la inversión económica necesaria individual hace que sea un servicio privilegiado en lugar de un sistema abierto para todos, como ha ocurrido con Internet.

---

[5]   El MSF agrupa entre sus principales fundadores a empresas como Microsoft, la propia Meta, Adobe, Alibaba, Epic Games, Huawei, Ikea, Nvidia, Qualcomm o Sony; y a entidades de estándares de tanta relevancia como el World Wide Web Consortium (W3C) del inventor de la World Wide Web (Sir Tim Berners-Lee).

En otro orden de cosas, un reciente informe del Parlamento Europeo de junio de 2022[6] ha puesto de manifiesto que la construcción del Metaverso otorgará a algunas empresas oportunidades inigualables para monopolizar los mercados digitales. Advierte que las mismas poderosas empresas tecnológicas que actualmente dominan los mercados digitales podrían controlar también el nuevo entorno, con todos los incentivos para perpetuar las actuales prácticas anticompetitivas, como la autopreferenciación (es decir, favorecer sus propios productos) y los patrones oscuros (es decir, diseñar sitios web e interfaces de aplicaciones móviles para influir en el comportamiento y la toma de decisiones de los usuarios). Algunos reguladores nacionales, como el Bundeskartellamt alemán, ya están tratando de abordar las posiciones dominantes en el emergente mercado de la realidad virtual (por ejemplo, el caso Oculus). El "hecho de que el entorno metaverso requiera que los competidores se comuniquen, colaboren y garanticen la interoperabilidad de las plataformas también podría dar lugar a una serie de desafíos antimonopolio, por ejemplo, en relación con el intercambio de información sensible, como la fijación de precios, o los acuerdos entre competidores sujetos al escrutinio del Derecho de la competencia", subraya.

Por lo demás, la protección de datos y la ciberseguridad son aspectos imperativos, cuyas normas reguladoras resultan aplicables a estas plataformas. De hecho, los metaversos existentes no están huérfanos de regulación, sino que jurídicamente constituyen servicios de la sociedad de la información, regulados por el Derecho digital mediante la Directiva 2000/31/CE del Parlamento Europeo y del Consejo, de 8 de junio de 2000, relativa a determinados aspectos jurídicos de los servicios de la sociedad de la información, en particular el comercio electrónico en el mercado interior (la DCE), transpuesta en nuestro ordenamiento por medio de la Ley 34/2002, de 11 de julio, de servicios de la sociedad de la información y de comercio electrónico (LSSI). A este grupo normativo se suman dos nuevos reglamentos europeos[7]: el Reglamento de Mercados Digitales (DMA) y el Reglamento de Servicios Digitales (DSA), destinados a regular en la Unión Europea las mayores plataformas en línea.

---

[6]   PE 733.557. Disponible en https://www.europarl.europa.eu/RegData/etudes/BRIE/2022/733557/EPRS_BRI(2022)733557_EN.pdf

[7]   Sobre ellos, *vid.* BARRIO ANDRÉS, Moisés: *Manual de Derecho digital*. Editorial Tirant lo Blanch, 2.ª edición, 2022, pág. 155 y ss.

En consecuencia, también se originan aquí los grandes retos jurídicos que suscitan las tecnologías emergentes, como es la salvaguardia de la privacidad, protección de datos y ciberseguridad, tutelar la propiedad intelectual e industrial, la regulación de las transacciones comerciales, el reconocimiento de la identidad digital, la garantía de los derechos digitales o el desarrollo de políticas públicas digitales, que entre otros objetivos atiendan a los colectivos especialmente vulnerables o combatan las distintas brechas. La Carta de Derechos digitales de España, de 2021[8], puede servirnos de faro en varios aspectos. Por ejemplo, coadyuva al impulso de políticas públicas digitales. Del mismo modo, nuestra Carta es un útil instrumento interpretativo de algunos conceptos difusos en la legislación vigente. O, en fin, constituye el inicio de un debate sobre nuevos derechos digitales no positivizados hasta la fecha y la forma en que deberían modularse, como es el caso del empleo de las neurotecnologías o la regulación de algunos aspectos inéditos que plantea el Metaverso.

6. CONCLUSIONES

Como ha quedado expuesto, el Metaverso pretende crear un entorno digital simulado que funcionará como un mundo virtual inmersivo para sus prosumidores. Los usuarios pueden interactuar con este ecosistema virtual a través de sus avatares digitales, vinculando las transacciones en los mundos físico y virtual.

Facebook y Roblox prevén que el Metaverso será algo más que un ámbito social que ofrecerá a los usuarios entretenimiento y oportunidades de interacción social. Por otro lado, Microsoft se está enfocando principalmente en las oportunidades comerciales y de cooperación que el Metaverso brinda al mundo empresarial. Y empresas como Nvidia o Unity Software anticipan miles de millones de dólares en ganancias potenciales debido al desarrollo de la tecnología que eventualmente impulsará el Metaverso del futuro.

A pesar de que el Metaverso se está desarrollando y pretende ampliar el alcance de las capacidades de las redes sociales, su potencial para otros sectores industriales, comerciales, sociales, educativos, médicos, militares y

---

[8] Sobre la misma, *vid.* RODRÍGUEZ AYUSO, Juan Francisco (coord.): *Nuevos retos en materia de derechos digitales en un contexto de pandemia: perspectiva multidisciplinar.* Editorial Thomson Reuters Aranzadi, 2022.

gubernamentales es inmenso. No obstante, por el momento el Metaverso es sólo un alarde de *marketing*. Ahora bien, lo mismo sucedió cuando los ordenadores hicieron su entrada en la década de 1980. La humanidad ha progresado desde los escritos mecanografiados hasta la publicidad micro-segmentada y la planificación empresarial basadas en la inteligencia arti-ficial, entre otras aplicaciones que nos brindan las tecnologías actuales. Una vez que el Metaverso se establezca, lo más probable es que triunfe del mismo modo que lo ha hecho Internet.

A fecha de escribir estas líneas, sólo podemos atisbar alguna de sus apli-caciones. Pero, a medio plazo, el Metaverso podría mantenernos en con-tacto con aquellos seres querido que hemos perdido, porque la tecnología de *deepfakes* lo hará posible y nuestros rastros digitales podrían ser suficien-tes para recrear avatares de nosotros mismos, incluso después de muertos. El modo "vivir para siempre" en el Metaverso ya está previsto por ejemplo en la plataforma Somnium Space. Y, naturalmente, el Metaverso será una plataforma formidable para la creatividad y la innovación artística.

El Metaverso puede ser un término más en la larga lista de desarrollos tecnológicos que han surgido en los últimos años, pero, a diferencia de otros, ya ha echado raíces en la sociedad. Ya no es posible ver el Metaverso como un futuro fantástico y de ciencia ficción, ya que la pandemia ocasio-nada por el virus *SARS-CoV-2* está acelerando la digitalización a gran escala y asimismo está obligando a personas de todo el mundo a sumergirse a marchas forzadas en el mundo digital. Estimo que es una de las opciones tecnológicas más cercanas a convertirse en realidad en su totalidad que cualquier otra de las propuestas tecnológicas últimamente anunciadas.

La prueba procesal en los delitos informáticos, una visión empresarial y práctica

MARIO BLANCO FERNÁNDEZ

Socio del Departamento de Derecho Penal Económico y Compliance de AUREN ABOGADOS

SUMARIO: 1. RESUMEN. 2. LA PRUEBA INFORMÁTICA EN LAS INVESTIGACIONES INTERNAS CORPORATIVAS. 3. PRUEBA DIGITAL EN FASE DE INSTRUCCIÓN. 4. PRUEBA DIGITAL EN JUICIO ORAL. 5. REFERENCIAS BIBLIOGRÁFICAS.

1. RESUMEN

El presente artículo analiza las técnicas procesales dirigidas a recoger, preservar y proponer la prueba digital ante la comisión de delitos cometidos en el seno de la empresa y mediante o con utilización de medios informáticos o telemáticos.

Desde este punto de partida, entendemos interesante que comencemos este análisis con aquellas cuestiones a tener en cuenta ante el descubrimiento de un acto criminal.

En segundo lugar, analizaremos ciertas peculiaridades de la fase de instrucción siempre en relación con la prueba digital.

En último lugar, del mismo modo nos trasladaremos a la metodología que según mi criterio debemos seguir durante la propuesta y práctica de prueba en el juicio oral.

2. LA PRUEBA INFORMÁTICA EN LAS INVESTIGACIONES INTERNAS CORPORATIVAS

Como punto de partida, JOAQUÍN DELGADO[1], nos aporta con acierto un concepto abierto y completo de prueba digital o electrónica, lo define de la siguiente manera:

---

[1]   La prueba digital. Concepto, clases, aportación al proceso y valoración (1) Joaquín DELGADO MARTÍN Magistrado de la AP Madrid Diario, La Ley Nº 6, Sección Ciberderecho, 11 de abril de 2017, Editorial Wolters Kluwer

"Por prueba digital o electrónica cabe entender toda información de valor probatorio contenida en un medio electrónico o transmitida por dicho medio. En esta definición cabe destacar los siguientes elementos:
1. Se refiere a cualquier clase de información; 2. Que ha ser producida, almacenada o transmitida por medios electrónicos (4); 3. Y que pueda tener efectos para acreditar hechos (5) en el proceso abierto en cualquier orden jurisdiccional.
Téngase en cuenta que, en el ámbito penal, puede servir para la investigación de todo tipo de infracciones penales y no solamente para los denominados delitos informáticos."

Desde el punto de vista empresarial, existen cinco cuestiones a tener en cuenta a los efectos de este análisis por lo que diremos a continuación:

(i)   a día de hoy, la mayor parte de las grandes y medianas empresas funcionan digitalmente en todos sus departamentos con políticas "*paperless*" y, por tanto, sin documentación física

(ii)   la plena digitalización de registros y comunicaciones hace preciso que las empresas cuenten con medios para acreditar la veracidad de su información digital

(iii)   la administración pública, con la AEAT como ejemplo de modernización, está desarrollando los expedientes digitales como única forma de trabajo y utiliza y cruza información digital para extraer conclusiones investigatorias sobre empresas y personas físicas

(iv)   también en el plano empresarial, la comunicación con terceros es habitualmente a través de perfiles en redes sociales o medios digitales como plataformas como TEAMS, GOOGLE, ZOOM o OUTLOOK y

(v)   el aumento de la ciberdelincuencia ha sido exponencial en los últimos años[2] como se expone en la siguiente tabla extraída del informe sobre ciberdelincuencia emitido por el Ministerio del Interior en 2021:

---

[2]   **Informe-Cibercriminalidad-2021.pdf (interior.gob.es)**

INFORME SOBRE LA CIBERCRIMINALIDAD EN ESPAÑA

4.- DATOS ESTADÍSTICOS DE CIBERCRIMINALIDAD   (Fuente de datos: Sistema Estadístico de Criminalidad)

>> 4.1. Evolución de hechos conocidos por categorías delictivas

HECHOS CONOCIDOS	2017	2018	2019	2020	2021
ACCESO E INTERCEPTACIÓN ILÍCITA	3.150	3.384	4.004	4.653	5.342
AMENAZAS Y COACCIONES	11.812	12.800	12.782	14.066	17.319
CONTRA EL HONOR	1.561	1.448	1.422	1.550	1.426
CONTRA PROPIEDAD INDUST./INTELEC.	121	232	197	125	137
DELITOS SEXUALES(*)	1.392	1.581	1.774	1.783	1.628
FALSIFICACIÓN INFORMÁTICA	3.280	3.436	4.275	6.289	10.476
FRAUDE INFORMÁTICO	94.792	136.656	192.375	257.907	267.011
INTERFERENCIA DATOS Y EN SISTEMA	1.291	1.192	1.473	1.590	2.138
Total HECHOS CONOCIDOS	**117.399**	**160.729**	**218.302**	**287.963**	**305.477**

(*)Excluidas las agresiones sexuales con/sin penetración y los abusos sexuales con penetración

A pesar de esta irrupción tecnológica y casi eliminación de la documentación física en el ámbito público y empresarial, la Ley de Enjuiciamiento Criminal no cuenta con un apartado específico para el tratamiento procesal de la prueba digital y seguimos debiendo incardinar todas las cuestiones relativas a la misma en los artículos 726 y siguientes relativos a la prueba documental. Es evidente que es necesaria una reforma a este respecto que adecue la normativa procesal penal.

Adentrándonos ya específicamente en lo relativo a las investigaciones corporativas internas, vamos a analizar el tratamiento procesal de las evidencias digitales conforme a conocidas Sentencias que marcan doctrina al respecto.

Importantes son las cautelas que ya ha mostrado la Sala Segunda del Tribunal Supremo al respecto de la valoración y validez probatoria de las comunicaciones electrónicas mediante los servicios de comunicación bidireccional como chats o correos electrónicos que se aportan a un procedimiento judicial mediante una mera copia impresa en papel.

La STS número 300/2015, Recurso número 2387/2014 explica lo siguiente:

"Y es que la prueba de una comunicación bidireccional mediante cualquiera de los múltiples sistemas de mensajería instantánea debe ser abordada con todas las cautelas".

"La posibilidad de una manipulación de los archivos digitales mediante los que se materializa ese intercambio de ideas, forma parte de la realidad de las cosas".

> *"De ahí que la impugnación de la autenticidad de cualquiera de esas conversaciones, cuando son aportadas a la causa mediante archivos de impresión, desplaza la carga de la prueba hacia quien pretende aprovechar su idoneidad probatoria."*

> *"Será indispensable en tal caso la práctica de una prueba pericial que identifique el verdadero origen de esa comunicación, la identidad de los interlocutores y, en fin, la integridad de su contenido."*

Es cierto que, en la mayoría de los casos, las comunicaciones aportadas como documento no son discutidas por las partes, pero esto no debe evitar que la empresa que pretende recopilar, conservar y aportar una evidencia digital, recurra a un perito informático que mediante una herramienta denominada HASHING acredite que una copia de una evidencia digital es idéntica a la original.

Pero claro, para poder acceder al ordenador de un empleado debemos cumplir ciertos requisitos y no violentar sus Derechos Fundamentales si no queremos incurrir en causas de nulidad de la prueba que señala positivamente el artículo 11.1 de LOPJ[3].

En primer lugar, el empleado debe haber sido advertido y no tener expectativas de privacidad sobre las herramientas telemáticas entregadas por la empresa para el ejercicio de sus funciones y esto se consigue con la firma de un documento en tal sentido por parte del empleado.

En segundo lugar, el ordenador del empleado debe ser entregado a un Notario directamente de las manos del empleado con el fin de no incurrir en un defecto en la custodia de la prueba que invalide desde un punto de vista valorativo[4].

En tercer lugar, debemos tener en consideración las dos Sentencias dictadas por el Tribunal Europeo de Derechos Humanos denominadas *Barbulescu* I, de 12 de enero de 2016, y *Barbulescu* II, de 05 de septiembre de 2017, en interpretación del artículo 7 y 8 de la Carta Europea de Derechos Humanos.

---

[3]   En todo tipo de procedimiento se respetarán las reglas de la buena fe. No surtirán efecto las pruebas obtenidas, directa o indirectamente, violentando los derechos o libertades fundamentales.

[4]   Artículo 741 LECrim: "El Tribunal, apreciando según su conciencia las pruebas practicadas en el juicio, las razones expuestas por la acusación y la defensa y lo manifestado por los mismos procesados, dictará sentencia dentro del término fijado en esta Ley."

Estas Sentencias analizan los límites de la capacidad de intervención por parte del empresario de las comunicaciones corporativas pues tal capacidad de intervención puede entrar en colisión con el respecto a la privacidad de la correspondencia de la persona física.

La *Sentencia Barbulescu 1*, es la más sencilla de las dos y establece que el empresario, para poder intervenir los correos electrónicos y comunicaciones corporativas de sus empleados, debe de haber prohibido expresamente con carácter previo la utilización de los medios telemáticos de la empresa para fines personales. Por supuesto, el empleado debe haber aceptado mediante su aceptación expresa tal prohibición y debe abandonar cualquier expectativa de privacidad sobre el contenido de los medios telemáticos profesionales y sus comunicaciones en tal ámbito.

Como recomendación, se hace por tanto imprescindible que las empresas cuenten con un protocolo de uso de herramientas informáticas que los empleados deben firmar y aceptar. Estos son ya los conocidos como protocolos "*Welcome Pack*" que se entregan al empleado con su incorporación a la empresa.

La Sentencia Barbulescu 2, es consecuencia del dictado de la Gran Sala del TEDH y su mandato debe ser asumido por todas las empresas de la Unión Europea.

Esta segunda Sentencia impone, como decimos, a todas las corporaciones comunitarias la superación del ya denominado "*Test Barbulescu*" antes de proceder a intervenir las comunicaciones del empleado:

"No obstante, la discreción de que gozan los Estados en este ámbito no puede ser ilimitada. Las autoridades nacionales deben velar por que la introducción por un empresario de medidas para supervisar la correspondencia y otras comunicaciones, independientemente del alcance y la duración de esas medidas, vaya acompañada de garantías adecuadas y suficientes contra los abusos"

"En este contexto, las autoridades nacionales deben considerar relevantes los siguientes factores:"
(i) Si se ha notificado al empleado la posibilidad de que el empresario adopte medidas para supervisar la correspondencia y otras comunicaciones, y la implementación de esas medidas. (…).
(ii) El alcance de la supervisión por parte del empresario y el grado de intrusión en la intimidad del empleado. A este respecto, debe distinguirse entre la monitorización del flujo de comunicaciones y de su contenido. También debe tenerse en cuenta si se han monitorizado todas las comunicaciones o sólo parte de ellas, así como la cuestión de si la monitorización fue limitada en el tiempo y el número de personas que tuvieron acceso a los resultados. Lo mismo se aplica a los límites espaciales de la monitorización;

(iii) Si el empresario ha proporcionado razones legítimas para justificar la monitorización de las comunicaciones y el acceso a su contenido real. Dado que la monitorización del contenido de las comunicaciones es, por naturaleza, un método claramente más invasivo, requiere una justificación más ponderada;
(iv) Si hubiera sido posible establecer un sistema de supervisión basado en métodos y medidas menos intrusivos, que el acceso directo al contenido de las comunicaciones del empleado. A este respecto, debería evaluarse, a la luz de las circunstancias particulares de cada caso, si el objetivo perseguido por el empresario podría haberse logrado sin haber accedido directamente al contenido completo de las comunicaciones del empleado;
(v) Las consecuencias del control para el empleado, en particular si los resultados se utilizaron para alcanzar el objetivo declarado de la medida.
(vi) Si se habían proporcionado al empleado las garantías adecuadas, especialmente cuando las operaciones de supervisión del empresario eran de carácter intrusivo. Esas garantías deben garantizar, en particular, que el empresario no pueda acceder al contenido real de las comunicaciones en cuestión a menos que el empleado haya sido notificado con antelación de esa eventualidad".

Como conclusión de este punto, vamos a referirnos al uso de cámaras de videovigilancia por parte del empresario, que tengan como fin la prevención e inhibición de conductas delictivas.

Sin adentrarnos en cuestiones propias de otras jurisdicciones como la Social, desde el punto de vista penal, la utilización por parte de particulares de cámaras de videovigilancia en centros de trabajo es una práctica perfectamente válida siempre y cuando no se instalen en lugares en los que se desarrollan actividades íntimas como vestuarios o aseos.

Numerosas son las Sentencias de la Sala Segunda que convalidan lo expuesto en los dos últimos párrafos, pero vamos a citar la más reciente de ellas a este respecto, Sentencia del Tribunal Supremo de 20 de diciembre de 2019 número 649/2019, recurso 10435/2019:

"Como apunta la doctrina, el objetivo esencial de la instalación de videocámaras es el de la prevención del delito. Debemos recordar, asimismo, su evidente cobertura legal art. 41 de la Ley 5/2014, de 4 de abril, de Seguridad Privada; Ley Orgánica 4/2015, de 30 de marzo, de protección de la seguridad ciudadana y su sometimiento a un cierto control administrativo por parte de la Agencia Española de Protección de datos, cuyo incumplimiento dará lugar a correcciones administrativas, pero que, como se ha expuesto, no invalida las imágenes que capten a efectos procesales si no invaden derechos fundamentales, las filmaciones aportadas por particulares son susceptibles de convertirse en prueba documental (art. 726 LECrim) en el proceso penal, siempre que cumplan requisitos como:
– no vulnerar derechos fundamentales como el de la intimidad o la dignidad de la persona al captarlas,
– y hacerlo en espacios, lugares o locales libres y públicos, y dentro de ellos nunca en espacios considerados privados (como los aseos, vestuarios) sin au-

torización judicial, de forma que la captación de imágenes de personas sospe-chosas recogidas de manera velada o subrepticia, en los momentos en los que se supone se está cometiendo un hecho delictivo, no vulnera ningún derecho, estando permitida, por el mayor interés social de la persecución y prueba del delito que la simple captación de la imagen de la persona del delincuente."
(...)

"Nada obsta a que un establecimiento privado decida dotar sus instalacio-nes con mecanismos de captación de imágenes, en su propia seguridad y en prevención de sucesos, siempre que las videocámaras se encuentren en zo-nas comunes, excluyendo aquellos espacios en que se desarrolla la intimidad (aseos), (SSTS. 1547/2002 de 27.9, 387/2001 de 13.3, 1631/2001 de 19.9, 188/99 de 15.2 que se remite a las SSTS. 6.5.93, 7.2, 6.4 y 21.5.94, 18.12.95, 27.2.96, 5.5.97, 968/2008 de 17.7)".

3. PRUEBA DIGITAL EN FASE DE INSTRUCCIÓN

Comencemos este apartado con una temática de indudable cuestión práctica: debemos diferenciar las funciones del Letrado de la Administra-ción de Justicia de las del perito informático. Es cierto que es habitual la confusión entre las labores de ambos operadores jurídicos, y la diferencia es sencilla, mientras que el Letrado de la Administración de justicia da fe del contenido que almacena un soporte electrónico (por ejemplo, el texto literal de unos SMS, mensajes de WhatsApp o correos electrónicos) el peri-to informático acreditará que tal contenido no ha sido manipulado o que no existen indicios de manipulación de tal contenido.

Debemos, no obstante, extendernos en la explicación sobre dos fun-ciones fundamentales del perito informático o de las unidades de delitos informáticos de los cuerpos y fuerzas de seguridad del estado:

(i) la sujeción estricta al mandato de los Autos judiciales a la hora de hacer acopio y analizar evidencias informáticas evitando excesos que puedan sobrepasar el mandato judicial que produciría la anu-lación de la prueba por obtención ilícita y

(ii) la debida preservación de la cadena de custodia.

En relación con la sujeción estricta al mandato judicial, podemos traer a colación la Sentencia del Tribunal Supremo, Sala Segunda, número 332/2019 de 27 junio, recurso número 10732/2018 que analiza esta cues-tión, veamos lo resuelto al respecto:

"Por último, dentro de esta primera cuestión, se objeta la obtención de datos concretos que, según su postura, se hallaban protegidos por claves a las que

se accedió ilícitamente, sin autorización del interesado ni resolución judicial habilitante."

"De este modo, respecto al vestigio A1, torre de ordenador sin marca con numeración terminada en 35, indican que no existía ningún archivo de interés, pero que incluía el programa TOR, es decir, todo encriptado, opaco para la Red. De ahí se extrajeron dos discos duros SEAGATE, que incorporaban, por un lado, un archivo comprimido en el que se podía observar el nombre de los ficheros que contenía, pero no se podía acceder a ellos porque exigía contraseña, razón por la que no accedieron al mismo.
Sin embargo, además de lo anterior, se encontraban unos vídeos sin contraseña que habían sido borrados, y que contenían, a la vista de sus nombres, los mismos archivos que se habían protegido con clave en el archivo comprimido, los cuales fueron obtenidos mediante simples algoritmos para recuperar información robada conocidos por cualquier experto informático, los cuales fueron incorporados al DVD."

Como vemos, nada impide la recuperación de archivos borrados, pero sí el acceso a archivos protegidos mediante clave si esta actuación no ha sido autorizada expresamente por el Magistrado Instructor en su resolución habilitante y limitadora de derechos fundamentales.

Debe tenerse en cuenta también, que si el investigado accede y autoriza el acceso a los cuerpos y fuerzas de seguridad del estado a sus archivos o facilita incluso las claves de acceso, tal consentimiento suple las posibles omisiones que pueda contener un auto de entrada y registro o de acopio de efectos telemáticos, sin la posibilidad en ulterior procedimiento de denunciar una vulneración de derechos fundamentales.

En efecto, el Tribunal Supremo se ha pronunciado en este sentido en reiteradas ocasiones, un exponente reciente sobre esta cuestión es la Sentencia número 332/2019 de 27 junio, recurso 10732/2018, veamos:

"Pues bien, con respecto a las vulneraciones antes expuestas hay que señalar que el Tribunal pone de manifiesto que "se puso en conocimiento del acusado el objeto de la diligencia de entrada y registro, así como la incautación de los ordenadores, dispositivos de almacenamiento masivo y material informático que se hallare en el domicilio para su análisis por los expertos informáticos de la Policía Judicial. Y en ese acto, el hoy procesado, asistido, como se decía de Letrado, prestó su consentimiento indicando que podían retirar lo que quisieran porque no tenía nada que ocultar.
Consta, pues, en la sentencia el consentimiento del interesado a la aprehensión, pese a su actual impugnación, y la ausencia de validación judicial por la vía del art. 588 sexies a) LECrim (LEG 1882, 16), aunque los hechos fueran de fecha anterior a la reforma de la LECrim (LEG 1882, 16) viene motivado, como sostiene la sentencia porque:

"La referida diligencia fue practicada porque lo autorizó el titular de los referidos derechos fundamentales, el cual, además se encontraba debidamente asistido de Letrado y, por tanto, sin riesgo de indefensión alguno

… De todo lo anterior procede concluir que el auto de 15 de septiembre de 2015 dictado por el Juzgado de Instrucción nº 3 de DIRECCIÓN 000, por el que se incoaban las diligencias previas y se ordenaba la remisión de los equipos técnicos intervenidos a la unidad de Delitos Informáticos a fin de proceder al análisis del material informático incautado en la diligencia de entrada y registro realizada el 10 de septiembre de 2015 no quedó afectado por vicio procesal alguno, toda vez que, tanto el registro como la incautación de los ordenadores y demás dispositivos de almacenamiento masivo quedaban adecuadamente amparados por la autorización del interesado emitida con asistencia de Letrado".

Al hilo de la debida preservación de la cadena de custodia a mantener durante la fase preprocesal, instructoria y hasta el acto del juicio oral, debemos diferenciar los meros errores administrativos que no impidan la identificación y no pongan en duda la integridad de lo custodiado, de aquellos que sí quiebren esos dos requisitos. Veamos nuevamente la Sentencia del Tribunal Supremo, Sala Segunda, número 332/2019 de 27 junio, recurso número 10732/2018:

"En este tema hay que distinguir que una cosa son las meras irregularidades, o defectos formales presentes en el iter que dibuja la cadena de custodia por los diversos lugares por donde transita la muestra o evidencia, tales como:
1.- Defectuosa o errónea numeración de las cajas que contienen la fuente de prueba.
2.- No consta el número de diligencias.
3.- No consta el acta de remisión de los elementos empíricos desde que se recogieron hasta su entrega en la sede policial.
4.- Falta de precinto.
5.- Embalaje inadecuado que no afecta a la muestra y a la información que cabe extraer de ella; o
6.- Mero retraso en la remisión al laboratorio de la sustancia intervenida para su análisis."

"Y ya centrados en lo que sí puede suponer la infracción de esta cadena se puede decir que otra cosa son los supuestos de grave alteración, contaminación, destrucción o pérdida de las muestras, efectos o instrumentos utilizados en la acción criminal, o incluso cuando las irregularidades administrativas generan una incertidumbre jurídica importante sobre el lugar y personas donde han estado los elementos fácticos.
Así, como apunta esta Sala, "Sólo si las deficiencias formales despiertan serias dudas racionales, debería prescindirse de esta fuente de prueba, no por el incumplimiento de algún trámite o diligencia establecida en el protocolo de recepción de muestras y su custodia, sino por quedar cuestionada su autenticidad" —STS 129/2015, de 4 de marzo (RJ 2015, 834)—"

Adicionalmente, y desde un punto de vista práctico debe tenerse en cuenta que la impugnación del contenido de un efecto informático debe realizarse de forma razonada y señalando de manera precisa el momento en el que se ha violentado o roto la cadena de custodia siendo inservibles a efectos procesales las impugnaciones genéricas que expliciten cómo y cuándo se ha roto la cadena, veamos la misma Sentencia a tal efecto:

"Para examinar adecuadamente si se ha producido una ruptura relevante de la cadena de custodia no es suficiente con el planteamiento de dudas de carácter genérico, es necesario que la parte que la cuestione precise en qué momentos, a causa de qué actuaciones y en qué medida se ha producido tal interrupción".

4. PRUEBA DIGITAL EN JUICIO ORAL

Ya en el acto del Juicio Oral, como proponentes de prueba, debemos establecer una metodología de práctica de la prueba digital, conforme a lo que hemos venido puntualizado en el presente escrito y al artículo 384 LEC, 701 y siguientes LECrim y 726 LECrim, y que a continuación enumero y detallo:

i.   En su caso, solicitaremos la declaración en calidad de testigos del Notario o de los policías que, de las manos investigado aprehendieron el hardware o efectos telemáticos que contiene la prueba a practicarse en el juicio oral.

ii.   Aportación o señalamiento de los folios de las actuaciones en los que se encuentra el acta notarial o el atestado en el que se detalle la aprehensión e identificación de los efectos informáticos incautados.

iii.   Aportación o señalamiento de los folios de las actuaciones en los que se encuentra el acta notarial o el atestado en el que se detalle la metodología y proceso de extracción de la información contenida en los efectos informáticos incautados.

iv.   Declaración de los peritos acrediten los sistemas de verificación, extracción y documentación de la prueba.

v.   Declaración de los custodios (ya sean policías, Notarios, letrados de la administración de justicia o peritos) que se han encargado de preservar y documentar la autenticidad e identidad entre el contenido de los efectos telemáticos y la prueba documentada a practicarse en el acto del juicio.

vi. Aportación o señalamiento de los folios de las actuaciones en los que se encuentra el acta notarial o el atestado en el que figure la transcripción de las comunicaciones y documentos digitales.

vii. Señalamiento de los folios de las actuaciones en los que se encuentra el acta del Letrado de la Administración de Justicia en el que de fe del contenido de la prueba digital y adopte también las medidas de custodia que resulten necesarias conforme al artículo 384.2 de la Ley de Enjuiciamiento Civil.

viii. Declaración de los peritos que certifiquen que no existen indicios de manipulación de la prueba contenida en los efectos telemáticos y la identidad de los sujetos que han creado o enviado la información contenida en la información digital extraída.

ix. Presentación de la prueba ante el órgano de enjuiciamiento a efectos de valoración jurídico-penal de la misma, esta presentación puede hacerse mediante presentación directa o mediante la solicitud de reconocimiento judicial por parte del órgano de enjuiciamiento que deberá acceder al contenido concreto que contienen los efectos informáticos o en su caso a la URL en la que se encuentre la información que se desee presentar ante el Tribunal.

x. Es posible que el contenido de la URL pueda ser borrado con carácter previo a la celebración del juicio oral en cuyo caso tendremos tres alternativas (1) solicitar el aseguramiento de prueba que se incorpore a las actuaciones como prueba preconstituida, (2) aportar un acta notarial en la que se haya requerido al notario para que de fe del contenido de una URL concreta en un momento determinado y/o (3) acudir al servicio web www.archive.org a los efectos de acreditar el contenido de una URL concreta en una fecha determinada.

5. REFERENCIAS BIBLIOGRÁFICAS

¿Cómo aportar la prueba digital en el proceso penal? De 22/03/2021, Autor Magro Servet, Vicente. Diario La Ley. ¿Cómo aportar la prueba digital en el proceso penal? (laleynext.es)

Revista de Jurisprudencia Laboral. Número 4/2022, El complejo acceso a la casación unificadora en materia de despido disciplinario, y la estrecha frontera entre la protección del derecho a la intimidad de la persona trabajadora y las facultades de control empresarial. Autora - Susana Molina Gutiérrez Magistrada de la jurisdicción social

Investigación tecnológica y prueba digital en todas las jurisdicciones 2.ª edición actualizada Autor - Joaquín Delgado Martín

BOE - Real Decreto de 14 de septiembre de 1882 por el que se aprueba la Ley de Enjuiciamiento Criminal.

BOE - Ley Orgánica 6/1985, de 1 de julio, del Poder Judicial.

Informe sobre la Cibercriminalidad en España, 2021 - Dirección General de Coordinación y Estudios Secretaría de Estado de Seguridad, autores JAVIER LÓPEZ GUTIÉRREZ FRANCISCO SÁNCHEZ JIMÉNEZ DAVID HERRERA SÁNCHEZ FRANCISCO MARTÍNEZ MORENO MARCOS RUBIO GARCÍA Mª. VICTORIA GIL PÉREZ ANA Mª. SANTIAGO OROZCO MIGUEL A. GÓMEZ MARTÍN.

Traducción realizada por Jaime Messía de la Cerda Álvarez siendo tutora la profesora Gema Garcialoro Bravo, en virtud del Convenio suscrito por la Universidad Nacional de Educación a Distancia, el Ministerio de Justicia y el Tribunal Europeo de Derechos Humanos (TEDH).

Data scraping desde la óptica de la protección de datos

EVA BRICEÑO APARICIO y JULIA CENDOYA LERSUNDI

Abogadas asociadas en ECIJA

1. INTRODUCCIÓN

El *data scraping* o raspado de datos, en su traducción al castellano, es el acto de extraer información de páginas web y otras fuentes de acceso público[1] por medio de herramientas automatizadas. La información obtenida por medio de esta práctica puede incluir, en ciertos casos, datos personales. En estos casos, por tanto, será necesario cumplir con las obligaciones y principios recogidos en la normativa en materia de protección de datos personales.

En los últimos años, hemos asistido al pronunciamiento de distintas autoridades europeas que, valorando el incumplimiento de las obligaciones en materia de protección de datos, han sancionado a entidades que llevaban a cabo esta práctica, o permitían que en sus herramientas y aplicaciones se rasparan datos personales. El *scraping* no es, *per se*, una actividad

---

[1]   La Ley Orgánica 15/1999, de 13 de diciembre, de Protección de Datos de Carácter Personal definía en su artículo 3 apartado j) las fuentes accesibles al público como: *"aquellos ficheros cuya consulta puede ser realizada, por cualquier persona, no impedida por una norma limitativa o sin más exigencia que, en su caso, el abono de una contraprestación."* Es decir, es aquella información a la que se puede acceder de manera sencilla sin necesidad de solicitar el consentimiento de las personas a las que se refiere la información accedida.

ilícita; de hecho, es una práctica utilizada para muy diversas finalidades y con un gran valor competitivo. Ahora bien, al igual que ocurre con la protección de datos, deberá analizarse el cumplimiento de otras normativas para poder determinar si estamos ante una práctica lícita o no.

El presente capítulo pretende ser una guía sobre las implicaciones y los efectos de esta práctica en el ámbito de la protección de datos cuando, entre la información extraída, se encuentren datos personales.

2. ¿QUÉ ES EL *DATA SCRAPING*?

El *data scraping* es una técnica a través de la cual un programa informático puede recopilar, de forma automatizada, datos de fuentes de acceso público, como son, páginas web, bases de datos, aplicaciones, reseñas, tablas, imágenes o fuentes de audios, entre otros. Los programas informáticos utilizados para llevar a cabo esta práctica absorben los datos estructurados, los analizan y, finalmente, proporcionan información inteligente sobre los mismos.

Las finalidades para las que se pueden emplear técnicas de *data scraping* son muy diversas, pudiendo ser empleadas para el análisis de precios para tomar decisiones comerciales, extracción de palabras clave más buscadas para posicionar un sitio web, analizar la opinión de clientes o, en definitiva, para mejorar los productos, servicios y obtener ventajas sobre los competidores. Sin embargo, estas técnicas pueden emplearse de forma maliciosa, utilizándolas para fines ilícitos, como actos de imitación o plagio, extracción de determinada información confidencial o bloqueo del sitio web en el que se está realizando el *scraping*, mediante el uso de herramientas que supongan una carga no asumible para su servidor, dejando así de funcionar su sitio web.

Asimismo, debe tenerse en cuenta que, pese a que el *data scraping* se realiza sobre datos de acceso público, será necesario considerar qué tipo de datos son objeto de recopilación. En este sentido, siempre y cuando se traten datos de carácter personal, deberá cumplirse con los principios y las obligaciones contenidas en el Reglamento General de Protección de Datos (en adelante, "**RGPD**[2]") y la Ley Orgánica de Protección de

---

[2]   Reglamento (UE) 2016/679 del Parlamento Europeo y del Consejo de 27 de abril de 2016 relativo a la Protección de las Personas Físicas en lo que respecta al tratamiento de datos personales y a la libre circulación de estos datos y por el que se deroga la directiva 95/46/ce

Datos Personales y garantía de los derechos digitales (en adelante, "**LO-PDGDD**[3]").

3. PRÁCTICAS SANCIONADAS

En los dos últimos años distintas autoridades de control europeas en materia de protección de datos se han pronunciado respecto al *data scraping*, imponiendo sanciones a las entidades que empleaban alguna de las técnicas de raspado para obtener y tratar posteriormente datos personales con fines incompatibles a aquellos establecidos inicialmente. Sin embargo, la última decisión publicada a este respecto no tiene como protagonista al agente que lleva a cabo el raspado de datos, sino a la entidad que, como veremos más adelante, motiva que los datos personales de su responsabilidad sean obtenidos por medio de esta práctica, por la aplicación insuficiente de medidas de seguridad.

3.1 *Resolución de la Agencia Española de Protección de Datos (en adelante, "AEPD") contra Equifax Ibérica, S.L.*[4]

En 2019, la AEPD analizó el tratamiento de los datos personales contenidos en el denominado Fichero de Reclamaciones Judiciales y Organismos Públicos (en adelante, "**Fichero FIJ**") responsabilidad de Equifax Ibérica, S.L., entidad conocida principalmente por analizar datos crediticios que sirven como fuente de consulta a otras empresas (en adelante, "**Equifax**").

Los datos contenidos en el fichero FIJ, asociados, en su gran mayoría, a presuntas deudas contraídas con Administraciones Públicas, eran obtenidos de boletines o diarios oficiales. Los datos se publican en estos diarios por las Administraciones Públicas, u organismos dependientes de estas, con el fin de servir de notificación a los interesados, tal y como dispone el artículo 44.1 de la Ley del Procedimiento Administrativo Común de las Administraciones Públicas (en adelante, "**LPACAP**")[5]. La finalidad para la

---

[3]   Ley Orgánica 3/2018, de 5 de diciembre, de Protección de Datos Personales y garantía de los derechos digitales.

[4]   https://www.aepd.es/es/documento/ps-00240-2019.pdf

[5]   Artículo 44.1 LPACAP: *"Cuando los interesados en un procedimiento sean desconocidos, se ignore el lugar de la notificación o bien, intentada ésta, no se hubiese podido practicar, la notificación se hará por medio de un anuncio publicado en el "Boletín Oficial del Estado"."*

que Equifax obtenía los datos era la evaluación de la solvencia de los sujetos y la prevención del fraude. La AEPD finalmente impuso una sanción de
un millón de euros a la entidad además de obligarle a eliminar el fichero
en cuestión, pues apreció la existencia de incumplimiento de los siguientes
principios y deberes recogidos en la normativa:

- – Principio de limitación de la finalidad. Establecido en el artículo 5.1
  b) y desarrollado en el Considerando 50 y el artículo 6.4 del RGPD,
  este principio comprende dos esferas de cumplimiento; en primer
  lugar, implica que los datos deberán ser recabados con *"fines determinados, explícitos y legítimos."* y, en segundo lugar, supone que los datos
  no podrán ser tratados *"ulteriormente de manera incompatible con dichos
  fines"*.

  En el supuesto analizado por la AEPD, el problema aparecía con la
  segunda esfera del principio, haciéndose necesario determinar si la
  finalidad del tratamiento perseguida por el fichero FIJ, esto es, la
  evaluación de la solvencia y prevención del fraude era compatible
  con la finalidad de publicación de los datos, esto es la finalidad original. A este respecto, el Considerando 50 recoge algunos criterios a
  considerar para poder determinar si el fin del tratamiento ulterior es
  compatible con el original; estos son:

  - • La existencia de cualquier relación entre los fines iniciales para
    los que se recabaron los datos personales y los fines del tratamien-
    to ulterior.

  - • El contexto de la recogida de los datos, en lo que a la relación en-
    tre los interesados y el responsable del tratamiento ulterior com-
    prende.

  - • La naturaleza de los datos personales tratados, si estos pertenecen
    a categorías especiales.

  - • Las posibles consecuencias que se desprendan del tratamiento ul-
    terior de los datos.

  - • La existencia de garantías o medidas de seguridad adecuadas,
    como pueden ser el cifrado o la seudonimización.

  Finalmente, a la luz de los criterios recogidos en el Considerando 50,
  la AEPD declaró incompatibles los fines perseguidos por las Administraciones y organismos públicos con la publicación de los datos en
  los diarios y boletines, y la finalidad perseguida por Equifax.

- Principio de licitud. Recogido en el artículo 5.1 a) del RGPD, dispone que los datos serán tratados *"de manera lícita, leal y transparente"*. Para que un tratamiento de datos personales sea lícito deberá basarse en alguna de las circunstancias o bases legitimadoras recogidas en el artículo 6.1 del RGPD. En sus alegaciones, Equifax adujo que el objetivo relativo a la evaluación de la solvencia y prevención del fraude que pretendía el fichero FIJ perseguía un interés legítimo de la mercantil, base recogida en el artículo 6.1.f) del RGPD.

La AEPD concluyó que el hecho de que Equifax incumpliera el principio de limitación de la finalidad, así como el resto de los principios analizados a continuación, impedían considerar el interés legítimo invocado por la mercantil como lícito, ya que el citado interés requería, para su satisfacción, del desarrollo de un tratamiento de datos que incumplía con los principios que presiden el tratamiento de datos personales.

- Principio de exactitud. Se recoge en el artículo 5.1 d) del RGPD y establece la necesidad de tratar únicamente datos exactos y actualizados, lo que implica que el responsable del tratamiento adopte las medidas de seguridad que sean necesarias para garantizarlo.

Como ya hemos señalado anteriormente, los datos obtenidos para nutrir el fichero FIJ de Equifax eran obtenidos de diarios y boletines en un momento concreto, existiendo la posibilidad de que las resoluciones o procedimientos que tuvieran como objeto los datos personales en cuestión sufrieran cambios y actualizaciones en el futuro, quedando así desactualizados. La AEPD sostuvo que, para poder garantizar el principio de exactitud respecto del fichero FIJ, habría sido necesaria la colaboración de los titulares de los datos personales publicados o de las Administraciones Públicas u organismos dependientes de estas y, durante el procedimiento quedó probado que esta colaboración no se produjo.

- Principio de minimización de datos. Según el art. 5.1 c) del RGPD, los datos personales serán *"adecuados, pertinentes y limitados"* de acuerdo con los fines para los que son tratados.

De acuerdo con lo analizado anteriormente, desde el momento en que el tratamiento de datos es considerado ilícito y la finalidad incompatible con la inicial, parece difícil sostener que los datos tratados puedan ser adecuados, pertinentes o limitados a la finalidad perseguida, dado que, para poder siquiera evaluar la concurrencia de estas tres características anteriores, resulta condición indispensable que exista un tratamiento lícito que persiga una finalidad compatible. Así lo entendió la AEPD en la resolución analizada:

"A raíz del carácter ilícito del tratamiento ulterior de los datos recabados —esto es, el que la reclamada lleva a cabo a través del FIJ— se va evidenciando que la responsable del tratamiento se encuentra en una situación de imposibilidad práctica de respetar el resto de principios que según el RGPD rigen el tratamiento."

– Deber de información. El RGPD, en su artículo 14, recoge las circunstancias sobre las que el responsable del tratamiento debe informar a los titulares de los datos objeto de tratamiento cuando estos no hayan sido recabados directamente de los interesados. La resolución de la AEPD establecía el incumplimiento de esta obligación al haber quedado probado que Equifax no informó a los titulares de los datos contenidos en el fichero FIJ precisamente de dicha inclusión, así como del resto de circunstancias recogidas en el artículo 14 del RGPD.

3.2. *Resolución[6] del Garante per la Protezione dei Dati Personali[7] (en adelante, "GPDP") contra Clearview AI*

El 10 de febrero de 2022 el GDPD anunciaba la imposición de una sanción contra la entidad, Clearview, por violación de los principios y deberes del tratamiento de datos personales.

La empresa norteamericana comercializa un software de reconocimiento facial a autoridades y fuerzas del orden. Este software se nutre de una base de datos creada por Clearview, la cual contiene más de 10.000 millones de imágenes faciales. Esta base de datos permite a la entidad proporcionar a sus clientes todas las imágenes que tengan de aquellos individuos que el cliente decida consultar con solo aportar alguna fotografía que tengan de estos. El software de Clearview localiza las imágenes de su base de datos que coinciden con la fotografía utilizada en la consulta, analizando los rasgos faciales de las mismas. Por su parte, Clearview obtiene las imágenes contenidas en la base de datos de internet, por medio de técnicas de *scraping* en sitios web y redes sociales.

---

[6]   https://www.garanteprivacy.it/web/guest/home/docweb/-/docweb-display/docweb/9751362

[7]   Autoridad de control en materia de protección de datos italiana.

El tratamiento de datos relativo al reconocimiento facial fue objeto de evaluación del GPDP, que en su resolución consideró violados:

- El artículo 5.1 a) del RGPD (principios de licitud, lealtad y transparencia): no se informa del tratamiento de datos personales de manera clara, accesible y transparente a las personas cuyas imágenes eran incluidas en la base de datos de Clearview.

- El artículo 5.1 b) del RGPD (principio de limitación de la finalidad): el GPDP consideró que no existía ninguna relación entre las personas cuyas fotografías se incluían en la base de datos de Clearview y esta última, lo que hacía imposible que los afectados pudieran prever de alguna manera que la entidad podía estar tratando sus datos. Además, el GPDP añadía que el hecho de que los datos hubieran sido obtenidos de fuentes accesibles al público no implicaba que Clearview estuviera legitimado para tratarlos libremente.

- El artículo 5.1 e) del RGPD (principio de limitación del plazo de conservación) no se encontró en la revisión de la política de privacidad de Clearview y las alegaciones enviadas por esta ninguna referencia a plazos de borrado y conservación de los datos tratados.

- Los artículos 6 y 9 del RGPD (principio de licitud): no existe una base de legitimación del artículo 6 sobre la que fuera lícito desarrollar el citado tratamiento y una excepción del artículo 9 del RGPD que permitiera, junto con la base de legitimación apropiada, tratar datos de categorías especiales.

- Los artículos 12, 13, 14 y 15 del RGPD: existen reclamaciones de afectados que encontraban muchas dificultades para poder ejercitar ante Clearview los derechos que les asisten, regulados en los artículos 15 a 22 del RGPD[8], además de recibir información insuficiente y respuestas a los derechos ejercitados, en muchos casos, fuera de plazo e incompletas.

Conviene indicar que, además de la sanción de dos millones de euros, el GDPD instó a Clearview a cesar en su actividad en territorio italiano.

---

[8]   Derechos de acceso, rectificación, supresión y portabilidad de los datos personales, derecho a la limitación del tratamiento, derecho de oposición y derecho a no ser objeto de decisiones individuales automatizadas, incluida la elaboración de perfiles.

Por su parte, en mayo de 2022, la Information Commisioner's Office[9] (en adelante, "**ICO**") sancionó[10] a Clearview por llevar a cabo el mismo tratamiento en territorio británico y, posteriormente, en octubre de 2022, lo hizo la Commission Nationale de L'Informatique[11] et des Libertés (en adelante, "**CNIL**"), tras haberle apercibido en diciembre de 2021[12].

De las decisiones analizadas hasta el momento, podemos extraer varias conclusiones:

1. Las técnicas de *scraping* empleadas por las entidades sancionadas tienen como objetivo la recopilación de datos personales para emplearlos ulteriormente con fines propios en un nuevo tratamiento.

2. El nuevo tratamiento no ha sido comunicado a los titulares de los datos tratados, manteniéndolos así en el completo desconocimiento y despojándolos del poder de decisión sobre sus datos y los fines con los que son utilizados.

3. Los afectados no tienen forma de prever del desarrollo del nuevo tratamiento, ya que no existe ninguna relación entre estos y la entidad que pasa a tratar los datos.

4. No hay ninguna circunstancia que otorgue licitud al tratamiento, al partir de la base de que la finalidad perseguida es incompatible y no guarda ninguna relación con los fines originales.

5. El incumplimiento de la entidad de los distintos principios y deberes descritos implica que los afectados se encuentren con obstáculos para ejercitar los derechos que les asisten, y en los casos en los que pueden ser ejercitados, las respuestas son incompletas, fuera de plazo o incluso inexistentes.

6. Sumado a todo lo anterior, en el caso de Clearview, los datos objeto de tratamiento son datos sensibles, que pertenecen a categorías especiales y son tratados masivamente, con todos los efectos que ello conlleva en el aseguramiento de la privacidad de los datos.

---

[9]   Autoridad de control en materia de protección de datos británica.
[10]   https://ico.org.uk/media/action-weve-taken/mpns/4020436/clearview-ai-inc-mpn-20220518.pdf
[11]   Autoridad de control en materia de protección de datos francesa.
[12]   https://www.cnil.fr/sites/default/files/atoms/files/decision_ndeg_med_2021-134.pdf

Este era el escenario hasta el 28 de noviembre de 2022, cuando la autoridad de control irlandesa, la Data Protection Commision[13] (en adelante, "**DPC**") anunciaba la imposición de una sanción de doscientos sesenta y cinco millones de euros a Meta Platforms Ireland Limited (Facebook) (en adelante, "**Meta**") por no haber adoptado las medidas apropiadas para evitar técnicas de *scraping* en sus plataformas y herramientas.

3.3 Resolución de la DPC contra Meta Platforms Ireland Limited

La DPC inició, en abril de 2021, una investigación para poder esclarecer cómo habían acabado entre mayo de 2018 y septiembre de 2019 en un foro en internet los nombres, números de teléfono y direcciones de email de 533 millones de usuarios de la red social. En el contexto de la investigación se analizaron algunas de las herramientas empleadas por la red social creadas con el objetivo de conectar a los usuarios entre sí (en adelante, "las **Herramientas**").

La investigación demostró que los datos publicados en el foro fueron recopilados utilizando las Herramientas analizadas. Los agentes que llevaron a cabo el raspado realizaron búsquedas en las Herramientas de números de teléfono y direcciones de email aleatorios, obteniendo, como resultado, perfiles reales de usuarios de la red social. Los números de teléfono y direcciones de email que resultaban ser reales, por encontrarse en los perfiles de los usuarios de la red social, eran los que se publicaban posteriormente en el foro de internet.

La resolución de la DPC determinó que Meta había incumplido los artículos 25.1 y 25.2 del RGPD, al no adoptar medidas técnicas y organizativas desde el diseño y por defecto apropiadas.

La infracción del artículo 25.1 del RGPD se sustentó en la inexistencia de medidas de seguridad adecuadas para la aplicación, de forma efectiva, de los principios de protección de datos recogidos en los artículos 5.1 b) del RGPD (principio de limitación de la finalidad), al permitir que en las Herramientas de la red social se trataran datos personales con fines incompatibles a aquellos para los que fueron recabados en un primer momento; y 5.1 f) del RGPD (principio de integridad y confidencialidad), dado que, al introducir lotes de números y texto, las Herramientas podían traducir esta información y mostrar los resultados que coincidieran, proporcionando la información de perfiles de usuarios concretos.

---

[13] Autoridad de control en materia de protección de datos irlandesa.

En cuanto a la infracción del artículo 25.2 del RGPD, se produjo por la inexistencia de medidas de seguridad que permitieran que únicamente fueran objeto de tratamiento datos personales necesarios para los fines definidos. Los ajustes de configuración de la red social estaban definidos por defecto para que cualquier persona pudiera buscar a otros usuarios por medio del número de teléfono y/o la dirección de correo electrónico.

En este contexto, la autoridad irlandesa, tras analizar las medidas técnicas y organizativas aplicadas por Meta, concluyó que la entidad debería haber tomado en consideración ciertas medidas concretas que habrían sido más efectivas, minorando los riesgos del uso de técnicas de *scraping*.

La última de las resoluciones analizadas muestra una diferencia sustancial respecto a las demás, ya que sanciona a la entidad cuyos datos han sido obtenidos, a diferencia de las anteriores, que sancionan a las entidades que obtienen los datos. Hasta la resolución contra Meta los procedimientos iniciados con motivo de la aplicación de técnicas de *scraping* habían sancionado a las entidades que raspaban datos sin contar con una finalidad compatible o base de legitimación. En cambio, la resolución contra Meta supone una nueva perspectiva de aproximación a estos procedimientos que obliga a toda entidad que cuente con aplicaciones, herramientas o bases de datos de acceso público a adoptar medidas técnicas y organizativas robustas pensadas para impedir el raspado de datos personales.

4. PRÁCTICAS PERMITIDAS

Analizadas las principales sanciones por *data scraping*, no debemos olvidar que emplear estas técnicas no siempre resulta una práctica ilícita. A estos efectos, resulta relevante mencionar la sentencia del Tribunal Supremo de la Sala Primera de lo Civil de 2012 en la que se desestimó el recurso interpuesto por Ryanair Limited contra Atrapalo, S.L.

4.1 Caso Ryanair

El Tribunal Supremo desestimo un recurso de casación[14] impuesto por RYANAIR LIMITED a ATRAPALO, S.L., por el empleo de técnicas de *data scraping* en su sitio web mediante el recurso 536/2010, de 9 de octubre de

---

[14]   España. Tribunal Supremo (Sala Primera de lo Civil), Sentencia núm. 572/2012 de 9 de octubre.

2012, fijando un importante precedente e imponiendo ciertos límites al empleo de estas técnicas. Así, el Tribunal Supremo analiza el supuesto de hecho desde una triple perspectiva:

– Propiedad intelectual: Debe tenerse en cuenta la regulación de los derechos de propiedad intelectual, que pueden afectar tanto a la fuente de los datos como a los propios datos que son tratados en sí. La estructura original de la base de datos sobre la que se realiza el *scraping* puede ser considerada una obra protegida, o la creación de la misma puede haber supuesto una inversión sustancial para su fabricante, lo que conllevaría su protección a través del derecho *sui generis*.

– Condiciones de contratación: Siempre y cuando exista una relación entre las partes, deberá cumplirse con las obligaciones impuestas en el contrato formalizado entre las mismas de forma previa a iniciar la relación contractual. Asimismo, deberá cumplirse con las estipulaciones impuestas en los términos y condiciones generales de contratación de las fuentes que han sido objeto del *scraping*, como reglas de uso, régimen de responsabilidad o confidencialidad.

– Derecho de la competencia: La finalidad del *scraping* no podrá ser plagiar una web o el contenido de la misma con el objetivo de atribuirse la autoría, apropiándose de manera inmediata de una prestación ajena sin el esfuerzo y los costes que ha supuesto para el autor la creación de la web y de su contenido. Este supuesto será considerado un acto ilícito, que genera un daño al autor plagiado, y podrá enfrentarse a una sanción por competencia desleal.

En definitiva, a la hora de emplear estas técnicas deberá evaluarse de forma previa a comenzar con la actividad el cumplimiento de las obligaciones legales aplicables, no solo de protección de datos, sino también del resto de materias implicadas; propiedad intelectual, contratación y derecho de la competencia.

4.2 Social Media Listening

Entre las técnicas permitidas y asimilables al *data scraping*, cabe diferenciar el *social media listening*, práctica cada vez más popular, que permite a las compañías analizar la opinión pública sobre un tema concreto. Mediante esta técnica, las compañías interesadas pueden acceder a comentarios y conversaciones que tienen lugar en diversos sitios web para conocer la opinión sobre sus productos o servicios, la opinión sobre su marca, incluso las necesidades que pueden tener sus clientes, ofreciendo una valiosa información, no solo de su experiencia actual, sino también de lo que sus clientes esperan de la compañía. Asimismo, mediante esta técnica, las compañías pueden analizar a sus competidores en el mercado, desarrollar estrategias de marketing más receptivas para sus clientes o identificar y combatir *fake news* sobre la compañía.

4.3 Cumplimiento de las obligaciones en materia de protección de datos

Como se ha indicado anteriormente, al emplear técnicas de *data scraping* existe un alto riesgo de que, entre los datos recolectados, se encuentren datos de carácter personal, como el correo electrónico, la dirección postal o el número de teléfono de un particular. En este supuesto, entrarán en aplicación los principios y las obligaciones contenidas en la LOPDGDD y el RGPD.

Para cumplir con los principios contenidos en el RGPD, los datos deben tratarse de forma lícita, leal y transparente, con fines determinados, explícitos y legítimos, limitando el tratamiento a lo necesario en relación con los fines para los que los datos son tratados, de forma exacta y, si fuera necesario, actualizados. Además, deben tratarse durante el tiempo estrictamente necesario, de tal forma que se garantice la seguridad de los datos y deberá cumplirse con el principio de responsabilidad proactiva, es decir, aplicándose las medidas técnicas y organizativas adecuadas al supuesto concreto, no solo para cumplir con la normativa, sino para demostrar su cumplimiento antes las autoridades de control e interesados.

En cuanto a las obligaciones específicas aplicables, deberán cumplir con las siguientes:

- Cumplir con deber de información: deberá informarse a los afectados sobre el tratamiento que se realizará de sus datos de carácter personal, incluyendo todos los requisitos incluidos en los artículos 13 y 14 del RGPD. En este sentido, resulta fundamental delimitar la finalidad concreta para la que se tratarán los datos y la base de legitimación que habilita a realizar el tratamiento de los datos. Entre las posibles bases de legitimación, parece lógico enmarcar el *data scraping* en el interés legítimo de la entidad, a tenor del artículo 6.1. f) del RGPD. Por ello, deberá realizarse una ponderación del interés legítimo de la entidad que tratará los datos y las personas afectadas por el tratamiento a fin de concluir que, efectivamente, los intereses legítimos del responsable superan a los derechos y libertades de los interesados.

– Actualizar el registro de actividades de tratamiento: siempre y cuando deba elaborarse un registro de actividades de tratamiento, deberá incluirse el *data scraping* como actividad.

– Ofrecer la posibilidad de ejercicio los derechos: deberá ofrecerse a los interesados la posibilidad de ejercer su derecho de acceso, rectificación, oposición, supresión, limitación y portabilidad. Asimismo, deberá informarse sobre la posibilidad de interponer una reclamación relativa a la protección de sus datos personales ante la Agencia Española de Protección de Datos cuando el interesado considere que se han vulnerado sus derechos de protección de datos.

– Formalizar los contratos de encargo de tratamiento: deberá regularizarse la relación con aquellos terceros proveedores de servicio que acceden a datos de carácter personal mediante la firma de un contrato que cumpla con todos los requisitos del artículo 28 del RGPD. En este sentido, deberá tenerse en consideración la posibilidad de que se lleven a cabo transferencias internacionales de datos por tratarse los mismos fuera del Espacio Económico Europeo, lo que implicaría la necesidad de analizar el nivel de protección conferido a los datos transferidos por el receptor de los mismos e implementar los mecanismos de garantía adecuados.

– Realizar una evaluación de impacto: deberá analizar los riesgos que conlleva la actividad con el objetivo de valorar la necesidad de realizar una evaluación de impacto, pues, en caso de existir un riesgo alto, se deberán implementar las medidas necesarias para mitigar los riesgos. A este respecto, hay una alta probabilidad que deba realizarse una evaluación de impacto, en tanto el *data scraping* conlleva, con carácter general, el tratamiento de datos a gran escala, constituyendo este uno de los criterios señalados por AEPD y, en caso de concurrir con algún otro criterio, hacen obligatoria la realización de la correspondiente evaluación de impacto.

4.4 Medidas técnicas y organizativas para evitar el raspado de datos

El cumplimiento de las obligaciones definidas hasta el momento nos va a permitir analizar si el raspado que se lleve a cabo es conforme a la normativa desde el punto de vista de la protección de datos. Ahora bien, también podemos quedar expuestos a incurrir en infracciones si gestionamos aplicaciones, herramientas web o cualquier otro servicio de acceso público que contenga y recopile información sin adoptar una serie de medidas técnicas y organizativas que, pensadas desde el diseño y por defecto, contribuyan a evitar el despliegue de técnicas de raspado en nuestros sistemas y garanticen la seguridad del tratamiento y el cumplimiento de los principios de protección de datos, de conformidad con los artículos 25 y 32 del RGPD.

En este sentido, existen medidas técnicas y organizativas específicas que, adaptadas a cada caso concreto, sirven como cortafuego al despliegue de técnicas de *scraping*.

- Limitar las búsquedas que pueden realizarse en un plazo de tiempo concreto: Si hablamos de una herramienta web que permita realizar búsquedas, para obtener resultados que contengan información personal, como pueden ser perfiles de redes sociales o de cualquier otro registro de acceso público, se implementarán soluciones técnicas que limiten el número de búsquedas que puedan acometerse en un plazo de tiempo determinado. De esta manera, se evita que las técnicas utilizadas para el raspado funcionen con total eficacia, ya que estas pueden realizar un elevado número de búsquedas en muy poco tiempo, debido al carácter automatizado que las representa. Adicionalmente, se evitará mostrar coincidencias exactas en los resultados obtenidos de las búsquedas realizadas; en su lugar, se devolverán coincidencias cercanas que no coincidan con el número de teléfono o el dato que haya sido utilizado en la búsqueda.

- Instalación de herramientas que permitan detectar la existencia de *bots*[15]: se implementarán sistemas que permitan realizar un análisis exhaustivo del seguimiento de las IP, sistemas que sean capaces de identificar cuándo nos encontramos ante un *bot*, detectando aquellos que tengan un comportamiento inusual, como realizar una cantidad considerable de solicitudes o visiten un mismo sitio web durante varios días consecutivos a la misma hora. Esto se puede conseguir con la instalación de *Captchas*[16], o pruebas para verificar la interacción humana y poder descartar la existencia de estos *bots*, que, una vez resueltas, permiten acceder a una determinada información. Este tipo de pruebas suelen requerir contestar a una pregunta concreta, o di-

---

[15]   Acortamiento de la palabra robot. Se refiere a un programa informático que efectúa automáticamente determinadas tareas.

[16]   *Completely Automated Public Turing test to tell Computers and Humans Apart*. Test de Turing público y automático para distinguir a los ordenadores de los humanos

ferenciar una figura en una imagen o copiar un texto, dificultando significativamente el acceso a través de técnicas automatizadas.

– Controles periódicos: como principal medida organizativa, se estudiará la posibilidad de dedicar recursos a realizar controles periódicos para rastrear la detección de técnicas de *scraping*.

– Elaboración de estudios tras detectar técnicas de *scraping*: en caso de que acabe siendo detectada alguna práctica de raspado en los sistemas, se realizarán estudios y análisis para recopilar información que pueda ser de ayuda para comprender cómo se ha llevado a cabo el raspado de los datos y permitan, por tanto, reenfocar las medidas de seguridad ya adoptadas y/o adoptar nuevas medidas más eficaces.

– Formación para empleados: es importante concienciar al personal respecto a este tipo de prácticas, de tal forma que aquellos empleados que, por las funciones que desempeñen en su puesto de trabajo, deban entender qué es el raspado, cómo puede materializarse y la importancia de su detección, reciban la formación adecuada que les proporcione conocimientos para saber cómo combatir este tipo de técnicas y qué hacer en caso de detectar alguna.

5. CONCLUSIONES

Como hemos visto a lo largo del presente capítulo, el *data scraping* es una práctica que puede llevar a las entidades a tratar datos personales obtenidos de fuentes *online* y de acceso público para finalidades incompatibles a las inicialmente perseguidas, sin que exista una base de legitimación que permita realizar el tratamiento de datos. El simple hecho de haber obtenido los datos de fuentes a las que cualquier persona puede acceder no legitima el tratamiento que se lleve a cabo ulteriormente.

Las distintas sanciones que se han analizado traen como causa, por un lado, el raspado de datos para emplearlos con fines incompatibles y sin respetar los principios que inspiran el tratamiento de datos personales; y por el otro, el incumplimiento de los principios de protección de datos desde el diseño y por defecto, al no haber anticipado las medidas técnicas y organizativas necesarias para evitar el raspado en sus aplicaciones, en el caso de las entidades que gestionen servicios de acceso público en internet.

Sin embargo, como se ha explicado, no todas las modalidades de *data scraping* son ilícitas. El *social media listening* es, entre otras, una técnica que permite a las empresas medir la opinión pública, accediendo a las valoraciones que el público hace de sus productos o la opinión generalizada sobre su marca, ayudándoles a anticipar nuevas necesidades de un modo transparente.

En conclusión, el *data scraping* puede configurarse como una técnica lícita siempre y cuando se respeten las obligaciones recogidas en la normativa sobre protección de datos que todo responsable del tratamiento debe observar y, en especial, se adopten aquellas medidas técnicas y organizativas adecuadas para evitar técnicas intrusivas no deseadas.

6. REFERENCIAS BIBLIOGRÁFICAS

España. Ley Orgánica 15/1999, de 13 de diciembre, de Protección de Datos de Carácter Personal [Internet]. Boletín Oficial del Estado, 14 de diciembre de 1999, núm. 298, págs. 43088 a 43099. Disponible en: https://www.boe.es/buscar/act.php?id=BOE-A-1999-23750

Agencia Española de Protección de Datos. Procedimiento Nº PS/00240/2019 [Internet]. Resolución de Procedimiento Sancionador. Disponible en: https://www.aepd.es/es/documento/ps-00240-2019.pdf

España. Ley 39/2015, de 1 de octubre, del Procedimiento Administrativo Común de las Administraciones Públicas [Internet]. Boletín Oficial del Estado, 2 de octubre de 2015, núm. 236, págs. 89343 a 89419. Disponible en: https://www.boe.es/buscar/doc.php?id=BOE-A-2015-10565

Unión Europea. Reglamento (UE) 2016/679 del Parlamento Europeo y del Consejo de 27 de abril de 2016 relativo a la protección de las personas físicas en lo que respecta al tratamiento de datos personales y a la libre circulación de estos datos y por el que se deroga la Directiva 95/46/CE (Reglamento general de protección de datos) [Internet]. Diario Oficial de la Unión Europea L 119, 4 de mayo de 2016, p. 1-88. Disponible en: https://www.boe.es/doue/2016/119/L00001-00088.pdf

Sanción de Garante per la Protezione dei Dati Personali a Clearview AI. 10 de febrero de 2022 [Internet]. Disponible en: https://www.garanteprivacy.it/web/guest/home/docweb/-/docweb-display/docweb/9751362

Sanción de Information Commissioner's Office a Clearview AI. 26 de mayo de 2022 [Internet]. Disponible en: https://ico.org.uk/action-weve-taken/enforcement/clearview-ai-inc-mpn/

Sanción de Commission Nationale de l'Informatique et des Libertés a Clearview AI. 20 de octubre de 2022 [Internet]. Disponible en: https://www.cnil.fr/en/facial-recognition-20-million-euros-penalty-against-clearview-ai

Sanción de Data Protection Commission a Meta Platform Irelad Ltd. 25 de noviembre de 2022 [Internet]. Disponible en: https://www.dataprotection.ie/sites/default/files/uploads/2022-12/Final%20Decision_IN-21-4-2_Redacted.pdf

España. Tribunal Supremo (Sala Primera de lo Civil), Sentencia núm. 572/2012 de 9 de octubre.

Sanción a META por permitir el Data scraping. (21 de diciembre de 2022). Ecija. Disponible en: https://ecija.com/sala-de-prensa/sancion-a-meta-por-permitir-el-data-scraping/

Data scraping VS RGPD. (9 de junio de 2022). Jorge Garcia Herrero. Disponible en: https://jorgegarciaherrero.com/social-media-listening-vs-rgpd/

Onboarding remoto de clientes: hacia un proceso seguro y armonizado

PAU CAMARASA FERRI y JESÚS CORDERO GONZÁLEZ

Abogados asociados en ECIJA

1. INTRODUCCIÓN

El *onboarding* remoto de clientes es una parte esencial de los proyectos de transformación digital de las empresas. Los consumidores y usuarios ya no adquieren bienes o contratan servicios exclusivamente a través de canales físicos como tiendas o sucursales, sino que es frecuente que estas operaciones del día a día se realicen a través de internet y dispositivos móviles.

La Comunicación de la Comisión al Parlamento Europeo, al Consejo, al Comité Económico y Social Europeo y al Comité de las Regiones sobre una Estrategia de Finanzas para la Unión Europea[1] de septiembre de 2020 ya anticipaba que el futuro de las finanzas está ligado a la existencia de un entorno digital.

En el centro de este cambio de tendencia en el comportamiento de los consumidores y usuarios existe un sector de especial relevancia que, en última instancia, es el posibilitador de las transacciones y operaciones, estamos hablando del sector bancario. Precisamente, la Comisión conside-

---

[1] Contenido íntegro de la Comunicación disponible en el siguiente enlace: https://eur-lex.europa.eu/legal-content/ES/TXT/HTML/?uri=CELEX:52020DC0591&

ró que la Directiva 2015/849 no establece con la claridad suficiente qué se permite y qué no se permite en cuanto a las obligaciones de diligencia debida en un entorno digital y de *onboarding* remoto de clientes.

Consecuentemente, dicho órgano solicitó a la Autoridad Bancaria Europea[2] la creación de unas directrices relativas a los procesos de *onboarding* a distancia de clientes que fuera garantista con las obligaciones en materia de diligencia debida y prevención del blanqueo de capitales y financiación del terrorismo.

A raíz de esta petición, la Autoridad Bancaria Europea publicó en noviembre del año 2022 las *"Directrices en el uso de Soluciones de Onboarding Remoto de Clientes bajo el artículo 13(1) de la Directiva (UE) 2015/849"*, las cuales entrarán en vigor transcurridos seis meses de su traducción a los idiomas oficiales de la Unión Europea, debiendo las autoridades bancarias nacionales reportar su grado de cumplimiento transcurridos dos meses de su entrada en vigor.

Si bien en la actualidad estas soluciones de *onboarding* remoto de clientes estarán reguladas exclusivamente para el sector bancario, es de suponer que otros sectores con especial incidencia en la prevención del blanqueo de capitales también acaben sometidos a un régimen normativo similar. Particularmente relevante es el caso del sector seguro cuya autoridad europea, la Autoridad Europea de Seguros y Pensiones de Jubilación, ha venido implementando las directrices de la Autoridad Bancaria Europea con mínimos cambios[3].

2. GARANTÍAS EN EL PROCESO DE IDENTIFICACIÓN, AUTENTICACIÓN Y ALTA DEL SERVICIO

Tecnológicamente, un proceso de contratación electrónica es muy sencillo de implantar en cualquier sector y cualquier actividad; el reto prin-

---

[2]   La Autoridad Bancaria Europea (EBA por sus siglas en inglés) es un organismo regulador europeo cuyo objetivo es garantizar el adecuado funcionamiento de las instituciones financieras y de pago de la Unión Europea. Es el organismo responsable del desarrollo e implementación de normativas que protejan la estabilidad del sector financiero europeo, así como de la organización y coordinación de las diferentes autoridades competentes nacionales.

[3]   Por ejemplo, la publicación de las Directrices sobre la Externalización de Proveedores de Servicios en la nube.

cipal en cualquier proceso de contratación electrónica radica en garantizar la identidad del firmante. Existen diferentes exigencias legales en la contratación dependiendo del sector al que va dirigido, y estas exigencias están íntimamente relacionadas con el grado de confiabilidad en la identidad de la persona que realiza la contratación y las garantías de integridad de la documentación y firma objeto del contrato.

Para conocer el grado de seguridad que puede tener un sistema de identificación, se aplicará el artículo 8, apartado 3, del Reglamento (UE) n° 910/2014 del Parlamento Europeo y del Consejo, de 23 de julio de 2014, relativo a la identificación electrónica y los servicios de confianza para las transacciones electrónicas en el mercado interior (Reglamento eIDAS) y su Reglamento de ejecución. Estas normas definen los niveles de seguridad que pueden darse en los sistemas de identificación electrónica según los mecanismos utilizados, y con ello, el grado de confianza que puede aportar cada uno durante el proceso de identificación de la persona.

Generalmente, todo proceso de onboarding digital se compone de dos partes para que sea un proceso totalmente robusto y efectivo:

1. El análisis de la originalidad de un documento de identidad expedido por una entidad gubernamental (DNI, pasaporte, NIE, etc...)

2. Controles de biometría facial que permitan determinar de forma automática el grado de coincidencia entre los rasgos faciales del usuario que aparece en la videoconferencia y los rasgos faciales de la fotografía del documento de identificación fehaciente.

A lo anterior cabe añadir las medidas antifraude complementarias que puedan determinarse para comprobar que el proceso está siendo seguro y no se está llevando a cabo ningún intento de suplantación de identidad, así como la posibilidad de contrastar la identidad extraída con listados que permitan comprobar que la persona que está llevando a cabo el proceso de registro/verificación no presenta restricciones a la contratación derivadas de situaciones como ser persona políticamente expuesta o ser persona bajo sanción internacional.

En España, el SEPBLAC (SEPBLAC, s.f.), (la Unidad de Inteligencia Financiera en España y supervisora en materia de prevención del blanqueo de capitales) ha definido las características que deben cumplir determinados mecanismos de verificación de la identidad de un cliente de manera no presencial. En este sentido, dado el objeto del presente capítulo, resulta de especial interés detallar los principales requisitos delimitados por el citado organismo para el procedimiento de video-identificación:

1. "*Implantar los requerimientos técnicos que permitan verificar la autentici-dad, vigencia e integridad de los documentos de identificación utilizados y la correspondencia del titular del documento con el cliente objeto de vídeo-identificación*".

2. Realizar el proceso desde un "*único dispositivo*" y con transmisión "*en directo*" de imágenes y sonido (es decir, no se permiten archivos pre-grabados).

3. Grabación de la vídeo-identificación, "*con constancia fehaciente de su fecha y hora*", para permitir su posterior reproducción, que deberá ser conservado de conformidad con lo dispuesto en el artículo 25 de la Ley 10/2010 (es decir, 10 años).

4. "*En el curso del proceso de vídeo-identificación el cliente deberá exhibir visible-mente el anverso y reverso del documento empleado para su identificación.*"

5. Conservar, además de la grabación, "*una fotografía o instantánea del anverso y reverso del documento de identificación utilizado*" que reúna las "*condiciones de calidad y nitidez que permitan su uso en investigaciones o análisis*". El SEPBLAC indica expresamente que a estos efectos no se considerará "*válida la mera captura de fotogramas del proceso de vídeo-identificación*"; es decir, se exige que además de una grabación de ví-deo, se capture de forma separada una fotografía del anverso y rever-so del documento.

6. Revisión posterior de todas las evidencias del proceso por **un opera-dor con formación específica.**

Finalmente, hay que tener en cuenta que, a excepción del procedi-miento de identificación no presencial mediante certificados electrónicos cualificados[4], el SEPBLAC determina para el resto de las soluciones que, en el plazo de un mes desde el establecimiento de la relación comercial no presencial, los sujetos obligados deberán obtener de sus clientes una copia de los documentos necesarios para practicar la diligencia debida, incluida la copia del documento de identificación fehaciente. Asimismo, es fundamental tener en cuenta que no se podrá completar el proceso de

---

[4]   Un certificado electrónico cualificado es, un documento electrónico que vincula los datos de validación de una firma con una persona física o jurídica, con un par de claves, una pública y otra privada. Contiene la información necesaria para firmar electrónicamente e identificar a su propietario con sus datos: nombre, NIF, algoritmo y claves de firma, fecha de expiración y organismo que lo expide, de conformidad con lo dispuesto en el art. 26 de Reglamento eIDAS.

identificación no presencial cuando exista cualquier discrepancia entre los datos facilitados por el cliente, o dudas de la correspondencia del titular con el cliente objeto de identificación, siendo, en ese caso, obligatoria la identificación presencial.

En línea con lo anterior, es relevante destacar que la experiencia en el sector bancario ha propiciado la adopción de un sistema de verificación digital de identidad para la emisión de certificados electrónicos cualificados. Esta regulación se materializó en la Orden ETD/465/2021, de 6 de mayo, por la que se regulan los métodos de identificación remota por vídeo para la expedición de certificados electrónicos cualificados, y a nivel técnico se ve complementada por el Anexo F.11 de Herramientas de vídeo-identificación de la Guía de Seguridad de las TIC CCN-STIC-140 (CENTRO CRIPTOLÓGICO NACIONAL). Así, los prestadores cualificados de servicios de confianza que desean emitir certificados cualificados comprobando la identidad del solicitante a distancia, deberán cumplir la Orden ETD/465/2021 y emplear una herramienta certificada según la guía CCN-STIC-140-Anexo F.11. (CENTRO CRIPTOLÓGICO NACIONAL). El proceso definido por esta normativa incorpora, entre otros, los siguientes requisitos para las herramientas utilizadas en el proceso de identificación en remoto:

1. Se debe garantizar que el proceso se ejecuta en unidad de acto, de forma que pueda evidenciarse que se trata de **un único proceso en un único dispositivo y en un único acto secuencial en el tiempo**, con independencia de que se ejecute en varios pasos (GEN.1).

2. **El proceso se debe realizar en tiempo real,** obteniéndose las evidencias durante el proceso, no permitiéndose archivos pregrabados (GEN.2).

3. Se debe verificar la autenticidad, vigencia e integridad del documento de identidad, debiendo ser capaz la herramienta de realizar una serie de controles específicos (DOC.1 a DOC.6 y DOC.9).

4. **Se comprobará la correspondencia del titular del documento con el solicitante del certificado, mediante tecnologías de reconocimiento facial que hayan sido evaluadas por el NIST**[5] alcanzando un nivel de precisión determinado (SOL.2).

5. **Se verificará que el solicitante es una persona viva (en adelante, se hará referencia a esta cuestión con el término "prueba de vida") e**

---

[5]   National Institute of Standards and Technology (NIST).

implementar mecanismos de detección de ataques de presentación[6] (SOL.3).

6. Se realizará una grabación de un vídeo (o, alternativamente, una videollamada) en la que el solicitante muestre el anverso y reverso de su documento (requisito derivado de la Orden ETD/465/2021).

7. **Se hará una revisión posterior de todas las evidencias del proceso por un operador** con formación específica (SOL.1, DOC.7 y DOC.8).

En concreto, en lo relativo a le evaluación del sistema biométrico de comparación facial, el CCN establece en su guía que la comparación facial de solicitante con la foto del documento de identidad debe haber sido evaluado, según el *Face Recognition Vendor Test* (FRVT) en la categoría VISABORDER, del NIST y haber obtenido una tasa de FNR2 (False Negative Rate) menor o igual a 5% para un FPR3 (False Positive Rate) de menor o igual a 1/1 000 000. La base de datos utilizada para la prueba debe ser la utilizada por el NIST en 2020 o superior.

3. CLAVES DE LAS DIRECTRICES DE LA AUTORIDAD BANCARIA EUROPEA SOBRE *ONBARDING* REMOTO

Las directrices de la Autoridad Bancaria Europea tienen por objeto establecer "*los pasos que deben dar las entidades de crédito y financieras a la hora de elegir las herramientas de captación de clientes a distancia y lo que deben hacer [dichas entidades] para asegurarse de que la herramienta elegida es adecuada y fiable (…) y de que les permite cumplir eficazmente con sus obligaciones de customer due diligence*".

Este texto se divide en siete directrices principales desarrolladas a través de diferentes subapartados que, a través de un análisis conjunto de todas ellas, aportan una serie de requisitos a cumplir por las entidades bancarias.

---

[6]   Definición ligada a cualquier intento de interrumpir el proceso biométrico, a través del cual el atacante puede, por ejemplo, tanto construir un artefacto réplica de una característica biométrica humana, como puede ser una máscara de látex que tiene las facciones físicas de una determinada persona, como modificar una característica biométrica propia, por ejemplo, la cara, para ocultar su identidad o hacerla semejante a otra persona, entre otras técnicas.

3.1 Políticas y Procedimientos Internos

La primera directriz propuesta se centra en los mecanismos internos que las instituciones financieras y entidades de crédito deben cumplir en los procedimientos de *onboarding* a distancia.

De manera previa a la implementación de la herramienta para el *onboarding* la entidad deberá realizar una evaluación de la adecuación de la herramienta, los datos que recogerá, los riesgos posibles —incluyendo tanto fraude como suplantación de identidad y seguridad— y sus posibles medidas de mitigación, y una prueba completa del funcionamiento de la herramienta.

La entidad deberá garantizar una implementación efectiva y sometida a revisión del propio procedimiento, ello conlleva necesariamente que éste sea aprobada y supervisada por el órgano de gestión de la entidad, y que la misma cumple con las obligaciones recogidas en el artículo 13.1.a y 13.1.c de la Directiva (UE) 2015/849 (PARLAMENTO EUROPEO Y EL CONSEJO DE LA UNIÓN EUROPEA, 2015).

Una vez se haya implementado la herramienta, existirá una obligación de monitorización constante de su funcionamiento. Dicha monitorización exige de un registro de las diferentes etapas, alcance y su propia frecuencia, así como de aquellas circunstancias que requieren de una revisión *ad hoc*.

En caso de que una vez implementada la herramienta se materialice alguno de los riesgos identificados, las entidades deberán poder revisar la relación comercial afectada y establecer las medidas mitigadoras y reparadoras necesarias.

Todo lo anterior deberá poder ser acreditado ante la autoridad competente, el Banco de España.

3.2 Obtención de la Información

Durante el proceso de *onboarding*, las entidades deberán incluir aquella información requerida para identificar al cliente, los tipos de documentos, datos, así como el método utilizado para verificar tal información.

A los anteriores efectos, las entidades deben asegurarse de que la información obtenida es adecuada y está actualizada, cumpliendo así con los requisitos legales en los procesos de diligencia debida con los clientes.

La información, imágenes, sonidos o vídeos que puedan ser obtenidos deberán registrarse en un formato legible y de calidad suficiente como para permitir el reconocimiento inequívoco del cliente. Ello conlleva que, en caso de que se detecten problemas técnicos o interrupciones en la conexión, el proceso de *onboarding* no podrá continuar.

En cuanto a la identificación de las personas físicas, las entidades de crédito e instituciones financieras deben definir qué información:

a) es introducida manualmente por el cliente;

b) se captura automáticamente a partir de la documentación facilitada por el cliente

c) se recopila utilizando otras fuentes internas o externas.

Respecto de las personas jurídicas, debe examinarse el tipo de entidad de la que se trata, su riesgo asociado conforme a la normativa en materia de prevención del blanqueo de capitales, así como el nivel de intervención humana requerido para validar dicha información. Asimismo, deberán obtener toda la información relevante para verificar:

a) La identidad de la persona jurídica.

b) La identidad de la persona física que actúa en su nombre, así como que ésta está debidamente autorizada para representarla.

c) Los beneficiarios efectivos, conforme queda estipulado en el punto 4.12 de las Directrices de la Autoridad Bancaria Europea sobre los factores de riesgo[7].

3.3 Autenticidad e Integridad de los documentos

Pese a que las directrices no prohíben el uso de reproducciones de documentos, sí que se establecen una serie de medidas mínimas que las entidades deberán establecer cuando acepten reproducciones de documentos sin examinar el original, a fin de asegurar la fiabilidad de la reproducción.

---

[7] Directrices sobre la diligencia debida con respecto al cliente y los factores que las entidades a la hora de evaluar el riesgo de blanqueo de capitales y financiación de blanqueo de capitales y financiación del terrorismo asociado a individuales y las transacciones ocasionales ("Directrices sobre los factores de riesgo de BDC/FT") en virtud de los artículos 17 y 18, apartado 4, de la Directiva (UE) 2015/849.

A los anteriores efectos, para verificar dichas reproducciones las entidades deberán:

a) En caso de que se incorporen elementos de seguridad y especificaciones del original, compararlas con bases de datos oficiales, tales como PRADO (Registro Público de Documentos Auténticos de Identidad y de Viaje en Red).

b) Buscar posibles alteraciones o manipulaciones en la reproducción y sus datos.

c) Revisar la integridad de los algoritmos utilizados para la creación del identificador del documento original.

d) Comprobar que la reproducción tiene la calidad y definición suficiente.

e) Comprobar que la reproducción no se ha mostrado en una pantalla basada en una fotografía o escaneado del documento original. Es decir, que no se trata de una segunda reproducción.

En caso de que el dispositivo que el cliente utiliza para acreditar su identidad permita la recogida de datos relevantes, y siempre que resulte técnicamente, posible, deberán cotejarse dichos datos para validar su autenticidad.

Además, en los documentos originales, deberán verificarse las medidas de seguridad implementadas en el documento, tales como los posibles hologramas, como medio de prueba de su autenticidad.

Finalmente, en las políticas y procedimientos implementados por las entidades, éstas deberán ajustar las solicitudes de información a los fines de la inclusión financiera.

3.4 Cotejo de la Identidad del Cliente como parte del Proceso de Verificación

Durante el proceso de verificación de la identidad del cliente, las herramientas de *onboarding* deberán permitir, como mínimo; en caso de personas físicas, comprobar la coincidencia entre la información visible y la documentación aportada, y; en caso de personas jurídicas, comprobar que está registrada y que su representante tiene la capacidad suficiente para actuar en su nombre.

En este proceso podrán usarse, además, datos de carácter biométrico, sobre los cuales las entidades deberán asegurarse de que estos son suficientemente únicos como para ser vinculados inequívocamente a una única persona física. Este requisito supone el uso de algoritmos potentes y fiables para cotejar los datos y aplicar controles adicionales cuando la herramienta no proporcione este nivel de confianza.

En estas labores de asegurar la suficiencia de los datos, las entidades permiten comparar los datos biométricos con la información proveniente de otras fuentes independientes, esto implica que se permite hacer uso de bases de datos biométricos gestionadas por terceras entidades.

A mayor abundamiento, las directrices pautan que las entidades de crédito e instituciones financieras deben establecer y mantener mecanismos adecuados para garantizar que la información que capturan automáticamente es fiable, aplicando controles para hacer frente a los riesgos asociados, incluidos los riesgos asociados a la captura automática de datos, como la ocultación de la ubicación del dispositivo del cliente la suplantación de direcciones de protocolo de Internet (IP) o de servicios como las redes privadas virtuales (VPN).

Las propias obligaciones cambiarán en función de si el proceso de *onboarding* remoto se realiza con la supervisión de un empleado o si no existe esta interacción. No obstante, siempre que sea posible, las herramientas utilizadas deberán permitir incluir aleatoriedad en la secuencia de acciones a realizar por el cliente y asignar de forma aleatoria al empleado responsable de la verificación del cliente.

Como ya se analizará en mayor profundidad en el punto cuarto siguiente, el criterio general para considerar que las herramientas cumplen con los requisitos anteriores es que utilicen sistemas de identificación electrónica con un nivel de garantía sustancial o alto.

3.5 Dependencia de Terceros y Externalización

En línea con la primera directriz, las políticas y procedimientos internos deben especificar qué actividades relativas al *onboarding* remoto serán realizadas por la propia entidad, por terceros o bien por un proveedor de servicios subcontratado de este tercero.

Las entidades deberán garantizar el cumplimiento de los terceros en relación con sus obligaciones establecidas por las directrices. Lo anterior implica necesariamente que estas externalizaciones serán entendidas como externalizaciones de funciones esenciales o críticas a los efectos de lo establecido en las Directrices de la Autoridad Bancaria sobre Externalización[8] y, consecuentemente, deberán cumplir con las disposiciones establecidas en dichas directrices, las cuales, en la actualidad, son plenamente aplicables y se encuentran en vigor.

3.6 Seguridad y Gestión de Riesgos

Tal y como se establecía en la anterior directriz, la gestión de los riesgos y ciberseguridad se encuentra, en la praxis, relegada al cumplimiento de lo establecido en las Directrices de la Autoridad Bancaria Europea sobre la Gestión de Riesgos de TIC y de Seguridad[9].

No obstante, de manera adicional a las referidas directrices, las entidades deberán establecer canales de comunicación seguros para la interacción con el cliente durante el proceso de *onboarding* remoto. Consecuentemente, deberán utilizarse protocolos seguros y algoritmos criptográficos acordes a los mayores estándares del sector.

3.7 Servicios de Confianza y Procesos de Identificación Nacionales

Las entidades podrán servirse de los servicios de confianza y procesos de identificación nacionales que estén regulados, aprobados o aceptados por las autoridades nacionales competentes.

Sin perjuicio de ello, existe un deber de diligencia adicional para las entidades que deberán someter a examen dichos servicios de confianza para identificar su grado de cumplimiento con el contenido de las propias directrices y, en su caso, mitigar cualesquiera posibles riesgos derivados del uso de estos.

Particularmente, deberán asegurarse de que los siguientes riesgos son abordados:

a) Riesgos relativos a la autenticación tal y como lo disponen estas directrices, especialmente en cuanto a riesgos de suplantación de identidad;

---

[8]   Directrices sobre Externalización. EBA/GL/2019/02. (EUROPEAN BANKING AUTHORITY, 2019)

[9]   Directrices de la ABE sobre gestión de riesgos TIC y de seguridad. EBA/GL/2019/04 (EUROPEAN BANKING AUTHORITY, 2019)

b) Riesgo de que la identidad del cliente no sea la declarada; y,

c) Riesgos relativos a la sustracción, caducidad, suspensión, revocación o pérdida del documento de identidad, incluyendo, las posibles herramientas para detectar y prevenir el fraude de identidad.

4. DATOS BIOMÉTRICOS EN PROCESOS DE CONTRATACIÓN POR MEDIOS ELECTRÓNICOS, PRINCIPALES ELEMENTOS PARA TENER EN CUENTA

A la hora de abordar el uso de los datos biométricos en procesos de contratación y/o onboarding, conviene en primer lugar determinar una definición de estos, que podemos encontrar en el RGPD, en su artículo 4, apartado 14, que los identifica como datos personales "[…] *obtenidos a partir de un tratamiento técnico específico, relativos a las características físicas, fisiológicas o conductuales de una persona física que permitan o confirmen la identificación única de dicha persona* […]".

El marco legal de las operaciones biométricas dependerá de la normativa de protección de datos, normativa específica sobre biometría y también la normativa sectorial que es aplicable al responsable y al tratamiento concreto. En todo caso, de conformidad con lo dispuesto por la AEPD, el tratamiento de datos personales que impliquen el uso de datos biométricos con el propósito de identificar de manera única a una persona física está sujeto a una Evaluación de Impacto relativa a la protección de datos personales (AGENCIA ESPAÑOLA DE PROTECCIÓN DE DATOS, 2019).

Al respecto del uso de datos biométricos como el reconocimiento facial en los procesos de onboarding digital, las referidas directrices de la EBA determinan que cuando la solución implantada implique el uso de datos biométricos para verificar la identidad del cliente, las entidades financieras y de crédito deben asegurarse de que los datos biométricos sean lo suficientemente fiables como para que puedan vincularse inequívocamente a una única persona física. En ese sentido, se indica que las citadas entidades deben utilizar algoritmos sólidos y fiables para verificar la coincidencia entre los datos biométricos facilitados en el documento de identidad presentado y los datos biométricos captados del cliente. En situaciones en las que la solución no proporcione el nivel de confianza requerido, la Autoridad determina que deberán aplicarse controles adicionales. Adicionalmente, **las directrices plantean la posibilidad de que la captura de datos biométricos para ser comparados con datos obtenidos sea uno de los controles**

que puedan adoptarse en función del riesgo en materia de Prevención de Blanqueo de Capitales.

Adicional a lo anterior, conviene destacar las disposiciones contenidas en la Nota Técnica de la AEPD sobre la identificación y autenticación biométrica (AGENCIA ESPAÑOLA DE PROTECCIÓN DE DATOS, 2020), que establece, entre otros aspectos, que sólo utilizar biometría es un proceso de autenticación débil, mientras que utilizar una tarjeta de acceso y contraseña es fuerte ya que combina en este último caso algo que se tiene con algo que se sabe, mientras en el caso de la biometría, por ejemplo a través de un sistema de reconocimiento facial, sólo se aplica algo que se es.

En este sentido, en la citada nota la Agencia indica que, aunque la autenticación biométrica muchas veces exige un proceso previo de registro o identificación en el que, por ejemplo, en reconocimiento facial, hay que comparar con la foto en el DNI, si, después del proceso de identificación, el proceso de autenticación sólo es biométrico, sigue siendo un sistema débil. La anteriormente referenciada Guía CCN-STIC-140, a la hora de describir los productos de video identificación basados en biometría, determina que son productos complejos en los que la fiabilidad, privacidad y seguridad son claves. Entre las características de estos productos definidas por el CCN, se encuentran las siguientes:

- **Composición modular.** Estos productos suelen estar compuestos por diferentes módulos con funcionalidades diferenciadas: módulo de captura de datos y módulo de procesamiento y comparación (motor biométrico).

- **Comparación no absoluta.** El resultado del módulo de utilización o comparación de datos biométricos no es binario, sino que emite un porcentaje de coincidencia (también llamado similitud o semejanza) o diferencia (scoring).

- **Proceso asistido o desasistido.** El proceso de identificación puede ser asistido o desasistido. En el proceso asistido, el operador es parte activa del proceso y toma la decisión de identificación a partir de la información suministrada por la herramienta. En el proceso desasistido, la revisión de evidencias y decisión final de identificación es realizada a posteriori por el operador.

Teniendo en cuenta lo anterior, las directrices de la EBA determinan la obligatoriedad de mecanismos de "prueba de vida" (liveness detection) en todos los casos de interacción en remoto con el cliente sin intervención directa con el personal para realizar el proceso de verificación de la identidad. En el campo de la biometría, la prueba de vida[10] o liveness detection es la tecnología que detecta si hay una persona físicamente detrás de una operación que implique reconocimiento biométrico. Esto significa que este mecanismo de control deba ser aplicado en todos los casos, salvo en los que se recurra a emisores de identidad digital oficiales u homologados.

La EBA no establece en sus directrices los métodos de detección de vida que pueden utilizarse, correspondiendo a la entidad lo forma de implementar la solución, si bien la ISO 30107 es referenciada por la propia Autoridad como fuente para la definición de las normas y requisitos aplicables.

4.1 La posición del Comité de Protección de Datos Europeo (CEPD)

El organismo compuesto, entre otros, por representantes de las autoridades nacionales de protección de datos y el Supervisor Europeo de Protección de Datos (SEPD), encargado entre otras funciones de velar por la aplicación coherente de las normas de protección de datos personales en la Unión Europea, publicó el 27 de junio de 2022 unas Directrices sobre el uso de técnicas de reconocimiento facial (EUROPEAN DATA PROTECTION BOARD, 2022). Las Directrices consideran diferentes escenarios sobre el uso de técnicas de reconocimiento facial (TRF) y más concretamente abordan el tratamiento de datos personales en relación con la identificación y la autenticación. El CEPD afirma en su apartado 12, página 8, que el uso de TRF para autenticar o identificar ha de ser considerado como un tratamiento de categorías especiales de datos (art. 9.1 RGPD) en todo caso. En consecuencia, si se realiza un tratamiento de datos biométricos tanto con fines de identificación como de autenticación, según el criterio del CEPD, se trataría de un tratamiento de una categoría especial de datos, que sólo podrá realizarse en el marco de las excepciones previstas en el 9.2 del RGPD, entre otras, las principales excepciones disponibles serán: (i) el consentimiento explícito; (ii) el cumplimiento de la normativa; y (iii) el interés público —apartados a), b) y g) del artículo 9.2 RGPD, respectivamente.

---

[10]   Existen dos tipos de prueba de vida: la activa que exige que el usuario realice determinados gestos delante de la cámara como realizar movimientos con la cabeza y la pasiva que no requiere colaboración del usuario analizando a través de algoritmos elementos como cambios en el movimiento ocular o puntos parametrizados de la cara del usuario

Para el caso que nos ocupa, en un proceso de onboarding la excepción más común para habilitar el tratamiento de datos personales podrá ser el consentimiento explícito del cliente. A este respecto, el Considerando 42 del RGPD destaca que *"El consentimiento no debe considerarse libremente prestado cuando el interesado no goza de verdadera o libre elección o no puede denegar o retirar su consentimiento sin sufrir perjuicio alguno"*. Asimismo, el artículo 7.4. del RGPD dispone que *"Al evaluar si el consentimiento se ha dado libremente, se tendrá en cuenta en la mayor medida posible el hecho de si, entre otras cosas, la ejecución de un contrato, incluida la prestación de un servicio, se supedita al consentimiento al tratamiento de datos personales que no son necesarios para la ejecución de dicho contrato"*. Por ende, dicho consentimiento pasa por el ofrecimiento al interesado de métodos alternativos para identificarse (impidiendo que se vicie el consentimiento), aspecto este que podría cubrirse fácilmente en la identificación en oficina mediante los documentos acreditativos fehacientes reconocidos y la verificación por el empleado de la correspondencia con la persona titular del mismo.

En resumen, a la luz de los artículos 4, apartado 14, y 9, de conformidad con el criterio al respecto del Comité Europeo de Protección de Datos, deben tenerse en cuenta tres criterios a la hora de realizar tratamiento de datos biométricos:

- la naturaleza de los datos: relativos a las características físicas, fisiológicas o conductuales de una persona física;

- los medios y las formas de tratamiento: datos *"obtenidos a partir de un tratamiento técnico específico"*;

- la finalidad del tratamiento: los datos se deben utilizar para la finalidad de identificar de manera unívoca a una persona física

5. CONCLUSIONES

Como se ha apuntado al inicio del presente capítulo, la tendencia en la relación con los clientes de toda tipología de sectores económicos es a la interacción digital de manera cada vez más intensa, este cambio de paradigma se manifiesta desde la primera toma de contacto y, por tanto, el proceso de *onboarding* se configura como el primer paso del viaje digital del potencial cliente. Ello redunda en una necesidad de regulación que, en muchos sectores, está comenzando a darse. Tradicionalmente, algunos sectores económicos, como el bancario, realizan adopciones tempranas de normativas sectoriales que, con frecuencia, son posteriormente adoptadas por otros sectores de actividad.

Teniendo en cuenta lo anterior, las directrices sobre el proceso de *onboarding* digital de clientes emitidas por la Autoridad Bancaria Europea suponen la regulación más reciente para el sector bancario en la materia, sentando un precedente fácilmente replicable en otro tipo de mercados, en especial aquellos en los que la prevención de blanqueo de capitales se aplica de manera más intensa. Particularmente relevante es el caso de la Autoridad Europea de Seguros y Pensiones de Jubilación que, tal y como se ha puesto de manifiesto anteriormente, ha venido implementando las directrices de la Autoridad Bancaria Europea con mínimos cambios.

La incorporación de datos biométricos en un proceso de *onboarding* tendrá un grado distinto de intrusión e impacto en la privacidad de los individuos. Esto dependerá de la técnica empleada, pero también de la propia definición del tratamiento, su naturaleza, el ámbito o alcance en el que se va a desarrollar, su contexto y, en especial, los fines que se persiguen. Por lo tanto, la Evaluación de Impacto de las operaciones biométricas se debe realizar a la hora de determinar adecuadamente los controles y garantías que permitan llevar a cabo el tratamiento, según las circunstancias concretas aplicables al caso, con un nivel de riesgo asumible.

En suma, las directrices de la Autoridad Bancaria Europea, así como lo expuesto en este capítulo permiten abordar el diseño de procesos de onboarding digitales que impliquen el uso de tecnología biométrica.

Si bien estas consideraciones inicialmente sólo serán aplicables al sector bancario, la tendencia natural es la conversión de estas directrices en un estándar de responsabilidad proactiva reforzada para otros sectores con una actividad intensa en el ámbito digital y que sean sujetos obligados en materia de prevención de blanqueo de capitales y financiación del terrorismo. Lo anterior basado en la premisa de mantener unas mejores prácticas en los diversos sectores que sean garantistas de los derechos e intereses de los clientes.

6. REFERENCIAS BIBLIOGRÁFICAS

AGENCIA ESPAÑOLA DE PROTECCIÓN DE DATOS. (2019). *LISTAS DE TIPOS DE TRATAMIENTOS DE DATOS QUE REQUIEREN EVALUACIÓN DE IMPACTO RELATIVA A PROTECCIÓN DE DATOS (art 35.4)*. Obtenido de https://www.aepd.es/es/documento/listas-dpia-es-35-4.pdf

AGENCIA ESPAÑOLA DE PROTECCIÓN DE DATOS. (2020). *14 equívocos con relación a la identificación y autenticación biométrica*. Obtenido de https://www.aepd.es/es/documento/nota-equivocos-biometria.pdf

CENTRO CRIPTOLÓGICO NACIONAL. (s.f.). *Guía de Seguridad de las TIC CCN-STIC 140*. Obtenido de https://www.ccn-cert.cni.es/pdf/guias/series-ccn-stic/guias-de-acceso-publico-ccn-stic/2518-ccn-stic-140-taxonomia-de-referencia-para-productos-de-seguridad-tic/file.html

CENTRO CRIPTOLÓGICO NACIONAL. (s.f.). *Taxonomía de productos STIC Anexo F.11: Herramientas de Videoidentificación*. Obtenido de https://www.ccn-cert.cni.es/en/series-ccn-stic/guias-de-acceso-publico-ccn-stic/5461-guia-140-anexo-f-11-herramientas-de-videoidentificacion/file.html

COMISIÓN EUROPEA. (2021). *Proposal for a REGULATION OF THE EUROPEAN PARLIAMENT AND OF THE COUNCIL amending Regulation (EU) No 910/2014 as regards establishing a framework for a European Digital Identity*. Obtenido de https://eur-lex.europa.eu/legal-content/EN/TXT/?uri=CELEX%3A52021PC0281

EUROPEAN BANKING AUTHORITY. (29 de noviembre de 2019). *Directrices de la Autoridad Bancaria Europea sobre gestión de riesgos TIC y de seguridad*. Obtenido de https://www.eba.europa.eu/sites/default/documents/files/document_library/Publications/Guidelines/2020/GLs%20on%20ICT%20and%20security%20risk%20management/872936/Final%20draft%20Guidelines%20on%20ICT%20and%20security%20risk%20management.pdf

EUROPEAN BANKING AUTHORITY. (25 de febrero de 2019). *EBA/GL/2019/02*. Obtenido de Directrices EBA sobre Externalización: https://www.eba.europa.eu/sites/default/documents/files/documents/10180/2551996/38c80601-f5d7-4855-8ba3-702423665479/EBA%20revised%20Guidelines%20on%20outsourcing%20arrangements.pdf?retry=1

EUROPEAN BANKING AUTHORITY, EBA. (2022). *Directrices en el uso de Soluciones de Onboarding de clientes no presencial*. Obtenido de https://www.eba.europa.eu/sites/default/documents/files/document_library/Publications/Guidelines/2022/EBA-GL-2022-15%20GL%20on%20remote%20customer%20onboarding/1043884/Guidelines%20on%20the%20use%20of%20Remote%20Customer%20Onboarding%20Solutions.pdf

EUROPEAN DATA PROTECTION BOARD. (2022). *Guidelines 05/2022 on the use of facial recognition technology in the area of law enforcement*. Obtenido de https://edpb.europa.eu/system/files/2022-05/edpb-guidelines_202205_frtlawenforcement_en_1.pdf

EUROPEAN DATA PROTECTION BOARD. (s.f.). *Directrices 3/2019 sobre el tratamiento de datos*. Obtenido de https://edpb.europa.eu/sites/default/files/files/file1/edpb_guidelines_201903_video_devices_es.pdf

PARLAMENTO EUROPEO Y EL CONSEJO DE LA UNIÓN EUROPEA. (20 de mayo de 2015). *Directiva (UE) 2015/849*. Obtenido de https://www.boe.es/doue/2015/141/L00073-00117.pdf

SEPBLAC. (s.f.). Obtenido de https://www.sepblac.es/es/sujetos-obligados/obligaciones/diligencia-debida/

SEPBLAC. (s.f.). *Mecanismos de Diligencia Debida*. Obtenido de https://www.sepblac.es/es/sujetos-obligados/obligaciones/diligencia-debida/

SEPBLAC Obtenido de https://www.sepblac.es/wp-content/uploads/2018/02/Autorizacion_video_identificacion.pdf

Principales sanciones impuestas en España bajo el Reglamento Europeo de protección de datos (RGPD)

ESTÍBALIZ COLINA CÁRCAMO

Asociada Principal del departamento de Derecho Mercantil de J&A Garrigues, S.L.P.
Especialista en privacidad, TI, comercio electrónico y ciberseguridad

SUMARIO: 1. INTRODUCCIÓN. 2. RÉGIMEN SANCIONADOR APLICABLE. 3. PRINCIPALES INFRACCIONES DEL RGPD SANCIONADAS POR LA AEPD. 4. PRINCIPALES SANCIONES IMPUESTAS POR LA AEPD. 5. REFERENCIAS BIBLIOGRÁFICAS.

1. INTRODUCCIÓN

La entrada en vigor del Reglamento Europeo de Protección de Datos ("**RGPD**")[1] el 24 de mayo de 2016[2], supuso el mayor hito legislativo en Europa de los últimos veinte años en materia de protección de datos personales. Desde la referida fecha, el RGPD, como Reglamento europeo, fue de directa aplicación en todos los Estados Miembros de la Unión Europea, sin ser necesaria su transposición a la normativa nacional. De este modo, se producía, por un lado, un avance definitivo en la homogeneización de los criterios y requisitos exigidos para los tratamientos de datos personales en los distintos Estados Miembros, y, por otro lado, una adaptación de la normativa europea al proceso de transformación digital que había tenido lugar en las dos décadas anteriores y que no encontraba cobertura jurídica en la normativa anterior.

---

[1] Reglamento (UE) 2016/679 del Parlamento Europeo y del Consejo de 27 de abril de 2016 relativo a la protección de las personas físicas en lo que respecta al tratamiento de datos personales y a la libre circulación de estos datos y por el que se deroga la Directiva 95/46/CE.

[2] El RGPD entró en vigor a los veinte días de su publicación en el Diario Oficial de la Unión Europea, la cual se produjo el 4 de mayo de 2016 (*ex* artículo 99.1 del RGPD).

Considerando la envergadura de este cambio normativo, el legislador europeo concedió un "periodo de gracia" hasta el 25 de mayo de 2018[3] para que los sujetos obligados se adaptaran a la nueva norma, fecha a partir de la cual el RGPD sería de obligado cumplimiento para aquellos, pudiendo, por tanto, ser sancionados desde entonces en caso de incumplimiento de lo previsto en el Reglamento.

A fin de complementar el RGPD y desarrollar a nivel nacional determinadas materias cedidas expresamente en el Reglamento a los Estados Miembros, el 7 de diciembre de 2018 entró en vigor en España la Ley Orgánica 3/2018, de 5 de diciembre, de Protección de Datos Personales y garantía de los derechos digitales ("**LOPD-GDD**"), siendo exigibles las obligaciones que incorpora desde su entrada en vigor.

No obstante, a pesar de las fechas indicadas a partir de las cuales el RGPD y la LOPD-GDD resultaban de obligado cumplimiento, la Agencia Española de Protección de Datos ("**AEPD**") comenzó ejerciendo una tímida actividad sancionadora basada en incumplimientos del RGPD y la LOPD-GDD, no siendo hasta mediados de 2019 cuando la autoridad de control española comenzó progresivamente a intensificar dicha actividad.

A este respecto, debe considerarse que a 25 de mayo de 2018 únicamente el 12,3% de las empresas españolas sujetas al RGPD manifestaban cumplir con los mínimos exigidos por este Reglamento[4], y que en aquel momento existía cierta incertidumbre jurídica por la novedad de la norma e inexistencia de pronunciamientos de las autoridades de control europeas o el Comité Europeo de Protección de Datos ("**CEPD**"). Por ello, es probable que uno de los motivos por los que la actividad sancionadora de la AEPD basada en el RGPD (y, posteriormente, también en la LOPD-GDD) se mostrara un tanto contenida durante 2018 y principios de 2019, fuera que la autoridad de control española pretendía otorgar a los sujetos obligados una suerte de "periodo de gracia" tácito adicional.

2. RÉGIMEN SANCIONADOR APLICABLE

El RGPD regula en su Capítulo VIII el régimen sancionador aplicable a las infracciones tipificadas en esta norma, haciendo referencia (i) a la posibilidad de sancionar mediante la imposición de multas administrativas

---

[3]   *Ex* artículo 99.2 del RGPD.

[4]   Según LEET Security, 2018, "II Estudio Empresas y Ciberseguridad".

(*i.e.*, sanciones económicas por parte de las autoridades de control), o de sanciones penales por infracciones del RGPD —que cada Estado Miembro podrá regular—, así como (ii) al derecho del interesado afectado a reclamar la correspondiente indemnización por los daños y perjuicios materiales o inmateriales sufridos.

En relación con las multas administrativas, el artículo 83 prevé las condiciones generales que regirán la imposición de aquellas por parte de las correspondientes autoridades de control, estableciendo en sus apartados 4 y 5 únicamente unos límites máximos de 10.000.000 € o 20.000.000 €, o en el caso de que se trate de una empresa, de una cuantía equivalente al 2% o al 4% como máximo del volumen de negocio anual global del ejercicio financiero anterior, optándose por la de mayor cuantía[5]. Los referidos límites máximos suponen un amplio margen para la determinación de la cuantía exacta que se produzca considerando los listados incluidos en los referidos apartados 4 y 5.

Además de los límites máximos indicados, el mencionado precepto recoge, entre otras cuestiones, un listado de circunstancias que deberán tenerse en cuenta en cada caso para la fijación del importe concreto de la multa por parte de la autoridad de control que corresponda (*e.gr.*, naturaleza, gravedad y duración de la infracción, número de interesados afectados, daños y perjuicios sufridos, intencionalidad o negligencia, medidas técnicas u organizativas adoptadas conforme al RGPD, infracciones cometidas con anterioridad, tipo de dato personal afectado, notificación proactiva a la autoridad de control, adhesión a códigos de conducta o a mecanismos de certificación aprobados conforme al RGPD o la concurrencia de cualquier otro factor agravante o atenuante en relación con la infracción).

No obstante, aunque el RGPD establece los indicados límites máximos, no hace referencia a límites mínimos, ni a sublímites dentro de los me-

---

[5] Los límites máximos previstos en los apartados 4 y 5 del artículo 83 del RGPD supusieron un sustancial incremento con respecto a los previstos en la normativa anterior. En particular, la derogada Ley Orgánica 15/1999, de 13 de diciembre, de Protección de Datos de Carácter Personal, establecía en su artículo 44 tres grados de infracción (leve, grave y muy grave), previendo para cada una de ellas un rango diferente en función de la gravedad (entre 601,01 € y 60.101,21 € para las infracciones leves —cuantías modificadas posteriormente por la Ley 2/2011, de 4 de marzo, de Economía Sostenible a un rango entre 1 € y 40.000 €—, entre 60.101,21 € y 300.506,25 € para las graves y entre 300.506,25 € y 601.012,1 € para las muy graves).

cionados límites máximos, ni al plazo de prescripción de las infracciones sancionables.

Por su parte, la LOPD-GDD en su Título IX contempla el régimen sancionador aplicable partiendo de lo previsto en el RGPD e incluyendo en los artículos 72, 73 y 74 una relación de conductas típicas que clasifica como infracciones muy graves, graves y leves, a las que atribuye un plazo de prescripción de tres años, dos años y un año, respectivamente.

En una primera lectura, el régimen sancionador previsto en ambas normas podría parecer incompatible por establecer el RGPD dos límites máximos en función del tipo de infracción frente a los tres grados de infracción contemplados en la LOPD-GDD. No obstante, la categorización de las infracciones de esta última se introduce a los solos efectos de determinar los plazos de prescripción de tales infracciones[6], teniendo la descripción de las conductas típicas como único objeto la enumeración de manera ejemplificativa de algunos de los actos sancionables que deben entenderse incluidos dentro de los tipos generales establecidos en el RGPD. Por lo tanto, para la fijación del importe concreto de la sanción deberán considerarse los dos límites máximos previstos en el RGPD.

3. PRINCIPALES INFRACCIONES DEL RGPD SANCIONADAS POR LA AEPD

Si bien uno de los objetivos principales que perseguía el legislador europeo con el RGPD consistía en homogeneizar la regulación en materia de protección de datos en los distintos Estados Miembros, tal y como se ha expuesto previamente, el régimen sancionador contemplado por esta norma no ha resultado suficientemente acotado para la consecución del referido propósito. A este respecto, las distintas autoridades de control han venido imponiendo sanciones dentro de los límites máximos previstos por el RGPD, pero de forma autónoma en cuanto a los importes concretos de las sanciones. A fin de tratar de establecer parámetros adicionales a los del

---

[6]   Además de los plazos de prescripción de las infracciones previstos en los artículos 72, 73 y 74 de la LOPD-GDD, el artículo 78 de la LOPD-GDD establece asimismo una clasificación de tres plazos de prescripción de las sanciones en función de la cuantía (*i.e.*, las sanciones por importe igual o inferior a 40.000 € prescriben en el plazo de un año, las sanciones por importe comprendido entre 40.001 € y 300.000 € prescriben a los dos años y las sanciones por importe superior a 300.000 € prescriben a los tres años).

RGPD, el CEPD publicó la "Guía 4/2022 sobre el cálculo de las sanciones bajo el RGPD", que establece unos criterios generales que pretenden unificar ciertos criterios. No obstante, en la medida en que se trata de una guía de principios, por el momento, el cálculo de los importes seguirá siendo subjetivo para cada una de las autoridades sancionadoras, aunque en todo caso deban respetar lo previsto en el RGPD.

De acuerdo con las resoluciones sobre procedimientos sancionadores emitidas por la AEPD, los principales preceptos del RGPD cuya infracción ha sido sancionada con una recurrencia considerablemente superior a otros recogidos en la norma, son los siguientes (en orden de recurrencia):

1. Artículo 13 del RGPD (deber de información), que prevé una lista exhaustiva de la información que debe proporcionarse a los interesados en el momento en que se obtengan sus datos personales, a fin de velar por la transparencia e información a favor de estos. En particular, las personas cuyos datos vayan a tratarse deberán ser informadas, entre otras cuestiones, de la identidad del responsable, la finalidad del tratamiento, la base legitimadora, los destinatarios de los datos, la intención de realizar transferencias internacionales, los datos, en su caso, del Delegado de Protección de Datos, elaboración de perfiles, el plazo de conservación de sus datos o los derechos de acceso, rectificación, supresión, oposición, limitación de tratamiento o portabilidad que asisten al interesado.

2. Artículo 5.1.c) del RGPD (principio de minimización), en virtud del cual se exige que el tratamiento de datos personales únicamente se realice sobre datos que sean adecuados, pertinentes y limitados a lo necesario, en relación con los fines para los que son tratados. Es decir, quedan prohibidos los tratamientos de datos "por si acaso" o "a granel".

3. Artículo 6.1 del RGPD (base legitimadora), que exige que para que un tratamiento de datos sea lícito, concurra, al menos, una de las siguientes bases que lo legitime: (i) que se haya prestado un consentimiento que cumpla los requisitos del RGPD, (ii) que el tratamiento sea necesario para la ejecución de un contrato, (iii) que el tratamiento sea preciso para dar cumplimiento a una obligación legal, (iv) que sea necesario para proteger intereses vitales del interesado, (v) que se realice en cumplimiento de una misión de interés público o en ejercicio de poderes públicos, o (vi) que sea necesario para la satisfacción de un interés legítimo, siempre que sobre dicho interés no prevalezcan los intereses del interesado.

4. Artículo 5.1.f) del RGPD (principio de integridad y confidencialidad), que exige que los datos personales sean tratados en todo caso de manera que se garantice una seguridad adecuada de los mismos contra el tratamiento no autorizado o ilícito y contra su pérdida, destrucción o daño accidental, mediante la aplicación de medidas técnicas u organizativas apropiadas.

5. Artículo 32 del RGPD (adopción de medidas de seguridad), en virtud del cual se exige al responsable y al encargado del tratamiento que apliquen las medidas técnicas y organizativas que consideren apropiadas a fin de garantizar un nivel de seguridad adecuado, considerando, entre otras cuestiones, los costes de aplicación, la naturaleza, el alcance, el contexto y los fines del tratamiento concreto, así como los riesgos de probabilidad y gravedad para los interesados.

Para mejor referencia, a continuación, se acompaña una representación gráfica de las sanciones impuestas por la AEPD desde enero de 2021 hasta octubre de 2022, por motivo de la infracción de los preceptos del RGPD que contemplan las distintas obligaciones[7].

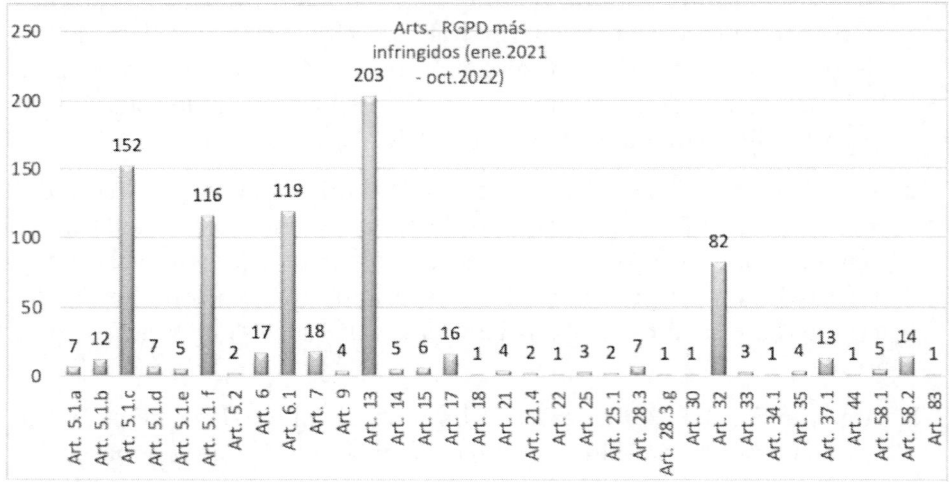

4. PRINCIPALES SANCIONES IMPUESTAS POR LA AEPD

De acuerdo con las Memorias Anuales publicadas por la AEPD en 2018 y 2019, en estos ejercicios los sectores de actividad más sancionados fueron

---

[7]   Nótese que los preceptos no sancionados no han sido incluidos en este gráfico.

directorios, telecomunicaciones, contratación fraudulenta, quiebras de seguridad, energía/agua y ficheros de morosidad. Así, en 2018 el importe global de multas relativo a estos sectores ascendió a 10.340.209 €[8] y, en 2019, a 5.264.122 €. Por su parte, conforme a las Memorias Anuales publicadas por la AEPD respecto de los ejercicios 2020 y 2021, los sectores de actividad más sancionados fueron publicidad, telecomunicaciones, entidades financieras/acreedores, ficheros de morosidad, contratación fraudulenta y asuntos laborales. En concreto, en 2020 el importe global de las multas relativo a estos sectores ascendió a 7.058.300 € y, en 2021, a 31.911.100 €.

Por otro lado, de acuerdo con las resoluciones sobre procedimientos sancionadores publicadas por la AEPD, las diez sanciones económicas más relevantes en cuanto a cuantía que ha impuesto la AEPD en España desde el 25 de mayo de 2018 han sido las siguientes: (i) multa de 8.150.000 € a Vodafone España, S.A.U[9]., (ii) multa de 6.000.000 € a CaixaBank, S.A[10]., (iii) multa de 5.000.000 € a Banco Bilbao Vizcaya Argentaria, S.A[11]., (iv) multa de 3.940.000 € a Vodafone España, S.A.U[12]., (v) multa de 3.150.000 € a Mercadona, S.A[13]., (vi) multa de 3.000.000 € a Caixabank Payments & Consumer EFC, EP, S.A.U[14]., (vii) multa de 2.100.000 € a Caixabank, S.A[15]., (viii) multa de 2.000.000 € a Amazon Road Transport Spain, S.L[16]., (ix)

---

[8]   Téngase en cuenta que este importe incluye sanciones basadas en la normativa anterior (*e.gr.*, Ley Orgánica 15/1999, de 13 de diciembre, de Protección de Datos de Carácter Personal).

[9]   Resolución de procedimiento sancionador n° PS/00059/2020 de la AEPD, publicada el 11.03.2021.

[10]   Resolución de procedimiento sancionador n° PS/00477/2019 de la AEPD, publicada el 13.01.2021.

[11]   Resolución de procedimiento sancionador n° PS/00070/2019 de la AEPD, publicada el 13.11.2021.

[12]   Resolución de procedimiento sancionador n° PS/00001/2021 de la AEPD, publicada el 1.02.2022.

[13]   Resolución de procedimiento sancionador n° PS/00120/2021 de la AEPD, publicada el 27.07.2021.

[14]   Resolución de procedimiento sancionador n° PS/00500/2020 de la AEPD, publicada el 21.10.2021.

[15]   Resolución de procedimiento sancionador n° PS/00226/2020 de la AEPD, publicada el 4.03.2022.

[16]   Resolución de procedimiento sancionador n° PS/00267/2020 de la AEPD, publicada el 11.02.2022.

multa de 1.500.000 € a EDP Energía, S.A.U[17]., y (x) multa de 1.500.000 € a EDP Comercializadora, S.A.U[18].

Para mejor referencia, a continuación, se analizarán los supuestos de las tres sanciones más elevadas mencionadas previamente, a fin de identificar las infracciones específicas cometidas y proponer medidas o actuaciones que hubieran contribuido a evitarlas o, al menos, a atenuarlas[19]:

1. Multa de 8.150.000 € impuesta a Vodafone España, S.A.U. (**"Vodafone"**)

   Conforme a lo indicado en la resolución de procedimiento sancionador nº PS/00059/2020 de la AEPD, el motivo principal de la sanción consistió en que Vodafone realizó acciones de mercadotecnia y prospección comercial a través de llamadas telefónicas y mediante envío de comunicaciones comerciales electrónicas (mensajes SMS y correos electrónicos), (a) sin que hubieran sido solicitadas o expresamente autorizadas, (b) sin atender al ejercicio del derecho a oponerse al envío de nuevas notificaciones, (c) sin habilitar la posibilidad de inclusión en el sistema de exclusión publicitaria para aquellos interesados que hubieran ejercitado su derecho de oposición y (d) sin adecuar los procedimientos y garantías establecidas para la ejecución de acciones de mercadotecnia en el contenido de los contratos con los encargados de tratamiento que actuaban en nombre y representación de Vodafone.

   Además, la indicada resolución también sancionó a Vodafone por haberse realizado transferencias internacionales de datos a un tercer país (Perú) —país en el que se encontraba el proveedor que contrató Vodafone para que realizara los mencionados servicios de mercadotecnia—, sin que Vodafone como responsable del tratamiento hubiera adoptado las garantías adecuadas para proteger en dichas transferencias los datos de los interesados.

---

[17]   Resolución de procedimiento sancionador nº PS/00236/2020 de la AEPD, publicada el 4.05.2021.

[18]   Resolución de procedimiento sancionador nº PS/00037/2020 de la AEPD, publicada el 4.05.2021.

[19]   A continuación, se describen brevemente algunas de las principales cuestiones que la AEPD identificó en sus extensas resoluciones para la determinación de las actuaciones infractoras objeto de sanción. No obstante, en las respectivas resoluciones se abordan asimismo otros aspectos que pueden resultar asimismo de interés a estos efectos.

Considerando lo anterior, se infringieron, por tanto, los siguientes preceptos principales:

(a) El artículo 28 del RGPD, en relación con el artículo 24 del RGPD, que regulan las obligaciones que deben cumplir los encargados y los responsables del tratamiento, respectivamente, previendo el primero de ellos el contenido mínimo que debe recoger el acuerdo de encargado del tratamiento que suscribiría el responsable con este.

A este respecto, Vodafone no suscribió el exigido acuerdo de encargado con los encargados con el contenido mínimo, e incumpliendo, entre otras cuestiones, la obligación de exigir a tales encargados —y, este a su vez a los correspondientes subencargados— que garantizaran la adopción de las medidas técnicas y organizativas adecuadas para proteger los derechos y libertades de los interesados de quien trataran datos.

Para cumplir debidamente con la referida obligación, Vodafone debería haber suscrito con el encargado el referido acuerdo de encargado en los términos del artículo 28 del RGPD, atendiendo asimismo a lo previsto en las "Directrices para la elaboración de contratos entre responsables y encargados del tratamiento", publicadas por la AEPD. A fin de cubrir asimismo la exigencia de adoptar medidas por parte de los subencargados, el acuerdo de encargado que debería haber formalizado Vodafone podría haber previsto un compromiso por parte del encargado de hacer suscribir a cualesquiera subencargados con quien este contratara, un acuerdo de subencargado en idénticos términos, *mutatis mutandis*, que los recogidos en el acuerdo de encargado.

(b) El artículo 44 del RGPD únicamente permite transferencias de datos fuera del Espacio Económico Europeo si estas se realizan adoptando alguna de las garantías previstas en los artículos 45[20] y 46[21] del RGPD, a fin de asegurar que el nivel de protección que confiere el RGPD se siga manteniendo. No obstante, Voda-

---

[20]   Aplicable a países destinarios de datos sobre los que la Comisión ha adoptado previamente y mantenido una decisión de adecuación porque entiende que el referido país garantiza un nivel de protección adecuado.

[21]   El artículo 46 del RGPD prevé distintas garantías alternativas, como son, las normas corporativas vinculantes, cláusulas tipo aprobadas por la Comisión, códigos de conducta o mecanismos de certificación, entre otras.

fone no adoptó las garantías oportunas a estos efectos, habiendo podido cumplirse esta exigencia, por ejemplo, suscribiendo en aquel momento las cláusulas contractuales tipo de la Decisión de la Comisión, de 5 de febrero de 2010[22], relativa a las cláusulas contractuales tipo para la transferencia de datos personales a terceros países.

(c) El artículo 21 de la Ley 34/2002, de 11 de julio, de servicios de la sociedad de la información y de comercio electrónico ("**LSSI**"), por el que se prohíbe el envío de comunicaciones comerciales por correo electrónico u otro medio de comunicación electrónica equivalente, que anteriormente no hubieran sido solicitadas o expresamente autorizadas, salvo que exista una relación contractual previa[23]. Asimismo, este precepto exige que, en todo caso, el prestador ofrezca al destinatario la posibilidad de oponerse al tratamiento de sus datos con fines promocionales mediante un procedimiento sencillo y gratuito.

A fin de no incurrir en la indicada infracción, habría sido imprescindible que Vodafone hubiera implementado una adecuada política interna de envío de comunicaciones comerciales, que aplicara e hiciera cumplir a sus encargados del tratamiento. A este respecto, podría haberse creado una base de datos que incluyera exclusivamente, por un lado, aquellos interesados que expresamente hubieran prestado su consentimiento (en los términos de los artículos 4.11) y 7 del RGPD) y, por otro lado, aquellos interesados con quienes existiera una relación contractual previa en los términos del artículo 21.2 de la LSSI. Entre otras cuestiones, la referida política de envío de comunicaciones comerciales exigiría que tales comunicaciones recogieran expresa-

---

[22]   A diciembre de 2022, aplicable la Decisión de Ejecución (UE) 2021/914 de la Comisión de 4 de junio de 2021 relativa a las cláusulas contractuales tipo para la transferencia de datos personales a terceros países de conformidad con el Reglamento (UE) 2016/679 del Parlamento Europeo y del Consejo.

[23]   El apartado 2 del artículo 21 LSSI establece que no será precisa la referida autorización o consentimiento cuando exista una relación contractual previa, siempre que el prestador hubiera obtenido de forma lícita los datos de contacto del destinatario y los empleara para el envío de comunicaciones comerciales referentes a productos o servicios de su propia empresa que sean similares a los que inicialmente fueron objeto de contratación con el cliente.

mente el derecho a oponerse al interesado en cualquier momento, conforme a lo previamente indicado.

(d) El artículo 48.1.b) de la Ley 9/2014, de 9 de mayo, General de Telecomunicaciones[24] (**"LGT"**) —en relación con el artículo 21 del RGPD—, en virtud del cual se regula el derecho del interesado a oponerse a recibir llamadas no deseadas con fines comerciales, así como el artículo 23 de la LOPD-GDD, por el que se exige, entre otras cuestiones, que quienes pretendan realizar comunicaciones de mercadotecnia directa, consulten previamente los sistemas de exclusión publicitaria que pudieran afectar a su actuación, excluyendo a los afectados que hubieran manifestado su oposición.

A este respecto, además de informar a los interesados sobre su derecho de oposición según lo indicado anteriormente, Vodafone debió consultar previamente los ficheros o sistemas de exclusión publicitaria (*e.gr.*, Lista Robinson[25]).

2. Multa de 6.000.000 € impuesta a CaixaBank, S.A. (**"Caixabank"**)

De acuerdo con la resolución de procedimiento sancionador n° PS/00477/2019 de la AEPD, el motivo principal de la sanción consistió en que Caixabank facilitaba al interesado para su suscripción, unos contratos y una política de privacidad para la recogida y tratamiento de datos cuya cláusula informativa incumplía el derecho de información de los interesados[26]. Entre otras cuestiones, los documentos que se facilitaban a los interesados contenían unas condiciones en materia de protección de datos cuya aceptación suponía la cesión de sus datos a todas las sociedades del grupo Caixabank con las finalidades de (a) estudio y seguimiento y de (b) comunicación de oferta de productos, servicios y promociones.

Asimismo, el tratamiento de datos (incluida la cesión al resto de sociedades del grupo Caixabank) se realizaba sin contar con un consentimiento válido o un interés legítimo justificado y ponderado.

---

[24] Posteriormente derogada por la Ley 11/2022, de 28 de junio, General de Telecomunicaciones.

[25] Fichero gestionado por la Asociación Española de Economía Digital.

[26] En relación con el deber de información del responsable, ver artículos 13 y 14 del RGPD, así como la "Guía para el cumplimiento del deber de informar" de la AEPD.

Se infringieron, por tanto, los siguientes preceptos principales:

(a) Los artículos 13 y 14 del RGPD, en virtud de los cuales se regula el deber de información del responsable, que, como se ha indicado anteriormente, prevén una lista exhaustiva de la información que debe proporcionarse a los interesados en el momento en que se obtengan sus datos personales cuando los datos se han obtenido del interesado o cuando se han obtenido de un tercero, respectivamente, a fin de velar por la transparencia e información a favor de estos.

En particular, en este caso, la AEPD consideró que Caixabank recogía y trataba datos personales sin que los titulares de los mismos fueran conscientes de las finalidades concretas a las que la entidad iba a destinar tales datos, ya que las finalidades no eran explícitas ni determinadas, vulnerando así algunos de los principios inspiradores principales del RGPD, como son, los principios de licitud, lealtad y transparencia[27], y limitación de la finalidad y minimización de datos (*ex* artículo 5.1 del RGPD, apartados a), b) y c), respectivamente). A este respecto, entre otras cuestiones, las cláusulas facilitadas a los interesados obligaban a estos a aceptar la cesión de sus datos personales a todas las empresas del grupo Caixabank con fines comerciales (ajenos a la relación contractual), sin informarles sobre ninguna base jurídica que legitimara tales cesiones.

(b) El artículo 6 del RGPD, por el que se regulan las distintas bases alternativas que legitiman un tratamiento de datos (*e.gr.*, consentimiento, relación contractual, cumplimiento de una obligación legal, interés legítimo, intereses vitales, intereses públicos). En el caso de Caixabank, los consentimientos recabados por esta para el tratamiento de datos de los interesados no cumplían con lo previsto en el artículo 4.11) del RGPD ni con las "Directrices sobre el consentimiento en virtud de Reglamento 2016/679" del Grupo de Trabajo del Artículo 29[28]. El referido artículo 4.11) del

---

[27] A este respecto, resultan de especial relevancia las Directrices sobre la transparencia en virtud de Reglamento 2016/679 adoptadas el 29 de noviembre de 2017, y revisadas el 11 de abril de 2018, por el Grupo de Trabajo del Artículo 29 (de cuya labor se encarga actualmente el Comité Europeo de Protección de Datos.

[28] Documento aprobado el 28 de noviembre de 2017 y revisado el 10 de abril de 2018. Estas Directrices fueron actualizadas por el Comité Europeo de Protección

RGPD define "consentimiento del interesado" como "*toda mani-festación de voluntad libre, específica, informada e inequívoca por la que el interesado acepta, ya sea mediante una declaración o una clara acción afirmativa, el tratamiento de datos que le conciernen*", añadiendo las referidas Directrices que "*los mecanismos del consentimiento no solo deben estar separados con el fin de cumplir el requisito de consentimiento "libre", sino que también deben cumplir con el de consentimiento "específico". Esto significa que un responsable del tratamiento que busque el consentimiento para varios fines distintos debe facilitar la posibilidad de optar por cada fin, de manera que los usuarios puedan dar consenti-miento específico para fines específicos*".

Las infracciones descritas podrían haberse evitado si Caixabank hubiera contado con unas cláusulas informativas adecuadas, que recogieran el contenido mínimo de los artículos 13 y 14 del RGPD, y a la hora de recabar los distintos consentimientos, es-tos hubieran seguido lo previsto en los artículos 4.11) y 7 del RGPD y en las "Directrices sobre el consentimiento en virtud de Reglamento 2016/679" del Grupo de Trabajo del Artículo 29". En particular, debería haberse establecido un sistema de recogi-da del consentimiento por el que el interesado pudiera otorgar un consentimiento independiente respecto de cada una de las finalidades pretendidas, dándole la opción de aceptar unas fi-nalidades y no otras, por ejemplo, mediante la marcación de las correspondientes casillas. En todo caso, la obtención de estos consentimientos debería haberse articulado de forma indepen-diente al consentimiento relativo a la propia suscripción del co-rrespondiente contrato.

De haber procedido conforme a lo anterior, la cesión al resto de sociedades de grupo Caixabank habría quedado amparada, en su caso, por la base legitimadora del consentimiento y se habría dado la opción al interesado de elegir libremente y de forma informada si consentía específicamente, entre otras cuestiones, la referida cesión a favor de sociedades del grupo con fines co-merciales.

3. Multa de 5.000.000 € impuesta a Banco Bilbao Vizcaya Argentaria, S.A. ("**BBVA**")

---

de Datos el 4 de mayo de 2020, mediante el documento "Directrices 05/2020 so-bre el consentimiento con arreglo al Reglamento 2016/679".

De acuerdo con la resolución de procedimiento sancionador n.º PS/00070/2019 de la AEPD, los motivos principales de la sanción consistieron en (a) el incumplimiento por parte de BBVA del deber de informar a los interesados y (b) la incorrección de las bases legitimadoras de los tratamientos (consentimiento e interés legítimo) referidas por BBVA en su política de privacidad.

En este caso concreto, la AEPD constató que BBVA estaba realizando tratamientos de datos personales obtenidos de los clientes, de forma directa o indirecta, así como de datos personales obtenidos de otras fuentes distintas a los interesados o inferidos por la propia entidad. Por tanto, venía obligada a facilitar la información sobre todos los aspectos recogidos tanto en el artículo 13 (*i.e.*, información que deberá facilitarse cuando los datos personales se obtengan del interesado) y como en el artículo 14 del RGPD (*i.e.*, información que deberá facilitarse cuando los datos personales no se hayan obtenido del interesado).

Considerando lo anterior, se infringieron, por tanto, los siguientes preceptos:

(a) Los artículos 13 y 14 del RGPD, preceptos que regulan el deber de informar del responsable, que, como se ha indicado anteriormente, prevén una lista exhaustiva de la información que debe proporcionarse a los interesados en el momento en que se obtengan sus datos personales, a fin de velar por la transparencia e información a favor de estos.

Analizada la información ofrecida por BBVA a sus clientes, la AEPD determinó que la misma era incompleta o inadecuada en la medida en que (i) se empleaba una terminología imprecisa y formulaciones vagas; (ii) no se aportaba información sobre las categorías de los datos personales sometidos a tratamiento y sobre las categorías de datos personales concretas que se iban a tratar para cada una de las finalidades específicas; (iii) no se informaba sobre las finalidades a las que se iban a destinar los datos personales de los clientes y la base jurídica del tratamiento; (iv) no se aportaba información sobre el interés legítimo del responsable y de terceros; y (v) no se informaba sobre la elaboración de perfiles.

(b) El artículo 6 del RGPD relativo a la licitud del tratamiento en relación con el artículo 7 del RGPD que regula las condiciones para que un consentimiento sea válido. Como se ha indicado anteriormente, el tratamiento de datos requiere la existencia de una base legal que lo legitime, como el consentimiento prestado válidamente, cuando no concurra alguna otra base jurídica del artículo 6.1 del RGPD. Para que sea válido el consentimiento del interesado este debe de ser libre, específico, informado e inequívoco.

En este caso concreto, la AEPD consideró que BBVA (i) no había diseñado un mecanismo específico para la recogida de los consentimientos de los clientes para el tratamiento de los datos personales —las opciones del interesado se limitaban a la marcación de una casilla mediante la cual se dejaba constancia de su oposición a los tratamientos de datos—, (ii) incumplía los requisitos establecidos para la prestación de un consentimiento específico, inequívoco e informado, y (iii) aportaba una justificación insuficiente de los tratamientos de datos personales basados en el interés legítimo del responsable.

En este caso, las infracciones descritas podrían haberse evitado si BBVA (i) hubiera contado con unas cláusulas informativas adecuadas, que recogieran el contenido mínimo de los artículos 13 y 14 del RGPD, (ii) a la hora de recabar los distintos consentimientos, hubiera considerado los requisitos y condiciones previstas en los artículos 4.11) y 7 del RGPD y en las "Directrices sobre el consentimiento en virtud de Reglamento 2016/679" del Grupo de Trabajo del Artículo 29" y si (iii) respecto de los tratamientos basados, en su caso, en interés legítimo, BBVA hubiera realizado y documentado la correspondiente ponderación entre los intereses de BBVA y los interesados, pudiendo justificar que los de estos no prevalecían sobre los de BBVA[29].

5. REFERENCIAS BIBLIOGRÁFICAS

Ley 34/2002, de 11 de julio, de servicios de la sociedad de la información y de comercio electrónico.
Ley 9/2014, de 9 de mayo, General de Telecomunicaciones.
Ley Orgánica 15/1999, de 13 de diciembre, de Protección de Datos de Carácter Personal.

---

[29]   En relación con el tratamiento basado en interés legítimo, téngase en cuenta lo previsto en la "Guía para el cumplimiento del deber de informar" de la AEPD.

Ley Orgánica 3/2018, de 5 de diciembre, de Protección de Datos Personales y garantía de los derechos digitales.

Reglamento (CE) nº 2016/679 del Parlamento Europeo y del Consejo de 27 de abril de 2016 relativo a la protección de las personas físicas en lo que respecta al tratamiento de datos personales y a la libre circulación de estos datos y por el que se deroga la Directiva 95/46/CE.

Decisión de Ejecución (UE) 2021/914 de la Comisión de 4 de junio de 2021 relativa a las cláusulas contractuales tipo para la transferencia de datos personales a terceros países de conformidad con el Reglamento (UE) 2016/679.

Memorias Anuales de los ejercicios 2018, 2019, 2020 y 2021 de la AEPD.

Resoluciones de procedimientos sancionadores de la AEPD publicadas desde enero de 2021 hasta octubre de 2022.

"Directrices para la elaboración de contratos entre responsables y encargados del tratamiento" publicadas por la AEPD el 16 de mayo de 2018.

"Guía para el cumplimiento del deber de informar" publicado por la AEPD el 25 de mayo de 2018.

"Directrices 04/2022 sobre el cálculo de las multas administrativas con arreglo al RGPD" emitidas por el CEPD el 12 de mayo de 2022.

LEET Security, 2018, "II Estudio Empresas y Ciberseguridad".

Estudio jurídico sobre la impresión 3D y las implicaciones en materia de propiedad intelectual: situación legislativa y doctrinal

BLANCA CORTÉS FERNÁNDEZ
Socia del departamento de IP, IT & Digital Business
RocaJunyent

FELIPE LÓPEZ VALIENTE
Abogado del departamento de IP, IT & Digital Business
RocaJunyent

SUMARIO: 1. ¿QUÉ ES LA IMPRESIÓN 3D? 2. LA TECNOLOGÍA DE IMPRESIÓN 3D. 3. LA IMPRESIÓN 3D DESDE EL ÁMBITO DE LA PROPIEDAD INTELECTUAL. 3.1 El diseño digital (CAD) como obra artística. 3.1.1 ¿Qué se protege? A) El CAD como expresión formal. 3.1.2 El CAD y su ejecución material. 3.1.3 El CAD y el software empleado en su creación. 3.2 Requisitos para la protección del CAD vía propiedad intelectual. 3.2.1 ¿De qué objeto se parte a la hora de crear el CAD? 3.2.2 El método empleado en la creación del CAD. A) Creación independiente. B) Creación no independiente. 4. CONCLUSIONES. 5. REFERENCIAS BIBLIOGRÁFICAS.

1. ¿QUÉ ES LA IMPRESIÓN 3D?

La impresión 3D es un término amplio que abarca todas aquellas tecnologías que emplean un proceso de unión y adición de materiales, normalmente capa sobre capa, con el fin de fabricar objetos a partir de un diseño digital tridimensional o mediante el escáner de un objeto en tres dimensiones. En los últimos años, estamos asistiendo a una impresionante popularización de esta tecnología, cuyos orígenes se remontan a 1983 cuando Chuck Hull, fundador de la compañía *"3D Systems"*, inventó la estereolitografía o foto solidificación como método de impresión en tres dimensiones[1]. En concreto, este ingeniero físico obtuvo el 11 de marzo de 1986, ante la Oficina de Patentes y Marcas de Estados Unidos, la patente sobre

---

[1]   HULL, C. W. (2015). The birth of 3D printing. *Research-Technology Management,* *58*(6), 25-30.

el método y el equipo para fabricar objetos sólidos a partir de la impresión sucesiva, por capas, de un material que se endurece por polimerización mediante la exposición a luz ultravioleta[2].

Desde entonces, según señala Bechtold[3], los avances en la materia no han dejado de sucederse, siendo habituales los titulares sobre las nuevas funcionalidades que brinda en el campo tecnológico y creativo y que en la actualidad permiten desde la impresión de tejidos nerviosos y alimentos hasta la construcción de viviendas. En ese sentido, factores como la caducidad de las principales patentes vinculadas con esta tecnología, la creciente colaboración de diversos centros de investigación y la paulatina mejora de las prestaciones y precios que ofrece, han sido claves en la popularidad que esta tecnología está adquiriendo de forma paulatina[4]. También ha contribuido a ello el constante avance de programas como AutoCAD, que permite a profesionales de la arquitectura y el diseño concebir y proyectar sus creaciones y la gran variedad de software específico gratuito que está al alcance del consumidor medio.

Asimismo, autores como Saiz García consideran que debe recalcarse la notoriedad que la impresión 3D ha adquirido con ocasión de la pandemia provocada por la COVID-19. Recordemos que, durante el confinamiento, esta tecnología se erigió como una solución para evitar el colapso de los recursos sanitarios, siendo muchos los particulares propietarios de impresoras 3D que trataron de contribuir a la causa fabricando productos médico-sanitarios que los hospitales necesitaban con urgencia. En ese sentido, fueron múltiples las iniciativas a nivel internacional que otorgaron a la figura de las licencias obligatorias sobre las patentes un rol protagonista destacando, por ejemplo, la del Parlamento canadiense[5].

---

[2]   HULL, C. W. (1986). Apparatus for production of three-dimensional objects by stereolithography (Patent Núm. 4575330). En *US Patent* (Núm. 4575330). https://patents.google.com/patent/US4575330A/en

[3]   BECHTOLD, S. (2015). 3D printing and the intellectual property system. *Economic Research Working Paper No. 28* (Economics & Statistics Series). World Intellectual Property Organization (WIPO). https://www.wipo.int/publications/en/details.jsp?id=3999

[4]   GIMENO BEVIÁ, V. (2016). Los riesgos de las impresoras 3D sobre la propiedad industrial e intelectual. *LA LEY Mercantil, 25* (Sección Propiedad Intelectual e Industrial), 1-22.

[5]   SAIZ GARCÍA, C. (2020). Las licencias obligatorias en tiempos de pandemia: El necesario equilibrio entre los intereses generales y el particular del titular de un

Por otro lado, Malaty y Rostama[6] apuntan que el hecho de que cada vez haya más materiales susceptibles de aplicación en la impresión 3D propicia nuevas oportunidades para la innovación y el desarrollo industrial. Destaca, por ejemplo, la irrupción de esta tecnología en ámbitos como el culinario, donde diversos estudios avalan sus ventajas en relación con la personalización de los alimentos y sus nutrientes o, entre otras, con la simplificación de la cadena de distribución en cuanto a la disponibilidad de los alimentos[7] o el farmacéutico[8]. En el ámbito de la medicina, además de haberse avanzado en la impresión de tejidos nerviosos y órganos, destacan estudios como los de la Universidad Nacional de Singapur, que han permitido imprimir con éxito comprimidos personalizados que combinan varios fármacos en una misma pastilla[9]. El mundo de la moda, entre otros, tampoco es ajeno a esta tendencia, con diseñadores que han presentado colecciones basadas en la impresión 3D como Iris van Herpen y que suelen destacar la libertad de diseño, las opciones de personalización en masa y la reducción del impacto medioambiental, según se deduce de publicaciones especializadas[10].

En el ámbito de la construcción, autores como Khoshnevis, Wang o Rimmer[11] sugieren que el impacto de la impresión 3D como tecnología

---

derecho de patente. *LA LEY Mercantil, 69* (Sección de Derechos de la Propiedad Intelectual. Doctrina), 1-14.

[6]   MALATY, E., & ROSTAMA, G. (2017). La impresión 3D y el Derecho de propiedad intelectual. O*MPI Revista, 1/2017.* https://www.wipo.int/wipo_magazine/es/2017/01/article_0006.html

[7]   LIU, Z., ZHANG, M., BHANDARI, B., & WANG, Y. (2017). 3D printing: Printing precision and application in food sector. *Trends in Food Science & Technology, 69,* 83-94. https://doi.org/10.1016/j.tifs.2017.08.018

[8]   MÉNDEZ-GONZÁLEZ, D., SILVA-IBÁÑEZ, P. P., VALIENTE-DÍES, F., GÓMEZ-CALDERÓN, O., MÉNDEZ-GONZÁLEZ, J. L., LAURENTI, M., EGATZ-GÓMEZ, A., DÍAZ, E., RUBIO-RETAMA, J., & MELLE, S. (2021). Oligonucleotide sensor based on magnetic capture and photoligation of upconverting nanoparticles in solid surfaces. *Journal of Colloid and Interface Science, 596,* 64-74. https://doi.org/10.1016/j.jcis.2021.02.093

[9]   GOH, O., GOH, W. J., LIM, S. H., HOO, G. S., LIEW, R., & NG, T. M. (2022). Preferences of Healthcare Professionals on 3D-Printed Tablets: A Pilot Study. *Pharmaceutics, 14,* 1521. https://doi.org/10.3390/pharmaceutics14071521

[10] CONTRERAS, L. (4 agosto 2022). Las aplicaciones de la impresión 3D en el mundo de la moda. *3Dnatives.* https://www.3dnatives.com/es/impresion-3d-en-la-moda-150620172/

[11] WANG, B. T., & RIMMER, M. (2021). 3D Printing and Housing: Intellectual Property and Construction Law. In B. T. Wang, & C. M. Wang (Eds.), *Automating Cities.*

disruptiva se observará más allá de la propia obra, generando importantes impactos en materia económica, social, normativa, medioambiental y arquitectónica. En ese sentido, a nivel nacional puede destacarse el proyecto TOVA, del Instituto de Arquitectura Avanzada de Cataluña, que supone la primera construcción de España realizada en barro con una grúa WASP, esto es, una impresora 3D específica para la edificación[12].

No obstante, no todo son ventajas, ya que esta tecnología plantea también algunos inconvenientes. Entre ellos, cabe destacar su dependencia de materiales plásticos y la consecuente contaminación, las cuestiones bioéticas en relación con la bioimpresión o, entre otros, los peligros que suscita su aplicación en ámbitos como el de los estupefacientes o el de las armas[13].

Al ser una tecnología con potencial de aplicación en tantas áreas, uno de los principales problemas que acarrea son sus implicaciones en materia de propiedad intelectual e industrial dada la acumulación de protecciones que acompaña a la gran mayoría de los objetos imprimibles[14]. En ese sentido, como indica Saiz García[15], la entrada del consumidor medio, no siempre informado, en este entramado ha supuesto un aumento exponencial del volumen de reproducciones de objetos protegidos por derechos exclusivos.

Todo ello ha llevado a que instituciones como el Parlamento Europeo se hayan pronunciado sobre su importancia y sobre el reto que supone en el ámbito de los derechos de propiedad intelectual y de la responsabilidad civil[16]. En concreto, se considera necesario reforzar la concienciación pública sobre la protección de la propiedad intelectual en el ámbito de la

---

Advances in 21st Century Human Settlements. Springer (págs. 113-140). https://doi.org/10.1007/978-981-15-8670-5_5

[12] QUESADA, D. (2022, September 10). *Esta es la primera casa de España impresa en 3D con barro.* Arquitectura y Diseño. https://www.arquitecturaydiseno.es/arquitectura/esta-es-primera-casa-espana-impresa-3d-barro_7915.

[13] GONZÁLEZ PONS, E. (2017). La impresión tridimensional. Implicaciones jurídicas. *Revista Aranzadi de Derecho y Nuevas Tecnologías, 43,* pág. 90.

[14] SAIZ GARCÍA, C. (2017). *Op. cit.*

[15] SAIZ GARCÍA, C. (2017). *Op. cit.*, pág. 13.

[16] PARLAMENTO EUROPEO (3 de julio de 2018). *Impresión tridimensional: Derechos de propiedad intelectual y responsabilidad civil.* Resolución del Parlamento Europeo, de 3 de julio de 2018, sobre impresión tridimensional, un reto en el ámbito de los derechos de propiedad intelectual y de la responsabilidad civil (2017/2007(INI)). Diario Oficial de la Unión Europea, C118/10. https://www.europarl.europa.eu/doceo/document/TA-8-2018-0274_ES.html

impresión 3D, tanto en casos de incumplimiento de los derechos de autor como de incumplimiento de los derechos de diseño industrial, marcas y patentes. Asimismo, el Parlamento Europeo considera necesario tomar precauciones en lo que se refiere a la calidad de los productos impresos y a los riesgos que estos pueden presentar para los usuarios o consumidores, proponiendo la inclusión de medios de identificación y trazabilidad y facilitar la valoración de su uso ulterior con fines comerciales y no comerciales.

2. LA TECNOLOGÍA DE IMPRESIÓN 3D

La tecnología de impresión 3D permite la conversión de diseños digitales tridimensionales en objetos tangibles, de manera similar a las impresoras de tinta, aunque en tres dimensiones. En ese sentido, el avance acontecido en este ámbito durante los últimos años no solo se circunscribe a sus funcionalidades y aplicaciones, sino también a las propias técnicas de impresión. La técnica más popular, sobre la que debatiremos en este artículo, es la técnica de impresión aditiva, que se basa en la reproducción por capas a partir del diseño digital creado con el programa de software específico, escaneado o descargado.

No obstante, en los últimos años se han ido desarrollando otras técnicas como la impresión líquida continua (Continuous Liquid Interface Production, en adelante "**CLIP**"), que destaca por su mayor rapidez y porque ha ido evolucionando el empleo de otros materiales diferentes a los plásticos, como los comestibles, los metales o el vidrio. Recientemente, por ejemplo, ha aparecido en el mercado un tipo de impresora 3D denominada OLO[17], que permite hacer impresiones a partir de la luz emitida por la pantalla de cualquier Smartphone mediante el empleo de resinas.

En lo que respecta al proceso de impresión, el punto de partida es la creación, mediante cualquiera de los métodos a continuación comentados, del diseño digital o *Computer aided design* (en adelante, "**CAD**"), que deberá contener la representación visual del objeto físico en tres dimensiones, preexistente o no, y que se ubicará en un archivo digital comúnmente denominado archivo CAD. Este archivo, que contiene el diseño digital cuyo potencial de protección se debate en este artículo, es un componente fundamental, ya que no solo contiene el modelo con la representación digital

---

[17]   OLO3d printer reviews (s.f.). Embrace the 3D future. *OLO3D.net.* https://www.olo3d.net

en tres dimensiones, sino también las instrucciones que guían al dispositivo de impresión en su fabricación.

En consecuencia, el diseño o modelo digital no podrá existir sin el archivo CAD en el que se ubica. Como indica Mendis[18], al igual que sucede con los MP3 y la música que contienen, el archivo CAD y el propio CAD coexisten, aunque, en este caso, el diseño surgirá del propio programa de software específico. Por su parte, el objeto finalmente impreso en tres dimensiones sí existirá y se protegerá de manera independiente, tanto del archivo CAD como del propio diseño digital.

Como se detallará más adelante, el mencionado CAD puede crearse de diferentes maneras: (I) individualmente, por medio de un programa de software específico, diseñando y modelando su estructura, (II) mediante la descarga de otro diseño ya existente o (III) mediante el uso de un escáner o láser que tome las medidas exactas del objeto de referencia. En relación con el segundo escenario, es habitual que los denominados *makers* (comunidad de usuarios de la impresión 3D caracterizada por la creatividad y la coordinación en materia de diseño y aplicación de esta tecnología)[19] pongan sus diseños a disposición del público de manera gratuita a través de licencias libres de "*Creative Commons*", que suelen permitir la modificación del modelo digital y su impresión por medio de los programas específicos de software o bien contra el pago de una determinada cantidad. En cuanto al tercer escenario, consiste en el empleo de un escáner 3D para tomar las medidas del objeto cuya digitalización e impresión se pretende, bastando con el mero análisis de su geometría para su reproducción.

En síntesis, tal y como apuntan Dagne y Dubeau[20], la creación de los diseños digitales o CAD está vinculada a la utilización de programas de software específicos que permiten a los usuarios diseñar y modelar las formas y dimensiones del diseño digital en tres dimensiones y que pueden, a su vez, estar sujetos a protección de propiedad intelectual como programas de ordenador, según el artículo 10.1 del Real Decreto Legislativo 1/1996, de 12 de abril, por el que se aprueba el texto refundido de la Ley de Pro-

[18] EUROPEAN COMISSION (MENDIS, D., NORDEMANN, J. B., BALLARDINI, R. M., BRORSEN, H., CALATRAVA MORENO, M. C., ROBSON, J., & DICKENS, P. H.) (2020). *The Intellectual Property Implications of the Development of Industrial 3D Printing*. Publications Office of the European Union, Luxemburg, págs. 50-56.
[19] GIMENO BEVIÁ, V. (2016). *Op. cit.*, págs. 2, 3 y 4.
[20] DAGNE, T. W., & DUBEAU, CH. (2015). 3D Printing and the Law: Are CAD Files Copyright-protected? *Intellectual Property Journal, 28*(1), 101-135.

piedad Intelectual (en adelante, "**LPI**"). Según el artículo 96 de dicha ley, se entenderá por programa de ordenador toda secuencia de instrucciones o indicaciones destinadas a ser utilizadas, directa o indirectamente, en un sistema informático para realizar una función o una tarea o para obtener un resultado determinado, cualquiera que fuere su forma de expresión y fijación, incluyendo también su documentación preparatoria. Son estos programas los que permitirán la construcción del diseño digital en coordenadas y dimensiones que después se transmitirán a la impresora, siendo el software de ésta el que, a su vez, leerá las instrucciones contenidas en el archivo y procederá a depositar el material siguiendo patrones específicos hasta la impresión final del objeto.

En artículo se centrará en estudiar la impresión 3D y los diferentes elementos que forman parte del proceso, incluyendo el archivo en que se contiene el CAD o el propio método, desde la perspectiva de la propiedad intelectual, sin abordar su análisis desde la óptica de la propiedad industrial. No obstante, es importante resaltar que, dadas sus características, funcionalidades y la potencialidad de su uso, esta tecnología tiene especial relevancia en materia de marcas tridimensionales, diseños industriales, modelos de utilidad y patentes.

3. LA IMPRESIÓN 3D DESDE EL ÁMBITO DE LA PROPIEDAD INTELECTUAL

Una vez analizado el proceso de impresión 3D, cabe atender ahora a la incertidumbre que rodea a la protección de los CAD bajo el ámbito de los derechos de propiedad intelectual. En ese sentido, mientras que el ámbito de protección de los derechos de autor puede resultar claro en relación con el resultado directo de la impresión, es decir, con el objeto finalmente impreso, que se entenderá como una reproducción, la duda surge en relación con el diseño digital en sí mismo.

3.1 El diseño digital (CAD) como obra artística

Debemos comenzar abordando la cuestión de si el diseño digital 3D puede ser considerado como obra artística a los efectos de atraer la protección que brinda la propiedad intelectual. De la lectura detallada del artículo 10.1 LPI la respuesta parece ser afirmativa. Según dicho artículo, son objeto de protección todas las creaciones originales literarias, artísticas o científicas expresadas por cualquier medio o soporte, tangible o intangible, actualmente conocido o que se invente en el futuro. Según Carrancho Herrero[21], esta referencia en la ley a los medios o soportes que pudieran inventarse en el futuro debe incluir, por tanto, la impresión 3D, ya que deja abierta la posibilidad de protección a cualquier técnica que permita la fijación de una obra.

3.1.1 ¿Qué se protege?

La cuestión relativa a qué resulta efectivamente protegido por la propiedad intelectual constituye uno de los grandes debates en relación con esta materia. Como se verá en los siguientes apartados, han surgido dudas en torno a si los archivos en que se ubican los CAD, sirviéndoles de soporte (en adelante, "**archivos CAD**") deben ser merecedores de la misma protección que los propios diseños digitales. También se ha debatido sobre la protección que recibe la ejecución material, esto es, el objeto finalmente impreso a raíz del diseño digital, e incluso sobre la protección que merece el software empleado en la modelación del diseño digital.

A) El CAD como expresión formal

De acuerdo con la LPI (artículo 10.1), las ideas no pueden ser protegidas, sino tan solo su expresión formal. En el ámbito de la impresión 3D, en lo que respecta a esa necesaria exteriorización de la obra, una de las grandes cuestiones objeto de discusión es si la potencial protección recaerá únicamente sobre el CAD, es decir, sobre el diseño digital, o si también quedará protegido el archivo en el que está contenido. En ese sentido, es interesante destacar la doctrina de la fusión o *"merger"*[22], que se ha venido aplicando en países como Estados Unidos. Según ésta, cuando la expresión de una idea se funde con la propia idea y sólo existe una forma de expresar la idea subyacente, idea y expresión se hacen indistinguibles, con lo que no es posible su protección.

---

[21]   CARRANCHO HERRERO, M. T. (2014). El concepto de obra plástica y la impresión en 3D. En I. ESPÍN ALBA (Coord.), *Propiedad intelectual en el siglo XXI: Nuevos continentes y su incidencia en el derecho de autor* (págs. 41-78). Editorial Reus, Fundación AISGE, Colección de Propiedad Intelectual. Véase la pág. 56.

[22]   ANG, S. (1994). The Idea-Expression Dichotomy and Merger Doctrine in the Copyright Laws of the US and the UK. *International Journal of Law and Information Technology, 2*(2), 111-153. https://doi.org/10.1093/ijlit/2.2.111 Véase la pág. 111.

De acuerdo con un importante sector doctrinal liderado por autores como Dagne y Dubeau[23], esta doctrina de la fusión tiene relevancia en relación con la protección de los CAD, ya que estos solo pueden expresarse de una manera, que es a través de los archivos que los contienen. En consecuencia, no será objeto de protección el archivo CAD que contiene el diseño digital en cuestión, sino el propio diseño. El archivo en el que se ubica el diseño sólo servirá como soporte (como un PDF o un JPEG) donde grabar una obra[24], mientras que el diseño digital será el que habrá de superar el umbral de originalidad y los demás requisitos para alcanzar la protección por la vía de la propiedad intelectual de la obra[25].

Por último, es interesante poner de relieve que, aunque la propia autora descarta finalmente su viabilidad, Saiz García[26] apunta la posibilidad de valorar la incorporación de un nuevo derecho conexo que, al igual que sucede, entre otros, con los productores de fonogramas y fotógrafos, proteja a los fabricantes de los CAD. Para ello, sostiene que habría que tomar en consideración aspectos como la pericia o la laboriosidad del fabricante del diseño digital en 3D.

3.1.2   El CAD y su ejecución material

En relación con otra de las grandes cuestiones al respecto, autores como Carrancho Herrero apuntan a que el CAD también quedará protegido de manera independiente de su ejecución material, esto es, del objeto finalmente impreso, ya que es en el CAD donde se contiene la fijación de la idea del autor, su creación y, en definitiva, la exteriorización de ésta. Si la obra se ejecuta mediante su impresión se generará, además, una obra material en 3D que deberá ser protegida frente a posibles vulneraciones como la reproducción o transformación sin la correspondiente autorización del autor. Ahora bien, independientemente de que el CAD se imprima o no, la reproducción del diseño digital en los dispositivos del destinatario equivale a la tenencia del objeto que finalmente se pueda imprimir, tal y como apuntan autores como Saiz García[27]. De esta manera, no es necesaria la

---

[23]   DAGNE, T. W., & DUBEAU, CH. (2015). *Op. cit.*

[24]   DINEV, P. (2022). Revisiting the Copyright Status of 3D Printing Design Files. *European Intellectual Property Review, 42*(2), 94-100.

[25]   CARRANCHO HERRERO, M. T. (2014). *Op. cit.*

[26]   SAIZ GARCÍA, C. (2017). *Op. cit.*, pág. 27.

[27]   SAIZ GARCÍA, C. (2017). *Op. cit.*, pág. 39.

obtención del objeto físico a través de la impresión del archivo 3D, sino que la mera obtención de éste, por ejemplo, mediante descarga, representa un acto de explotación relevante.

3.1.3 El CAD y el software empleado en su creación

Por otro lado, se ha cuestionado que el código generado automáticamente a la hora de crear el CAD por medio del programa de edición específico pueda ser considerado como una obra susceptible de protección por derechos de autor como programa de software. Ello se debe a que su generación automática a la hora de seleccionar/elegir opciones de dimensión o forma no deja espacio a la labor libre y creativa como para llegar a ser considerada una expresión original. Según Dinev[28], todas las opciones potencialmente creativas ejercidas por el usuario del software de modelación se realizan en relación con el componente gráfico o de diseño, que representa el principal valor creativo del CAD, a diferencia de los datos textuales y numéricos subyacentes, que se limitan a codificar esta información mediante un proceso de conversión estrictamente dictado por consideraciones y limitaciones técnicas.

En definitiva, el CAD, el diseño digital, debe distinguirse del archivo que le sirve de soporte y de su ejecución material. Lo que será protegible no será ni el código generado automáticamente, ni el programa de software empleado en su creación y modelación (que podrá ser objeto de protección de forma independiente), ni el archivo en el que se ubica, sino el diseño digital contenido dentro de éste, es decir, la expresión formal de la obra en la que se fija la idea del autor. En ese sentido, Dagne y Dubau[29] citan el ejemplo de los creadores de videojuegos, que ostentan los derechos de propiedad intelectual sobre el resultado, pero no sobre el programa en sí que se ha empleado para generarlo, que puede gozar de protección independiente como programa de ordenador, pero que en tal caso solo constituye el medio para diseñar, crear y fijar la expresión de la obra.

---

[28] DINEV, P. (2022). *Op. cit.*

[29] WU, A. J. (1997). From Video Games to Artificial Intelligence: Assigning Copyright Ownership to Works Generated by Increasingly Sophisticated Computer Programs. *AIPLA Quarterly Journal, 25* (1), 131-178. Citado por Dagne, T. W., y Dubau, Ch. (2015), pág. 124.

3.2 Requisitos de la protección del CAD vía propipedad intelectual

3.2.1 ¿De qué objeto se parte a la hora de crear el CAD?

Para que un CAD pueda ser considerado como objeto de protección por la propiedad intelectual, hay que atender, en primer lugar, al objeto del que parte, o en el que se inspira, el diseño digital. En concreto, hay que atender a si el CAD ha sido creado a partir de una obra protegida mediante derechos de propiedad intelectual. En ese sentido, la doctrina y la jurisprudencia internacional parecen no tener ninguna duda y se inclinan por considerar que la reproducción en 3D de un objeto basado en una obra en 2D protegida constituye una reproducción infractora, por lo que puede afirmarse que la protección vía propiedad intelectual de una obra en 2D se extenderá a su reproducción en el medio 3D. Lo mismo sucede en caso de que el diseño digital esté protegido y se imprima una reproducción.

En el caso *Bayliner*[30], por ejemplo, el demandante poseía una serie de dibujos de embarcaciones que estaban protegidos por derechos de autor y que los demandados convirtieron en reproducciones en 3D de embarcaciones reales sin su consentimiento. El Tribunal canadiense consideró que el *copyright* de los dibujos originales, en 2D, se extendía a los modelos reproducidos en 3D. Según Dagne y Dubau[31], la aplicación de este razonamiento al ámbito de la impresión 3D implicaría que si un CAD está protegido por derechos de propiedad intelectual, también debería estarlo el objeto finalmente impreso.

Asimismo, aunque las dudas pueden surgir con relación a si una obra en tres dimensiones protegida, como una escultura, es capaz de extender su protección al diseño digital de esta, la doctrina y la línea seguida a nivel internacional, como es el caso de Canadá con el caso *Théberge*[32], parecen indicar que sí, al considerarla también como una reproducción. En dicho asunto, el Tribunal canadiense debatió si la transferencia de una obra protegida desde un cartel hacia un lienzo, es decir, de un medio a otro, constituía una reproducción no autorizada y, por tanto, una infracción de los derechos de autor. Aunque consideró que la obra fue simplemente transferida de un medio a otro, no apreciando reproducción ni, en consecuencia,

---

[30]   Véase el Caso Bayliner Marine Corp. v. Doral Boats (1987), en: https://ca.vlex.com/vid/bayliner-marine-corp-v-680872121

[31]   DAGNE, T. W., & DUBEAU, CH. (2015). *Op. cit.,* pág. 112

[32]   Véase el Caso Galerie d'Art du Petit Champlain inc. v. Théberge (2002), en: https://ca.vlex.com/vid/theberge-v-galerie-680633069

infracción, sí estipuló que los medios electrónicos funcionan de manera diferente y afirmó que "*la transformación de una obra artística de dos dimensiones en una obra en tres dimensiones, o viceversa, infringirá los derechos de autor aunque la reproducción física de la expresión original de esa obra no se haya copiado mecánicamente. Del mismo modo, las transformaciones a otro medio diferente pueden vulnerar los derechos de explotación de la obra*".

En el ámbito europeo, el Tribunal de Justicia de la Unión Europea[33] ("**TJUE**") se inclina por una interpretación subjetiva de la originalidad, en función de la cual la obra será original si constituye una creación intelectual atribuible a su autor que refleje su espíritu creador y que se manifieste por decisiones libres y creativas[34]; además de que el objeto de protección ha de ser identificable con suficiente precisión y objetividad. A nivel nacional, algunos tribunales parecen abogar por una interpretación objetiva en virtud de la cual la obra será original en la medida en que suponga una creación novedosa que tenga una relevancia mínima, es decir, siempre y cuando cuente con un cierto grado de altura creativa[35]. No obstante, aun

---

[33]   Véanse la Sentencia de 7 de agosto de 2018 en el asunto C-161/17, en: https://curia.europa.eu/juris/document/document.jsf?docid=204738&doclang=ES;y la Sentencia de 13 de noviembre de 2018 en el asunto C-310/17 en: https://curia.europa.eu/juris/document/document.jsf?text=&docid=207682&pageIndex=0&doclang=es&mode=lst&dir=&occ=first&part=1&cid=5471641.

[34]   La STJUE de 12 de septiembre de 2019 en el asunto C-683/2017 (Caso Cofemel) recuerda en su apartado 30 que, en lo que atañe a la originalidad, «de la jurisprudencia reiterada del Tribunal de Justicia se desprende que, para que un objeto pueda considerarse original, resulta al mismo tiempo necesario y suficiente que refleje la personalidad de su autor, manifestando las decisiones libres y creativas del mismo».

[35]   La STS 253/2017, de 26 de abril de 2017 recoge lo siguiente: «Actualmente prevalece el criterio de que la originalidad prevista por el art. 10.1 LPI exige un cierto grado de altura creativa. Esa concepción objetiva permite destacar el factor de recognoscibilidad o diferenciación de la obra respecto de las preexistentes, imprescindible para atribuir un derecho de exclusiva con aspectos morales y patrimoniales, lo que requiere que la originalidad tenga una relevancia mínima suficiente». De acuerdo con la SAP Madrid (Sección 28ª) nº 619/2019, de 20 de diciembre de 2019: «Puede afirmarse, por tanto, que el rasgo de originalidad concurre cuando la forma elegida por el creador, además de resultar de su actividad personal, incorpora una especificidad tal que permite considerarla una realidad singular o diferente por la impresión que produce en el público, lo que, de un lado, ha de llevar a distinguirla de las análogas o parecidas y, de otro, le atribuye una cierta apariencia de peculiaridad (…) Dicho criterio de la originalidad objetiva permite descartar el reconocimiento como obras protegidas por la propiedad intelectual

en los casos en los que la jurisprudencia aplique un criterio objetivo de originalidad, Bercovitz[36] apunta a que la exigencia de altura creativa presupone la existencia de cierta libertad en el proceso de creación, de modo que la obra sea resultado de la actividad personal del autor y, por tanto, una manifestación de su expresión artística.

De esta manera, a nivel europeo y nacional sí es posible la protección por derechos de propiedad intelectual de aquellos objetos de uso funcional, con forma artística, que puedan considerarse originales. Así, si las consideraciones técnicas o de otro tipo dejan margen para la libertad creativa del autor, el objeto podrá alcanzar la originalidad suficiente para ser protegido como obra por el derecho de autor[37].

En ese sentido, como apuntan autores como Dagne y Dubeau[38], en el ámbito 3D resulta muy fácil dotar a diseños sobre objetos de carácter funcional de aspectos artísticos que pueden llevar a colmar el requisito de la originalidad comentado. No obstante, lo habitual es que resulte más complicado que estos diseños que representan objetos funcionales o utilitarios superen el umbral de originalidad exigido.

3.2.2 El método empleado en la creación del CAD

La segunda de las cuestiones a tener en cuenta tiene que ver con el método empleado en la creación del CAD, debiendo ir caso por caso. Este diseño (I) puede crearse de cero, utilizando, por un lado, un software de modelación de la superficie del objeto y, por otro, un tipo de software de configuración y aplicación de formas preformadas como esferas y cubos[39]; (II) puede crearse a partir de un objeto preexistente, por medio del esca-

---

en presentaciones que carecen de un mínimo de relevancia respecto de los estándares que constituyen el patrimonio cultural común de la sociedad, lo que está al alcance de todos».

[36] BERCOVITZ RODRÍGUEZ-CANO, R. (2017). *Comentarios a la Ley de Propiedad Intelectual (4ª Ed.)*. Editorial Tecnos, pág. 164.

[37] Véase el Asunto C-833/18 TJUE, Caso Brompton Bicycle Ltd. V. Chedech/Get-2Get, en: https://curia.europa.eu/juris/document/document.jsf?text=&docid=227305&pageIndex=0&doclang=ES&mode=req&dir=&occ=first&part=1&cid=4483512

[38] DAGNE, T. W., & DUBEAU, CH. (2015). *Op. cit.,* pág. 113

[39] DOLINSKY, K. (2014). CAD's Cradle: Untangling Copyrightability, Derivative Works, and Fair Use in 3D Printing. *Wash & Lee L. Rev, 71*, 591-593. Citado por Dagne, T. W., y Dubau, Ch. (2015), pág. 111.

neado láser o la toma de una fotografía; o, finalmente, (III) a partir de la modificación de otro diseño obtenido mediante descarga.

A) Creación independiente

La doctrina mayoritaria[40] se inclina por considerar que la naturaleza de los CAD es equiparable a la de las cartas, planos u obras de arquitectura, ya que el archivo digital no controla el funcionamiento de la impresión, sino que proporciona instrucciones codificadas que el software de la impresora lee y ejecuta. Como apuntan Dagne y Dubeau (2015), el CAD constituye una especie de plano que sirve para materializar la representación digital en 3D, permitiendo incluso la elección del material. Para ello, no obstante, debe cumplirse con el requisito de originalidad.

Recordemos que, en el ámbito europeo, el concepto de originalidad defendido por jurisprudencia del TJUE[41] requiere de la concurrencia de dos elementos: que la obra constituya una creación propia de su autor —esto es, que sea un reflejo de su personalidad— y que exista un objeto identificable con suficiente precisión y objetividad, de manera que será posible la protección por derechos de autor de aquellos objetos de uso funcional que tengan forma artística y sean originales. Así, si las consideraciones técnicas, o de otro tipo, dejan margen para la libertad creativa del autor, el diseño podrá alcanzar la originalidad suficiente para ser protegido como obra por el derecho de autor[42], y de manera independiente del objeto tangible finalmente impreso.

De esta manera, la doctrina mayoritaria a nivel nacional y europeo, con autoras como las ya citadas Saiz García o Carrancho Herrero, se inclinan por considerar que si el diseño digital se crea mediante la utilización de

---

[40]   RIDEOUT, B. (2011). Printing the Impossible Triangle: The Copyright Implications of Three-Dimensional Printing. *J. Bus. Entrepreneurship & L., 5*, 161-167. Citado por Dagne, T. W., y Dubau, Ch. (2015), pág. 121.

[41]   Véanse el Asunto C-161/17, Caso Land Nordrhein-Westfalen v. Dirk Renckhoff (2018), en https://curia.europa.eu/juris/document/document.jsf?docid=204738&doclang=ES y el Asunto C-310/17, Caso Levola Hengelo BV/ Smilde Foods BV (2018), en https://www.iustel.com/diario_del_derecho/noticia.asp?ref_iustel=1182732

[42]   Véase el Asunto C-833/18 TJUE, Caso Brompton Bicycle Ltd. v. Chedech/Get-2Get, en: https://curia.europa.eu/juris/document/document.jsf?text=&docid=227305&pageIndex=0&doclang=ES&mode=req&dir=&occ=first&part=1&cid=4483512

los programas de software específicos antes mencionados y como obra independiente, esto es, sin basarse en un objeto preexistente, reflejando la personalidad del autor, por ejemplo, mediante la actividad creativa en la elección de las dimensiones y formas, nos encontraremos ante un CAD como obra protegible. Según Dinev[43], ese reflejo de la personalidad del autor ha de venir por medio del ejercicio de decisiones libres y creativas que le otorguen un carácter o toque personal.

B) Creación no independiente

Si bien parece haber consenso en torno a la idea de que la creación de un diseño digital independiente puede ser susceptible de protección por derechos de autor si reúne los requisitos de originalidad, las dudas surgen en torno a la protección que puede atraer aquel diseño digital inspirado en un objeto preexistente no protegido. A este respecto, cierta doctrina[44] apunta al método de creación como elemento esencial para poder responder a esta cuestión.

a) Creación mediante escáner o fotografía

El escáner 3D permite capturar las características físicas, la dimensión y la forma de un objeto físico mediante el análisis de su superficie y la toma de medidas respecto a unos puntos de referencia concretos.

En ese sentido, el hecho de que el CAD nazca a raíz de escanear o tomar una foto del objeto preexistente puede no suponer un trabajo creativo suficiente. Tal y como indica Stokes[45], las contribuciones artísticas o labores creativas serán menos visibles en el diseño digital si este parte o nace de una foto o réplica digital de un objeto ya existente. En tal caso, por tanto, no habría un reflejo de la personalidad del autor en la obra, ya que no se habrían tomado decisiones o desempeñado ningún tipo de labor creativa en la elaboración del diseño, que constituiría una mera réplica del objeto físico.

---

[43]   DINEV, P. (2022). *Op. cit.*

[44]   DAGNE, T. W., & DUBEAU, CH. (2015), *Op. cit.* STOKES, S. (2014). *Digital Copyright Law and Practice* (4th. Ed.). Oxford, pág. 11 [Citado por Dagne, T.W., y Dubau, Ch. (2015), pág. 108].

[45]   STOKES, S. (2014). *Digital Copyright Law and Practice* (4th. Ed.). Oxford, pág. 11. Citado por Dagne, T. W., y Dubau, Ch. (2015), pág. 108.

En síntesis, la opinión de autores como Stokes[46] o Saiz[47], es que el CAD creado escaneando o tomando una foto de un objeto preexistente, no protegido mediante copyright, no es susceptible de protección. Como indican Dagne y Dubeau, el simple manejo de una máquina no constituye un ejercicio de habilidad y juicio suficiente para crear una obra original que pueda ser objeto de la correspondiente protección[48].

A la misma conclusión ha de llegarse para el caso de que el CAD se haya creado sin basarse en un objeto preexistente, como creación independiente, si aun así constituye una réplica de un objeto físico en cuya creación no ha intervenido ninguna labor creativa. Asimismo, según estableció el TJUE en el caso *Football Dataco*[49], las decisiones "*dictadas por consideraciones técnicas, normas o limitaciones*" no dejan espacio para esa libertad creativa. Por lo tanto, cuanto mayor sea la definición y concreción del diseño tridimensional en relación con el objeto preexistente, menor será el margen para el desempeño de la actividad creativa y la consecuente originalidad.

No obstante, una parte de la doctrina, liderada por autores como Mendis[50] (en relación con el Asunto C-145/10 TJUE, "Painer contra Standard Verlags GmbH"[51]) argumentan que el hecho de tomar decisiones creativas, como la selección de determinadas vistas del objeto físico a la hora de crear el diseño digital mediante el escaneado, sí puede llegar a ser suficiente como para considerarlo una creación intelectual del autor, siempre que, de nuevo, refleje su personalidad y exprese su elección libre y creativa. De acuerdo con el TJUE en el asunto mencionado, donde se planteaba una cuestión prejudicial en relación con el artículo 6 de la Directiva 93/98, este debe interpretarse en el sentido de que "*un retrato fotográfico puede ser protegido por derechos de autor, en virtud de dicha disposición, siempre que sea una*

---

[46]   STOKES, S. (2014). *Op. cit.*

[47]   SAIZ GARCÍA, C. (2017). *Op. cit.*, pág. 25.

[48]   DAGNE, T. W., & DUBEAU, CH. (2015). *Op. cit.*, pág. 126.

[49]   Véase la Sentencia del TJUE de 18 de octubre de 2012: Football Dataco Ltd y otros contra Sportradar GmbH y Sportradar AG, en: https://curia.europa.eu/juris/document/document.jsf?text=&docid=128651&pageIndex=0&doclang=ES&mode=lst&dir=&occ=first&part=1&cid=12352

[50]   EUROPEAN COMISSION (MENDIS, D., NORDEMANN, J. B., BALLARDINI, R. M., BRORSEN, H., CALATRAVA MORENO, M. C., ROBSON, J., & DICKENS, P. H.) (2020). *Op. cit.*, págs. 125-129.

[51]   Véase el Asunto C-145/10 TJUE, Caso Eva-Maria Painer v. Standard Verlags GmbH, en: https://curia.europa.eu/juris/document/document.jsf?docid=115785&doclang=ES

creación intelectual del autor que refleje su personalidad y que se manifieste por las decisiones libres y creativas del mismo al realizarlo, lo cual corresponde comprobar al órgano jurisdiccional nacional en cada caso concreto. Dado que se ha acreditado que el retrato fotográfico de que se trata constituye una obra, su protección no es inferior a aquélla de que goza cualquier otra obra, incluidas las obras fotográficas".

b) Creación mediante modificación de un diseño previo

Por otro lado, también cabe la posibilidad de crear un CAD partiendo de uno previo, como sucede habitualmente cuando los usuarios se descargan aquellos diseños que los *makers* ponen a su disposición, de manera gratuita o no, en la red y que suelen permitir su modificación.

En este caso, cabe preguntarse en qué medida un CAD ha de transformarse o modificarse para pasar de ser considerado una réplica o mera reproducción a una obra original. Este debate es muy habitual en materia de arte contemporáneo, pudiendo destacarse la Sentencia de la Audiencia Provincial de Tenerife de 15 de junio de 2011[52], la cual consideró que *"(i) la mera existencia de elementos de una obra en otra no supone per se la existencia de plagio o transformación; (ii) que deben valorarse tanto los elementos idénticos como los diferenciales, catalogando unos y otros como esenciales o accesorios; (iii) que en función de este carácter hay que establecer (i') si las adiciones o aportaciones son anodinas careciendo de valor creativo, dando lugar a una mera reproducción de art. 18 de la LPI; (ii') si tales aportaciones integran creaciones originales en elementos secundarios o accesorios, pero manteniendo la sustancialidad de la obra anterior, surgiendo la transformación del art. 21 de la misma Ley, o bien (iii') si las adiciones son de tal sustantividad y especificidad que generan una obra original y distinta de la anterior".*

En línea con lo anterior, el sentir de especialistas en la materia como Mendis[53] es que deberá ser objeto de modificaciones lo suficientemente creativas e independientes como para evitar el parecido razonable. En ese sentido, el autor cita un caso que puede aplicarse por analogía al ámbito

---

[52]   Véase la Sentencia de la Audiencia Provincial de Santa Cruz de Tenerife, Sección 4ª, Sentencia 219/2011 de 15 Jun. 2011, Rec. 103/2011, en: https://laleydigital.laleynext.es

[53]   MENDIS, D. (2014). Clone Wars: Episode II The Next Generation: The Copyright Implications relating to 3D printing and Computer-Aided Design (CAD) Files. *Hart Publishing in Law, Innovation and Technology, 6*(2), 265-281.

de la impresión 3D, el de *Interlego v Tyco*[54], en el que se consideró que los diseños de ladrillos de juguete "redibujados" a partir de diseños anteriores, con una serie de alteraciones menores, no eran merecedores de protección de la propiedad intelectual. Según el Tribunal, la alteración material o el embellecimiento de un solo elemento puede ser suficiente para convertir lo que fue sustancialmente copiado de una obra anterior en una obra independiente, incluso cuando se trate de una pequeña alteración o adición cualitativa, siempre y cuando ésta sea material. Sin embargo, la copia, *per se*, por mucha habilidad o trabajo que se dedique al proceso, no puede convertir una obra en original. Este caso sugiere que cuando un diseño digital en 3D reproduce fielmente una obra protegida por derechos de autor como, por ejemplo, una escultura, el diseño digital en 3D no será lo suficientemente original como para constituir una obra protegida por derechos de autor, aun cuando los derechos de autor de la obra original hayan expirado.

Según Hutchison[55], a la hora de valorar la suficiencia del cambio o modificación, no solo ha de tenerse en cuenta el volumen de las modificaciones operadas, sino también la naturaleza de los cambios, atendiendo al efecto cumulativo de estos. Por lo tanto, será la amplitud y la naturaleza del cambio lo que permita calificar a la obra modificada como original y, como tal, merecedora de protección.

En definitiva, aquellos CAD que nazcan a partir de otros diseños previos deberán ser modificados lo suficiente como para que el diseño original no constituya una parte significativa de éstos ni pueda definirse como la base de la que parten. Solo así podrán alejar su parecido del diseño original y atraer la protección de la propiedad intelectual. Para ello, al igual que con las creaciones independientes, el usuario deberá aportar la habilidad y creatividad suficientes como para que puedan considerarse creaciones originales.

---

[54] Véase el Caso Interlego A.G. v. Tyco Industries Inc. (1988), en: https://www.case-mine.com/judgement/uk/5b599a772c94e02f4938ac4e

[55] HUTCHINSON, C. J. (21 August 2014). *Substantial Similarity after Cinar Corp v. Robinson*. http://dx.doi.org/10.2139/ssrn.2484816. Citado por Dagne, T. W., y Dubau, Ch. (2015), pág. 130.

4. CONCLUSIONES

En conclusión, existen dos vías mediante las cuales los CAD pueden optar a la protección por la vía de la propiedad intelectual de forma separada del resultado tangible. La primera de ellas es mediante su creación de manera independiente, utilizando los programas de software específicos y empleando el autor una labor creativa suficiente que ha de reflejarse en el resultado final y que ha de permitir superar el umbral de la originalidad establecido por nuestra doctrina y jurisprudencia, lo que no estará exento de subjetividad. Como apuntan Dagne y Dubeau[56], lo expuesto puede no ocurrir si el CAD nace a partir del mero escaneo o de la toma de una fotografía, ya que lo habitual será que no haya intervención creativa. La segunda es mediante la modificación de un CAD previo, en cuyo caso el diseño digital resultante ha de ser lo suficientemente diferente al original, desde un punto de vista material o conceptual, por medio de las elecciones y adiciones creativas del autor, lo que de nuevo nos lleva a una esfera cargada de subjetividad.

Por todo ello, cada CAD deberá ser objeto de análisis independiente atendiendo al objeto del que se parte y al método empleado en su creación o modificación, debiendo incidirse especialmente en el grado de laboriosidad y creatividad utilizado en cada caso.

5. REFERENCIAS BIBLIOGRÁFICAS

ANG, S. (1994). The Idea-Expression Dichotomy and Merger Doctrine in the Copyright Laws of the US and the UK. *International Journal of Law and Information Technology, 2*(2), 111-153. https://doi.org/10.1093/ijlit/2.2.111

BECHTOLD, S. (2015). 3D printing and the intellectual property system. *Economic Research Working Paper No. 28* (Economics & Statistics Series). World Intellectual Property Organization (WIPO). https://www.wipo.int/publications/en/details.jsp?id=3999

BERCOVITZ RODRÍGUEZ-CANO, R. (2017). *Comentarios a la Ley de Propiedad Intelectual* (4ª Ed.). Editorial Tecnos.

CARRANCHO HERRERO, M. T. (2014). El concepto de obra plástica y la impresión en 3D. En I. ESPÍN ALBA (Coord.), *Propiedad intelectual en el siglo XXI: Nuevos continentes y su incidencia en el derecho de autor* (págs. 41-78). Editorial Reus, Fundación AISGE, Colección de Propiedad Intelectual.

---

[56]   DAGNE, T. W., & DUBEAU, CH. (2015), *Op. cit.*, pág. 130.

CONTRERAS, L. (4 agosto 2022). Las aplicaciones de la impresión 3D en el mundo de la moda. *3Dnatives*. https://www.3dnatives.com/es/impresion-3d-en-la-moda-150620172/

DAGNE, T. W., & DUBEAU, CH. (2015). 3D Printing and the Law: Are CAD Files Copyright-protected? *Intellectual Property Journal, 28*(1), 101-135.

DINEV, P. (2022). Revisiting the Copyright Status of 3D Printing Design Files. *European Intellectual Property Review, 42*(2), 94-100.

DOLINSKY, K. (2014). CAD's Cradle: Untangling Copyrightability, Derivative Works, and Fair Use in 3D Printing. *Wash & Lee L. Rev, 71*, 591-593.

EUROPEAN COMISSION (MENDIS, D., NORDEMANN, J. B., BALLARDINI, R. M., BRORSEN, H., CALATRAVA MORENO, M. C., ROBSON, J., & DICKENS, P. H.) (2020). *The Intellectual Property Implications of the Development of Industrial 3D Printing*. Publications Office of the European Union, Luxemburg.

GIMENO BEVIÁ, V. (2016). Los riesgos de las impresoras 3D sobre la propiedad industrial e intelectual. *LA LEY Mercantil, 25* (Sección Propiedad Intelectual e Industrial), 1-29.

GOH, O., GOH, W J., LIM, S. H., HOO, G. S., LIEW, R., & NG, T. M. (2022). Preferences of Healthcare Professionals on 3D-Printed Tablets: A Pilot Study. *Pharmaceutics, 14*, 1521. https://doi.org/10.3390/pharmaceutics14071521

GONZÁLEZ PONS, E. (2017). La impresión tridimensional. Implicaciones jurídicas. *Revista Aranzadi de Derecho y Nuevas Tecnologías, 43*, 79-99.

Hull, C. W. (1986). Apparatus for production of three-dimensional objects by stereolithography (Patent Núm. 4575330). En *US Patent* (Núm. 4575330).https://patents.google.com/patent/US4575330A/en

HULL, C. W. (2015). The birth of 3D printing. *Research-Technology Management, 58*(6), 25-30.

HUTCHINSON, C. J. (21 August 2014). *Substantial Similarity after Cinar Corp v. Robinson*. http://dx.doi.org/10.2139/ssrn.2484816.

LIU, Z., ZHANG, M., BHANDARI, B., & WANG, Y. (2017). 3D printing: Printing precision and application in food sector. *Trends in Food Science & Technology, 69*, 83-94. https://doi.org/10.1016/j.tifs.2017.08.018

MALATY, E., & ROSTAMA, G. (2017). La impresión 3D y el Derecho de propiedad intelectual. *OMPI Revista, 1/2017*. https://www.wipo.int/wipo_magazine/es/2017/01/article_0006.html

MÉNDEZ-GONZÁLEZ, D., SILVA-IBÁÑEZ, P. P., VALIENTE-DÍES, F., GÓMEZ-CALDERÓN, O., MÉNDEZ-GONZÁLEZ, J. L., LAURENTI, M., EGATZ-GÓMEZ, A., DÍAZ, E., RUBIO-RETAMA, J., & MELLE, S. (2021). Oligonucleotide sensor based on magnetic capture and photoligation of upconverting nanoparticles in solid surfaces. *Journal of Colloid and Interface Science, 596*, 64-74. https://doi.org/10.1016/j.jcis.2021.02.093

MENDIS, D. (2014). Clone Wars: Episode II The Next Generation: The Copyright Implications relating to 3D printing and Computer-Aided Design (CAD) Files. *Hart Publishing in Law, Innovation and Technology, 6*(2), 265-281.

OLO3d printer reviews (s.f.). Embrace the 3D future. *OLO3D.net*. https://www.olo3d.net

PARLAMENTO EUROPEO (3 de julio de 2018). *Impresión tridimensional: Derechos de propiedad intelectual y responsabilidad civil*. Resolución del Parlamento Europeo, de

3 de julio de 2018, sobre impresión tridimensional, un reto en el ámbito de los derechos de propiedad intelectual y de la responsabilidad civil (2017/2007(INI)). Diario Oficial de la Unión Europea, C118/10. https://www.europarl.europa.eu/doceo/document/TA-8-2018-0274_ES.html

QUESADA, D. (2022, September 10). *Esta es la primera casa de España impresa en 3D con barro.* Arquitectura y Diseño. https://www.arquitecturaydiseno.es/arquitectura/esta-es-primera-casa-espana-impresa-3d-barro_7915.

RIDEOUT, B. (2011). Printing the Impossible Triangle: The Copyright Implications of Three-Dimensional Printing. *J. Bus. Entrepreneurship & L., 5,* 161-167.

SAIZ GARCÍA, C. (2017). La tecnología de impresión 3D frente al actual sistema de protección de las obras de ingenio. *Revista de Propiedad Intelectual (PE.I.), 56,* 13-44.

SAIZ GARCÍA, C. (2020). Las licencias obligatorias en tiempos de pandemia: El necesario equilibrio entre los intereses generales y el particular del titular de un derecho de patente. *LA LEY Mercantil, 69* (Sección de Derechos de la Propiedad Intelectual. Doctrina), 1-14.

STOKES, S. (2014). *Digital Copyright Law and Practice* (4th. Ed.). Oxford.

WANG, B. T., & RIMMER, M. (2021). 3D Printing and Housing: Intellectual Property and Construction Law. In B. T. Wang, & C. M. Wang (Eds.), *Automating Cities. Advances in 21st Century Human Settlements* (págs. 113-140). Springer. https://doi.org/10.1007/978-981-15-8670-5_5

WU, A. J. (1997). From Video Games to Artificial Intelligence: Assigning Copyright Ownership to Works Generated by Increasingly Sophisticated Computer Programs. *AIPLA Quarterly Journal, 25*(1), 131-178.

Misiles rusos vs Instagram

RODRIGO DE LA VIÑA MUHLACK

Diplomático. Vocal asesor del presidente de Gobierno. Doctorando en Derecho (URJC)

1. INTRODUCCIÓN

En la madrugada del jueves 24 de febrero de 2022[1], el presidente ruso, Vladimir Putin, se dirigió a su nación para anunciar el inicio de una "operación militar especial" contra Ucrania. El discurso se produjo inmediatamente después de su decisión de reconocer la República Popular de Donetsk y la República Popular de Lugansk el 21 de febrero y la firma de acuerdos de cooperación mutua entre Rusia y las dos regiones separatistas.

El presidente ruso afirmó que los objetivos principales de esta campaña militar eran la "desmilitarización y la desnazificación de Ucrania" para proteger a las personas en la zona del Donbas (este de Ucrania) que "han sido objeto de abusos y genocidio por parte del régimen de Kyiv durante los últimos ocho años." Putin alegó como causas de esta decisión las amenazas de Occidente contra Rusia, en concreto, la expansión de la OTAN hacia el Este calificando a esta Organización como "maquinaria de guerra". Esta operación especial tiene un carácter, por tanto, preventivo, pues el líder ruso cree que el curso de los acontecimientos y la información recibida muestran que el choque de Rusia con estas fuerzas es inevitable, sería solo una cuestión de tiempo.

Ese mismo día, el 24 de febrero, quedaban enterrados los acuerdos de Minsk, según los cuales, las autoridades ucranianas se comprometían a re-

---

[1]   Address by the President of the Russian Federationhttp. Puede consultarse en www.https://en.kremlin.ru

formar la Constitución para conceder una amplia autonomía a Luhansk y Donetsk, así como a celebrar elecciones locales en ambas regiones, y a cambio Moscú aceptaba retirar a sus tropas y armamento de la zona. Rusia no solo no ha decidido no retirar sus tropas, sino que recientemente oficializó la anexión de las cuatro regiones ocupadas, cuando anteriormente había reiterado en múltiples ocasiones que "nuestros planes no incluyen la ocupación de territorios ucranianos".

El objetivo de este artículo no es analizar las causas de esta guerra ni señalar culpables o responsabilidades, si bien creo necesario ofrecer a lo largo de este escrito un breve y muy simplificado marco general de este conflicto e invito, en mi condición de diplomático, al lector a analizar la información recibida sobre el mismo, de manera crítica intentando entender las motivaciones de todas las partes implicadas. Reducir la causa de esta guerra a una enajenación mental de un líder determinado o a sus ansias de poder y expansión, parece un análisis demasiado simplista.

En este artículo vamos a examinar como las autoridades de Ucrania tratan a través de *software*, en nuestro caso concreto, a través del uso de las redes sociales, hacer frente a los misiles rusos. La guerra en Ucrania es el primer conflicto armado en el viejo continente desde la aparición de aplicaciones y plataformas como Instagram o TikTok[2], las cuales constituyen, sin duda alguna, un nuevo campo de batalla que las partes implicadas no han de ignorar.

2. KANT Y LAS NUEVAS TECNOLOGÍAS

Tras el inicio de la guerra a principios de este año 2022, políticos, expertos militares y en general la población que habita en el denominado mundo occidental, repetían una y otra vez que cómo era posible que una guerra tan cruel tuviera lugar en pleno siglo XXI en el continente europeo. Todos ellos parecían buscar refugio en la paz kantiana[3] según la cual en un mundo de repúblicas basadas en la dignidad humana y los derechos humanos no se precisa de un monopolio sobre el uso de la fuerza a nivel global. Esto aseguraría la paz y parece, a priori, que Kant tenía razón, pues en el seno de la Unión Europea no ha habido guerras desde su creación,

---

[2]   ALONSO SANTOS, P. "Comunicación, propaganda, relato: el otro frente de la guerra de Ucrania" (Agenda Pública, El País, 19.03.2022)

[3]   KANT, I., "La paz perpetua", págs. 15 y 16

es más, es difícil encontrar un ejemplo reciente de una guerra entre dos democracias genuinas.

No obstante, existe mundo más allá del proyecto común de la Unión Europea (en los sucesivo UE) e incluso hay otra Europa en la que durante las últimas tres décadas han tenido lugar al menos veinte guerras o conflictos armados, habiendo aún "conflictos congelados" como en Transnitria, Osetia o Abjasia, donde Rusia juega curiosamente un papel importante. No debemos olvidarnos tampoco de la cruel guerra en los Balcanes en la década 90 del siglo pasado, formando algunos de esos países parte hoy de la familia de la UE. Por tanto, parece necesario una dosis de realismo, dosis que ha sido inyectada a la fuerza y sin anestesia de ningún tipo en el corazón de Occidente a raíz de la guerra en Ucrania.

Vivimos en un mundo donde el pensamiento étnico, nacionalista, sigue estando muy presente en países como la India, probablemente una súper potencia en el futuro y otros como China y Rusia, siendo Ucrania una víctima de ello. Occidente y, por ende, la UE tienen que hacerse un hueco en un mundo que en el futuro previsible estará dominado por numerosas no democracias, autocracias, dictaduras y estados totalitarios, a veces grandes y poderosos.

Las nuevas tecnologías, y en concreto las redes, aplicaciones y plataformas sociales, pueden ser muy útiles para reafirmar los valores sobre los que se asienta nuestra sociedad, pues ofrecen la posibilidad de hacer llegar de manera inmediata el modo de vida occidental y costumbres al resto del mundo y, en especial, a los segmentos más jóvenes. En el caso concreto de la guerra de Ucrania, se observa una transformación de varias "start-up" ucranianas, muchas de las cuales han dejado de desarrollar aplicaciones de consumo masivo, para pasar a otras relacionadas con la guerra que están siendo de gran utilidad para el ejército del país agredido que está en clara desventaja en cuanto a armamento como analizaremos a continuación.

3. COMPARATIVA EJÉRCITOS RUSO Y UCRANIANO

Cuando el presidente Putin anunció el inicio de la operación especial el pasado 24 de febrero, aparecieron en todos los medios de comunicación comparativas entre ambos ejércitos y, si bien las cifras son dispares, todos los estudios coincidían en que se trataba de una guerra muy desigual, más aún teniendo en cuenta que Rusia cuenta con el segundo ejército más potente del mundo, amén de ser una potencia nuclear. Por su parte, el Ejército de Ucrania ocupa el puesto 22 entre los ejércitos más poderosos en el índice Global FirePower[4], una consultora de defensa que elabora su índice en función de numerosas variables que incluyen el poder militar, la economía, la capacidad logística o la geografía.

Si nos fijamos solamente en el presupuesto, observamos que la diferencia entre los presupuestos anuales que los dos países destinan a defensa es abismal: Rusia gasta 154.000 millones de dólares, mientras que Ucrania invierte 11.000 millones, es decir casi 15 veces menos.

El número de tropas disponibles para el ejército ruso es más de cuatro veces mayor que el de Ucrania. Rusia cuenta con cerca de 900.000 militares en activo, mientras que Ucrania dispone de alrededor de 200.000 efectivos a los que habría que añadirle 100.000 efectivos paramilitares y de la gendarmería y 900.000 reservistas.

La fuerza aérea de Rusia es 30 veces superior a la ucraniana, en concreto está compuesta por 4.173 aeronaves, frente a 318 de Ucrania. El número de aviones de combate rusos es de 772 mientras que el de Ucrania, de 69. Los aviones de ataque y apoyo rusos son 739 por 29 ucranianos. El ejército ruso tiene 1.543 helicópteros de los que 540 son de combate; Ucrania 112 y 34, respectivamente.

En cuanto a las fuerzas terrestres, las Fuerzas Armadas rusas tienen 12.420 carros de combate por 2.596 las ucranianas. El número de vehículos blindados ruso es de 30.122 y el de Ucrania de 12.303. La artillería rusa cuenta con 6.574 baterías autopropulsadas y Ucrania con 1.067. Los rusos suman 3.391 lanzaderas de misiles y los ucranianos 490. En relación a la fuerza naval, la diferencia es de 605 buques a 38 a favor de Rusia. La Armada ucraniana está limitada a una fragata, una corbeta, 13 patrulleros y un dragaminas.

Esta diferencia abismal fue el motivo por el que la gran mayoría de los expertos militares predijo una guerra de una corta duración. Cabe recordar que el ejército ruso alcanzó las afueras de la capital ucraniana en solo 48 horas, ocupando además gran parte del sur y este de Ucrania. La caída del gobierno parecía una cuestión de horas en esos primeros días del conflicto por lo que la administración de los Estados Unidos ofreció evacuar al presidente Zelenski evitando así su captura por las fuerzas rusas. Lo cierto es que casi un año después, el supuesto "Blitzkrieg" ha fracasado, el presidente ucraniano sigue en el poder e incluso se observa una contraofensiva

---

[4]   2022 Military Strength Ranking - Global Firepower. Puede consultarse en: https://www.globalfirepower.com/countries-listing.php

del ejército del país agredido que ha culminado en la recuperación de Jerson, única capital de región conquistada por Rusia.

Hoy, Zelenski goza de una enorme popularidad en su país[5] y Occidente gracias, probablemente, a su coraje, pero en cierta o en gran medida también al uso de las redes sociales que están haciendo él y su gobierno, evitando así que 9 meses después se trate de una "guerra olvidada" y habiendo recabado un importante apoyo de las autoridades y de la población de numerosos países. Hasta el 24 de febrero, día del inicio de las hostilidades rusas hacia el pueblo ucraniano, Zelenski era un perfecto desconocido para la gran mayoría. Cabe recordar que hace dos años se trataba de un cómico que encarnaba al combativo profesor Holoborodko en la serie Servidor del Pueblo y que hoy se ha convertido en un referente como líder en tiempos de guerra, en una superestrella global, tan conocido como una estrella de rock o un deportista de élite.

Esta popularidad y, en concreto, este proceso de transformación de la figura del presidente ucraniano se debe en gran medida al uso de las redes sociales que están sirviendo para contrarrestar los misiles rusos. Veamos con más detenimiento este fenómeno.

4. UCRANIA Y EL SECTOR TECNOLÓGICO

La guerra en Ucrania se encuentra ya en su noveno mes y no se vislumbra un final próximo de lo que ya es el conflicto más grande en Europa desde la Segunda Guerra Mundial. El pueblo ucraniano, ganador del premio Sájarov 2022, está demostrando coraje y valentía y se ha ganado la admiración de gran parte del mundo. A la vez muchos observadores internacionales han descubierto que no se trata solo de una nación valiente, es un país tremendamente innovador con altos niveles de alfabetización informática. Empresas tecnológicas unicornio como "Preply" o "My face" fueron desarrolladas por jóvenes ucranianos creando empleo en ese país, pero también en el resto de Europa. A modo de ejemplo, la aplicación de idiomas "Preply" cuenta con más de cien empleados en Barcelona.

Esta fortaleza del sector tecnológico está resultando ser un elemento fundamental para dar respuesta a la agresión de una superpotencia militar e incluso para llevar a cabo una contraofensiva que por el momento (noviembre 2022) está siendo relativamente exitosa. El *software* ucraniano está

---

[5]   LATORRE, R. "Zelenski, el líder inesperado" (El Mundo, 24.03.2022)

permitiendo dar soluciones rápidas y flexibles a su ejército, pero también a la población civil, algo que la jerarquizada administración del ejército ruso no puede igualar a pesar de contar también con grandes informáticos y científicos en ese país.

Sin embargo, este componente tecnológico del éxito en el campo de batalla no debería ser tan sorprendente, si tenemos en cuenta que según el Informe Global de Habilidades 2022 de Coursera, Ucrania se sitúa entre los diez primeros países del mundo en términos de habilidades tecnológicas. Este país del este está sin duda mucho más avanzado en este terreno que la mayoría de los estados que forman la Unión Europea y se refleja en un exponencial crecimiento del sector de tecnologías de la información y la comunicación del país y en la llegada de grandes empresas tecnológicas a este país. Una de las promesas electorales del presidente Zelenski, tras crear el Ministerio de Digitalización, fue "una administración sin papel" para impulsar por un lado la rama tecnológica del país, y por otro combatir ese mal endémico que es la corrupción a todos los niveles en ese país. "Los ordenadores no piden mordida", llegó a afirmar el líder ucraniano.

Con este fin se desarrolló la aplicación DIA[6] que facilita y permite realizar múltiples obligaciones administrativas, desde pagar impuestos, inscribir el nacimiento de un menos a crear una empresa, y todo desde el teléfono móvil. Asimismo, en esa aplicación, que algunos califican como el "Netflix de la informática", se imparten en su vertiente "DIIA Digital Education" cursos educativos para formarse en nuevas profesiones que demanda el sector tecnológico con el fin de desarrollar la alfabetización mediática y digital, la cual es un factor esencial para erradicar la pobreza, instaurar la igualdad entre los sexos y garantizar el desarrollo sostenible, la paz y la democracia. Cabe destacar en este sentido que el salario de un informático ucraniano, unos cuatro o cinco mil dólares de media, multiplica por 15 o 20 el sueldo medio en ese país, lo cual también ha sido uno de los motivos de ese boom de estudiantes que quieren especializarse en esta materia y que tan útiles están siendo para hacer frente a los misiles rusos. No obstante, debemos insistir en que la innovación digital no nace a partir de esta guerra sino unos cuantos años antes, siguiendo el ejemplo de otros países de la zona como Estonia. Un ejemplo del desarrollo del software ucraniano en el ámbito civil es el hecho de que Ucrania es el primer país del mundo que ofrece y acepta el pasaporte digital con el mismo valor legal a nivel do-

---

[6]   Digital country - Official website of Ukraine. Puede consultarse en: ttps://ukraine.ua/invest-trade/digitalization

méstico que el físico y fue uno de los cinco primeros países en desarrollar el carnet de conducir digital.

4.1 ¿Quién usa Internet en Ucrania?

Uno de los efectos de esta guerra ha sido el aumento considerable de usuarios de internet en Ucrania, pasando de un 60% de la población en 2021 a casi un 80 en este año y lo curioso es que la gran mayoría usa las redes sociales como principal fuente de información, tal y como recoge el estudio de investigación de GlobalLogic. En concreto casi el 70% de los ucranianos utiliza *Telegram*, cuyo fundador es ruso curiosamente, para hacer seguimiento de la guerra, siendo numerosos los canales que se pueden encontrar en esta plataforma retransmitiendo casi en directo este conflicto bélico. No lejos se sitúan en términos de popularidad *Youtube y Facebook*, si bien las aplicaciones que más están creciendo en número de usuarios son Instagram y Tik Tok.

A modo de anécdota, la principal plataforma de búsqueda de empleo, *LinkedIn*, "solo" cuenta con 3 millones de usuario, un 80% menos de los que usan Instagram. Esto puede deberse al hecho de que en Ucrania hasta la guerra había un mercado laboral que, por un lado, se regía por reglas más tradicionales donde los interesados no buscan ofertas de trabajo y por otro lado un mercado, el de los informáticos, en el que se hace uso de otras aplicaciones o del boca a boca. Los informáticos ucranianos están tan solicitados que no necesitan buscar empleo, pues las empresas les buscan a ellos.

Cabe destacar en sentido también que la población ucraniana es joven en comparación con otros países europeos con una edad media de 39 años, mientras que en España es de 44 años y en Alemania de casi 48. Asimismo, la esperanza de vida es relativamente corta, pues llega a los 71 años mientras que en nuestro país supera los 80. Este hecho demográfico es uno de los motivos del dinamismo de esa sociedad y de su especialización en las nuevas tecnologías y el uso de las redes sociales que tan importante está siendo en este triste conflicto armado.

Los propios soldados ucranianos, la gran mayoría jóvenes veinteañeros, suben videos de las batallas, pero también cantando o bailando por lo que algunos expertos militares han señalado que nos encontramos ante la primera "guerra Instagram". Cabe destacar que, en algunos casos, este tipo de videos ha sido perjudicial para los intereses de las partes pues ha permitido localizar las posiciones del enemigo frustrando en ocasiones una ofensiva o contraofensiva.

Asimismo, las autoridades ucranianas también son partidarios acérrimos de las redes sociales y han desarrollado un auténtico "ejército informático", que se analizará en más detalle más adelante, que elabora diariamente videos que son compartidos rápida y fácilmente en todas las redes sociales con hash tags como "Russiaterroriststate", convirtiéndose muchos de ellos en virales en cuestión de minutos. El Ministerio de defensa ucraniano, en concreto, es muy activo en este sentido y no duda en compartir tuits y videos celebrando la destrucción de un tanque ruso o del puente de Crimea. Suelen utilizar para ello la lengua inglesa con el fin de llegar al mayor número posible de usuarios y los tuits se caracterizan por ser irónicos. Esta forma de informar contrasta con la rusa que recuerda más a la URSS, en la cual diariamente un militar informa de manera exhaustiva, si bien evidentemente parcial, de los avances de la denominada "operación especial". Esta política de información no genera empatía y produce incluso rechazo. Rusia es vista por la opinión pública como un país anclado en el pasado, mientras que Ucrania aparece como un pueblo joven, pacífico y dinámico que simplemente defiende su derecho a existir, derecho que puede estar en riesgo también para el resto de Europa, según la propaganda ucraniana, si Rusia vence en esta guerra.

4.2 Guerra de memes

En Ucrania están convencidos de que, si en vez de una guerra armada se tratara de una "guerra de memes", ellos serían los vencedores sin duda alguna. A modo de ejemplo debemos recordar los siguientes videos irónicos que ha publicado el Ministerio de Defensa ucraniano[7], principalmente, en su cuenta de Twitter:

- Ucrania agradeció al Reino Unido el envío de armas mediante un video con las armas suministradas en acción, acompañado de la música de Gustav Holst, The Clash, David Bowie, citas de Shakespeare e incluso aparecía el gran piloto de Fórmula 1 Lewis Hamilton.

- Francia por su parte también tuvo un video de agradecimiento cargado de elementos románticos en el que predominaban las rosas, el chocolate, imágenes bucólicas de la ciudad de París con la mítica

---

[7]   Defense of Ukraine (@DefenceU) · Twitter https://twitter.com/Defence

canción "Je t'aime moi non plus de Serge Gains y Jane Birkin" de fondo e insinuando de forma irónica un romance entre Macron y Zelenski

- En otro video, el país agredido agradece de forma original y emotiva al mundo su ayuda a Ucrania en esta despiadada guerra mediante la imagen de una nevera con imanes de banderas de los numerosos países que han suministrado armas

- Su video más exitoso fue sin duda la filmación de unas explosiones misteriosas que ocurrieron en la península de Crimea, anexionada por Rusia en 2014 de manera ilegal, y que actualmente es lugar de veraneo de ciudadanos rusos. Este video, ambientado con la canción "Cruel Summer" del grupo británico de música pop Bananarama, acumuló millones de visitas en cuestión de horas. En el mismo se burlaban de los veraneantes rusos, pero a la vez ponía de manifiesto y lanzaba un claro mensaje a Putin y al resto del mundo de que Ucrania es capaz de hacerse o al menos de atacar la joya de la corona. Unos meses después incluso hubo una fuerte explosión en el puente que une Rusia con esta península, considerado la "obra del siglo" y que tuvo una repercusión inmediata en todas las redes sociales.

Estos videos no están dirigidos solo a la población ucraniano, la idea principal, de hecho, es llegar a la sociedad internacional para que esta guerra no caiga en el olvido y, sobre todo, poner de relieve que Ucrania es capaz de ganar esta guerra, porque como dijo un alto dirigente ucraniano recientemente "nadie quiere invertir su dinero en perdedores". El uso de las redes sociales es una manera rápida y económica de hacer llegar el mensaje a todo el mundo y de hacer ver a los propios ucranianos que no se encuentran solos en esta guerra.

No obstante, también hay vídeos dirigidos al pueblo y a los soldados rusos quienes también son grandes usuarios de las redes sociales, si bien su uso o, más bien su contenido y el acceso a la redes sociales ha sido restringido, tras la adopción de la ley de "agentes extranjeros"[8] cuyo fin principal es, según la mayoría de los analistas occidentales, reprimir y silenciar a críticos de las políticas del Kremlin.

---

[8]   El presidente de Rusia, Vladímir Putin, promulgó en 2020 una polémica ley que permite declarar "agente extranjero" a personas físicas que se dediquen supuestamente a actividades políticas en interés de Estados extranjeros y/o reciben financiación desde el exterior, en algún caso incluidos periodistas.

Es interesante observar la evolución de los videos ucranianos dirigidos al pueblo ruso durante estos últimos meses. En un principio el Ministerio de Defensa ucraniano publicaba en las distintas redes sociales videos de soldados rusos muertos o moribundos, pero pronto se observó que esta política de información no era efectiva, pues en vez de desmoralizar al invasor, los ucranianos entendieron que el efecto era el contrario, esto es una mayor unión del pueblo ruso contra "los terroristas y nazis ucranianos". El "ejército informático ucraniano" dio un giro radical a su estrategia tratando de apelar a la conciencia de los soldados rusos mostrando imágenes de civiles, de niños y ancianos ucranianos inocentes muertos, pero esto tampoco funcionó, pues en vez de condenarlo, en las redes rusas celebraban los bombardeos sobre ciudades e incluso algunos usuarios pedían golpear más y más duro a su país vecino.

Actualmente lo que están tratando aquellos que manejan el "software ucraniano" es aplicar una estrategia más concreta y local, es decir, los expertos examinan las plataformas de redes sociales rusas, buscando probar y encontrar debilidades en partes específicas del país. La movilización parcial de 300 000 hombres anunciada hace unas semanas en Rusia ha dado mucho material para poder explotar el descontento y desánimo en segmentos determinados de la población rusa. Se han publicado videos resaltando las arbitrariedades e injusticias a la hora de reclutar a los "voluntarios" y se han realizado y publicado llamadas falsas a hijos de gente adinerada y políticos en las que estos se negaban a ser enviados al frente y amenazaban incluso al supuesto general con medidas contra su persona.

Es muy difícil determinar el impacto que está teniendo esta política de comunicación a través de las redes sociales en el seno del pueblo ruso, pero lo cierto es que los expertos militares aseguran que uno de los problemas principales del ejército ruso es que crece el desánimo en las tropas rusas mientras se recrudece la contraofensiva ucraniana. De hecho, se ha puesto un teléfono gratuito a disposición de los soldados rusos en el que pueden recabar información sobre cómo rendirse y entregarse, asegurándoles un trato digno y humanitario, ajustado a las Convenciones de Ginebra.

4.3 Ejército tecnológico ucraniano

Hemos hecho referencia a lo largo de este artículo al "ejército de jóvenes informáticos", o "ninjas informáticos" como se autodenominan ellos, que trabajan a las órdenes del Ministerio de Defensa y del Ministerio de Digitalización. Su tarea principal es reaccionar a la mayor brevedad a sucesos ocurridos en este país, relacionados evidentemente con el ataque ruso, produciendo videos impactantes dirigidos al público ucraniano, pero también al conjunto de la sociedad internacional. A modo de ejemplo, se pueden encontrar fácilmente videos de un misil ucraniano que alcanza un convoy militar ruso, de un helicóptero volando bajo esquivando así los sistemas antiaéreos rusos o imágenes espectaculares de un caza militar haciendo malabarismos dedicado a un soldado caído de la Fuerza Aérea de Ucrania. Todos estos videos se hacen virales en cuestión de minutos y son compartidos mediante un simple "click" con usuarios de todo el mundo buscando afianzar la solidaridad y apoyo económico, financiero, moral y militar de los países y organismos internacionales con Ucrania para que pueda contar con el armamento apropiado enfrentarse a los misiles rusos. Evidentemente, a día de hoy, sólo con software, ya sea mediante el uso de redes sociales como estamos analizando en este artículo, el desarrollo de drones y enjambres de "drones suicidas" que están utilizando ambos bandos o mediante el "hackeo" de páginas web institucionales como veremos a continuación, no se gana una guerra, pero cada vez es más importante para no perderla.

Hay distintos tipos de ejércitos informáticos, siendo uno de ellos un grupo misterioso autodenominado "IT Army" que asegura actuar al margen del gobierno ucraniano, si bien cuenta con su beneplácito, pues el Vice-primer ministro y ministro de Transformación Digital, Mykhailo Fedorov, publicó un tuit en el bendecía la creación de este ejército. El núcleo duro lo componen aproximadamente 25 informáticos ucranianos, si bien a las pocas horas de su creación ya contaba con más de 200 000 seguidores y cooperantes de todo el mundo, rozando actualmente el medio millón lo cual supone un gran éxito y refleja la solidaridad de gran parte de la población civil para con Ucrania, pero que supone a su vez un peligro, pues da cabida a que se infiltren informáticos rusos o prorrusos.

Su mecánica de actuar es muy sencilla: el administrador señala un objetivo ruso y sus partidarios lo atacan, colaborando con otros grupos de hackers informáticos de todo el mundo, desde Anonymous hasta el Escuadrón 303 (polaco). Entre sus logros o "victorias" en este campo de batalla podemos destacar el retraso provocado en el discurso inaugural del presidente Putin en la reunión de Davos (versión rusa) de más de una hora, la publicación de mapas y planes del ejército ruso o la caída de páginas del Kremlin, el Ministerio de Defensa o de las principales entidades bancarias del país (Sberbank, VTB y Gazprombank).

4.4 El sello actual más famoso del mundo

En toda guerra hay una imagen, una canción o una historia personal que se convierten en símbolos, a la par que combustible para la moral del pueblo agredido. En el caso de Ucrania el gran protagonista ha sido y es un sello del Moksva (Moscú en el idioma ruso), buque insignia de la Armada de Rusia en el Mar Negro, que fue hundido en un ataque sorpresa. Este sello representa más bien el coraje y heroísmo de una pequeña guarnición de soldados ucranianos en los primeros días de la guerra que tenían por misión defender la diminuta Isla de las Serpientes al sur del país, recibiendo desde el mencionado el siguiente aviso amenaza: "Somos un buque ruso. Repito, somos un buque ruso. Le sugiero que depongan sus armas y se rindan para evitar derramamiento de sangre y bajas innecesarias. En caso contrario, serán bombardeados. De lo contrario, serán bombardeados".

Tras un breve titubeo, uno de los soldados ucranianos responde: "Buque de guerra ruso, vete a tomar por c…"[9]. En cuanto trascendió la conversación, se viralizó a través de las redes sociales en todo el mundo y se convirtió de inmediato en ese símbolo indispensable para todo pueblo agredido, en este caso, para los ucranianos. Hoy hay camisetas, pegatinas y carteles por todo el país con esta frase y el mencionado sello celebra precisamente el hundimiento de ese buque que supuso un duro golpe a la moral y al orgullo del pueblo y del régimen ruso que afirmó que el hundimiento se debía a un accidente. Las imágenes difundidas en las redes sociales pusieron de manifiesto que esto no era cierto, de ahí la importancia de las mismas y de no descuidar en ningún momento "este campo de batalla".

A continuación, analizaremos más detenidamente las características de las redes sociales y las acciones tomadas por las distintas plataformas, pero cabe recordar brevemente que esa insignificante isla de las Serpientes en términos de extensión tiene gran valor estratégico y fue donde Zelensky antes de la guerra ofreció una entrevista a los medios de comunicación para tratar de revertir la anexión de Crimea por parte de Rusia. Del mismo modo es importante señalar que Ucrania consiguió recuperar unos meses después el control de esta isla alzándose con una victoria estratégica, pero fundamentalmente cargada de un alto valor emocional que se expresa mediante este sello y se explota a través de las redes sociales.

---

[9] Audio puede consultarse en: https://www.youtube.com/watch?v=OCztUTdDiRg

5. CARACTERÍSTICAS DE LAS REDES SOCIALES

El siglo XXI es sin duda el siglo de las tecnologías de la información, en el que las personas hacen uso y confían cada vez más en la información electrónica y menos en los medios de comunicación tradicionales como la radio o la prensa escrita. Las redes sociales en esta era, la era de la información, cobran especial importancia en términos de instrumentos de comunicación rápidos y efectivos y sirven a la vez para formar o manipular una opinión pública a través de la propaganda, desinformación convirtiéndose en un elemento importante para llevar a cabo una guerra híbrida o, en este caso que estamos analizando, para defenderse de una agresión armada.

No obstante, debemos aclarar que la guerra propagandística ya existía en el pasado, existe ahora y existirá en el futuro. A modo de ejemplo recordemos que Hitler nombró en su día a Joseph Goebbels Ministro de información y propaganda, o más recientemente el importante rol de Radio Televisión Libre de las Mil Colinas o RTLM durante el genocidio ocurrido en Ruanda en la década de los noventa del siglo pasado e incluso si retrocedemos más en el tiempo encontramos la moneda medieval cristiana medio de propaganda política, en concreto en Roma cuando se convirtió en pieza clave de la propaganda del Estado y de sus individuos, ya fueran las élites senatoriales y luego los emperadores. La principal diferencia hoy en día es la rapidez de las redes sociales que permite reproducir y difundir información o imágenes de manera inmediata e instantánea para lograr objetivos político-militares.

Este nuevo entorno de información tiene, por tanto, las siguientes características:

- Accesibilidad: las redes sociales constituyen un mundo, sin fronteras si bien algunos estados intentan levantar barreras informativas lo cual resulta cada vez más difícil

- Velocidad: Las tecnologías modernas hacen posible la creación y difusión de información en tiempo real para todo el mundo

- Anonimato: Las personas pueden expresar sus opiniones y actitudes, fabricar información de forma visual y textual y difundir noticias falsas sin responsabilidad

- Desinformación por sobreinformación: Recibimos tantos estímulos informativos que lo realmente difícil hoy en día es seleccionar o diferenciar qué es importante e incluso que es cierto o no

Las nuevas tecnologías y sus características no solo se emplean en el ámbito civil sino que de hecho nacen y se aplican en al ámbito militar. El término "guerra híbrida" fue utilizado aparentemente por primera vez en una tesis de William J. Nemeth en 2002, cuando describió las tácticas empleadas por la insurgencia chechena contra el ejército ruso durante la Primera Guerra de Chechenia (1994-96), si bien unos años después se detalló está idea mediante la publicación del artículo "La guerra del futuro: la llegada del conflicto híbrido", redactado por el entonces dirigente del Pentágono, James N. Mattis, junto con el teniente coronel Frank G. Hoffman en el que definían la guerra híbrida básicamente como el despliegue de "diferentes modos de guerra, incluidas capacidades convencionales, tácticas y formaciones irregulares, actos terroristas que incluyen violencia y coerción indiscriminada, así como desorden criminal" y nos permitimos añadir el "uso de las redes sociales". Lo cierto es que son los teóricos militares rusos quienes han contribuido significativamente al desarrollo de la teoría y de la práctica de la guerra híbrida[10] a través de ataques cibernéticos principalmente, si bien este concepto ha sido sobreexplotado y ha muerto quizá de éxito.

6. REFLEXIÓN FINAL: ¿LIBERTAD DE EXPRESIÓN O FAKE NEWS?

Las plataformas globales de redes sociales como Meta, YouTube, Google, Twitter y TikTok, la mayoría occidentales y principalmente norteamericanas, salvo la última que es de origen chino, han tomado una serie de medidas para restringir el uso ruso indebido de las redes sociales y evitar la propagación de desinformación. Aquí puede y debe surgir la pregunta sobre qué es desinformación o quién decide, define y califica el contenido de una información, pero esto sería un debate muy interesante objeto de otro artículo. Cabe recordar que Rusia ha tratado de crear réplicas tal y como China en su día cuando desarrolló WeChat, una aplicación multipropósito que ofrece servicios de mensajería y llamadas gratis, redes sociales, un sistema de pago online, entre otros servicios. En el caso concreto ruso la respuesta a Facebook fue Vkontakte con un éxito limitado, pero sí se han consolidado el buscador Yandex, recientemente vendido a Vkontakte, una empresa muy cercana al Ejecutivo de Vladímir Putin y Telegram, aplicación que se ha convertido en un feroz campo de batalla digital en el que ambos bandos distribuyen información y propaganda a usuarios de todo el

---

[10]   Campos, 2018, p.14

mundo. Curiosamente su fundador, Pavel Durov, también conocido como "el Zuckerberg ruso", es de descendencia ucraniana y vive exiliado actualmente en Dubái. Muchos políticos del Kremlin hacen uso de esta plataforma donde tienen sus propios canales si bien con poca trascendencia en occidente pues las publicaciones suelen ser en ruso y poco creativas. Evidentemente es un hecho que en Occidente hay un apoyo mayoritario a Ucrania y eso facilita la viralización de sus videos o noticias.

Es curioso que estas plataformas occidentales, tales como Facebook, Twitter, YouTube Google o TikTok, que también son usadas mayoritariamente en Rusia, han tomado posiciones diferentes respecto a la guerra y la respuesta de las autoridades rusas a la hora de aplicar sanciones contra las mismas también ha variado dependiendo de la plataforma. Las medidas comunes a las plataformas de redes sociales occidentales han consistido en relegar las publicaciones de los medios afiliados al estado ruso en las recomendaciones, esto es, eliminarlos de las recomendaciones en YouTube y Twitter, colocarlos más abajo en el flujo de contenido por el que se puede desplazar el usuario (feed) de historias en Instagram, etc. Han vetado asimismo los medios controlados por el Estado ruso como Russia Today y Sputnik de sus plataformas, por lo tanto, suprimiendo el acceso a sus cuentas de sus lectores habituales. Otras medidas importantes que han adoptado estas plataformas ha sido la prohibición de los anuncios y desmonetización de las cuentas vinculadas al estado ruso. La ejecución de esta drástica medida varía según la plataforma: Twitter por ejemplo prohibió todos los anuncios en Rusia y Ucrania, YouTube y Meta desmonetizaron los medios de comunicación estatales rusos mientras que el buscador Google dejó de vender anuncios en Rusia y prohibió a estos medios comprar y vender anuncios a través de sus plataformas con el fin de que generen ingresos a partir de anuncios utilizando su plataforma y en línea con las medidas tomadas previamente por la Comisión Europea.

Meta ha ido incluso más allá, pues por un lado ha restringido el uso de sus plataformas a personas jurídicas vinculadas al ejecutivo ruso, pero por otro ha flexibilizado sus políticas de moderación de contenido en sus plataformas para evitar "eliminar contenido de ciudadanos ucranianos que expresan su resistencia y cólera contra las fuerzas militares invasoras, lo que se consideraría inaceptable". Esta doble vara de medir ha generado controversia ya que los rusos han acusado a Meta de "rusofobia", alegando que esto permite e incluso fomenta el discurso del odio hacia Rusia.

Si bien no son estrictamente redes sociales, Google y Apple también juegan un rol importante y pueden considerarse parte de la "respuesta software ucraniana". Ambos han eliminado Russia Today y Sputnik de sus aplicaciones y motor de reduciendo considerablemente el acceso a la información. En esta línea, Twitter también ha anunciado que dejará de recomendar cuentas gubernamentales siempre y cuando el régimen limite el acceso a la información gratuita y participe en un conflicto armado interestatal, lo que parece una medida claramente dirigida o relacionada con el conflicto ruso-ucraniano. De nuevo me permito hacer un breve paréntesis para invitar al lector a reflexionar sobre el alcance de estas medidas y si la censura de unos medios de comunicación, independientemente de su origen, está justificada. Por un lado, Occidente acusa a Rusia de controlar y limitar la libertad de prensa y expresión, pero por otro lado empresas occidentales con el beneplácito de los gobiernos y de las instituciones europeas impide a los usuarios el acceso a fuentes de información. Insisto en que éste no es el objeto de este escrito, pero en mi condición de diplomático y tratándose de un tema de naturaleza internacional, me siento en la obligación de incitar a la reflexión y siempre desde un punto de vista crítico a la par que constructivo.

Llama la atención la reacción de la aplicación de moda entre los jóvenes y no tan jóvenes, TikTok, de origen chino. Esta plataforma, en línea con la tradicional política de no injerencia del gobierno de ese país, no ha tomado ninguna postura oficial, por lo que ha sido acusada por algunos medios de difundir desinformación sobre el conflicto. Miembros del gobierno de EEUU se han reunido con directivos de esta plataforma para discutir su política de información lo que algunos expertos consideran una limitación a la libertad de expresión, puesto que si bien restringir el acceso o visibilidad a medios afines al régimen ruso en las plataformas se hace por una causa, en principio, legítima y ampliamente apoyada en la actualidad, las medidas implementadas podrían ser amenazantes si se usan para otros fines o para justificar determinadas limitaciones e incluso pérdidas de derechos.

De hecho, antes del conflicto, la legislación sobre desinformación y la política de las plataformas era bastante más laxa, por lo que cabe preguntarse de por qué esta repentina reacción cuando lo cierto es que, aparte de la guerra en Ucrania, hay numerosos conflictos bélicos en todos los continentes, también en el nuestro. Puede considerarse quizá como otra victoria del "software ucraniano", pero el alcance de la misma debería ser claramente definido y determinado por las autoridades correspondientes.

Para evitar que endurecer la política de contenido sea sinónimo de censurar determinadas noticias, es importante diferenciar entre desinformación e información errónea. El matiz es la finalidad, pues desinformar en las redes sociales significa difundir o hacer circular intencionalmente información sabiendo que falsa, mientras que el que hace circular información errónea desconoce que es falsa. En el conflicto actual lo que se busca es reducir al máximo la desinformación, práctica que Rusia lleva realizando supuestamente años en distintas zonas del mundo.

En cuanto a la legislación en esta materia, a nivel europeo, el Código de buenas prácticas sobre desinformación de la UE de 2018 solicita a las plataformas llevar a cabo esfuerzos voluntarios para regular la información errónea, pero no es legalmente vinculante y el concepto "esfuerzos voluntarios" es muy vago. Francia prohíbe la desinformación, pero admite que es una prohibición relativa, pues es muy difícil de regular y determinar qué es desinformación y que es una opinión equivocada y si había o no mala intención por parte de la persona que difunde una información falsa o si se trata simplemente de un error. Por tanto, supone una victoria importante para Ucrania que se haya limitado el uso de las redes sociales para la difusión de desinformación, pero este hecho no puede ni debe suponer una limitación de los derechos de los ciudadanos que hacen y desean hacer un uso correcto de las redes sociales y, en definitiva, de la libertad de expresión.

En conclusión, la capacidad comunicadora del presidente Zelenski compensa la inferioridad militar y conmueve a Occidente que a fecha de hoy (mayo 2023) sigue apoyando sin fisuras a Ucrania en esta guerra con armas y dinero, a pesar del elevado coste económico, energético y financiero que supone este apoyo para los países de la UE. Decía Clement Attlee, primer ministro británico entre 1945 y 1951, que lo mejor que hizo Winston Churchill[11] para ganar la guerra "fue hablar de ella". Zelenski, hábil usuario de las redes sociales y para muchos héroe omnipresente, está siguiendo esa estrategia, pues ha participado de manera telemática en las cumbres de la OTAN, del G7, del G20, se ha dirigido a la gran mayoría de los parlamentos occidentales y lanza un video diario en sus redes sociales lo que pone de manifiesto una vez más que las guerras no se dirimen solo en los frentes geográficos, sino también en las "trincheras de la información" y esta guerra de "Misiles rusos vs. Instagram" parece ganarla a fecha de hoy el "Winston Churchill ucraniano", quien se ha convertido en el mejor arma de Ucrania.

---

[11] ALONSO, Javier "Así son las referencias históricas de los discursos de Zelenski: de Aristóteles a Churchill" (ABC, 4.04.2022)

7. REFERENCIAS BIBLIOGRÁFICAS

1. ALONSO, Javier "Así son las referencias históricas de los discursos de Zelenski: de Aristóteles a Churchill" (ABC, 4.04.2022)
2. ALONSO SANTOS, P. "Comunicación, propaganda, relato: el otro frente de la guerra de Ucrania" (Agenda Pública, El País, 19.03.2022)
3. ARIAS MALDONADO, M. "Héroes y víctimas bajo la nueva luz de la vieja guerra" (Revista de Libros, 23.03.2022)
4. BARBERA, P. and MACDUFFEE METZGER Megan, "How Ukrainian Protestors are Using Twitter and Facebook"
5. JUNQUERA, N. "Zelenski, la mejor arma de guerra" (El País, 20.03.2022)
6. LATORRE, R. "Zelenski, el líder inesperado" (El Mundo, 24.03.2022)
7. MOLINA, C. "Comunicar en tiempos de guerra: la eficaz estrategia de Zelenski" (Público 20.03.2022)
8. SAAVEDRA, M. Discursos de Guerra. "Es Churchill en camiseta": Zelenski abronca a los líderes mundiales desde su búnker de guerra (El Periódico de España, 19.03.2022)
9. SATTEL, G "If You Doubt That Social Media Has Changed the World, Take a Look at Ukraine," *Forbes,* January 18, 2014. Puede consultarse en: http://www.forbes.com/sites/gregsatell/2014/01/18/if-you-doubt-that-social-media-has-changed-the-world-take-a-look-at-ukraine/#308b682a699d
10. SERRANO ACITORES, A. "Economía del dato, fake news y derecho a la verdad", *Nuevas Tecnologías 2022*, Tirant lo Blanch, Valencia 2022.
11. TUCKER, J., et al., "Big Data, Social Media and Protest". Puede consultarse en: https://www.semanticscholar.org/paper/Big-Data%2C-Social-Media%2C-and-Protest%3A-Foundations-a-Tucker-Nagler/58fc28bcd69e078710203f56c5107e31754b328b

Algunas reflexiones jurídicas sobre la nueva etapa de internet: Web 3.0, tokens, DAOs, y otros aspectos de la economía virtual

SARA DE ROMÁN PÉREZ

Partner de PI/TI y Privacidad en Ambar Partners

SUMARIO: 1. ¿QUÉ ES LA WEB 3.0? 2. ¿QUÉ ES UN *TOKEN*? 2.1 ¿Hay algo similar en nuestro derecho a la tokenización? 2.2 Tipos de *tokens*. 2.3. ¿El token equivale al activo que representa? 3. ¿"METAVERSO" ES SINÓNIMO DE "WEB 3.0"? 4. WEB 3.0 Y AUTORREGULACIÓN. 5. ALGUNAS REFLEXIONES SOBRE LAS ORGANIZACIONES AUTÓNOMAS DESCENTRALIZADAS.

1. ¿QUÉ ES LA WEB 3.0?

La Web 3.0 podríamos definirla como una nueva fase en la evolución de internet. Primero tuvimos la Web 1.0, que nos permitió acceder a contenidos a escala mundial. Después, la web 2.0, que nos permitió, además, interaccionar, crear contenidos, abrirnos perfiles en redes sociales… Y ahora llega la Web 3.0, con el objetivo —entre otros— de descentralizar internet, y que los usuarios no dependamos de corporaciones o de autoridades centrales para actuar ni, por tanto, para dejar trazabilidad de nuestras actuaciones, mercantiles o no.

El desarrollo de internet que supone la Web 3.0 se ha denominado la "Cuarta Revolución Industrial" porque se basa en numerosas nuevas tecnologías que fusionan el mundo físico con el digital, transforman la economía e incluso llegan a plantear dudas sobre qué significa ser humano. Algunas de las características de internet en esta tercera etapa que denominamos "Web 3.0" son las siguientes:

- el uso masivo de *software* libre o de código abierto; ese que no está sujeto a derechos exclusivos, a propiedad intelectual o a *copyright*, y que normalmente es objeto de licencias *Creative Commons*.

- un mayor control de los usuarios sobre qué sucede con nuestros datos personales, en la medida en que tenemos más posibilidades de decidir sobre nuestra privacidad; si revelamos o no nuestra identidad, y hasta qué punto.

- la posibilidad que tenemos de relacionarnos sin intermediarios, y de intervenir en la toma de decisiones, en comunidad. Lo anterior se instrumentaliza a través de las *DAOs* (siglas, en inglés, que responden a *Decentralized Autonomous Organization(s)* y significan 'Organización Autónoma Descentralizada') que se vertebran gracias a la tecnología *blockchain.*

Blockchain es una tecnología de bloques distribuida (a *"Distributed Ledger Technology"* o *"DLT"*, por sus siglas en inglés). En términos básicos, podríamos decir que, en lugar de introducir y grabar información en un servidor único centralizado, *blockchain* permite que una acción o transacción se verifique y se registre como código de ordenador en una serie de servidores interconectados. Ese código se almacena de tal forma que, una vez redactado, no puede ser ni modificado ni manipulado, y todos los miembros de la *blockchain* pueden verlo.

En otras palabras, una *blockchain* o "cadena de bloques"[1] es un sistema informático configurado por una red de ordenadores (denominados "nodos") que se comunican siguiendo las mismas reglas (habitualmente denominadas "protocolo"). Esas computadoras administran una base de datos protegida por criptografía[2]. Todo lo anterior permite, entre otros extremos, la trazabilidad de las transacciones, la imposibilidad de borrarlas y la protección de la privacidad de los usuarios. El funcionamiento de la *blockchain* está descentralizado —ya que no exige ni la intervención, ni la

---

[1]   Cada registro digital se llama "bloque" (de ahí el nombre) y permite que un grupo abierto o cerrado de usuarios participe en el libro electrónico. A su vez, cada bloque está vinculado a un participante específico.

[2]   La criptografía —que, en su sentido etimológico, significa 'escritura secreta'— es el conjunto de técnicas de cifrado o codificado destinadas a alterar las representaciones lingüísticas de ciertos mensajes, con el fin de hacerlos ininteligibles a receptores no autorizados. Estas técnicas se utilizan con el único objetivo de conseguir la confidencialidad de los mensajes, para lo que se diseñan sistemas de cifrado y códigos. Como la aparición de la informática y el uso masivo de las comunicaciones digitales han producido un número creciente de problemas de seguridad, y las transacciones que se realizan a través de la red pueden ser interceptadas es necesario garantizar la seguridad de la información. Ello se consigue gracias a la criptografía, que se encarga del estudio y desarrollo de algoritmos, protocolos y sistemas para proteger la información y dotar de seguridad las comunicaciones y las entidades que se comunican.

supervisión ni la validación de una autoridad central— y se rige por el consenso de todos los participantes[3].

Así, podríamos comparar una *blockchain* con un libro mayor electrónico en el que se registran movimientos y transacciones, que está conectado con otros libros electrónicos, y cuyo contenido se replica, en tiempo real, en estos últimos. Así, todos los que tienen un libro conectado a la cadena pueden ver la misma información, y añadir nueva información, con el consenso de todos los demás usuarios.

2. ¿QUÉ ES UN *TOKEN*?

Un *token* es "*una unidad de valor que una organización crea para gobernar su modelo de negocio y dar más poder a sus usuarios para interactuar con sus productos, al tiempo que facilita la distribución y reparto de beneficios entre todos sus miembros*", según William Mougayar, en el libro *The business blockchain*.

Un *token* es un elemento que sirve de representación visible o tangible de otra cosa o derecho. Los *tokens* son una forma de representación de una realidad. Permiten atribuir titularidad sobre un activo en una *blockchain*. Los *tokens* podrían compararse con las fichas de un casino, que son piezas de plástico cuya elaboración es barata, pero sirven para representar importes —normalmente— mucho más elevados que el necesario para fabricarlas. Así, los *tokens* representan otra cosa, están en su lugar. El proceso de creación de *tokens* se denomina "*minting*".

2.1 ¿Hay algo similar en nuestro derecho a la tokenización?

Sí, por ejemplo, el reconocimiento legal de los instrumentos negociables, como el cheque o el pagaré, que se da desde el siglo XIV. Aquellos documentos, con las respectivas formalidades, no son más que *tokens*, pues se usan para representar y transferir los derechos de pago, y tienen incluso un mecanismo procesal propio para que quien posea el documento tenga, de hecho, el derecho a que se le pague su importe. No obstante, a diferen-

---

[3] La descentralización se consigue mediante un conjunto de tecnologías, patrones y prácticas que extraen el poder y el control de las autoridades centralizadas —tales como las instituciones financieras o incluso los gobiernos, entre otros— y lo ponen en manos de los usuarios.

cia de los instrumentos negociables, de los *tokens* no se puede hablar de posesión en sentido técnico-jurídico; esa sería, quizás, la principal diferencia.

2.2 Tipos de tokens

Hay varios tipos de *tokens*. Aquí nos referiremos solamente a los *tokens* fungibles y a los no fungibles, o *NFTs* (*Non-Fungible Tokens*).

Los *tokens* fungibles pueden dividirse e intercambiarse y canjearse por otros. Las criptomonedas como BTC —la criptomoneda de Bitcoin— o ETH —la criptomoneda de Ethereum son *tokens* fungibles[4]. Una criptomoneda es una forma de moneda virtual que utiliza algoritmos criptográficos y *blockchain* para implementar las funciones clásicas del dinero: depósito de valor, unidad de cuenta y medio de cambio. Por lo general, las criptomonedas no están respaldadas por un autoridad gubernamental ni por una institución centralizada —aunque hay excepciones—.

Un *NFT* es un elemento que sirve de representación de un activo digital o físico no fungible, único en su género, que además se conecta con o se registra en una *blockchain* —u otra red de esa naturaleza—. Esto último permite demostrar quién es el propietario de un *NFT* en cualquier momento y rastrear el historial de propiedad anterior. Y, a su vez, el *NFT* es el certificado de titularidad (o prueba de titularidad *tokenizada*) de un activo subyacente no fungible, que puede ser digital o físico (por ejemplo, obras de arte, propiedades inmobiliarias o mercancías). Hay varias plataformas o mercados en los que se pueden adquirir *NFTs*, y entre los más consolidados está OpenSea, que dispone de miles de colecciones.

En este punto se hace preciso señalar que el 23 de junio de 2022, la Oficina Europea de la Propiedad Intelectual (o *EUIPO*, por sus siglas en inglés) publicó una guía que indica que los bienes virtuales destinados a ser usados en el metaverso deben considerarse dentro de la clase 9 de la Clasificación de Niza (ordenadores y dispositivos científicos). La EUIPO también dijo que los *NFTs* deben ser "*tratados como certificados digitales úni-*

---

[4]   Los representantes de los Estados miembros de la Unión Europea (UE) aprobaron el 20 de abril de 2023 el Reglamento sobre los Mercados de Criptoactivos —más conocido como "Reglamento MiCA"—. Entrará en vigor en julio de 2023 y empezará a aplicarse entre mediados de 2024 y 2025. Los *NFTs*, por no ser instrumentos financieros negociables, quedan fuera del objeto de esta norma y, en su caso, serán objeto de regulación europea separada.

cos registrados en una cadena de bloques, que autentican elementos digitales pero son distintos de esos elementos digitales". Y que, además de registrarse en la clase 9, deben especificar el "*tipo de elemento digital autenticado por el* NFT".

2.3. ¿El token equivale al activo que representa?

No. Una cosa es el activo digital o físico y otra es su *token* (aquello que lo representa), y la función de representación que desempeña el *token* respecto del activo digital o físico es la denominada "tokenización".

Y, por ejemplo, ¿la adquisición de un *NFT* sobre un activo digital que identifica una obra plástica conlleva la adquisición de la propiedad del soporte o de los derechos exclusivos de explotación que recaen sobre ella? No necesariamente. Se adquiere el *token* —o certificado de titularidad de un activo no fungible— pero ello no tiene por qué implicar la adquisición de la propiedad sobre la obra física (pues el soporte puede pertenecer a un tercero) y tampoco los derechos de propiedad intelectual que recaen sobre ella (dado que se puede adquirir un *NFT* sobre una obra cuyos derechos exclusivos de explotación son titularidad de un tercero). Es fundamental, por tanto, comprender adecuadamente el *smart contract* subyacente para saber exactamente qué se está adquiriendo cuando se compra un *NFT*.

Un "*smart contract*" —traducido al español, con poco tino, como "contrato inteligente"— es un contrato que se ejecuta por sí mismo, gracias a un ordenador, sin que intermedien terceros, y que se plasma como un programa informático —en lugar de utilizar un documento con lenguaje legal—. Un *smart contract* se ejecuta de la siguiente manera: si se dan las premisas indicadas en el código, la computadora o el sistema informático en cuestión permite que se dé una consecuencia. Ello sucede, por ejemplo, con las máquinas expendedoras de refrescos: si se introduce la moneda del importe estipulado como precio la máquina expedirá la bebida. Este es un ejemplo simple de *smart contract*, si bien muy ilustrativo para aclarar que no estamos ante contratos *inteligentes*, sino simplemente ante contratos que pueden llevarse a efecto por sí solos, simplemente con que se den las circunstancias reguladas en un código informático.

3. ¿"METAVERSO" ES SINÓNIMO DE "WEB 3.0"?

No. La Web 3.0 permitirá la existencia del metaverso; es su continente. Por lo que respecta al concepto de "metaverso", aún está en construcción.

Una de las definiciones más completas —y famosas— es la de Matthew Ball, director general ejecutivo de Epyllion y antiguo director mundial de estrategia para Amazon Studios, además de autor de *El Metaverso y cómo lo revolucionará todo*. Según este autor, el metaverso se define como *"A massively scaled and interoperable network of real-time rendered 3D virtual worlds, which can be experienced synchronously and persistently by an unlimited number of users. Each with an individual sense of presence."* Podríamos traducir lo anterior al español como *"Una red interoperable y de escala masiva de mundos virtuales 3D renderizados en tiempo real, que un número ilimitado de usuarios puede experimentar de manera sincrónica y persistente. Cada uno con un sentido individual de presencia"*.

En términos coloquiales —o, mejor dicho, más accesibles— podríamos definir el metaverso como una extensión de la realidad mundana o tangible en la dimensión virtual que ofrece internet. Si aceptamos esta definición —parcial, pero aproximada— del metaverso, como una extensión digital de la realidad tangible o mundana, podemos decir que debe reunir, por lo menos, las siguientes características:

- es persistente y continúa indefinidamente; no se apaga ni se reinicia.

- existe de forma simultánea a la realidad tangible o mundana.

- todos podemos estar en el metaverso, a la vez, y mantenemos nuestra individualidad, con una presencia única y particular.

- todos tenemos capacidad jurídica y de obrar: podemos realizar transacciones, tener propiedades, trabajar, relacionarnos, cometer y ser objeto de ilícitos…, como en la realidad mundana o física.

- puede apoyarse en el mundo físico, en la medida en que los usuarios se sirvan de dispositivos o cosas (como, por ejemplo, gafas de realidad virtual u otros aparatos) para *entrar* o *estar* en el metaverso. Sin embargo, ello no es indispensable; lo fundamental del metaverso es que es *device agnostic,* es decir, que no hace falta un dispositivo concreto para acceder a él, pues existen muchas vías de acceso (ordenador, teléfono, dispositivos de otra clase, etc.).

- deja en segundo plano el concepto de "cosa" —en el sentido de elemento tangible o físico, que se puede agarrar— para dar preponderancia al de "contenido" y al de "experiencia", en cuya génesis participan uno o varios usuarios, individualmente o en grupo.

- permite la comunicación y la relación —personal, económica y jurídica— entre seres humanos, simultáneamente, sin intermediarios (o servidores) ni autoridades centrales o supervisoras, a través de sus avatares[5] —una sola persona física puede tener múltiples avatares e identidades en el metaverso—.

En definitiva, más que un reflejo vivo de la realidad física o mundana, el metaverso sería una prolongación de esa realidad, en el universo digital que permite internet, en la que podremos hacer lo mismo que hacemos en la analógica, pero de una forma autorregulada y más colaborativa, gracias a la descentralización.

Aunque habitualmente oímos hablar del metaverso como si fuera una realidad, lo cierto es que aún está en desarrollo y que, si atendemos a los elementos que debe reunir, todavía queda mucho por hacer. En el siguiente cuadro hacemos un breve análisis del estado del metaverso en la fecha de este artículo.

El metaverso debe	En qué consiste esto	Del 1 al 10...
Ser social	Un lugar en el que socializar, conocer gente nueva, estrechar relaciones sociales existentes en el mundo analógico y en el que crear comunidades.	8/10
Ser ilimitado	No hay límite en el número de usuarios, experiencias, mundos o entornos.	2/10
Estar fusionado con la realidad mundana o tanginble	Entretejido a la perfección en nuestras actividades y compromisos cotidianos.	5/10
Ser descentralizado	La titularidad de los activos está distribuida.	5/10
Estar definido por los usuarios	Las personas que viven, se conectan, crean y participan en el metaverso son sus titulares y le dan forma.	4/10
Ser interoperable	No estar vinculado a ninguna plataforma o dispositivo (es *device agnostic*); las experiencias, las titularidades y las identidades deben poder viajar, sin limitaciones, a través de las diferentes plataformas que conforman el metaverso.	0/10

---

[5] Un avatar puede ser una simple representación en dos dimensiones o 2D (por ejemplo, un emoji o la imagen que se utiliza en las redes sociales para identificar al usuario) o en tres dimensiones o 3D (tal como se usa en muchos juegos y experiencias del metaverso). En los juegos y en el metaverso, los avatares son frecuentemente modificables, no solo sus rasgos físicos, sino que se les pueden poner artículos virtuales, como ropa y otros accesorios.

El metaverso debe	En qué consiste esto	Del 1 al 10...
Ser persistente	El metaverso es un lugar de existencia perpetua y continua; la vida en él continúa aunque las personas estén en línea o no.	3/10

Así, por ejemplo, Fortnite y Roblox son plataformas gamificadas que permiten a usuarios de todo el mundo ingresar en una dimensión virtual extensa y compleja, y participar en una amplia variedad de experiencias virtuales. Otras plataformas, como Pokémon Go[6] e Illust Space, permiten a los usuarios explorar el mundo físico de otra forma, pues este, el analógico, se ve complementado con personajes digitales y otros elementos. Y, como el entorno Web 3.0 está en constante evolución y es un gran desconocido, por ahora, existen también plataformas como Metacampus, que preparan a cualquier persona, con independencia de su nivel educativo, para operar en la economía virtual, con programas de formación continua que combinan conocimiento teórico-práctico, sesiones de expertos interactivas y kits de herramientas de inteligencia artificial.

En resumen, aunque se suele hacer referencia al "metaverso" como algo ya configurado, en la actualidad no existe una experiencia de metaverso unitario. Más bien, el metaverso se refiere a una idea que probablemente se materialice de aquí a 2030, y dé lugar a numerosos mundos virtuales, interconectados, donde diferentes tecnologías serán la herramienta indispensable para dotar de contenido esos mundos, en formas nuevas, que darán lugar a problemas legales también nuevos —lo que no significa, sin embargo, que hagan falta nuevas normas, al menos en todos los casos—.

4. WEB 3.0 Y AUTORREGULACIÓN

Las nuevas situaciones a que da lugar el entorno Web 3.0 y la autorregulación que en él se propugna:

---

[6]   La Realidad Aumentada (*AR*, por sus siglas en inglés, que responden a '*Augmented Reality*') es una tecnología que permite agregar información al entorno visual. Incluye reconocer y agregar información a objetos, o generar hologramas digitales en el espacio físico. Pokémon Go es un ejemplo de *AR*, pues *esconde* en el mundo tangible personajes de la saga Pokémon —así, mientras caminamos por la calle podemos ir encontrando, con la aplicación, los diferentes pokémones que debemos cazar—.

- puede suponer que, en ocasiones, se intente evitar la aplicación de normas obligatorias como las de protección de datos personales, propiedad intelectual e industrial, publicidad, protección de los consumidores, competencia desleal, entre otras.

- puede dar lugar a una proliferación normativa innecesaria; esto es, a la generación de normas para regular realidades que pueden subsumirse en conceptos jurídicos existentes y plenamente válidos para lo que sucede en esa prolongación virtual del mundo real o tangible.

Si hablamos de Web 3.0 no podemos dejar de mencionar que tiene su propia jerga (o, en inglés, "*lingo*"). Entre otras expresiones propias de este entorno y del mundo *crypto* podemos citar algunas de las siguientes:

- *BTFD*: '*buy the f...n dip*' (compra criptoactivos cuando el precio esté bajo).

- *Degen*: '*degenerate*' (se usa para describir a un comprador de criptoactivos que no comercia con la diligencia suficiente, bien porque no se informa, bien porque se fía de señales erróneas).

- *Diamond Hands*: inversor en criptoactivos que se resiste a vender a pesar de las pérdidas.

- *DYOR*: '*do your own research*' (se refiere al proceso de hacer una investigación antes de poner el dinero en riesgo).

- *Floor Price*: el precio más bajo que puede tener un criptoactivo o una colección de *NFTs*.

- *HODL*: '*hold on for deal life*'; expresión que se usa para inversores que se niegan a vender sus criptoactivos, suba o baje el precio.

- *IYKYK*: '*if you know, you know*'; 'si lo sabes, lo sabes'; expresión que se usa para referirse a un mensaje o post que solo pocos entenderán.

- *WAGMI*: '*we are all gonna make it*'; expresión utilizada para mostrar camaradería y apoyo mutuo (contar buenas noticias en redes, referirse al éxito de un proyecto, a un *NFT* cuyo valor sube, etc.).

- *Probably Nothing*: 'si ocurre un evento importante es probablemente nada'. Esta expresión revela el carácter calmado de la comunidad criptográfica y se usa en tono irónico.

- *Rekt*: *wrecked*, destruido, dañado (como a quien ganan en un videojuego).

- *Rug Pull*: fraude o estafa en el ambiente de las criptomonedas; los desarrolladores atraen inversionistas para un criptoactivo y luego desaparecen del proyecto y se quedan con los fondos recaudados.

- *Shill*: persona que promociona un criptoactivo, en ocasiones pareciendo objetivo sin serlo.

- *Whale*: persona o entidad que tiene muchos criptoactivos y que puede influir en su precio.

- *Mod*: moderador de un canal de Discord/Twitter, que trabaja por un espacio seguro.

Por todo lo anterior, ahora más que nunca es imprescindible tener claros los conceptos jurídicos básicos —tan versátiles y flexibles, que han demostrado ser, durante siglos— para no dictar normas que esas nuevas situaciones no requieren, e interpretar adecuadamente las existentes para regular este nuevo entorno virtual.

Y es que si algo ordena adecuadamente la realidad física o mundana no hay razón para pensar —*ab initio*— que no puede hacer lo mismo con su prolongación digital. Por lo menos, deberíamos partir de esa base para no seguir haciendo del derecho el eterno *último de la fila*. Deberíamos tener siempre presente, antes de dictar una nueva norma para el entorno Web 3.0, lo que dice nuestro Código Civil —de 1889— en su artículo 3: "*Las normas se interpretarán según el sentido propio de sus palabras, en relación con el contexto, los antecedentes históricos y legislativos, y la realidad social del tiempo en que han de ser aplicadas, atendiendo fundamentalmente al espíritu y finalidad de aquellas*". Empecemos por ahí y, si no encontramos soluciones, veamos si hacen falta normas nuevas y en qué medida.

Desde la perspectiva de la legislación de protección de datos personales, la Web 3.0, el metaverso y la tecnología *blockchain* plantean cuestiones jurídicas complejas. Así, por ejemplo, si la interacción en el metaverso es la representación virtual de una persona física real, a través de su avatar, toda la información que se atribuya a su avatar —y el avatar en sí mismo— será información personal y, por tanto, habrá de sujetarse a la normativa correspondiente —en Europa, por ejemplo, al Reglamento General de Protección de Datos ("RGPD")—. Ahora bien, partiendo de lo anterior, hay que reconocer a esa persona los derechos regulados en el RGPD, entre los que se encuentran el derecho de portabilidad y el derecho de supresión o derecho al olvido. A primera vista, se podría decir que esos derechos no pueden garantizarse cuando la información digital de esa persona está en una *blockchain*, dada su inmutabilidad. En otras palabras, la imposibilidad de borrar o de extraer la información personal de la cadena de bloques hace cuestionable que tales derechos sean ejercibles en este nuevo entorno —al menos tal y como los define el RGPD—.

Dado que el objetivo de la Web 3.0, entre otros, es que los usuarios tengamos pleno dominio de nuestra información personal, han surgido figuras o fórmulas nuevas que pueden suponer una alternativa viable que respete nuestra privacidad. Así, por ejemplo, el concepto de "Identidad Distribuida" implica que un individuo pueda crear y usar una identidad como base para la autenticación o validación en determinados sitios de interés, como un *exchange* —o lugar donde se intercambian criptomonedas—, y que dicha identidad esté resguardada en una ubicación confiable, segura y distribuida o descentralizada, normalmente basada en tecnología *blockchain.*

En el ámbito de la Unión Europea existe un proyecto de generación de la denominada "Identidad Digital Europea"[7], que es una manera sencilla y segura de controlar cuánta información queremos compartir con servicios que nos pidan información personal. Esa Identidad Digital Europea funcionaría, mediante carteras digitales disponibles en aplicaciones para teléfonos móviles y otros dispositivos, para: (i) identificarse en línea y fuera de línea; (ii) almacenar e intercambiar información facilitada por las Administraciones (como, por ejemplo, el nombre, los apellidos, la fecha de nacimiento o la nacionalidad; (iii) almacenar e intercambiar la información facilitada por fuentes privadas de confianza; y (iv) utilizar información personal para confirmar que se tiene derecho a residir, trabajar o estudiar en un determinado Estado miembro.

Así, la —futura— Identidad Digital Europea podrá ser utilizada en muchos casos, por ejemplo y entre otros: (i) en el acceso a servicios públicos, como solicitar un certificado de nacimiento o médico o comunicar un cambio de domicilio; (ii) en la apertura de una cuenta banca-

---

7   En palabras de Úrsula von der Leyen, presidenta de la Comisión Europea, en su discurso sobre el estado de la Unión, el 16 de septiembre de 2020: *"Cada vez que una aplicación o un sitio web nos pide que creemos una nueva identidad digital o que nos conectemos fácilmente a través de una gran plataforma, en realidad no tenemos ni idea de lo que sucede con nuestros datos. Por este motivo, la Comisión propondrá una identidad electrónica europea segura. Una identidad en la que confiemos y que todo ciudadano pueda utilizar en cualquier lugar de Europa para cualquier tipo de operación, desde el pago de sus impuestos hasta el alquiler de una bicicleta. Una tecnología que nos permita controlar qué datos se utilizan y cómo".*

ria; (iii) en la presentación de una declaración de impuestos; (iv) en la solicitud de plaza en una universidad, en el país de residencia o en otro Estado miembro; (v) para el almacenamiento de una receta médica que poder utilizar en cualquier lugar de Europa; (vi) para la demostración de la edad; (vii) para el alquiler de un coche utilizando un permiso de conducir digital; (viii) para la reserva de una habitación y el registro en un hotel.

La Comisión Europea ha puesto en marcha una plataforma en línea para recabar opiniones de todos los interesados en la configuración de las futuras carteras europeas de identidad digital. Esta plataforma permanecerá abierta para recibir comentarios el tiempo que duren las negociaciones legislativas y hasta que los Estados miembros desarrollen el conjunto de herramientas comunes para hacer de las carteras europeas de identidad digital una herramienta práctica.

5. ALGUNAS REFLEXIONES SOBRE LAS ORGANIZACIONES AUTÓNOMAS DESCENTRALIZADAS

Las Organizaciones Autónomas Descentralizadas (en adelante, "*DAOs*") son un modelo de organización humana para tomar decisiones, en el mundo digital. Una *DAO* es una entidad descentralizada y autónoma; es decir, no tiene ni liderazgo ni control central y se autogobierna, sin influencia externa. En una *DAO* las decisiones se toman de abajo hacia arriba; son una comunidad organizada en torno a un conjunto específico de reglas que se ejecutan gracias a una cadena de bloques o *blockchain*. Los miembros de la *DAO* participan en su gobernanza y su participación está vinculada o se representa mediante *tokens* nativos (lo que podría definirse como "moneda vinculada al proyecto *DAO*" en cuestión).

Las *DAOs* son organizaciones que surgen en internet, y las primeras aparecieron en 2016. Son grupos de personas que reducen la necesidad de confiar en quienes las respaldan, pues solo es necesario confiar en el código o programa de ordenador subyacente —ya que son *smart contracts*, en principio, la ley aplicable—. Es más sencillo confiar en un código porque está disponible por igual para todos los miembros de la *DAO*, todos pueden comprobar sus efectos y, además, cada acción que realiza una *DAO* debe aprobarse por toda la comunidad, y es transparente y verificable gracias a la *blockchain* que permite su funcionamiento. La estructura de una *DAO* es, por tanto, transparente (pues está accesible para todos sus miembros) y, además, no se puede corromper o alterar, ya que su evolución queda registrada en una cadena de bloques, que no permite su modificación.

Una *DAO* no tiene una estructura jerarquizada. Ello supone que todos los miembros de la *DAO* pueden presentar ideas a la comunidad y, si a la comunidad le convence una idea, esta la apoyará y la mejorará. Si hay conflictos internos en una *DAO* normalmente se resuelven por votación, según reglas prestablecidas en *smart contracts* —*i.e.*, códigos o programas informáticos que se autoejecutan si se da(n) una(s) determinada(s) premisa(s) y que sirven para que la *DAO* no necesite una autoridad decisora para resolver cierto tipo de conflictos—.

En las organizaciones tradicionales, como pueden ser las sociedades de capital, normalmente la propiedad de la compañía está separada del control —una cosa son los accionistas, propietarios, y otra cosa son los gerentes o directores de la empresa—. En una *DAO*, sin embargo, la propiedad y la participación en la toma de decisiones normalmente suelen recaer en las mismas personas, lo que contribuye a que el funcionamiento de la organización sea más democrático o participativo. Ello permite a los inversores aportar fondos de una manera mancomunada, lo que supone que compartan —a título personal— tanto las ganancias como el riesgo que puedan surgir de los proyectos de la *DAO*.

Las *DAOs* tienen un crecimiento orgánico: empiezan siendo una pequeña comunidad de personas con una misión u objetivo particular, que se comunican a través de plataformas como Discord o Telegram. A medida que crece una *DAO*, los miembros pueden optar por lanzar un *token* y, potencialmente, recaudar capital para la tesorería de la *DAO* —los miembros de la *DAO* suelen contribuir con activos—. Las *DAO* normalmente se sirven de la tecnología *blockchain* para autorregularse, lo que consiguen implementando *smart contracts* —ello suele implicar el uso de herramientas de código abierto y de aplicaciones descentralizadas que tienen estructuras o protocolos preestablecidos, pero personalizables—.

Las *DAO* utilizan *smart contracts* para automatizar decisiones, realizar operaciones y gobernar la relación de sus miembros. Normalmente, los miembros de las *DAO* pueden cambiar, y la condición de miembro está vinculada a la propiedad de un *token* que no tiene restricciones de comerciabilidad —pero puede haber casos en los que los *tokens* no sean transmisibles sin necesidad de cumplir alguna condición—.

Desde el punto de vista estrictamente jurídico, las *DAO* pueden adoptar formas diversas, desde la de una sociedad de capital —*i.e.,* una sociedad limitada o *limited liability company*— hasta la de organizaciones sin ánimo de lucro —como fundaciones o asociaciones privadas—, pasando por la figura de la comunidad de bienes. Los Estados de Wyoming (véase más información aquí) y de Tennessee (véase más información aquí) han modificado, en 2021 y 2022, respectivamente, sus leyes mercantiles para prever expresamente que una *DAO* se constituya como *limited liability company* o *LLC* —el equivalente a nuestra sociedad de responsabilidad limitada—. La ventaja de ello es que los miembros de la *DAO* tienen una responsabilidad limitada respecto a la acción de la *DAO*, que tendría personalidad jurídica propia y respondería con su capital frente a eventuales reclamaciones.

En la actualidad, podemos citar como proyectos de *DAO* relevantes Uniswap, Decentraland o Flamingo, entre otras, si bien es una figura poco utilizada y que plantea numerosos interrogantes jurídico-prácticos. Así, entre otras cuestiones:

- la transparencia que exigen las *DAOs* puede llevar a exigir a sus miembros requisitos de divulgación excesivos.

- puede haber discrepancias entre los acuerdos operativos de los miembros y los contratos inteligentes que permiten a la *DAO* funcionar autónomamente.

- en aras de la democratización de las decisiones, pueden llegar a establecerse requisitos de cuórum poco realistas que entorpezcan el funcionamiento de la *DAO*.

- permiten evitar cargas regulatorias, concretamente en el ámbito *DeFi* —en español, 'Finanzas Descentralizadas'—, pero es necesario crear un entorno seguro que atraiga a los usuarios, y tener un sistema de responsabilidad claro que los proteja, sin exigir la responsabilidad ilimitada de los miembros de una *DAO* — que si no adoptan la forma legal adecuada pueden considerarse comuneros, y responder personalmente, con sus bienes presentes y futuros, de las eventualidades de la *DAO*—;

- al tener reglas de gobernanza escritas en contratos inteligentes por expertos *tecnolegales*, cabe la posibilidad de que no sean fácilmente comprensibles para el público en general —lo que choca con la democratización de internet que se pretende en el entorno Web 3.0—;

- podría darse el supuesto de que la mayoría de los tenedores de *tokens* de la *DAO* fueran inversores iniciales o fondos de capital de riesgo con una inversión sustancial, lo que podría proporcionarles efectivamente el control y comprometer la democratización de las decisiones.

En definitiva, son numerosos y complejos los interrogantes legales que plantea la Web 3.0. Dada su constante y rápida evolución, parece aconsejable ser lo suficientemente flexibles para poder responderlos con las herramientas de que disponemos, y evitar una proliferación normativa que solo suponga más trabajo para el legislador y obstáculos para la innovación.

El uso de la tecnología de reconocimiento facial con fines de identificación en el sector privado y el principio de licitud del tratamiento de los datos personales en España

JAVIER DE ZEA RODRÍGUEZ

Abogado especializado IT/IP y Protección de Datos Personales en ECIJA

1. INTRODUCCIÓN

Durante los últimos años el uso de la tecnología de reconocimiento facial (en adelante, la "**TRF**") se ha visto incrementado sustancialmente en el sector privado. Hoy en día la TRF ya no se emplea únicamente para fines de seguridad y verificación de la identidad, sino que también se ha utilizado para otros fines como encontrar a determinadas personas o incluso para mejorar algunas de las técnicas de marketing[1] existentes, por poner solo algunos ejemplos[2]. La TRF tiene un enorme potencial para proporcionar a nuestra sociedad con una tecnología revolucionaria que podría

---

[1] BUCKLEY, B. y HUNTER, M. (2011). *Say cheese! Privacy and facial recognition* (p. 638). Computer law & security review 27. Obtenido de: <https://www.sciencedirect.com/science/article/abs/pii/S0267364911001567> (Último acceso 09 enero 2023).

[2] GIRON, J. (2020). *What's in a Face Weighing the risks and benefits of facial recognition technology.* Towards Data Science. Obtenido de: <https://towardsdatascience.com/whats-in-a-face-measuring-the-risks-and-benefits-of-facial-recognition-technology-7335348e01b6> (Último acceso 09 enero 2023).

mejorar y resolver algunos de los problemas a los que nos enfrentamos en el día de hoy tales como las suplantaciones de identidad o el fraude.

A pesar de su potencial, esta tecnología genera muchas preocupaciones entre investigadores, profesionales, autoridades e industrias o empresas desde la perspectiva de la defensa de los derechos y libertades fundamentales. Estos tienen que ver con derechos o principios relacionados con la igualdad, la dignidad humana y, en especial interés para este capítulo, con la **protección de los datos personales del interesado**[3].

En efecto, en la Unión Europea ("**UE**"), la protección de datos personales es un derecho fundamental conferido en virtud de lo dispuesto en el artículo 8 de la Carta de los Derechos Fundamentales de la Unión Europea ("**CDF**"), así como del artículo 8 del Convenio Europeo de Derechos Humanos ("**CEDH**")[4]. Este último enuncia el derecho al respeto de la vida privada y familiar, lo que exige (tal y como se recoge en el artículo 8.2 del propio CEDH) que todo tratamiento de datos personales se realice "*de conformidad con la ley*".

Lo anterior significa que, tanto en la UE como en España, si una entidad quiere utilizar sistemas de TRF, deberá asegurarse que estos se utilizan en cumplimiento y de acuerdo con lo dispuesto tanto en el Reglamento General de Protección de Datos Personales 2016/679 ("**RGPD**") como en la Ley Orgánica 3/2018, de 5 de diciembre, de Protección de Datos Personales y garantía de los derechos digitales ("**LOPDGDD**").

En ese sentido, cabe decir que la TRF puede plantear ciertos problemas jurídicos en lo que respecta a la legalidad del tratamiento de los datos personales para cuando se emplea con fines de identificación del sujeto. En particular, no queda claro si en determinados casos la TRF con fines de identificación puede considerarse o no lícita, todo ello en virtud de la

---

[3]   AEPD (2020). *Cumplimiento del RGPD de los tratamientos que incorporan Inteligencia Artificial Una introducción* (*p. 5*). Obtenido de: <https://www.aepd.es/sites/default/files/2020-07/adecuacion-rgpd-ia-en.pdf> (Último acceso 09 enero 2023).

[4]   En la medida en que los derechos fundamentales de la Carta de la UE se corresponden con los derechos del CEDH, los derechos fundamentales de la Carta de la UE tienen el mismo significado y alcance que los derechos del Convenio. El artículo 52.3 de la Carta de la UE estipula expresamente que los derechos protegidos por el CEDH deben interpretarse de la misma manera que los garantizados por la Carta. Para más información sobre esta cuestión: Els J. KINDT. (2013). *Privacy and Data Protection Issues of Biometric Applications: A Comparative Legal Analysis* (pp. 230-232). Springer.

legislación de protección de datos, provocando una evidente inseguridad jurídica.

Un ejemplo de este tipo de situaciones de inseguridad jurídica lo encontramos en la que fue la necesidad de iniciar una investigación por parte de la Agencia Española de Protección de Datos ("**AEPD**") sobre la cadena de supermercados Mercadona por la utilización de sistemas de TRF para detectar e identificar aquellos sujetos que mantenían órdenes de alejamiento contra Mercadona por robos y hurtos. Una investigación que, en su momento, acabó en sanción pecuniaria, por, entre otros, no considerarse que el sistema llevaba a cabo un tratamiento de datos lícito[5].

Pero el caso de Mercadona no es aislado. En la UE se pueden encontrar otros ejemplos de manifiesta inseguridad jurídica en relación con la licitud del tratamiento de los datos llevado a cabo por sistemas de TRF con fines de identificación. En ese sentido, cabe señalar como, por ejemplo, en Suecia, las autoridades de protección de datos iniciaron acciones contra los responsables del tratamiento de datos de sistemas de TRF utilizados en algunas escuelas del país en 2019 para realizar un seguimiento de la asistencia de los alumnos. Al final, la autoridad de protección de datos sueca decidió sancionar económicamente en virtud del RGPD al organismo público que ordenó a las escuelas utilizar dicho sistema tecnológico. En este caso, la autoridad sueca consideró que el consentimiento explícito de los alumnos para el tratamiento de sus datos no cumplía con los requisitos del RGPD, "*dado el desequilibrio entre el interesado y el responsable del tratamiento*"[6].

Asimismo, la autoridad de protección de datos neerlandesa publicó en 2020 una advertencia oficial a un supermercado que intentó desplegar un sistema de TRF para defender a empleados y consumidores y contrarrestar hurtos/robos. La autoridad neerlandesa señaló que el uso de TRF por motivos de seguridad seguía siendo ilegal salvo que se diera en circunstancias específicas que, según el organismo, no se daban en el caso concreto[7]. Además, el Comité Europeo de Protección de Datos ("**EDPB**") y el Super-

---

5   Procedimiento AEPD N°: PS/00120/2021.

6   EDPB (2019). *Facial Recognition in school renders Sweden's first GDPR fine*. Publications of European Data Protection Board. Obtenido de: <https://edpb.europa.eu/news/national-news/2019/facial-recognition-school-renders-swedens-first-gdpr-fine_sv> (Último acceso 09 enero 2023).

7   EDPB (2021). *Dutch DPA issues Formal Warning to a Supermarket for its use of Facial Recognition Technology*. Publications of European Data Protection Board. Obtenido de: <https://edpb.europa.eu/news/national-news/2021/dutch-dpa-issues-for-

visor Europeo de Protección de Datos ("**EDPS**") pidieron una moratoria para el uso de TRF en espacios públicos hasta que se proporcionase mayor seguridad jurídica y garantías adecuadas (junio de 2021)[8].

En consecuencia, a pesar de que existe un marco sólido de protección de datos en la Unión Europea y en España, hay cierta fragmentación en la interpretación de las normas de protección de datos. Las opiniones sobre la aplicabilidad de la TRF en circunstancias específicas están divididas entre el sector privado y las autoridades de control, que difieren sobre si puede o no utilizarse, mientras que la Comisión Europea aboga por la adopción de normativas específicas sobre el uso de dichas tecnologías.

En consecuencia, resulta de interés analizar esta problemática en el presente capítulo para esclarecer la aplicación de la normativa de protección de datos en este tipo de entornos tecnológicos en España y en el sector privado, todo ello en lo que respecta al principio de licitud del tratamiento de datos personales bajo el paraguas del derecho fundamental a la protección de datos personales consagrado en la UE.

Para ello, empezaremos analizando qué es la TRF, sus orígenes y sus principales características. Luego, nos adentraremos en identificar qué tratamiento de datos personales se lleva a cabo cuando se emplea la TRF con finalidades de identificación. Por último, procederemos a definir el principio de licitud del tratamiento de los datos personales, así como a identificar su regulación en España.

2. LA TECNOLOGÍA DE RECONOCIMIENTO FACIAL

2.1 Orígenes

Se podría decir que el origen de la tecnología de reconocimiento facial se remonta al siglo XIX. En aquel entonces, para detener a forajidos notorios como Jesse Woodson James y Billy el Niño, las fuerzas del orden

---

mal-warning-supermarket-its-use-facial-recognition_bg> (Último acceso 09 enero 2023).

[8] EDPS (2021). *EDPB & EDPS call for ban on use of AI for automated recognition of human features in publicly accessible spaces, and some other uses of AI that can lead to unfair discrimination*. Publications of European Data Protection Supervisor. Obtenido de: <https://edps.europa.eu/press-publications/press-news/press-releases/2021/edpb-edps-call-ban-use-ai-automated-recognition_en> (Último acceso 09 enero 2023).

publicaban carteles de "*se busca vivo o muerto*" en los que se anunciaban recompensas y se solicitaba la ayuda del público para encontrar y detener a presuntos delincuentes[9].

Desde entonces, la tecnología ha evolucionado y se cree que Woodrow Wilson Bledsoe, Helen Chan y Charles Bisson, son los inversores de la TRF desde que experimentaron por primera vez con máquinas para identificar rostros humanos en 1964 y 1965.

Sin embargo, ninguno de esos estudios se ha publicado porque la financiación procedía de una organización de inteligencia no identificada y que no permitía mucha exposición[10]. Este desarrollo se denominó "*hombre-máquina*", ya que la persona "*extraía las coordenadas de un conjunto de rasgos de las fotografías, que luego utilizaba el ordenador para el reconocimiento*"[11]. El sistema adquiría las coordenadas de caracteres como el centro de las pupilas, la esquina interior y exterior de los ojos u otros utilizando una tableta RAND[12].

En los años 70, Harmon, Goldstein y Lesk mejoraron la tecnología de reconocimiento facial manual y la convirtieron en un sistema de detección automatizado. Utilizaron 21 marcadores faciales, incluidos el grosor del labio y el color del pelo, para que el reconocimiento facial fuera más preciso y automático. Sin embargo, la tasa de reconocimiento no era satisfactoria[13].

Se produjo un gran auge en torno a 1988, cuando Turk y Pentland desarrollaron un sistema que permitía localizar y controlar la cara de un sujeto comparando las características de su rostro con las ya recogidas y registradas previamente en el sistema[14]. Estas características del rostro se denomi-

---

[9]   FERRANTI, S. (2016). *The History of the Most Wanted Poster.* HuffPost. Obtenido de: <https://www.huffpost.com/entry/the-history-of-the-most-wanted-poster_b_5851ba70e4b0865ab9d4e8d7> (Último acceso 09 enero 2023).

[10]   BERLE, I. (2020). *Face recognition technology: compulsory visibility and its impact on privacy and the confidentiality of personal identifiable images* (p.4). Springer. Ser. Law, governance and technology series, volume 41.

[11]   BERDAHL, M. and KELLEY, P. (1996). *In Memoriam Woodrow Wilson Bledsoe* (p.5). University of Texas at Austin. Obtenido de: <https://www.cs.utexas.edu/~boyer/bledsoe-memorial-resolution.pdf> (Último acceso 09 enero 2023).

[12]   *Ibídem.*

[13]   ZHANG, Y., PENG, Z., YOU, S., and XU, G. (1997). *A multi-view face recognition system* (p. 401). Journal of Computer Science and Technology. Obtenido de: <https://link-springer-com.tilburguniversity.idm.oclc.org/content/pdf/10.1007/BF02943172.pdf> (Último acceso 09 enero 2023).

[14]   DELAC, K., GRGIC, M. and BARTLETT, M. S. (2008). *Recent Advances in Face Recognition* (p.15). Published by In-Tech. Obtenido de: <https://www.imagefeatures.

naron "Eigenfaces" (del alemán) y se refieren a los "*rasgos únicos de la cara de un individuo*". El sistema permitía extraer tal información de los rostros que podía traducirse en un código que luego se comparaba con otro ya existente en la base de datos[15].

Hoy en día, encontramos programas más sofisticados que utilizan y desarrollan tecnología de reconocimiento facial, como Academia, que fue "*desarrollado en 2014 por investigadores de The Chinese University of Hong Kong y logró puntuaciones de identificación facial del 98,52% frente al 97,53% logrado por humanos*"[16]. Otro ejemplo es el proyecto DeepFace de Facebook, "*que puede determinar si dos rostros fotografiados pertenecen a la misma persona, con una tasa de precisión del 97,25%*"[17]. Las grandes tecnológicas no se quedan atrás: hay proyectos de reconocimiento facial en Microsoft, IBM, Amazon, Google o Clearview AI. Además, la TRF es utilizada por los gobiernos en espacios como aeropuertos, fronteras, etc.

2.2 Definición y características principales de la tecnología

La TRF puede definirse como "*una aplicación de software biométrico diseñada para identificar a una persona específica en una imagen digital. Esto implica la captura de datos biométricos faciales, para crear una base de datos biométrica de imágenes faciales en la que se puedan realizar búsquedas para verificar la identidad de un individuo*"[18]. La técnica por la que se puede identificar o reconocer a un individuo a partir de una imagen facial digitalizada se conoce como

---

org/documents/Delac_Grgic_Bartlett_Recent_Advances_in_Face_Recognition. pdf> (Último acceso 09 enero 2023).

[15] SHESHAIAH, M., and ANUBHAB, D. (2019). *Evolution of Face Recognition Technologies*. Obtenido de: <https://ssrn.com/abstract=3509105 or http://dx.doi. org/10.2139/ssrn.3509105> (Último acceso 09 enero 2023).

[16] LU, C. and TANG, X. (2014). *Surpassing Human-Level Face Verification Performance on LFW with Gaussian Face*. Obtenido de: <https://arxiv.org/abs/1404.3840> (Último acceso 09 enero 2023).

[17] TAIGMAN, Y., YANG, M., RANZATO, M. and WOLF, L. (2014). *DeepFace: Closing the Gap to Human-Level Performance in Face Verification*. Facebook Research.

[18] EDPS (2017). *Assessing the necessity of measures that limit the fundamental right to the protection of personal data: A Toolkit* (p. 2). Obtenido de: <https://edps.europa.eu/ sites/edp/files/publication/17-06-01_necessity_toolkit_final_en_0.pdf> (Último acceso 09 enero 2023).

reconocimiento facial[19]. Las fotografías son capturadas por cámaras y se aplica un software TRF para medir y analizar los rasgos faciales con el fin de crear un patrón biométrico. Esto suele permitir al operador identificar o verificar personas, así como categorizarlas[20].

Además, en ocasiones, los sistemas de reconocimiento facial pueden complementarse con programas integrados basados en Inteligencia Artificial ("**IA**"), todo ello para automatizar determinadas decisiones cuando se detecta un rostro específico. Como resultado, las soluciones tecnológicas pueden construirse de tal manera que cuando se detecta una determinada cara, se toma una decisión automatizada en tiempo real, como conceder o denegar la entrada o activar una alarma.

Lo cierto es que la operabilidad de la TRF es un tanto compleja. Para simplificar, se describirá aquí haciendo referencia a tres pasos: (1) En primer lugar, el sistema captura una imagen o un vídeo del rostro. (2) A continuación, en la segunda fase, el sistema captura una serie de características faciales, denominadas landmarks o puntos nodales (como la distancia de los ojos, el tamaño de la nariz, la distancia entre la frente y la barbilla, etc.) para convertir toda la información obtenida en una fórmula matemática que represente unívocamente a un sujeto. (3) Por último, el software compara y relaciona la fórmula/plantilla biométrica[21] obtenida con las inclui-

---

[19] Information Commissioner's Opinion (2021). *The use of live facial recognition technology in semi-public spaces* (p. 4). Obtenido de: <https://ico.org.uk/media/for-organisations/documents/2619985/ico-opinion-the-use-of-AI/FRT-in-public-places-20210618.pdf> (Último acceso 09 enero 2023).

[20] Art. 29 WP (2012). *Opinion 02/2012 on facial recognition in online and mobile services* (p.2). Publications Art. 29 WP. Obtenido de: <https://ec.europa.eu/justice/article-29/documentation/opinion-recommendation/files/2012/wp192_en.pdf> (Último acceso 09 enero 2023).

[21] Plantilla biométrica": "representación matemática obtenida mediante la extracción de rasgos a partir de datos biométricos limitados a las características necesarias para realizar identificaciones y verificaciones". Obtenido de la nota de pie de página 29 de FRA (2019). *Facial recognition technology: fundamental rights considerations in the context of law enforcement.* European Union Agency for Fundamental Rights, p. 7. Obtenido de: <https://fra.europa.eu/sites/default/files/fra_uploads/fra-2019-facial-recognition-technology-focus-paper.pdf> (Último acceso 09 enero 2023), que remite al artículo 4, apartado 12, del Reglamento (UE) 2019/818 del Parlamento Europeo y del Consejo, de 20 de mayo de 2019, por el que se establece un marco para la interoperabilidad de los sistemas de información de la UE en el ámbito de la cooperación policial y judicial, el asilo y la migra-

das en una base de datos. Esta búsqueda de coincidencias puede realizarse en segundos o incluso en milisegundos[22].

3. EL PRINCIPIO DE LICITUD DEL TRATAMIENTO DE LOS DATOS PERSONALES

3.1 El tipo de datos tratado por la tecnología de reconocimiento facial

El término "*datos biométricos*" es utilizado a menudo por los organismos políticos y los legisladores en el ámbito de la protección de datos, pero ¿qué significa en la legislación de la Unión Europea? En el ámbito de la protección de datos, la primera aproximación a la definición de datos biométricos la realizó oficialmente el Grupo del Artículo 29[23] en 2003, que publicó un documento de trabajo sobre biometría en el que se debatía cómo relacionar las leyes de protección de datos con las estructuras biométricas[24]. Además, en 2012 publicó el Dictamen 3/3012 sobre la evolución de las tecnologías biométricas, sensibilizando así a la UE sobre esta cuestión[25].

Sin embargo, es importante mencionar que el significado original de datos biométricos en la propuesta del RGPD de la Comisión de la UE del 25 de enero de 2012 establecía: "*datos biométricos: cualesquiera* [datos personales] *relativos a las características físicas, fisiológicas o de comportamiento de una persona que permitan su identificación exclusiva, como las imágenes faciales o los datos dactiloscópicos*" [artículo 4, apartado 11]. No obstante, la definición final de los "*datos biométricos*" que se encuentra en el RGPD artículo 4.14 dice tal que así: "*datos personales resultantes de un tratamiento técnico específico*

---

ción y por el que se modifican los Reglamentos (UE) 2018/1726, (UE) 2018/1862 y (UE) 2019/816.

[22] PAPADOPOULOS, L. (2020). *This is how Facial Recognition Works*. Interesting Engineering. Obtenido de: <https://interestingengineering.com/video/this-is-how-facial-recognition-works> (Último acceso 09 enero 2023).

[23] El Grupo de Trabajo del Artículo 29 estuvo compuesto por un representante de la autoridad de protección de datos de cada Estado Miembro de la UE, el Supervisor Europeo de Protección de Datos y la Comisión Europea. Su nombre provenía de la Directiva de protección de datos de 1995 y fue lanzado en 1996. Hoy en día, no existe y ha pasado a substituirse por la European Data Protection Board.

[24] Art. 29 WP, Working document on biometrics (n. 26).

[25] Art. 29 WP (2012). *Opinion 3/2012 on Developments in Biometric Technologies*. Obtenido de <https://www.pdpjournals.com/docs/87998.pdf> (Último acceso 09 enero 2023).

relativo a las características físicas, fisiológicas o de comportamiento de una persona física, que permitan o confirmen la identificación única de dicha persona física, como imágenes faciales o datos dactiloscópicos [huellas dactilares]".

En consonancia con la definición del artículo 4, apartado 14, del RGPD, los datos biométricos son una categoría de datos personales. Por lo tanto, para considerar que los datos de los sistemas de TRF son biométricos, primero deben cumplir los criterios del artículo 4.1 del GDPR, que define el término "*datos personales*" como "*cualquier información relativa a una persona física identificada o identificable* (el interesado); *una persona física identificable es aquella que puede ser identificada, directa o indirectamente, en particular por referencia a un identificador como un nombre, un número de identificación, datos de localización, un identificador en línea o a uno o más factores específicos de la identidad física, fisiológica, genética, mental, económica, cultural o social de dicha persona física*".

En principio, según esta definición, la plantilla biométrica o las imágenes faciales captadas por la TRF podrían entenderse como datos personales, ya que se trata de datos relativos a una "*persona física identificada o identificable*".

No obstante, cabe señalar que "*sigue habiendo incertidumbre sobre cuándo y en qué condiciones los datos biométricos son datos personales*"[26] debido a las especificidades de la tecnología utilizada y a los diferentes formatos que puede adoptar. Por ejemplo, el Grupo de Trabajo del Artículo 29 se refería a los casos "*en que los datos biométricos, como una plantilla, se almacenan de forma que ningún medio razonable puede ser utilizado por el responsable del tratamiento o por cualquier otra persona para identificar al interesado*" y afirmaba que, en consecuencia, esos datos "*no deben calificarse de datos personales*"[27].

Otros autores consideran que todos los datos biométricos, especialmente a la luz de los avances tecnológicos, serán en principio datos personales, independientemente de su formato. A pesar de esta incertidumbre, las autoridades de protección de datos, como es el caso de la AEPD, suelen considerar que los datos tratados mediante métodos biométricos son datos

---

[26]   KINDT, E. (2013). Privacy and Data Protection Issues of Biometric Applications A comparative legal analysis (p.117). Springer, Governance and Technology Series 12.

[27]   Art. 29 WP (2003). *Working document on biometrics* (p. 5). Obtenido de: <https://ec.europa.eu/justice/article-29/documentation/opinion-recommendation/files/2003/wp80_en.pdf> (Último acceso 09 enero 2023).

personales, en particular cuando se utiliza TRF con la finalidad de identificar al interesado o sujeto[28].

Otra parte fundamental de la definición de los datos biométricos de acuerdo con el RGPD es el "*tratamiento técnico específico*". En general, dichos procesos constan de múltiples pasos y que, dentro de aquellos, los más importantes implican: "*a) adquirir una medida de referencia de una o varias características físicas, fisiológicas o de comportamiento de una persona (lo que suele denominarse "registro"), b) crear una representación de esa medida en una plantilla, c) vincular esa plantilla con un código u objeto que se utiliza para identificar a la persona (el compuesto de plantilla y código/objeto suele denominarse "plantilla maestra"), (d) almacenar la plantilla maestra en una base de datos, (e) adquirir nuevas medidas (a menudo denominadas "plantilla viva") de las mismas características biológicas, (f) cotejar la plantilla viva con la plantilla maestra, (g) aplicar un algoritmo para generar un resultado a partir del cotejo.*"[29] En relación con la TRF, por simple comparación de ambas definiciones, puede deducirse que los datos englobados en los procesos de TRF son el resultado de un tratamiento técnico específico.

Otra cuestión importante con arreglo a la definición de datos biométricos, que afecta específicamente al RGPD y a la LOPDGDD, es la opción de "*permitir o confirmar la identificación única*" y los procesos de identificación y autenticación. A raíz del Informe Jurídico 36/2020 de la AEPD, se determina que, con carácter general, cuando la TRF se utilice para identificar a alguien en un proceso de búsqueda de uno a varios que no de uno a uno (autenticación), los datos personales tendrán consideración de datos especialmente protegidos o sensibles según el RGPD. No obstante, la AEPD considera en el mismo informe que se trata de una cuestión compleja, sometida a interpretación, respecto de la cual no se pueden extraer conclusiones generales, debiendo atenderse al caso concreto.

Teniendo todo lo anterior en cuenta, dado que la TRF provoca el tratamiento de datos personales relativos a las características físicas de un individuo (biometría) derivados de un tratamiento técnico específico que permite o confirma la identificación única (que no autenticación) de la persona, puede determinarse que la TRF abarca el tratamiento de **datos biométricos de acuerdo con la definición del artículo 4.14 del RGPD y**

---

[28]   LEE, A., and TOSONI, L. (2020). Article 4(14). *Biometric data* (pp. 214-215), in Kuner, C., Bygrave, L. A., Docksey, C., & Drechsler, L. (Eds.). *The EU General Data Protection Regulation (GDPR): a commentary*. Oxford University Press.

[29]   Ibídem.

que aquellos deben ser considerados como especialmente protegidos o sensibles según lo dispuesto en el RGPD (definición que se tratará en el siguiente epígrafe).

3.2 *El régimen jurídico que regula el tratamiento de datos personales llevado a cabo por la tecnología de reconocimiento facial*

El principio de legalidad o licitud del tratamiento de datos personales es de suma importancia con arreglo al RGPD. Ya estaba establecido en la Directiva Europea 95/46/EC de Protección de Datos ("**DPD**") de 1995, que establece que todo tratamiento de datos debe estar respaldado por una base jurídica. El RGPD sigue la DPD sin introducir ningún cambio y enumera las mismas bases jurídicas para el tratamiento de datos en su artículo 6.1[30]. En particular, el RGPD dice: *"El tratamiento solo será lícito si se cumple al menos una de las siguientes condiciones: a) el interesado dio su **consentimiento** para el tratamiento de sus datos personales para uno o varios fines específicos; b) el tratamiento es necesario para la **ejecución de un contrato** en el que el interesado es parte o para la aplicación a petición de este de medidas precontractuales; c) el tratamiento es necesario para el **cumplimiento de una obligación legal** aplicable al responsable del tratamiento; d) el tratamiento es necesario para **proteger intereses vitales** del interesado o de otra persona física; e) el tratamiento es necesario para el cumplimiento de una misión realizada en **interés público** o en el ejercicio de poderes públicos conferidos al responsable del tratamiento; f) el tratamiento es necesario para la satisfacción de **intereses legítimos** perseguidos por el responsable del tratamiento o por un tercero, siempre que sobre dichos intereses no prevalezcan los intereses o los derechos y libertades fundamentales del interesado que requieran la protección de datos personales, en particular cuando el interesado sea un niño."*

En consecuencia, para que un tratamiento de datos personales llevado a cabo por TRF sea lícito, resulta necesario que cuente con al menos una de las distintas bases jurídicas enumeradas en el artículo 6.1 del RGPD. Además de esto, hay que tener en cuenta que el tratamiento de datos biométricos con fines de identificación está prohibido, ya que el RGPD considera este tipo de datos como "datos sensibles", lo que significa que se trata de una categoría especial de datos personales que requiere un mayor nivel de protección debido a los efectos potenciales de su uso indebido sobre las

---

[30]   KOTSCHY, W. (2020). *Article 6 Lawfulness of Processing* (pp. 314-315), in Kuner, C., Bygrave, L., Docksey, C., & Drechsler, L. (Eds.). *The EU General Data Protection Regulation (GDPR): A Commentary*. Oxford University Press.

personas o el abuso de esta información[31]. No obstante, el RGPD prevé determinadas situaciones en las que dicha prohibición general al tratamiento de datos sensibles o especialmente protegidos puede levantarse en la medida en que concurra al menos una de las excepciones enumeradas en el artículo 9.2 del RGPD.

En otras palabras, para que un tratamiento de datos personales llevado a cabo por TRF con fines de identificación sea lícito de acuerdo con el RGPD es necesario identificar **al menos una base jurídica aplicable en virtud del artículo 6.1 del RGPD y una excepción a la prohibición general de tratar datos sensibles en virtud del artículo 9.2 del RGPD.**

Para, lo anterior, cabe analizar cada caso concreto para determinar qué base de legitimación y excepción aplicar al tratamiento de datos llevado a cabo por TRF con fines de identificación, pero, teniendo en cuenta el criterio que se sustenta en los documentos normativos de la AEPD así como en los ejemplos que se han dado en el mercado y que hemos visto en el epígrafe introductorio de este capítulo (casos relativos a Mercadona, al colegio sueco, al supermercado holandés, etc.), las entidades suelen apoyarse, como bases jurídicas (artículo 6.1 RGPD) en el **consentimiento, interés público y/o interés legítimo**, y, en las condiciones o excepciones que permiten el tratamiento de datos biométricos con fines de identificación (datos sensibles). De este modo, en virtud del artículo 9.2 del RGPD, se fundamenta este tratamiento en el **consentimiento explícito y/o interés público esencial.**

Dadas las particularidades de cada base de legitimación y la excepción a la prohibición general del tratamiento de datos sensibles, parece conveniente analizar brevemente cada una de ellas en el entorno de TRF.

3.2.1 Consentimiento (explícito)

El artículo 4.11 del RGPD define el consentimiento como base jurídica para el tratamiento de datos, estableciendo que debe cumplir cuatro requi-

---

[31] Art. 29 WP (2011). *Advice Paper on Special Categories of Data ('Sensitive Data')* (pp. 4-5). Obtenido de: <https://ec.europa.eu/justice/article-29/documentation/other-document/files/2011/2011_04_20_letter_artwp_mme_le_bail_directive_9546ec_annex1_en.pdf> (Último acceso 09 enero 2023).

sitos para ser válido: (1) otorgado libremente (incluida la granularidad), (2) específico, (3) informado e (4) inequívoco[32].

Estos requisitos deben interpretarse estrictamente según los dictámenes generales de autoridades de protección de datos y también en relación con el artículo 7 del RGPD (condiciones del consentimiento en general: declaración o acción afirmativa clara, prueba del consentimiento, inteligible, revocable) y el artículo 8 RGPD (condiciones del consentimiento del niño en relación con los servicios de la sociedad de la información)[33].

Además, el uso del consentimiento se rige indirectamente por los artículos 5.1.b) y 6.1.a) del RGPD (cuando se refieren a la necesidad de detallar la finalidad del tratamiento) y los artículos 13 y 14 del RGPD (cuando se refieren a las obligaciones de información). Esto es crucial, como señala el Grupo de Trabajo del Artículo 29 en sus directrices sobre el consentimiento, sin el *"pleno cumplimiento"* del RGPD, *"el control del interesado se convierte en ilusorio y el consentimiento será una base inválida para el tratamiento, por lo que la actividad de tratamiento será ilícita"*[34].

El criterio del consentimiento *"libremente otorgado"* implica que, a la hora de decidir si el sujeto presta o no su consentimiento, debe quedar claro o ser acreditable que la persona tiene o ha tenido un alto grado de autonomía[35]. Según el Grupo de Trabajo del Artículo 29, *"si el interesado no tiene realmente elección, se siente obligado a consentir o va a sufrir consecuencias negativas si no consiente, entonces el consentimiento no será válido"*[36]. Esto también significa que cuando un interesado retira su consentimiento, no puede causarle angustia o perjuicio alguno.

---

[32] *Lawful processing of personal data in companies under the General Data Protection Regulation* (pp. 90-103). In T. Kugler & D. Rücker LL.M. (Eds.) (2018). *New European General Data Protection Regulation: A Practitioner's Guide.* Baden-Baden: Hart/Nomos.

[33] BYGRAVE, L. and TOSONI, L. (2020). *Article 4(11). Consent* (p.181), in Kuner, C., Bygrave, L., Docksey, C., & Drechsler, L. (Eds.). *The EU General Data Protection Regulation (GDPR): A Commentary.* Oxford University Press.

[34] Art. 29 WP (2018). *Article 29 Working Party Guidelines on consent under Regulation 2016/679* (p.3). Obtenido de: <https://ec.europa.eu/newsroom/article29/items/623051/en> (Último acceso 09 enero 2023).

[35] PATEL, P., BREEN, S., & OUAZZANE, K. (2020). *GDPR: is your consent valid?* (p.21), Business Information Review, 37(1), Obtenido de: <https://doi.org/10.1177/0266382120903254> (Último acceso 09 enero 2023).

[36] Art. 29 WP (2018). *Article 29 Working Party Guidelines on consent under Regulation 2016/679* (p.3). Obtenido de: <https://ec.europa.eu/newsroom/article29/items/623051/en> (Último acceso 09 enero 2023).

Además, cuando el interesado se encuentre en una situación de debilidad y dependencia con respecto al responsable del tratamiento, será difícil cumplir el requisito de "*otorgado libremente*". Esto es lo que el considerando 43 del RGPD describe como "*desequilibrio claro entre el interesado y el responsable del tratamiento*".

Lo cierto es que se trata de una descripción imprecisa, pero se considera habitual cuando el consentimiento está vinculado a la prestación de servicios por parte del responsable del tratamiento, pero el tratamiento de los datos para los que se solicita el consentimiento no es necesario para la prestación del servicio. Esta conclusión está respaldada no sólo por el supuesto del considerando 43 del RGPD, sino también por las conclusiones del Abogado General en la jurisprudencia sobre el caso Planet49[37] (no obstante, las conclusiones del Abogado General alertan de la necesidad de evaluar este punto caso por caso, sin generalizar)[38].

En el contexto de TRF, como en el caso Mercadona, el interesado no está en pie de igualdad con la organización (relación cliente-empresa) y, si el consentimiento está condicionado a la posibilidad de acceder al supermercado y comprar comestibles, puede concluirse que el consentimiento no sería libre en tales términos. De este modo, para que el consentimiento sea libre, el responsable del tratamiento debe ofrecer al cliente una alternativa de acceso al supermercado. Sin embargo, esta alternativa de acceso no puede ser demasiado lenta, burocrática o problemática en comparación con la que emplea la TRF. De lo contrario, el consentimiento, no sería libre (necesidad de una "*opción genuina*")[39]. Para otros casos, deberá tenerse en cuenta lo expuesto para valorar si el consentimiento es o no posible para legitimar el tratamiento de datos personales.

De utilizarse el consentimiento explícito como excepción según lo dispuesto en el artículo 9.2 RGPD, cabe añadir que este debe cumplir con una declaración expresa, como, por ejemplo, lo que sería un documento firmado o similar donde aquello se manifieste claramente.

---

[37]   Case C-673/17, Planet49 (AG Opinion), para. 66.
[38]   KOSTA, E. (2013). *Consent in European Data Protection Law* (p. 172). Martinus Nijhoff.
[39]   *Ibídem.*

3.2.2 Interés Legítimo

Según el artículo 6, apartado 1, letra f) del RGPD: "*El tratamiento sólo será lícito cuando sea necesario para la satisfacción de intereses legítimos perseguidos por el responsable del tratamiento o por un tercero, salvo que prevalezcan sobre dichos intereses el interés o los derechos y libertades fundamentales del interesado que requieran la protección de datos personales, en particular cuando se trate de un niño*". El interés legítimo es, en principio, una posible base jurídica que puede utilizarse en entornos de TRF.

Sin embargo, según el considerando 47 del RGPD, se requiere una evaluación cuidadosa antes de emplearlo. Dicha evaluación debe incluir: (1) el test de finalidad, (2) el test de necesidad y, (3) la prueba de sopesamiento[40]. La necesidad de esta triple prueba o test fue confirmada por el Tribunal de Justicia de la Unión Europea (TJUE) en el asunto Rigas (C-13/16, 4 de mayo de 2017)[41] en el contexto de la DPD y para las autoridades públicas. Es decir, para iniciar el tratamiento de los datos no basta con concluir que responde a su interés legítimo. Antes de iniciar el tratamiento, el responsable del tratamiento debe poder superar las tres partes de la prueba.

El test de finalidad consiste en identificar un interés legítimo del responsable del tratamiento para el tratamiento (uso de TRF) en función de su finalidad. El interés legítimo no tiene por qué ser necesariamente jurídico, como un derecho fundamental o derivado de otros instrumentos jurídicos, sino que también puede ser económico (por ejemplo, proteger propiedades y bienes privados) o inmaterial. No obstante, aunque el interés legítimo no figure expresamente en un instrumento jurídico, debe ajustarse a la ley "*en el sentido de que no la vulnere*"[42]. Además, el Grupo de Trabajo Artículo 29 establecía dos requisitos para que un interés legítimo sea válido: (1) debe ser real y actual, y (2) debe estar claramente articulado, lo que significa que el interés legítimo del responsable del tratamiento

---

[40]   GEORGIEVA, L., and KUNER, C. (2020). *Article 9. Processing of special categories of personal data* (p. 377), in Kuner, C., Bygrave, L., Docksey, C., & Drechsler, L. (Eds.). *The EU General Data Protection Regulation (GDPR): A Commentary*. Oxford University Press.

[41]   CJEU (2017), C-13/16, 4 May 2017.

[42]   KAMARA, I., and DE HERT, P. (2018). *Understanding the balancing act behind the legitimate interest of the controller ground: a pragmatic approach* (p. 12). Brussels Privacy Hub, Working Paper, Vol. 4, number 12. Obtenido de: <https://papers.ssrn.com/sol3/papers.cfm?abstract_id=3228369> (Último acceso 09 enero 2023).

no puede estar supeditado al cumplimiento de una condición previa o a la expectativa de un interés en el futuro[43].

El segundo criterio para considerar es la necesidad del tratamiento. De hecho, la "*necesidad*" forma parte de todas las bases jurídicas del artículo 6.1 del RGPD (a excepción del consentimiento) y significa que el tratamiento de datos personales es la medida menos restrictiva para los derechos del interesado. La cuestión de la necesidad puede separarse en dos fases: (1) subsidiariedad —que significa la medida menos intrusiva— y (2) proporcionalidad, de modo que el tratamiento se restrinja a lo necesario para alcanzar el fin[44]. Además, según el RGPD, los datos personales deben ser adecuados, pertinentes y limitados a lo necesario en relación con los fines para los que se deban tratar los datos. Esto tiene que ver con el denominado principio de minimización de datos, estrechamente relacionado con el test de necesidad.

Por último, la prueba de sopesamiento implica un análisis para determinar si el interés legítimo del responsable del tratamiento prevalece sobre el interés o los derechos y libertades fundamentales del interesado. Por consiguiente, la entidad que quiera implementar un sistema de TRF debe examinar detenidamente los intereses, derechos y libertades fundamentales de los interesados y determinar si el tratamiento causa perturbaciones o efectos adversos en relación con los derechos de los interesados. De este modo, es posible equilibrar posteriormente los intereses del responsable del tratamiento con los intereses de los interesados. Además, en el momento del tratamiento deben tenerse en cuenta las "*expectativas razonables del interesado*" basadas en la conexión con la entidad que gobierna la TRF. Todo ello de manera que se refiera a una aceptación implícita, que no explícita, ya que entonces se trataría de un consentimiento y no de un interés legítimo.

---

[43]   Article 29 Data Protection Working Party (2014). *Opinion 06/2014 on the notion of legitimate interests of the data controller under Article 7 of Directive 95/46/EC* (p. 24). Obtenido de: <https://www.fia.org/sites/default/files/2019-11/Excerpts%20 -%20Opinion%2006-2014%20on%20the%20notion%20of%20legitimate%20interests%20of%20the%20....pdf> (Último acceso 09 enero 2023).

[44]   ZUIDERVEEN, F. J. (2015). *Personal data processing for behavioural targeting: which legal basis?* (p. 168). International Data Privacy Law, 2015, Vol. 5, No. 3. Obtenido de: <https://academic.oup.com/idpl/article/5/3/163/730611?login=true#27261624> (Último acceso 09 enero 2023).

3.2.3   Interés Público (esencial)

Según el artículo 6.1(e), los datos personales pueden tratarse si son "*ne-cesarios para el cumplimiento de una misión de interés público o inherente al ejercicio del poder público conferido al responsable del tratamiento*". Pongamos de ejemplo la supervisión de la "*seguridad pública*". Esta disposición, por lo tanto, sirve de marco general para el tratamiento autorizado de datos personales con fines que tengan que ver con la seguridad o la protección del sector públi-co.

Sin embargo, los responsables del tratamiento que utilicen esta base ju-rídica para aplicar la TRF, deben seguir garantizando que el tratamiento de los datos personales es "necesario" y "proporcionado" para la "misión reali-zada en interés público o en el ejercicio del poder público". De este modo, las definiciones precisas acerca de lo "necesario" y lo "proporcionado", de-ben hacerse en función de las particularidades de cada situación. Así, de acuerdo con el principio de minimización de datos, si un responsable del tratamiento puede alcanzar razonablemente estos objetivos de una forma menos intrusiva, es dudoso que trate datos personales con arreglo a esta base jurídica. Además, el tratamiento debe ser proporcional a su finalidad y "previsible" para el interesado, lo que significa que debe cumplir también los requisitos relativos a las "expectativas razonables del interesado" que se han expuesto en el análisis del "interés legítimo" del epígrafe anterior.

Asimismo, una excepción que podría aplicarse a la prohibición general de tratar datos sensibles es la existencia de un interés público "esencial" en virtud del artículo 9.2 (g) del RGPD: "*g) el tratamiento es necesario por razo-nes de interés público esencial, con arreglo al Derecho de la Unión o de los Estados miembros, que deberán ser proporcionadas al objetivo perseguido, respetar la esencia del derecho a la protección de datos y prever medidas adecuadas y específicas para salvaguardar los derechos fundamentales y los intereses del interesado*". En conse-cuencia, no basta con la presencia de un interés público, sino que se exige que sea "esencial", un adjetivo que viene a matizar ese interés público dada la importancia y necesidad de una mayor protección de los datos tratados.

En el RGPD no se define la palabra "*interés público esencial*". Esto se debe a que la exención debe ser especificada y desarrollada por la legislación de la Unión o de los Estados miembros. En consecuencia, los Estados miem-bros pueden recurrir a la legislación para ampliar las circunstancias en las que pueden tratarse los datos en virtud de la excepción de interés público esencial. Sin embargo, al hacerlo, la legislación de la Unión o de los Esta-dos miembros "*debe ser proporcionada al objetivo perseguido, respetar la esencia del derecho a la protección de datos y establecer medidas adecuadas y específicas para salvaguardar los derechos e intereses fundamentales del interesado*"[45].

En España, hay que decir que el Tribunal Constitucional tuvo ocasión de pronunciarse sobre el artículo 9.2.(g) del RGPD. En particular, sobre la legalidad del artículo 58 bis de la Ley Orgánica 5/1985, de 19 de junio, del Régimen Electoral General, introducido por la disposición final tercera de la Ley Orgánica 3/2018, de 5 de diciembre, de LOPDGDD relativo al tratamiento de datos personales sobre opiniones políticas de las personas físicas realizado por los partidos políticos en el marco de sus actividades electorales. Dicho artículo fue finalmente declarado inconstitucional por Sentencia núm. 76/2019, de 22 de mayo[46]. Esta sentencia analiza si la ley española sobre el régimen electoral general invocaba tal "*interés público esencial*" para permitir el tratamiento de datos sensibles (actuando como excepción a la prohibición general). Como respuesta, el Tribunal afirma que la citada ley no invoca el interés público esencial porque de acuerdo con el artículo 9.2.g) GDPR y a la vista de los potenciales efectos intrusivos en el derecho fundamental derivados del tratamiento de datos personales, se exige determinar garantías adecuadas que deben incorporarse a la regulación legal y además señala que "*respecto de los elementos esenciales, también vinculados en última instancia al juicio de proporcionalidad de la limitación del derecho fundamental, no puede dejarse a un desarrollo legal o reglamentario posterior, ni puede dejarse en manos de los propios particulares*". De ahí que pueda concluirse que el "*interés público esencial*" debe definirse en forma y rango de ley (sin desarrollo legal o reglamentario posterior).

4. CONCLUSIONES

El objetivo de este capítulo era identificar cómo el tratamiento de datos personales llevado a cabo por la TRF con fines de identificación en el sector privado debe configurarse para que pueda considerarse lícito, todo ello, de acuerdo con la normativa de protección de datos personales en España.

---

[45]   GRATON, L-P (2021). *Expert commentary Article 9.1(g)*. GDPR TEXT. Obtenido de: <https://gdpr-text.com/read/article-9/#comment_gdpr-a-09_2g> (Último acceso 09 enero 2023).

[46]   STC 76/2019, 22 May 2019.

En relación con lo anterior, se puede concluir, en primer lugar, que los datos tratados por los sistemas de TRF son "*datos biométricos*" con arreglo a la legislación de la Unión Europea sobre protección de datos, ya que se trata de "*datos personales*" que se derivan de un "*tratamiento técnico específico*" relacionado con "*características biométricas*" y que permite o confirma la "*identificación única*" del interesado. Sin embargo, hay que tener en cuenta que algunos autores defienden que en determinados casos los datos biométricos de la TRF no deberían considerarse si quiera datos personales.

En segundo lugar, se concluye que para que el tratamiento de datos personales mediante la aplicación de la TRF sea lícito, siempre es necesario identificar al menos una base jurídica aplicable en virtud del artículo 6.1 del RGPD y una excepción a la prohibición general de tratar datos sensibles en virtud del artículo 9.2 del RGPD.

En relación con las bases de legitimación (artículo 6.1 RGPD) parece que las más probables a utilizar sean el consentimiento, el interés legítimo y/o el interés público. Asimismo, respecto a las excepciones que puedan levantar la prohibición del tratamiento de datos especialmente protegidos o sensibles, parece que deberá contarse con el consentimiento explícito y/o interés público esencial (artículo 9.2 RGPD).

Sin embargo, cada una de ellas presenta sus puntos fuertes y débiles, de manera que será sólo en función de cada caso concreto y sus particularidades cuando se podrá determinar si las bases de legitimación y excepciones pueden o no concurrir para legitimar el tratamiento de los datos personales. En todo caso, habrá que estar a estos análisis de pertinencia y proporcionalidad de aplicación de esta tecnología al caso concreto, vinculado con su fin; y también atenerse a los criterios de las diferentes autoridades europeas que se puedan ir pronunciando en la materia, sin olvidar los potenciales cambios legislativos que se puedan ir produciendo.

5. REFERENCIAS BIBLIOGRÁFICAS

AEPD (2020). *Cumplimiento del RGPD de los tratamientos que incorporan Inteligencia Artificial Una introducción*. Obtenido de: <https://www.aepd.es/sites/default/files/2020-07/adecuacion-rgpd-ia-en.pdf>.

Art. 29 WP (2003). *Working document on biometrics*. Obtenido de: <https://ec.europa.eu/justice/article-29/documentation/opinion-recommendation/files/2003/wp80_en.pdf>.

Art. 29 WP (2011*). Advice Paper on Special Categories of Data ('Sensitive Data')*. Obtenido de: <https://ec.europa.eu/justice/article-29/documentation/other-document/

files/2011/2011_04_20_letter_artwp_mme_le_bail_directive_9546ec_annex1_en.pdf>.

Art. 29 WP (2012). *Opinion 02/2012 on facial recognition in online and mobile services* (p.2). Publications Art. 29 WP. Obtenido de: <https://ec.europa.eu/justice/article-29/documentation/opinion-recommendation/files/2012/wp192_en.pdf>.

Art. 29 WP (2012). *Opinion 3/2012 on Developments in Biometric Technologies.* Obtenido de: <https://www.pdpjournals.com/docs/87998.pdf>.

Art. 29 WP (2018). *Article 29 Working Party Guidelines on consent under Regulation 2016/679.* Obtenido de: <https://ec.europa.eu/newsroom/article29/items/623051/en>.

Art. 29 WP, Working document on biometrics (n. 26).

Article 29 Data Protection Working Party (2014). *Opinion 06/2014 on the notion of legitimate interests of the data controller under Article 7 of Directive 95/46/EC.* Obtenido de: <https://www.fia.org/sites/default/files/2019-11/Excerpts%20-%20Opinion%2006-2014%20on%20the%20notion%20of%20legitimate%20interests%20of%20the%20....pdf>.

BERDAHL, M. and KELLEY, P. (1996). *In Memoriam Woodrow Wilson Bledsoe.* University of Texas at Austin. Obtenido de: <https://www.cs.utexas.edu/~boyer/bledsoe-memorial-resolution.pdf>.

BERLE, I. (2020). *Face recognition technology: compulsory visibility and its impact on privacy and the confidentiality of personal identifiable images.* Springer. Ser. Law, governance and technology series, volume 41.

BUCKLEY, B. y HUNTER, M. (2011). *Say cheese! Privacy and facial recognition.* Computer law & security review 27. Obtenido de: <https://www.sciencedirect.com/science/article/abs/pii/S0267364911001567>.

BYGRAVE, L. and TOSONI, L. (2020). *Article 4(11). Consent* (p.181), in Kuner, C., Bygrave, L., Docksey, C., & Drechsler, L. (Eds.). *The EU General Data Protection Regulation (GDPR): A Commentary.* Oxford University Press.

Case C-673/17, Planet49 (AG Opinion).

CJEU (2017), C-13/16, 4 May 2017.

DELAC, K., GRGIC, M. and BARTLETT, M. S. (2008). *Recent Advances in Face Recognition.* Published by In-Tech. Obtenido de: <https://www.imagefeatures.org/documents/Delac_Grgic_Bartlett_Recent_Advances_in_Face_Recognition.pdf>.

EDPB (2019). *Facial Recognition in school renders Sweeden's first GDPR fine.* Publications of European Data Protection Board. Obtenido de: <https://edpb.europa.eu/news/national-news/2019/facial-recognition-school-renders-swedens-first-gdpr-fine_sv>.

EDPB (2021). *Dutch DPA issues Formal Warning to a Supermarket for its use of Facial Recognition Technology.* Publications of European Data Protection Board. Obtenido de: <https://edpb.europa.eu/news/national-news/2021/dutch-dpa-issues-formal-warning-supermarket-its-use-facial-recognition_bg>.

EDPS (2017). *Assessing the necessity of measures that limit the fundamental right to the protection of personal data: A Toolkit.* Obtenido de: <https://edps.europa.eu/sites/edp/files/publication/17-06-01_necessity_toolkit_final_en_0.pdf>.

EDPS (2021). *EDPB & EDPS call for ban on use of AI for automated recognition of human features in publicly accessible spaces, and some other uses of AI that can lead to unfair discrimination.* Publications of European Data Protection Supervisor. Obtenido de: <https://edps.europa.eu/press-publications/press-news/press-releases/2021/edpb-edps-call-ban-use-ai-automated-recognition_en>.

ELS J. KINDT. (2013). *Privacy and Data Protection Issues of Biometric Applications: A Comparative Legal Analysis.* Springer.

FERRANTI, S. (2016). *The History of the Most Wanted Poster.* HuffPost. Obtenido de: <https://www.huffpost.com/entry/the-history-of-the-most-wanted-poster_b_5851ba70e4b0865ab9d4e8d7>.

FRA (2019). *Facial recognition technology: fundamental rights considerations in the context of law enforcement.* European Union Agency for Fundamental Rights. Obtenido de: <https://fra.europa.eu/sites/default/files/fra_uploads/fra-2019-facial-recognition-technology-focus-paper.pdf>.

GEORGIEVA, L., and KUNER, C. (2020). *Article 9. Processing of special categories of personal data,* in Kuner, C., Bygrave, L., Docksey, C., & Drechsler, L. (Eds.). *The EU General Data Protection Regulation (GDPR): A Commentary.* Oxford University Press.

GIRON, J. (2020). *What's in a Face Weighing the risks and benefits of facial recognition technology.* Towards Data Science. Obtenido de: <https://towardsdatascience.com/whats-in-a-face-measuring-the-risks-and-benefits-of-facial-recognition-technology-7335348e01b6>.

GRATON, L-P (2021). *Expert commentary Article 9.1(g).* GDPR TEXT. Obtenido de: <https://gdpr-text.com/read/article-9/#comment_gdpr-a-09_2g>.

Information Commissioner's Opinion (2021). *The use of live facial recognition technology in semi-public spaces.* Obtenido de: <https://ico.org.uk/media/for-organisations/documents/2619985/ico-opinion-the-use-of-AI/FRT-in-public-places-20210618.pdf>.

KAMARA, I., and DE HERT, P. (2018). *Understanding the balancing act behind the legitimate interest of the controller ground: a pragmatic approach.* Brussels Privacy Hub, Working Paper, Vol. 4, number 12. Obtenido de: <https://papers.ssrn.com/sol3/papers.cfm?abstract_id=3228369>.

KINDT, E. (2013). Privacy and Data Protection Issues of Biometric Applications A comparative legal analysis. Springer, Governance and Technology Series 12.

KOSTA, E. (2013). *Consent in European Data Protection Law* (p. 172). Martinus Nijhoff.

KOTSCHY, W. (2020). *Article 6 Lawfulness of Processing,* in Kuner, C., Bygrave, L., Docksey, C., & Drechsler, L. (Eds.). *The EU General Data Protection Regulation (GDPR): A Commentary.* Oxford University Press.

Lawful processing of personal data in companies under the General Data Protection Regulation. In T. Kugler & D. Rücker LL.M. (Eds.) (2018). *New European General Data Protection Regulation: A Practitioner's Guide.* Baden-Baden: Hart/Nomos.

LEE, A., and TOSONI, L. (2020). Article 4(14). *Biometric data* (pp. 214-215), in Kuner, C., Bygrave, L. A., Docksey, C., & Drechsler, L. (Eds.). *The EU General Data Protection Regulation (GDPR): a commentary.* Oxford University Press.

LU, C. and TANG, X. (2014). *Surpassing Human-Level Face Verification Performance on LFW with Gaussian Face.* Obtenido de: <https://arxiv.org/abs/1404.3840>.

PAPADOPOULOS, L. (2020). *This is how Facial Recognition Works.* Interesting Engineering. Obtenido de: <https://interestingengineering.com/video/this-is-how-facial-recognition-works>.

PATEL, P., BREEN, S., & OUAZZANE, K. (2020). *GDPR: is your consent valid?* (p.21), Business Information Review, 37(1), Obtenido de: <https://doi.org/10.1177/0266382120903254>.

Procedimiento AEPD N°: PS/00120/2021.

SHESHAIAH, M., and ANUBHAB, D. (2019). *Evolution of Face Recognition Technologies.* Obtenido de: <https://ssrn.com/abstract=3509105 or http://dx.doi.org/10.2139/ssrn.3509105>.

STC 76/2019, 22 May 2019.

TAIGMAN, Y., YANG, M., RANZATO, M. and WOLF, L. (2014). *DeepFace: Closing the Gap to Human-Level Performance in Face Verification.* Facebook Research.

ZHANG, Y., PENG, Z., YOU, S., and XU, G. (1997). *A multi-view face recognition system.* Journal of Computer Science and Technology. Obtenido de: <https://link-springer-com.tilburguniversity.idm.oclc.org/content/pdf/10.1007/BF02943172.pdf>.

ZUIDERVEEN, F. J. (2015). *Personal data processing for behavioural targeting: which legal basis?* International Data Privacy Law, 2015, Vol. 5, No. 3. Obtenido de: <https://academic.oup.com/idpl/article/5/3/163/730611?login=true#27261624>.

Análisis de la regulación legal con interés para el New Space

EFRÉN DÍAZ DÍAZ

Abogado. Doctor en Derecho
Responsable de las Áreas de Tecnología y Derecho Espacial del Bufete Mas y Calvet

1. LA EVOLUCIÓN NORMATIVA DEL FENÓMENO "NEW SPACE"

Este estudio busca analizar las cuestiones relativas a la regulación de las actividades del "Nuevo Espacio" o *New Space*. El ámbito espacial actual se caracteriza por nuevas actividades, nuevos actores y nuevas preocupaciones y desafíos técnicos y jurídicos.

Las nuevas actividades en el espacio, como la minería espacial, la sostenibilidad frente a los residuos espaciales o las grandes constelaciones de pequeños satélites, plantean cuestiones jurídicas novedosas que no se abordaron en los tratados espaciales de Naciones Unidas en la segunda mitad del Siglo XX.

De ahí surge la necesidad de adoptar medidas tanto por la comunidad internacional como por los distintos Estados para colmar esas lagunas legales o espacios requirentes de interpretación a través de directrices internacionales o leyes nacionales, además de los principios, directrices y estándares recogidos en las denominadas "normas no vinculantes".

Cabe destacar que entre los nuevos actores se encuentran las empresas privadas de nueva creación y las universidades, asociaciones sin ánimo de lucro y entidades gubernativas, si bien parece que no siempre sean conscientes de las implicaciones jurídicas y los requisitos legales. Asimismo, los Estados promulgan leyes nacionales para cumplir con las obligaciones que les imponen los tratados, pero no siempre tienen como destinatario principal a los actores del *New Space* y por ello es creciente la importancia de crear conocimiento y conciencia jurídica en los nuevos actores.

2. QUÉ ES EL NEW SPACE

El concepto de Nuevo Espacio o *New Space* comprende la novedosa dimensión en la exploración y utilización del espacio exterior. Desde la perspectiva jurídica comporta una inédita dinámica en el Derecho aplicable a las actividades, sujetos y misiones espaciales.

Algunos expertos del ámbito jurídico proponen el concepto de "*Next Space*" en sustitución del conocido "*New Space*", con la doble finalidad de respetar el llamado Espacio Tradicional, sin denominarlo "*Old Space*", y de destacar la importancia de la evolución experimentada en las últimas décadas, ya que sin esos antecedentes de la carrera espacial no se habría llegado a la situación actual. No obstante, en este análisis regulatorio y jurídico mantendremos la denominación de Nuevo Espacio o *New Space* por resultar más asumido por la mayor parte de interlocutores del actual sector espacial.

El *New Space* implica la inserción en el desarrollo, exploración y explotación espacial de nuevos actores y de nuevas actividades, lo que plantea nuevas cuestiones jurídicas que no siempre pueden resolverse o interpretarse sólo con los principios y regulaciones conocidos hasta la actualidad. Aparecen nuevas fronteras en la evolución y en su conocimiento, en el desarrollo de la actividad espacial y en el modo en que el Derecho ha de ofrecer soluciones, estrategias o enfoques acertados, constructivos, innovadores y resolutivos para el sector espacial.

El Derecho Espacial en el contexto del Nuevo Espacio se enfrenta a la incidencia que comporta la aparición de nuevos actores y nuevas actividades en la exploración ultraterrestre que, además, plantean cuestiones no abordadas en los tratados de la ONU redactados en los años sesenta y setenta. Actualmente, gracias a la reducción de costes y la accesibilidad al espacio exterior de satélites, se espera en los próximos m años un incremento del 80%, con más de 3.000 satélites, sólo si se toman en consideración datos de Starlink y OneWeb.

La irrupción de compañías privadas, junto a las corporaciones públicas, en el Nuevo Espacio provoca no sólo un aumento de objetos espaciales en órbita, sino la considerable reducción de su vida útil, por lo que la denominada *calidad de órbita* comienza a experimentar una saturación desconocida hasta la actualidad, con los consiguientes problemas y desafíos de sostenibilidad ante los riesgos de colisión orbital y de residuos espaciales.

En este sentido, ya es previsible que las grandes constelaciones de pequeños satélites generen una mayor congestión en el espacio exterior con incidencia directa en la observación astronómica desde la Tierra, en los lanzamientos que se exponen a mayor riesgo de colisión y en la utilización del espacio con órbitas en creciente saturación. Surge así en el *New Space* la necesidad de encontrar una solución pragmática para registrar un gran número de objetos que, a diferencia de objetos más estables, permanecerán en órbita un menor tiempo que el de los satélites de mayor envergadura. Las constelaciones y los enjambres de satélites, además de mayor gestión para su registro como objetos espaciales, también traerán consigo un mayor riesgo de colisión, lo que significa que habrá que elaborar normas de gestión del tráfico espacial y, en caso de terminación de la vida útil, de gestión de residuos espaciales (*space debris*).

Las actividades de uso comercial de los recursos espaciales en el Nuevo Espacio plantean la necesidad de establecer derechos de prioridad y zonas de seguridad, así como de encontrar una forma de compartir los beneficios para cumplir con el Tratado sobre los principios que deben regir las actividades de los Estados en la exploración y utilización del espacio ultraterrestre, incluso la Luna y otros cuerpos celestes de 1967. Como los tratados internacionales no ofrecen respuesta actualizada a estas cuestiones, además de las normas no vinculantes o *soft law,* algunos Estados han promulgado leyes nacionales que regulan cuestiones del Nuevo Espacio. Se puede citar la regulación de las *Actividades de lanzamiento comercial del espacio* o la *Política nacional de transporte espacial,* ambas de la *Federal Aviation Administration* (FAA). Sin embargo, parece que sería preferible, y más beneficioso para todas las partes interesadas, acordar un marco internacional para estas actividades espaciales.

En el *New Space* también surge la necesidad de clarificar las actuales normativas para ofrecer una mejor cobertura legal y mayor seguridad jurídica a las actividades de los operadores espaciales y sus misiones ultraterrestres. Ahí estriba la importante necesidad de conocer la existencia de normas y reglamentos de la actividad espacial para evitar la inseguridad jurídica derivada de su ignorancia e incumplimiento. Esta es una de las principales preocupaciones de los nuevos actores, ya sean naciones espaciales emergentes o actores no convencionales, como las empresas de nueva creación y las universidades. Por ello, en este estudio se pretende ayudar a alcanzar una mejor comprensión normativa y jurídica, así como una visión de conjunto de los aspectos legales.

3. CÓMO SE REGULA EL "NEW SPACE"

3.1 Los Tratados de Naciones Unidas desde 1967

La legislación espacial no se ha modificado sustancialmente desde 1967 en que se promulgó el primer tratado internacional, y actualmente es creciente la necesidad de que la Organización de Naciones Unidas proceda a actualizar las leyes espaciales y mantener la paz en el espacio.

El texto de los tratados y principios que deben regir las actividades de los Estados en la exploración y utilización del espacio ultraterrestre, aprobados por la Asamblea General de las Naciones Unidas, apenas ha experimentado variaciones en más de cincuenta años de carrera espacial, si bien evolucionaron rápidamente en su momento.

A título enunciativo, y a fin de clarificar el contenido sustancial de los Tratados de las Naciones Unidas, interesa mencionar los cinco tratados fundamentales: A) Tratado sobre los principios que deben regir las actividades de los Estados en la exploración y utilización del espacio ultraterrestre, incluso la Luna y otros cuerpos celestes, de 27 de enero de 1967; B) Acuerdo sobre el salvamento y la devolución de astronautas y la restitución de objetos lanzados al espacio ultraterrestre, de 22 de abril de 1968; C) Convenio sobre la responsabilidad internacional por daños causados por objetos espaciales, de 29 de marzo de 1972; D) Convenio sobre el registro de objetos lanzados al espacio ultraterrestre, de 14 de enero de 1975; y E) Acuerdo que debe regir las actividades de los Estados en la Luna y otros cuerpos celestes, de 19 de diciembre de 1979.

De otra parte, estos tratados se completan con los Principios aprobados por la Asamblea General, que igualmente conviene mencionar para identificar su alcance jurídico: A) Declaración de los principios jurídicos que deben regir las actividades de los Estados en la exploración y utilización del espacio ultraterrestre, B) Principios que han de regir la utilización por los Estados de satélites artificiales de la Tierra para las transmisiones internacionales directas por televisión, C) Principios relativos a la teleobservación de la Tierra desde el espacio, D) Principios pertinentes a la utilización de fuentes de energía nuclear en el espacio ultraterrestre y E) Declaración sobre la cooperación internacional en la exploración y utilización del espacio ultraterrestre en beneficio e interés de todos los Estados, teniendo especialmente en cuenta las necesidades de los países en desarrollo.

De este modo, las actividades en el espacio se rigen incluso en el presente por el citado Tratado del Espacio Exterior de 1967, ratificado actualmente por 111 naciones. Cabe recordar que el tratado se negoció a la sombra de la Guerra Fría, cuando sólo dos naciones —la Unión Soviética y Estados Unidos— tenían capacidades espaciales, situación que ha cambiado sustancialmente en la actualidad con más de diez países y el grupo formado por la Agencia Espacial Europea (ESA) con capacidad de lanzamiento de satélites a órbita, incluida la fabricación de vehículos de lanzamiento. Existen también otros países que tienen capacidad para diseñar y construir satélites, pero que no han podido lanzarlos de forma autónoma por necesidad de la ayuda de servicios extranjeros.

El Tratado del Espacio Exterior de 1967 ofrece principios generales para guiar las actividades de las Naciones, pero no ofrece normas suficientes ni detalladas para la actual actividad espacial en el *New Space*. Esencialmente, el tratado asegura la libertad de exploración y el uso del espacio a toda la humanidad. Sólo hay dos advertencias al respecto e inmediatamente se presentan múltiples lagunas jurídicas que no permiten la seguridad jurídica adecuada y demandada por los actores y empresas del Nuevo Espacio, lo que conduce a un necesario asesoramiento para clarificar sus posibles interpretaciones.

La primera advertencia establece que la Luna y otros cuerpos celestes deben utilizarse exclusivamente con fines pacíficos. Sin embargo, ahora es claro que omite *el resto del espacio* en esta prohibición general. La única orientación ofrecida a este respecto se encuentra en el preámbulo del tratado, que reconoce un *interés común* en el *progreso de la exploración y utilización del espacio con fines pacíficos*. La segunda advertencia afirma que quienes realicen actividades en el espacio deben hacerlo teniendo *debidamente en cuenta los intereses correspondientes de todos los demás Estados Partes en el Tratado*. En la práctica, surge un problema importante del hecho de que el tratado no ofrezca definiciones claras ni de *"fines pacíficos"* ni de *"debida consideración"*.

Aunque el Tratado sobre el Espacio Exterior prohíbe específicamente el emplazamiento de armas nucleares o de destrucción masiva en cualquier lugar del espacio, no prohíbe expresamente el uso de armas convencionales en el espacio ni el uso de armas terrestres contra bienes en el espacio. Por último, tampoco queda claro si algunas armas —como el nuevo misil hipersónico de órbita parcial y con capacidad nuclear de China— deberían estar incluidas en la prohibición del tratado. Las vagas limitaciones militares incorporadas al tratado dejan un margen de interpretación más que suficiente para que se produzcan conflictos.

En este sentido, cabe recordar que el pasado 15 de noviembre de 2021 Rusia destruyó uno de sus antiguos satélites con un misil lanzado desde la superficie de la Tierra y creó una enorme nube de desechos que amenaza en la actualidad a muchos activos espaciales, incluidos los astronautas a bordo de la Estación Espacial Internacional. Esto ocurrió sólo dos semanas después de que la Primera Comisión de la Asamblea General de las Naciones Unidas reconociera formalmente el papel vital que el espacio y los activos espaciales desempeñan en los esfuerzos internacionales para mejorar la experiencia humana, y los riesgos que las actividades militares en el espacio suponen para esos objetivos.

La Primera Comisión de la ONU se ocupa del desarme, los desafíos globales y las amenazas a la paz que afectan a la comunidad internacional. El 1 de noviembre de 2021 aprobó una resolución que crea un grupo de trabajo de composición abierta. Los objetivos del grupo son evaluar las amenazas actuales y futuras para las operaciones espaciales, determinar cuándo un comportamiento puede considerarse irresponsable, *"hacer recomendaciones sobre posibles normas, reglas y principios de comportamientos responsables"* y *"contribuir a la negociación de instrumentos jurídicamente vinculantes"*, incluido un tratado para evitar *"una carrera de armamentos en el espacio"*.

No hay duda de que la ONU reconoce la dura realidad de que la paz en el espacio ultraterrestre continúa siendo tenue. Esta oportuna resolución se ha aprobado en un momento en que las actividades en el espacio son cada vez más importantes y, como ha demostrado la prueba rusa, las tensiones siguen en aumento.

A comienzos del Siglo XXI y en un contexto de conflicto bélico en Europa, es claro que el espacio se militariza y el conflicto es posible. Como es conocido, el espacio se ha utilizado con fines militares desde el primer lanzamiento del cohete V2 de Alemania en 1942. Inicialmente, muchos de los primeros satélites, y más tarde la relevante tecnología GPS, la estación espacial soviética e incluso el transbordador espacial de la NASA se desarrollaron explícitamente o se utilizaron con fines militares.

No obstante, hoy día con la creciente comercialización, las líneas entre los usos militares y civiles del espacio son menos claras, como pone de relieve el impacto del doble uso en la actividad espacial y las continuas actualizaciones de la regulación europea y nacional aplicable. La mayoría de las personas son capaces de identificar los beneficios terrestres de los satélites, como las previsiones meteorológicas, la vigilancia del clima y la conectividad a Internet, pero igualmente es mayoritario el desconocimiento de que aumentan las amenazas y las violaciones de los derechos humanos. La prisa por desarrollar una nueva economía espacial basada en actividades dentro y alrededor de la Tierra y la Luna u otros cuerpos celestes sugiere que la dependencia económica de la Humanidad del espacio no hará más que aumentar.

Sin embargo, los satélites que actualmente proporcionan beneficios terrestres también podrían cumplir, o ya lo hacen, funciones militares. Sin alarmismo pero con realismo, cabe concluir que las fronteras entre los usos militares y civiles en el espacio perduran lo suficientemente próximas como para que un posible conflicto sea más que probable. En la práctica, el continuo aumento de las operaciones comerciales también proporciona oportunidades para que las disputas sobre las zonas operativas puedan provocar respuestas militares gubernamentales.

3.2 Nuevas normas para el Nuevo Espacio

Los nuevos actores y las nuevas actividades espaciales demandan una regulación acorde a las circunstancias del presente, adaptadas a las exigencias del mercado y de los diversos *stakeholders* implicados en la exploración, explotación, utilización y nueva economía espaciales.

A fin de ofrecer una visión suficiente y de conjunto de la regulación del *New Space*, ante la ausencia de una normativa internacional pormenorizada, se presenta oportuno y necesario conocer algunos de los principales aspectos normativos y jurídicos para los agentes interesados en la actividad espacial. Seguidamente se detallan algunos de dichos aspectos, sin ánimo de exhaustividad ni de priorización.

3.2.1 Responsabilidad de los estados y autorización de las actividades nacionales en el espacio exterior

El artículo VI del Tratado sobre el Espacio Ultraterrestre de 1967 establece lo siguiente: *Los Estados Partes en el Tratado serán responsables interna-*

cionalmente de las actividades nacionales que realicen en el espacio ultraterrestre, incluso la Luna y otros cuerpos celestes, los organismos gubernamentales o las entidades no gubernamentales, y deberán asegurar que dichas actividades se efectúen en conformidad con las disposiciones del presente Tratado. Las actividades de las entidades no gubernamentales en el espacio ultraterrestre, incluso la Luna y otros cuerpos celestes, deberán ser autorizadas y fiscalizadas constantemente por el pertinente Estado Parte en el Tratado. Cuando se trate de actividades que realiza en el espacio ultraterrestre, incluso la Luna y otros cuerpos celestes, una organización internacional, la responsable en cuanto al presente Tratado corresponderá a esa organización internacional y a los Estados Partes en el Tratado que pertenecen a ella.

En consecuencia y por el impacto elevado que tienen, corresponde a los Estados autorizar cualquier actividad espacial realizada por sus nacionales (entidades públicas, entidades privadas-comerciales, organizaciones sin ánimo de lucro…). Esta obligación implica la necesidad de tramitar los diversos expedientes gubernativos ante las autoridades estatales a fin de velar por el efectivo cumplimiento de dicho deber de autorización o licencia, lo que en ocasiones genera una burocracia compleja, costosa en recursos y tiempo, que dificulta la agilidad que requieren hoy día las actividades del *New Space*.

Asimismo, los Estados deben supervisar continuamente estas actividades y asegurarse de que se ajustan a las disposiciones del Tratado sobre el Espacio Ultraterrestre y del derecho internacional general. Sin embargo, la confluencia de intereses estatales y sectoriales junto a la escasez de regulaciones armonizadas añade la dificultad de contar con una normativa armonizada y clara que genere seguridad jurídica.

Algunos expertos apuntan a que esta es la razón de la promulgación de leyes nacionales y de otras normas no vinculantes o estándares técnicos sobre el espacio. No obstante, muchas naciones espaciales han promulgado leyes nacionales para especificar los términos y condiciones para obtener dicha autorización. En la mayoría de los casos, esto se hace mediante la creación de un mecanismo de concesión de licencias, autorizaciones o títulos habilitantes, como por ejemplo para las concesiones de recurso órbita-espectro o las licencias para la exportación o transferencia de sistemas y componentes aeronáuticos y espaciales.

El resultado final en la práctica, como confirma la experiencia profesional en el ejercicio del Derecho Espacial, es una mayor heterogeneidad y dispersión normativa a la hora de obtener las autorizaciones necesarias para una misión espacial, particularmente cuando ha de desplegarse en varias jurisdicciones y mediante la concatenación de contratistas internacionales implicados en el proyecto espacial.

3.2.2 Responsabilidad del estado y seguro de responsabilidad civil

El artículo VII del Tratado sobre el Espacio Ultraterrestre y el Convenio de Responsabilidad Civil de 1972 establece que los Estados de lanzamiento son responsables de los daños causados por los objetos espaciales, incluso si son explotados por una entidad privada.

Por este motivo, las leyes espaciales nacionales suelen establecer que el Estado tiene derecho a recurrir contra la entidad privada y que ésta quedará obligada a contratar un seguro de responsabilidad civil, de modo que el Estado pueda recuperar los fondos que tenga que pagar como indemnización por daños en tierra, a personas o bienes en virtud de los tratados.

La obligación del Estado de indemnizar en virtud de los tratados es ilimitada, pero en la práctica suele fijarse un límite máximo a la responsabilidad de sus entidades privadas autorizadas en virtud de la legislación nacional, porque los Estados no pueden asumir y asegurar un riesgo financiero ilimitado. Este aspecto asegurador es clave en la cadena de servicios que requiere cualquier misión espacial, y particularmente en el *New Space*, por el hecho de que se produce una amplia subcontratación de prestaciones y a diversas entidades subcontratistas.

Varios Estados han especificado que los operadores deben contratar y mantener un seguro de responsabilidad civil privado que cubra los daños hasta sesenta millones de euros. En caso de que los daños sean superiores, el importe restante correrá a cargo del Estado.

Sin embargo, la cuestión es más compleja en la práctica, dado que se requiere diferenciar, al menos, las misiones de observación y comunicación, que pueden implicar un menor riesgo, así como las coberturas pre-lanzamiento, puesta en órbita y la responsabilidad civil general de la operación orbital, incluida la reentrada y la gestión de los residuos espaciales. Así, conviene revisar el clausulado de las pólizas para ajustarlo al objeto específico de cada misión espacial y clarificar el alcance del riesgo asegurado, la suma asegurada y, en su caso, los supuestos de pérdida total del activo espacial.

3.2.3 Registro internacional y nacional de objetos espaciales

El Derecho Espacial y el Nuevo Espacio han puesto de relieve la importancia del artículo VIII del Tratado sobre el Espacio Ultraterrestre y el Convenio de Registro de 1976. El citado artículo establece que *"El Estado Parte en el Tratado, en cuyo registro figura el objeto lanzado al espacio ultraterrestre, retendrá su jurisdicción y control sobre tal objeto, así como sobre todo el personal que vaya en él, mientras se encuentre en el espacio ultraterrestre o en un cuerpo celeste. El derecho de propiedad de los objetos lanzados al espacio ultraterrestre, incluso de los objetos que hayan descendido o se construyan en un cuerpo celeste, y de sus partes componentes, no sufrirá ninguna alteración mientras estén en el espacio ultraterrestre, incluso en un cuerpo celeste, ni en su retorno a la Tierra. Cuando esos objetos o esas partes componentes sean hallados fuera de los límites del Estado Parte en el Tratado en cuyo registro figuran, deberán ser devueltos a ese Estado Parte, el que deberá proporcionar los datos de identificación que se le soliciten antes de efectuarse la restitución."*

Esta obligación tiene un importante efecto jurídico, ya que el objeto espacial registrado está bajo la jurisdicción y el control del Estado de registro, que es el Estado de lanzamiento del objeto. El registro internacional es mantenido por la ONU y los Estados también deben mantener un registro nacional si así se contempla en su respectiva normativa nacional.

De estas normas resulta la obligación de notificación por escrito del Estado de registro de los objetos que se lanzan al espacio exterior, bien sea por entidades públicas, bien privadas. Conviene aclarar que en la práctica, al menos en España y países de nuestro entorno, esta obligación motiva que sean las propias empresas quienes realicen dicha comunicación a la autoridad competente.

Así, el Real Decreto 278/1995, de 24 de febrero, por el que se crea en España el Registro previsto en el Convenio de 12 de noviembre de 1974 de la Asamblea General de las Naciones Unidas, determina que *"Deberán inscribirse en el Registro Español los objetos espaciales que hayan sido lanzados y cuyo lanzamiento haya sido promovido por el Estado Español, o que hayan sido lanzados desde España o desde instalaciones españolas"* (art. 5).

Adicionalmente, se detalla que la inscripción de cada objeto espacial deberá contener los siguientes datos: *"a) Nombre del Estado o de los Estados del lanzamiento. b) Una designación apropiada del objeto espacial o su número de Registro. c) Fecha y territorio o lugar de lanzamiento. d) Parámetros orbitales básicos, incluidos: I) Período nodal. II) Inclinación. III) Apogeo. IV) Perigeo. e) Función general del objeto espacial. Podrán incluirse además toda otra información adicional que se considere útil"* (art. 6).

Si bien los Estados suelen recoger esta obligación en su legislación nacional, en la aplicación efectiva obligan a las entidades privadas y empresas a proporcionar determinados datos al Estado para que éste pueda cumplir con sus obligaciones derivadas de los tratados. Destacamos que el registro se efectúa una vez que el objeto ha alcanzado la órbita y no con anterioridad al lanzamiento, lo que puede generar algunas complicaciones en la gestión contractual del lanzamiento.

Actualmente, algunas actividades del Nuevo Espacio complican la práctica del registro; por ejemplo, en el caso de demostradores espaciales de corta vida útil en órbita, constelaciones de cientos de pequeños satélites, fragmentación de objetos espaciales por colisión, y particularmente cuando los satélites se venden a una empresa de otro Estado mientras están ya en órbita. Además, la creación de objetos a partir de recursos espaciales, especialmente si ya se encuentran en órbita, plantea la cuestión de si es necesario registrarlos, ya que técnicamente no han sido *"lanzados al espacio exterior"* y podría entenderse inaplicable la normativa internacional y de los Estados. Por ello, convendría revisar dicha normativa a fin de incorporar las situaciones innovadoras que plantea el *New Space*, así como para encontrar soluciones efectivas y ágiles a estas cuestiones que permitan prevenir precisamente los riesgos que la norma busca evitar y mitigar.

3.2.4 Aplicación del derecho internacional no vinculante en el Derecho Espacial Nacional

La aplicación de las normas puede llevar a pensar que sólo resultan efectivas las recogidas en regulaciones de derecho internacional como los Tratados de Naciones Unidas antes citados. Sin embargo, la realidad jurídica, la heterogeneidad de jurisdicciones y las necesidades de la industria espacial presentan un panorama más complejo y sofisticado. Máxime por el hecho de que los Tratados se han perpetuado inalterados durante varias décadas y el sector espacial ha experimentado una progresión sin precedente por la expansión tecnológica, de la que es paradigma la Industria 4.0.

La industria espacial además de la aplicación efectiva de las disposiciones vinculantes de los tratados a través del derecho espacial nacional, también se encuentra en la necesidad de aplicar *normas técnicas* y otra clase de regulaciones específicas "no vinculantes", entre las que se incluyen las buenas prácticas del sector, que no son estrictamente "normas jurídicas" en el sentido de vinculantes por emanar del poder legislativo internacional o nacional. No obstante, el valor de estas disposiciones denominadas *soft law* reside en ofrecer seguridad técnica y jurídica a cuestiones o asuntos que no están cubiertos por los tratados espaciales de la ONU.

Aunque los Estados y las entidades privadas no están obligados jurídicamente por esas directrices internacionales, pueden optar por seguirlas y garantizar, a través de la legislación nacional o de la denominada *normativa técnica*, que sus ciudadanos y empresas también las cumplan. Por ejemplo, esto ya se suele hacer con las directrices de la ONU para la reducción de los desechos espaciales.

En este ámbito, otro de los aspectos de creciente actualidad en el Nuevo Espacio es el hecho de que los Estados pueden contribuir, y de hecho buscan contribuir, a la *sostenibilidad a largo plazo de las actividades espaciales*, a fin de asegurarse de que sus entidades privadas cumplen las nuevas directrices recientemente adoptadas por la ONU en este ámbito. Ante esta contingencia, algunos estados emergentes en la actividad espacial oponen a los ya veteranos el *agravio comparativo o abusivo* que comporta asumir de primeras unas obligaciones y restricciones de uso y explotación espacial de las que ellos han carecido, y que precisamente han sido la causa de las limitaciones que ahora se pretenden imponer de forma poco justificada.

El *New Space* plantea la reflexión del alcance y de las limitaciones asumibles por una industria espacial que se resiste a verse limitada por una previa utilización carente de restricciones, pues supondría una desventaja competitiva no poder realizar una exploración y explotación espacial en igualdad de condiciones, o al menos en condiciones similares a las que propició el comienzo de la carrera espacial.

Como destacan algunos expertos, en el Nuevo Espacio cobra mayor sentido e importancia la *sostenibilidad a largo plazo de las actividades espaciales*, que puede definirse como *"la capacidad de mantener la realización de actividades espaciales indefinidamente en el futuro de manera que se cumplan los objetivos de acceso equitativo a los beneficios de la exploración y utilización del espacio ultraterrestre con fines pacíficos, a fin de satisfacer las necesidades de las generaciones actuales y preservar al mismo tiempo el entorno del espacio ultraterrestre para las generaciones futuras"*.

4. LA EVOLUCIÓN NORMATIVA DEL *OLD SPACE* HACIA EL *NEW SPACE*

La evolución del *Old Space* al *New Space* supone un importante reto jurídico y de gobernanza del espacio exterior. Este desafío normativo parte de identificar y reconocer que los marcos jurídicos fundamentales del derecho espacial fueron acordados durante la Guerra Fría y con unas motivaciones diversas de la situación actual.

Así como el Tratado de 1967 sobre los Principios que deben regir las actividades de los estados en la exploración y utilización del Espacio Ultraterrestre, incluso la Luna y otros Cuerpos Celestes (conocido como el Tratado del Espacio Ultraterrestre) es el tratado fundacional, y fue complementado por el Acuerdo de 1979 que rige las actividades de los Estados en la Luna y otros cuerpos celestes (Acuerdo Lunar), cabe destacar que los cinco miembros permanentes del Consejo de Seguridad de la ONU son todos partes del Tratado del Espacio Exterior pero ninguno ha adoptado el Tratado de la Luna.

De acuerdo con la legislación internacional vigente, surgida den la década de los sesenta del Siglo XX, los Estados no ejercen soberanía sobre el espacio ultraterrestre. Aunque el Tratado sobre el Espacio Exterior deja claro que la Luna y otros cuerpos celestes no son objeto de apropiación nacional (artículo II), que la exploración y la utilización del espacio serán *"de la incumbencia de toda la humanidad"* (artículo I), que se utilizará exclusivamente para fines pacíficos y que las actividades militares están prohibidas (artículo IV), estos principios están siendo puestos a prueba por las actuales actividades espaciales.

Conviene mencionar que uno de los principios generales del derecho internacional que se aplica en el espacio exterior es el de *"patrimonio común"*. Este principio del patrimonio común se promovió por primera vez también en la década de 1960 y se aplicó a los fondos marinos. Términos similares se encuentran en el Tratado del Espacio Exterior y en el Acuerdo sobre la Luna. El principio de patrimonio común incluye la no apropiación de recursos, el reparto de beneficios y principios asociados como la libertad de investigación científica, la libertad de acceso y la gestión medioambiental.

Sin embargo, la gobernanza del espacio ultraterrestre, más hoy día, también es problemática, pues no se aplican las nociones tradicionales de soberanía estatal y no existe un órgano de gobierno general que vele por su efectiva aplicación, reconocimiento, imposición y coerción. Ciertamente, dentro de la ONU, la Asamblea General creó en 1959 la Comisión sobre la Utilización del Espacio Ultraterrestre con Fines Pacíficos (COPUOS). La Comisión tiene el mandato de examinar *"la cooperación internacional en la utilización del espacio ultraterrestre con fines pacíficos, estudiando las actividades relacionadas con el espacio que podrían llevar a cabo las Naciones Unidas, fomentando los programas de investigación espacial y estudiando los problemas jurídicos derivados de la exploración del espacio ultraterrestre"*. No obstante, la COPUOS se ha centrado en los usos pacíficos del espacio exterior y no en preocupaciones actuales como la comercialización y la militarización del espacio exterior.

Mientras que al menos existe un amplio marco legal y de gobernanza para las actividades pacíficas en el espacio exterior, existe y se perpetúa la ambigüedad con respecto a las actividades militares. Esta situación ha suscitado la preocupación e interés de los juristas internacionales, que tratan de identificar y aclarar las leyes que resultan aplicables a las actividades militares en el espacio ultraterrestre. Entre las iniciativas se encuentran las propuestas para el desarrollo por parte de la Conferencia de Desarme de un Tratado de Prevención de la Carrera de Armamentos en el Espacio, que ha sido objeto de debate en la ONU en diversos foros desde 1985.

En la actualidad se ha reanudado el debate sobre los marcos jurídicos internacionales y la gobernanza del espacio exterior por el desarrollo de la industria espacial y por las misiones realizadas en el marco de la sostenibilidad espacial y del denominado *turismo espacial*, en el que algunas destacadas empresas han logrado hitos sin precedente.

El aluvión actual de actividades en el espacio exterior, con un crecimiento exponencial de proyectos espaciales en Tierra, ha propiciado que este debate cobre mayor importancia gubernativa, social, económica y, sin duda, también jurídica.

Entre dichas actividades y por referir sólo la línea de tiempo de los últimos cuatro años, pueden destacarse la misión china Chang'e-5, que en diciembre de 2020 hizo aterrizar una nave no tripulada en la Luna para recoger muestras de roca y suelo; la reciente cápsula de la Agencia de Exploración Aeroespacial de Japón (JAXA), que regresó a la tierra en el sur de Australia tras haber capturado rocas de un asteroide; y el lanzamiento en noviembre de 2020 de la nave espacial "Resilience" de SpaceX, tripulada por la NASA.

En esta nueva carrera espacial, y a pesar de la pandemia sanitaria global, 2021 ha sido el año en el que el turismo espacial se ha convertido en realidad. La tarde del 11 de julio de 2021 pasará a la historia: la misión *Unity 22* de Virgin Galactic aterrizaba en el Spaceport America en torno a las 17:40 horas de España peninsular. Richard Branson lograba iniciar la era del turismo espacial para millonarios, al permitir de forma novedosa a cualquier persona acercarse a las estrellas siempre y cuando pueda pagar su pasaje.

Branson se adelantaba menos de una semana a Jeff Bezos, el fundador de Amazon y Blue Origin. La persona más rica del planeta inauguraba así los lanzamientos tripulados de la nave *New Shepard* de Blue Origin en un vuelo de 10 minutos y cuya ambición era la misma que la del magnate británico: permitir sentir la ingravidez y ver la Tierra desde capas superiores de la atmósfera.

Sin duda, Branson y Bezos abrieron el escenario del Nuevo Espacio durante el verano de 2021, pero no han sido los únicos en conducir turistas al espacio durante el histórico año 2021, pues Elon Musk también se sumó al *despliegue espacial* de las empresas privadas. El fundador de SpaceX envió en septiembre de 2021 a la *Inspiration4* al espacio, una misión que conseguía ir más allá que cualquiera de los dos exitosos vuelos de Branson y Bezos. Mientras que las iniciativas de los cofundadores de Virgin y Amazon pasaban unos minutos en ingravidez, la alternativa de Musk permitía a los civiles pasar 3 días en la Cápsula *Crew Dragon*, realizar diferentes experimentos y regresar a la Tierra tras un impresionante acoplamiento y desanclaje automatizado con la Estación Espacial Internacional.

Los recientes descubrimientos espaciales también han impulsado el deseo de establecer nuevas reglas del juego. La NASA anunció en octubre de 2021 que se había encontrado agua en la Luna, lo que aumentó las expectativas de que la Luna pueda ser utilizada como base para futuras exploraciones espaciales. Y más allá de las iniciativas de los tres empresarios privados, el último fenómeno turístico espacial del año 2021 vino desde Rusia, quien envió al multimillonario japonés Yusaka Maezawa a la Estación Espacial Internacional a bordo de un cohete Soyuz MS-20.

Sin embargo, en esta evolución el aspecto competitivo ha tenido también un peso específico fundamental. El lanzamiento de la Fuerza Espacial de Estados Unidos (USSF) puso de manifiesto el papel que desempeñan los ejércitos en el espacio y algunos países como España consideran la posibilidad de renombrar a sus ejércitos del Aire como Ejército del Aire y del Espacio.

El desarrollo de capacidades antisatélite en los últimos años por parte de Estados como China, Rusia e India también ha demostrado que el espacio exterior se considera cada vez más un dominio disputado. En el año 2021 Estados Unidos ha impulsado los Acuerdos de Artemis, descritos como *"una visión compartida de principios, basada en el Tratado del Espacio Exterior de 1967, para crear un entorno seguro y transparente que facilite la exploración, la ciencia y las actividades comerciales para que toda la humanidad pueda disfrutar de ellas"*. Australia se adhirió a esta iniciativa en octubre de 2021 y la incidencia del conflicto bélico derivado de la invasión de Ucrania deja en la incertidumbre la progresión de dichos trabajos.

El actual panorama global de inestabilidad económica e inseguridad internacional plantea de nuevo la cuestión crítica que el *New Space* precisa del derecho espacial: determinar la división entre la exploración y el uso civil del espacio exterior y las actividades militares en el espacio exterior.

La combinación de las componentes civil y militar auspicia el debate normativo sobre si el régimen jurídico del espacio exterior existente es lo suficientemente robusto para hacer frente a los desafíos del siglo XXI o si se necesitan marcos regulatorios alternativos. A nuestro juicio, mientras que las normas, los principios y los tratados espaciales, reconocidos como comunes e internacionales, están en tela de juicio, el espacio ultraterrestre deviene especialmente controvertido a medida que nuevas entidades públicas y privadas se vuelven más activas y asertivas en su exploración, utilización y ocupación.

5. RÉGIMEN JURÍDICO DEL S. XXI PARA EL *NEW SPACE*

5.1 Marco internacional

La regulación jurídica del espacio exterior en los albores del Siglo XXI comprende nuevos actores, nuevas actividades, nuevos riesgos y nuevos desafíos.

El Derecho Espacial para nuevos actores espaciales comporta servicios de asesoramiento dedicados a ayudar a las naciones emergentes que realizan actividades espaciales sobre legislación espacial y la política espacial nacional, así como a las empresas y corporaciones privadas que despliegan su actividad en el diseño, fabricación, operación y gestión de recursos y activos espaciales.

Como ha reconocido la Oficina de Asuntos del Espacio Exterior de Naciones Unidas (UNOOSA), el nuevo Derecho Espacial habría de contribuir a identificar, en colaboración con los Estados solicitantes y la industria espacial, las necesidades en materia de derecho espacial y prestar servicios de asesoramiento a medida. Asimismo, convendría que aumentara el nivel de concienciación mundial sobre los principios fundamentales del derecho espacial internacional. Finalmente, debiera apoyar la universalización, la adhesión y la aplicación de los componentes clave del marco normativo espacial.

La UNOOSA recibe regularmente solicitudes de asistencia técnica jurídica específica para apoyo al desarrollo de la política y la legislación espacial nacional, si bien las empresas del *New Space* demandan una aproximación a la legalidad menos institucionalizada, próxima a la legalidad nacional y más efectiva y operativa.

Esta posible mejora de la normativa deriva de cuestionar que los beneficiarios objetivo de la UNOOSA sean los países que están o se incorporan al sector espacial por primera vez o que se embarcan en nuevas fases de actividades espaciales, y no directamente las empresas o el sector industrial espacial.

A modo de orientación, la oferta de servicios de la UNOOSA comprende, de una parte, el apoyo a los Estados a mejorar la comprensión de los fundamentos del derecho espacial internacional, para aumentar su capacidad de redactar leyes y políticas espaciales nacionales, así como apoyar a sus Estados en la aplicación de marcos normativos existentes, como el Tratado sobre el Espacio Ultraterrestre, el responsabilidad, el Convenio sobre registro y las Directrices de las Naciones Unidas para la Reducción de los Desechos Espaciales. Pero no comprende en primer término a los actores del Nuevo Espacio.

La UNOOSA pretende adaptar mejor su programa de regulación a las necesidades de los países solicitantes y, para ello, se ha focalizado en los siguientes aspectos, que podrían resultar aún lejanos a las necesidades operativas y prácticas de las empresas implicadas e interesadas en *New Space*: antecedentes de las actividades espaciales nacionales en cada país, autoridad nacional implicada, marco existente relacionado con las actividades espaciales y alcance y contenido de la futura política/ley espacial y su calendario.

En este punto podría resultar de interés el Informe del Grupo de Trabajo sobre legislación nacional pertinente a la exploración y utilización del espacio ultraterrestre con fines pacíficos sobre la labor realizada en el marco de su plan de trabajo plurianual, de la Comisión sobre la Utilización del Espacio Ultraterrestre con Fines Pacíficos, elaborado el 3 de abril de 2012 (A/AC.105/C.2/101).

Desde entonces, *"el Grupo de Trabajo convino en que los Estados podrían, al promulgar marcos reglamentarios para sus actividades espaciales nacionales, tomar en consideración, según proceda, los elementos que figuran a continuación y se resumen en el anexo del presente informe, teniendo en cuenta sus necesidades específicas"*, y que son las siguientes: ámbito de aplicación, autorización y concesión de licencias, seguridad (para las personas, el medio ambiente o los bienes), supervisión continua de las actividades de entidades no gubernamentales, registro nacional de objetos lanzados al espacio ultraterrestre, responsabilidad y seguro, y transferencia de la propiedad o el control de objetos espaciales en órbita.

La UNOOSA destaca asimismo la actual importancia de fomentar las actividades espaciales responsables, y particularmente mediante el conocimiento y la adhesión al derecho espacial internacional para mantener un entorno sostenible en el espacio, como antes se ha reseñado.

5.2 Derecho espacial nacional

Para completar el marco normativo a escala nacional, interesa destacar la regulación que UNOOSA refiere respecto de cada Estado, como puede verse en su apartado de Derecho espacial nacional, accesible desde su sitio web www.unoosa.org.

Dado que la lista es amplia, puede resultar elocuente citar algunas de las normas nacionales de ciertos Estados, al menos los principales lanzadores y algunos de la Unión Europea, simplemente a fin de ofrecer una visión panorámica a la par que comparativa para apreciar mejor las potenciales diferencias:

5.2.1 Australia

- Ley de Actividades Espaciales de 1998.
- Reglamento de Actividades Espaciales de 2001.
- Ley sobre el espacio (lanzamientos y retornos) de 2018.
- Reglamento (general) del espacio (lanzamientos y retornos) de 2019.
- Reglamento del Espacio (Lanzamientos y Retornos) (Seguro) 2019.
- Reglas del Espacio (Lanzamientos y Retornos) (Cohetes de Alta Potencia) 2019.

- Código de Seguridad de Vuelo.
- Metodología de Pérdida Máxima Probable.
- Estrategia espacial civil australiana.

5.2.2 Canadá

- Ley de la Agencia Espacial Canadiense.
- Reglamento de Aviación de Canadá: secciones 602.43 y 602.44.
- Ley de aplicación del Acuerdo sobre la Estación Espacial Internacional Civil (S.C. 1999, c. 35).
- Ley de sistemas espaciales de teledetección (S.C. 2005, c. 45).
- Reglamento de sistemas espaciales de teledetección (SOR/2007-66).
- Ley de Radiocomunicaciones (R.S.C., 1985, c. R-2).

5.2.3 Chile

- Decreto Supremo N° 338: Creación de una Comisión Asesora Presidencial denominada Agencia Chilena del Espacio.

5.2.4 China

- Actividades espaciales de China (Libro Blanco de 2016).

5.2.5 Francia

- Ley n° 61-1382, de 20 de diciembre de 1961 Estatuto del Centro Nacional de Estudios Espaciales (CNES).
- Decreto 62-153, Reglamento relativo al CNES.
- Ley de operaciones espaciales francesa, n° 2008-518 (2008).
- Decreto n° 2009-643 de 9 de junio de 2009 (relativo a las autorizaciones expedidas en aplicación de la ley n° 2008-518 de 3 de junio de 2008 relativa a las operaciones espaciales).
- Decreto n° 2009-644, de 9 de junio de 2009, por el que se modifica el Decreto n° 84-510, de 28 de junio de 1984, relativo al CNES.

- Decreto n° 2009-640 de 9 de junio de 2009 (por el que se aplican las disposiciones previstas en el Título VII de la Ley n° 2008-518 de 3 de junio de 2008 relativa a las operaciones espaciales).

- Decreto n° 2009-1657, de 24 de diciembre de 2009, relativo al Consejo de Defensa y Seguridad Nacional y a la Secretaría General de Defensa y Seguridad Nacional.

- Orden de 3 de septiembre de 2019 sobre la creación y organización del mando espacial.

5.2.6 Alemania

- Ley que regula el traspaso de responsabilidades en materia de actividades espaciales.

- Ley de protección contra el riesgo para la seguridad de la República Federal de Alemania por la difusión de datos de teledetección terrestre de alta calidad.

- Cuadro comparativo de la terminología en inglés, francés, alemán, ruso y ucraniano.

- Ley que regula la transferencia de las funciones administrativas en el sector de las actividades espaciales.

- Ley de seguridad de los datos de los satélites.

5.2.7 Italia

- Ley núm. 23, de 25 de enero de 1983: Normas para la aplicación del Convenio sobre la responsabilidad internacional por daños causados por objetos espaciales, firmado en Londres, Moscú y Washington el 29 de marzo de 1972 (Boletín Oficial, Serie General, núm. 35, de 5 de febrero de 1983).

- Ley n° 153, de 12 de julio de 2005: Adhesión de la República Italiana al Convenio sobre el registro de objetos lanzados al espacio ultraterrestre (Nueva York, 14 de enero de 1975) y su aplicación (Gaceta Oficial, Serie General, n° 177, 1 de agosto de 2005).

- Decreto Ley n° 128, de 4 de junio de 2003, Reorganización de la Agencia Espacial Italiana (A.S.I.).

- Ley nº 7, de 11 de enero de 2018: Medidas de coordinación de la política espacial y aeroespacial y disposiciones relativas a la organización y al funcionamiento de la Agencia Espacial Italiana (18G00025) (Boletín Oficial, Serie General, nº 34, 10 de febrero de 2018).

5.2.8 Japón

- Ley relativa a la Agencia Nacional de Desarrollo Espacial de Japón (Ley nº 50 de 23 de junio de 1969, modificada).

- Ley nº 161 de 2002 relativa a la Agencia de Exploración Aeroespacial de Japón.

- Ley básica del espacio.

- Ley relativa al lanzamiento y control de satélites.

- Orden de ejecución de la Ley relativa al lanzamiento y control de satélites.

- Reglamento de aplicación de la Ley sobre el lanzamiento y el control de satélites.

- Ley relativa al tratamiento adecuado de los datos de teledetección por satélite.

- Orden de aplicación de la Ley relativa a la garantía del manejo adecuado de los datos de teledetección por satélite.

- Reglamento de aplicación de la Ley relativa a la transmisión adecuada de datos de teledetección por satélite.

- Ley para garantizar el manejo adecuado de los registros de teledetección por satélite (Ley de registros de teledetección, Ley nº 77 de 2016).

- Ley sobre el lanzamiento de satélites artificiales y la gestión de satélites (Ley de satélites, Ley nº 76 de 2016).

5.2.9 Federación de Rusia

- Decreto 5663-1 sobre la actividad espacial.

- Edicto presidencial nº 185, Sobre la estructura de gestión de la actividad espacial en la Federación Rusa (25 de febrero de 1992).

- Edicto presidencial ruso n° 2005: "Sobre la organización de la utilización ulterior del cosmódromo de Baikonur en interés de la actividad espacial de la Federación de Rusia.

- No 104 - Estatuto sobre la concesión de licencias para operaciones espaciales.

- Decreto n° 422, "Sobre las medidas para cumplir el programa espacial federal ruso y los acuerdos espaciales internacionales".

- Resolución n° 468, Reglamento de la Agencia Espacial Rusa.

- Acuerdo entre el Gobierno de la Federación de Rusia y el Gabinete de Ministros de Ucrania sobre las salvaguardias tecnológicas asociadas a la cooperación en el ámbito de la exploración y utilización del espacio ultraterrestre con fines pacíficos y en el desarrollo y explotación de cohetes y equipos espaciales.

5.2.10 España

- Real Decreto 278/1995, de 24 de febrero, por el que se establece en el Reino de España del Registro previsto en el Convenio adoptado por la Asamblea General de las Naciones Unidas el 2 de noviembre de 1974

- Real Decreto 452/2022, de 15 de junio, por el que se crea y se regula la composición y el funcionamiento del Consejo del Espacio.

- Real Decreto 524/2022, de 27 de junio, por el que se dispone el cambio de denominación del Ejército del Aire por la de Ejército del Aire y del Espacio.

- Orden PCM/1202/2022, de 5 de diciembre, por la que se publica el Acuerdo del Consejo de Ministros de 5 de diciembre de 2022, por el que se determina la sede física de la futura Agencia Espacial Española.

5.2.11 Reino Unido de Gran Bretaña e Irlanda del Norte

- Ley del Espacio Exterior (Reino Unido, 1986), actualizada por la Space Industry Act de 2018.

5.2.12 Estados Unidos de América

- Código de los Estados Unidos, Título 42 (Salud pública y bienestar), Capítulo 26 (Programa espacial nacional).

- 15 USC Capítulo 82, Política de teledetección terrestre.

- 35 USC Capítulo 10, Sección 105, Invenciones en el espacio exterior.

- Ley Nacional de Aeronáutica y del Espacio, (Pub. L. No. 85-568), enmendada.

- Ley del Espacio Comercial, 1998.

- Código de Regulaciones Federales, Título 14 (Aeronáutica y Espacio).

- Orden, FCC 04-130 Mitigación de desechos orbitales.

- 51 U.S. Code Title 51- National and Commercial Space Programs.

- Ley de competitividad de los lanzamientos espaciales comerciales de los Estados Unidos (codificada en el Código 51 de los Estados Unidos).

- DOCUP - 2 Racionalización de la normativa sobre el uso comercial del espacio.

- NASA-STD-8719.14B (Proceso para limitar los desechos orbitales).

- Prácticas estándar de mitigación de desechos orbitales del Gobierno de los Estados Unidos.

- Licencia de sistemas espaciales privados de teledetección - 15 CFR Parte 960.

6. CONCLUSIONES

El Nuevo Espacio o *New Space* alcanza a la actual dimensión en la exploración, explotación y utilización del espacio exterior, con nuevas exigencias en el Derecho aplicable a las actividades y misiones espaciales.

Los nuevos actores y las nuevas actividades que auspician el desarrollo y la exploración espacial presentan nuevos retos jurídicos que trascienden a los principios y regulaciones vigentes en la actualidad. Sin embargo, la demanda de seguridad jurídica y certidumbre de los implicados en el *New Space* es creciente, más en aras de alcanzar soluciones, estrategias o enfoques acertados, constructivos, innovadores y resolutivos para el sector espacial.

Los principales retos espaciales en el Nuevo Espacio incluyen la reducción de costes y la accesibilidad al espacio exterior de satélites, la relación de compañías privadas con corporaciones públicas, la gestión de mayor cantidad de objetos espaciales en órbita, la *calidad de órbita* o la sostenibilidad ante los riesgos de colisión orbital y de residuos espaciales.

El *New Space* confirma la importancia y la necesidad de clarificar las normativas aplicables a fin de contar con una mejor cobertura legal y mayor seguridad jurídica en las actividades de los operadores espaciales y sus misiones ultraterrestres. Ya se advierte la necesidad de conocimiento de la reglamentación de la actividad espacial como garantía que fomente y preserve la seguridad jurídica y evite, también por ignorancia, situaciones de incumplimiento.

La regulación tradicional del espacio exterior a través de los tratados y principios internacionales promovidos por Naciones Unidas a mediados del Siglo XX surgió en un contexto diferente al actual y en el que se desenvuelve el *New Space*. No obstante, perdura la vigencia del interés común en el progreso de la exploración y utilización del espacio con fines pacíficos, así como el riesgo de militarización y conflicto en el espacio y con motivo de la actividad espacial. La conciencia general de importancia del espacio es creciente, al igual que desarrollar una nueva economía espacial basada en actividades dentro y alrededor de la Tierra y la Luna u otros cuerpos celestes aumenta la dependencia económica de la Humanidad del espacio.

En este nuevo estadio de la carrera espacial mundial, los nuevos actores y las nuevas actividades espaciales demandan una regulación legal y jurídica que resulte acorde a las circunstancias actuales, mejor adaptadas a las exigencias del mercado y de los diversos *stakeholders* implicados en la exploración, explotación, utilización y nueva economía espaciales.

En el *New Space* se mantiene la relevancia de cuestiones espaciales como la responsabilidad de los estados y la autorización de las actividades nacionales en el espacio exterior, la responsabilidad del estado y seguro de responsabilidad civil, el registro internacional y nacional de objetos espaciales y la aplicación del derecho internacional no vinculante en el Derecho Espacial Nacional, juntamente con la normativa técnica y buenas prácticas emanadas de diversos centros, autoridades y entidades privadas. Al mismo tiempo, se suscita el mayor sentido e importancia de la sostenibilidad a largo plazo de las actividades espaciales.

En este marco, la evolución del *Old Space* al *New Space* supone un importante reto jurídico y de gobernanza del espacio exterior. Desafío normativo que parte de identificar y reconocer que los marcos jurídicos fundamentales del derecho espacial fueron acordados con unas motivaciones diversas de la situación actual, si bien entre los principios generales del derecho internacional vigente y aplicable actualmente en el espacio exterior destaca el principio de *"patrimonio común.*

El Nuevo Espacio lleva a considerar que, en el desarrollo de actividades en el espacio exterior, el crecimiento de proyectos espaciales en Tierra es exponencial y propicia que la necesidad de una regulación legal actualizada y adecuadas cobre mayor importancia gubernativa, social, económica y también jurídica.

En particular, el panorama global de inestabilidad económica e inseguridad internacional plantea de nuevo resolver una de las cuestiones críticas que el *New Space* requiere del derecho espacial: determinar la división entre la exploración y el uso civil del espacio exterior y las actividades militares en el espacio exterior.

De ahí que mientras que las normas, los principios y los tratados espaciales, reconocidos como comunes e internacionales, parecen estar en cuestión, el espacio ultraterrestre deviene especialmente controvertido a medida que nuevas entidades públicas y privadas devienen más activas en su exploración, utilización y ocupación.

Finalmente, la regulación jurídica del espacio exterior en los albores del Siglo XXI comprende nuevos actores, nuevas actividades, nuevos riesgos y nuevos desafíos. En consecuencia, el Derecho Espacial para nuevos actores espaciales comporta servicios de asesoramiento dedicados a ayudar a las naciones emergentes que realizan actividades espaciales sobre legislación espacial internacional y la política espacial nacional, pero también a las empresas y corporaciones privadas que despliegan su actividad en el diseño, fabricación, operación y gestión de recursos y activos espaciales.

BIOGRAFÍA DEL AUTOR

Efrén Díaz Díaz
Abogado, Doctor en Derecho por la Universidad de Navarra.
Responsable de las Áreas de Tecnología y Derecho Espacial del Bufete Mas y Calvet. Especialista en Derecho Administrativo, Tecnológico y Geoespacial. Delegado de Protección de Datos en Europa en sectores geoespacial, financiero y legal.

Máster Internacional Universitario en *Protección de Datos, Transparencia y Acceso a la Información* (Universidad San Pablo CEU).

Secretario General de la Asociación Española de Derecho Aeronáutico y Espacial.

Codirector del Curso de Postgrado Especialista en Derecho Aeronáutico y Espacial. Universidad Pontifica de Comillas. Facultad de Derecho

Miembro del Grupo de Trabajo de la Infraestructura de Datos Espaciales de España (IDEE). Experto *INSPIRE Maintenance and Implementation* en la *Infrastructure for Spatial Information in the European Community* (European Comission).

Profesor en Programas Máster de la Universidad de Navarra. Professor of Law en el Programa Superior de Analítica Digital, IDMS School by MSL.

Cómo gestionar un ciberataque desde un punto de vista jurídico

LEIRE ECEIZA ZUBIETA

Asociada Sénior del departamento de Derecho Mercantil de J&A Garrigues, S.L.P.
Especialista en privacidad, TI, comercio electrónico y ciberseguridad

SUMARIO: 1. LA CIBERSEGURIDAD, CLAVE EN CUALQUIER ORGANIZACIÓN. 1.1 Riesgos y oportunidades del desarrollo tecnológico. 1.2 Aproximación a los conceptos de ciberataque y brecha de seguridad. 2. NECESIDAD DE UN ENFOQUE INTEGRAL. 2.1 El equipo involucrado y los recursos destinados. 2.2 Asesoramiento jurídico. 3. PRINCIPALES CLAVES JURÍDICAS Y ORGANIZATIVAS PARA GESTIONAR UN CIBERATAQUE. 3.1 Fase preventiva. 3.1.1 Promoción de una cultura de ciberseguridad entre los empleados. 3.1.2 Gestión de los proveedores. 3.1.3 Política de ciberseguridad. 3.1.4 Realización de auditorías periódicas. 3.1.5 Suscripción de una póliza de ciberriesgos. 3.2 Medidas para una efectiva gestión del incidente. 3.2.1 Mecanismos internos de comunicación y designación de un equipo de gestión adecuado. 3.2.2 Cumplimiento de las obligaciones de notificación previstas en la normativa aplicable. 3.2.3 Importancia de una adecuada labor de documentación. 3.3 Cierre del incidente. Actualización y refuerzo de medidas. 4. REFERENCIAS BIBLIOGRÁFICAS.

1. LA CIBERSEGURIDAD, CLAVE EN CUALQUIER ORGANIZACIÓN

1.1 Riesgos y oportunidades del desarrollo tecnológico

La transformación digital sin precedentes que las organizaciones están viviendo durante los últimos años ha generado para las mismas innumerables ventajas y oportunidades y ha supuesto, sin lugar a duda, un cambio drástico en la forma de almacenar y tratar la información. Asimismo, la situación global de pandemia generada por la COVID-19 no ha hecho sino acelerar los planes de digitalización e inversión tecnológica de la mayoría de las organizaciones. Esta expansión en la inversión tecnológica, unido a medidas como el teletrabajo, ha aumentado la dependencia tecnológica de muchas entidades y generado un mayor grado de exposición a riesgos de carácter tecnológico. A todo ello debe sumarse el hecho de que los avances tecnológicos también han favorecido el incremento de los ciberataques y su complejidad. Por ello, los ciberriesgos son actualmente uno de los problemas que precisan de especial atención por parte de cualquier organización, independientemente de su tamaño, negocio o sector.

Este contexto ha provocado que, en muchas ocasiones, el equilibrio entre oportunidad y riesgo en materia de desarrollo tecnológico resulte complejo. Es evidente que la innovación tecnológica puede generar una clara mejora de las ratios de eficiencia de cualquier entidad y suponer, por tanto, una ventaja competitiva de innegable valor. No obstante, también sitúa a la organización en una posición de mayor vulnerabilidad en lo que a riesgos y en concreto, los ciberriesgos se refiere, con independencia de la forma en que estos se puedan manifestar (caída del sistema, robo o fuga de datos personales y/o información sensible, etc.).

Como veremos a continuación, este reto no puede en ningún caso afrontarse frenando o evitando las posibilidades que ofrecen las nuevas tecnologías. Sin embargo, sí se precisa de una labor de concienciación sobre la necesidad de invertir tiempo y recursos en el análisis y gestión de los riesgos tecnológicos y en concreto, los ciberriesgos, como un área esencial del mapa de riesgos y el programa de cumplimiento normativo de cualquier compañía. Por ello, resulta fundamental para cualquier organización diseñar e implementar estrategias integrales de gestión de la ciberseguridad que garanticen la protección de sus redes, aplicaciones, información y datos de carácter personal y mejoren sus facultades de reacción, así como su capacidad de garantizar la continuidad del negocio en caso de sufrir un ciberataque.

A este respecto, cabe destacar que el legislador no ha sido ajeno a la creciente relevancia de la gestión de los riesgos tecnológicos. Prueba de ello es la previsión ya incluida en el artículo 529 ter de la Ley de Sociedades de Capital[1] que establece como materia indelegable por parte del consejo de administración de las sociedades cotizadas *la determinación de la política de control y gestión de riesgos*", entre la que debe entenderse incluida la política de control y gestión de riesgos tecnológicos. Sin perjuicio de que se trata de un precepto aplicable a sociedades cotizadas, no podemos obviar que los principios de buen gobierno corporativo aconsejan el cumplimiento de esta clase de obligaciones por parte de cualquier compañía, incluido las sociedades no cotizadas. Del mismo modo, cabe destacar que la reciente normativa europea, entre la que cabe recalcar la Directiva (UE) 2022/2555 del Parlamento Europeo y del Consejo, de 14 de diciembre de 2022, relativa a las medidas destinadas a garantizar un elevado nivel común de ciberseguridad en toda la Unión ("**Directiva NIS2**") incide en la necesaria

---

[1]   Real Decreto Legislativo 1/2010, de 2 de julio, por el que se aprueba el texto refundido de la Ley de Sociedades de Capital.

involucración del consejo de administración en la gestión de los riesgos tecnológicos, regulando nuevas responsabilidades para el consejo en esta materia.

En consecuencia, la ciberseguridad ha dejado de ser una materia gestionada únicamente por los departamentos de IT y desde una perspectiva exclusivamente técnica. En la actualidad, los riesgos tecnológicos han pasado a ser un claro riesgo de negocio que requiere de un análisis global, así como de la involucración de toda la organización, incluidos miembros de los equipos directivos y órganos de administración.

1.2 Aproximación a los conceptos de ciberataque y brecha de seguridad

Antes de nada, resulta preciso delimitar de qué hablamos cuando empleamos el concepto "ciberataque". *A priori*, cabría pensar que nos encontraremos ante un ataque informático con las siguientes características indispensables: por un lado, que sea necesariamente dirigido por parte de un tercero ajeno a nuestra organización y, por otro lado, que se trate de una acción que persiga necesariamente la obtención de un beneficio económico. Sin embargo, esta definición se encuentra muy alejada de la realidad de muchos de los ciberataques que se producen en la práctica. De esta forma, dicho concepto engloba cualquier incidente de seguridad dirigido a menoscabar la tecnología empleada por cualquier tipo de organización, con independencia de su tamaño, actividad o sector, así como al margen de cuál sea el origen y/o fin perseguido con el mismo[2]. El principal activo que resulta lesionado en un ciberataque es la información, es decir, uno de los intangibles más valiosos para cualquier compañía hoy en día. Información en sentido amplio y no necesariamente datos de carácter personal que identifiquen a una persona física (empleados, clientes, proveedores, etc.).

De esta forma, si el ciberataque afecta a datos de carácter personal, las consecuencias ocasionadas por el incidente pueden resultar aún más graves, ya que nos encontraremos ante una posible brecha de seguridad[3]. En ese caso, la entidad afectada, que actuará como responsable del tratamien-

---

[2] PADÍN VIDAL, Alejandro, "Aspectos jurídicos de la ciberseguridad", en Estudio Anual de Aon y gestión del riesgo ciber en España, 2020, págs. 15-20.

[3] El Reglamento General de Protección de Datos define en su artículo 4.12 el concepto de brecha de seguridad como *"toda violación de la seguridad que ocasione la destrucción, pérdida o alteración accidental o ilícita de datos personales transmitidos, con-*

to (en caso de que decida sobre los medios y fines del tratamiento) o como encargada del tratamiento (si procesa los datos en nombre y por cuenta del responsable), afrontará un reto adicional: demostrar que el ciberataque no ha sido consecuencia de un incumplimiento de la normativa aplicable, esto es, el Reglamento General de Protección de Datos[4] ("**RGPD**"), la Ley Orgánica de Protección de Datos Personales y Garantía de Derechos Digitales[5] ("**LOPD-GDD**"), así como las directrices de los supervisores en materia de protección de datos (principalmente el Comité Europeo de Protección de Datos —"**CEPD**"— y la Agencia Española de Protección de Datos —"**AEPD**"—).

De lo contrario, la organización afectada por la brecha puede enfrentarse a las importantes sanciones que prevé el RGPD, cuyos límites máximos ascienden a 10.000.000 euros o 20.000.000 euros, o en el caso de que se trate de una empresa, a una cuantía equivalente al 2% o al 4% como máximo del volumen de negocio anual global del ejercicio financiero anterior, optándose por la de mayor cuantía[6].

Asimismo, las consecuencias negativas que pueden derivarse para una entidad en caso de sufrir una brecha de seguridad no se limitan a la posible imposición de las referidas sanciones. Es evidente que los clientes valoran cada vez más la seguridad de la información y la protección de los datos personales. Por tanto, el mercado percibirá de forma muy negativa el hecho de que una organización sufra un ciberataque por no adoptar las medidas técnicas y organizativas necesarias para proteger su información y, más aún, los datos personales con los que opera. En consecuencia, el daño reputacional que una brecha de seguridad puede llegar a generar resulta

---

servados o tratados de otra forma, o la comunicación o acceso no autorizados a dichos datos".

[4]   Reglamento (UE) 2016/679 del Parlamento Europeo y del Consejo, de 27 de abril de 2016, relativo a la protección de las personas físicas en lo que respecta al tratamiento de datos personales y a la libre circulación de estos datos y por el que se deroga la Directiva 95/46/CE.

[5]   Ley Orgánica 3/2018, de 5 de diciembre, de Protección de Datos Personales garantía de los derechos digitales.

[6]   Entre otras, cabe destacar la sanción de 600.000 euros impuesta por la AEPD a AIR EUROPA (procedimiento número PS/00179/2020), por no contar con medidas técnicas y organizativas suficientes y apropiadas para garantizar un nivel de seguridad adecuado al riesgo de los tratamientos que llevaba a cabo, así como por incumplir ciertas obligaciones de notificación de las brechas seguridad que se analizarán posteriormente.

en ocasiones superior al perjuicio causado por la imposición de una sanción, ya que el daño reputacional afecta al fondo de comercio, la imagen comercial y, en definitiva, al potencial de la empresa de generar negocio.

Resulta, por tanto, imprescindible que las organizaciones que traten datos de carácter personal incluyan en el marco de sus programas de *compliance* los mecanismos necesarios para garantizar el cumplimiento de la normativa aplicable en materia de protección de datos de carácter personal.

A este respecto, es importante señalar que tras la aprobación del RGPD se ha producido un claro cambio de paradigma. Tal y como ha destacado en numerosas ocasiones la AEPD, *"no incumplir ya no es suficiente"*. En otras palabras, conforme al principio de responsabilidad proactiva que introduce el RGPD, ya no basta con cumplir un catálogo cerrado de obligaciones que previamente haya establecido el legislador. En el esquema actual, cada entidad debe asegurarse de contar con las medidas técnicas y organizativas, cláusulas, contratos y políticas que mitiguen los riesgos derivados de los tratamientos de datos que lleva a cabo. Ello implica abandonar la idea de que cualquier modelo de cláusula o política preestablecida serviría para cumplir con lo previsto en el RGPD, ya que se exige un análisis caso a caso. Cada entidad debe contar con un programa de cumplimiento propio y adaptado a un previo diagnóstico de los tratamientos de datos personales que se llevan a cabo, así como de los consecuentes riesgos que se derivan de dichos tratamientos. Las políticas internas, medidas técnicas y organizativas que necesite implementar cualquier compañía, así como el contenido concreto de las cláusulas y contratos que deba suscribir, dependerá de los riesgos identificados en la referida fase previa de diagnosis.

2. NECESIDAD DE UN ENFOQUE INTEGRAL

Una de las claves para garantizar una adecuada gestión de la ciberseguridad radica en abordar esta materia desde un enfoque integral, teniendo en cuenta:

2.1 *El equipo involucrado y los recursos destinados*

Sin perjuicio de que el grado de participación y los roles que desempeñen vayan a ser distintos, una efectiva gestión de la ciberseguridad exige la implicación de todos los departamentos de la organización, así como de los correspondientes equipos directivos y miembros del órgano de administración. En muchas ocasiones, se requerirá del apoyo de asesores externos que refuercen el conocimiento y análisis de determinadas materias, en función de cuál sea el desarrollo tecnológico de la entidad y su consecuente exposición al riesgo.

Por otro lado, resulta fundamental que las entidades destinen el presupuesto suficiente, no solo a adquirir herramientas tecnológicas de última generación, sino también a implementar mecanismos que permitan identificar y cuantificar los riesgos existentes, así como, en caso de ser preciso, transferir dichos riesgos al mercado asegurador, en los términos que veremos a continuación.

2.2 Asesoramiento jurídico

Otro de los aspectos destacables para una adecuada gestión de la ciberseguridad es la necesidad de contar con asesoramiento jurídico específico a lo largo de todo el proceso. En lo que a la fase preventiva respecta, dicho asesoramiento resultará fundamental de cara a realizar una adecuada diagnosis del nivel de riesgos, establecer los procedimientos de gestión y reporte adecuados y designar los equipos responsables y sus funciones. Del mismo modo, durante la gestión de un incidente, un adecuado asesoramiento jurídico es imprescindible para garantizar, entre otros, el cumplimiento de las obligaciones de notificación que puedan resultar de aplicación. Dicho cumplimiento requiere, en la mayoría de las ocasiones, realizar una ponderación de las circunstancias, requisitos y excepciones aplicables al caso, lo que en absoluto resulta sencillo. Por último, las labores de documentación e identificación de acciones de mejora a desarrollar antes de dar por cerrado cualquier incidente, requieren también de una orientación jurídica.

3. PRINCIPALES CLAVES JURÍDICAS Y ORGANIZATIVAS PARA GESTIONAR UN CIBERATAQUE

3.1 Fase preventiva

Una eficiente gestión de la ciberseguridad no puede comenzar con la implementación de medidas una vez se detecte la existencia de un ciberataque y/o brecha de seguridad. La situación de caos e incertidumbre que se produce tras detectar un incidente de este tipo, así como los reducidos plazos que se prevén para el cumplimiento de determinadas obligaciones legales, imposibilita cualquier improvisación de última hora. Es imprescindible que la estrategia en esta materia incluya no solo medidas reactivas y de detección de incidentes, sino también y fundamentalmente medidas preventivas. Aunque es evidente que ninguna organización podrá alcanzar un nivel de "riesgo cero", dichas medidas preventivas pueden resultar muy eficientes de cara a reducir los efectos de cualquier posible incidente, incluido su impacto sobre la continuidad del negocio. Asimismo, la adopción de un enfoque preventivo puede disminuir la posibilidad de que se impongan sanciones a la entidad afectada por la brecha y que deriven de no implementar todas las medidas que estaban a su alcance para evitar el incidente.

Con carácter general, el concepto de responsabilidad que prevé el RGPD va más allá de la existencia de una responsabilidad por infracción. Las entidades que tratan datos personales deben garantizar y estar en disposición de demostrar que los tratamientos que llevan a cabo se realizan conforme a la normativa aplicable. Así, tras la aprobación del RGPD, tanto la AEPD como la Audiencia Nacional publicaron varias resoluciones y sentencias en las que consideraban que el concepto de responsabilidad establecido por la nueva normativa también debía aplicarse al ámbito de las brechas de seguridad, de forma que se considerase que el responsable y/o el encargado del tratamiento debían aplicar todas las medidas necesarias que garantizasen el resultado de no sufrir ninguna brecha de seguridad. En otras palabras, conforme sostiene la Audiencia Nacional en su Sentencia de 11 de diciembre de 2008 (recurso 36/2008), *"no basta con la adopción de cualquier medida, pues deben ser las necesarias para garantizar aquellos objetivos que marca el precepto. Se impone, en consecuencia, una obligación de resultado, consistente en que se adopten las medidas necesarias para evitar que los datos se pierdan, extravíen o acaben en manos de terceros."*

Por su parte, la doctrina ha considerado que la señalada postura perjudica claramente a las entidades que realizan una apuesta por las nuevas tecnologías y se exponen inevitablemente a un mayor riesgo[7]. En materia de brechas e incidentes de seguridad, no cabe prever y evitar con total certeza determinados escenarios y en particular, ciberataques de una tec-

---

[7]   Entre otros, BRINES ALMIÑANA, Javier *"Las medidas de seguridad en el tratamiento de los datos personales, constituyen una obligación de medios y no de resultado"*. Consultor de los ayuntamientos y de los juzgados. Revista técnica especializada en administración local y justicia municipal, Nº. 5, 2022, págs. 73-85.

nología que en muchas ocasiones resulta muy superior y más compleja a la tecnología de la que dispone la entidad afectada por el ataque.

En este contexto de contradicción, el Tribunal Supremo recientemente ha confirmado en su Sentencia 188/2022, de 15 de febrero de 2022, que nos encontramos ante una obligación de medios, ya que *"no puede considerarse una obligación de resultado que implique que, producida una filtración de datos personales a un tercero, exista responsabilidad, con independencia de las medidas adoptadas y de la actividad desplegada con carácter previo"*[8]. En consecuencia, la adopción de medidas preventivas cobra especial relevancia de cara a evitar una posible responsabilidad del sujeto afectado por la brecha. Entre las medidas jurídicas y organizativas a adoptar en esta primera fase preventiva, cabe destacar las siguientes:

3.1.1 Promoción de una cultura de ciberseguridad entre los empleados

La experiencia de los últimos años ha demostrado que los empleados son la principal causa de muchos ciberataques, no necesariamente por acciones intencionadas, sino más bien debido a sus errores o desconocimiento en la materia. Pese a ello, muchas organizaciones no destinan los recursos necesarios a esta área, de forma que únicamente se llevan a cabo campañas de formación y concienciación esporádicas que han demostrado ser claramente insuficientes.

---

[8]   Así, el Tribunal Supremo señala que *"el compromiso que se adquiere es el de adoptar los medios técnicos y organizativos, así como desplegar una actividad diligente en su implantación y utilización que tienda a conseguir el resultado esperado con medios que razonablemente puedan calificarse de idóneos y suficientes para su consecución"*. Por tanto, el sujeto afectado por la brecha no responde inevitablemente ante un resultado lesivo *"cualquiera que sea su causa y la diligencia utilizada"*. Ahora bien, conforme destaca el Tribunal Supremo, la suficiencia de las medidas debe necesariamente cumplir con dos principales requisitos. Por un lado, de acuerdo con el artículo 32.1 del RGPD, las medidas técnicas y organizativas deberán diseñarse e implementarse considerando siempre *"el estado de la técnica, los costes de aplicación, la naturaleza, el alcance, el contexto y los fines del tratamiento, así como los riesgos de probabilidad y gravedad para los derechos y libertades de las personas físicas"*. Por otro lado, no resulta suficiente diseñar unas medidas técnicas y organizativas adecuadas, sino que el Tribunal Supremo también exige *"su correcta implantación y utilización apropiada de modo que también existirá responsabilidad por la falta de diligencia en su utilización, entendida como una diligencia razonable atendiendo a las circunstancias del caso"*.

Para que los empleados de una entidad actúen como verdaderos "cortafuegos humanos" es necesario implementar una sólida cultura de ciberseguridad como parte de los valores fundamentales de la organización. A tal fin, la adopción de las siguientes medidas puede resultar muy efectiva:

- **Suscripción de acuerdos de confidencialidad.** La documentación y material con el que operan muchos trabajadores en su día a día contiene habitualmente datos de carácter personal, así como otra serie de información confidencial y/o sensible para el negocio. Es por tanto fundamental que se proteja adecuadamente dicha información, a través, entre otras medidas, de la suscripción de sólidos acuerdos de confidencialidad con los empleados. Estos acuerdos deben, entre otras cuestiones, establecer las debidas cautelas a la hora de tratar la señalada información, así como regular la prohibición de difundir la misma.

- **Implementación de una política de uso de redes, dispositivos y equipos.** La redacción de una política que desarrolle las reglas y límites en lo que al uso de redes, dispositivos y equipos profesionales se refiere resulta de vital importancia para garantizar la seguridad de la información y datos personales de una entidad. Deben incluirse una serie de garantías jurídicas por las que se prohíba el uso de los dispositivos y equipos facilitados por la empresa para cualquier uso personal, de forma que el trabajador únicamente pueda emplearlos con fines profesionales. De esta forma, se evita que se genere una expectativa de privacidad por parte del trabajador, al entender que puede usar los medios que le han sido facilitados para fines personales y privados. Así, la organización no tendrá impedimentos para comprobar si efectivamente se está realizando un uso adecuado de estos medios por parte de los trabajadores, siempre que dicho control se realice cumpliendo todas las garantías para los mismos (derecho de información, necesidad y proporcionalidad). Este posible control permitirá, en su caso, detectar cualquier uso indebido de los medios profesionales que pueda suponer un riesgo de sufrir cualquier ciberataque o brecha de seguridad.

- **Diseño de planes de formación integrales y adaptados a las necesidades particulares de la organización.** Para alcanzar un grado de concienciación suficiente, es preciso elaborar un plan de formación integral que cumpla con tres pilares fundamentales: (i) periodicidad adecuada a las características específicas de cada organización y al nivel de conocimiento y concienciación de la plantilla; (ii) combinación de cursos genéricos y programas específicos (marketing, IT, recursos humanos, etc.); y (iii) establecimiento de mecanismos y procedimientos para su evaluación (a través de encuestas) y análisis de su impacto en la actividad diaria (por ejemplo, mediante la realización de simulacros para valorar la respuesta de los empleados).

3.1.2 Gestión de los proveedores

De nada sirve contar con un esquema de cumplimiento robusto y unas medidas técnicas y organizativas que cubran cualquier riesgo interno, si posteriormente no se garantiza que los proveedores que se conectan al entorno tecnológico y/o acceden a la información de una entidad no cumplen con los mismos estándares, ya que cualquier ciberriesgo puede materializarse a través de los tratamientos y actividades que lleve a cabo un proveedor. Por ello, el desarrollo de un proceso de selección de proveedores resulta fundamental, de forma que únicamente se trabaje con aquellos que garanticen la adopción de las medidas técnicas, jurídicas y organizativas que protejan debidamente dicha información y datos[9]. Entre las señaladas medidas cabe subrayar las siguientes:

- **Suscripción de un acuerdo de confidencialidad y, en su caso, un acuerdo de encargado del tratamiento.** Del mismo modo que con los empleados, es preciso que los contratos suscritos con proveedores incluyan un pacto de tratamiento confidencial de la información con las debidas cautelas y prohibiciones.

  Asimismo, en caso de que el proveedor requiera del acceso a datos de carácter personal y reúna, por tanto, la condición de encargado del tratamiento, el RGPD exige en su artículo 28 la suscripción de un contrato específico para garantizar que el tratamiento de datos por parte del proveedor se produce con todas las garantías. No se trata de cumplir formalmente con la norma incluyendo mínimamente las cuestiones previstas en la misma. El acuerdo de encargado del tratamiento debe ser una herramienta eficaz por la que se establezca una relación detallada de obligaciones a cumplir por parte del provee-

---

[9] El propio RGPD en su artículo 28.1 obliga al responsable a elegir *"únicamente un encargado que ofrezca garantías suficientes para aplicar medidas técnicas y organizativas apropiadas, de manera que el tratamiento sea conforme con los requisitos del presente Reglamento y garantice la protección de los derechos del interesado".*

dor y se evite cualquier riesgo, incumplimiento o responsabilidad[10]. La suscripción de un acuerdo de encargado sólido y con todas las garantías puede reducir significativamente la probabilidad de sufrir un ciberincidente o brecha de seguridad a raíz de los tratamientos que lleve a cabo el proveedor y, en cualquier caso, facilita y asegura el cumplimiento de determinadas obligaciones legales (respuesta a ejercicios de derechos, notificación de brechas de seguridad, etc.).

- **Determinación detallada y suficiente de las medidas técnicas y organizativas a implementar por el proveedor.** En muchas ocasiones, debido a la dificultad que supone su concreción, se tiende a incluir una referencia genérica a las medidas que con carácter amplio prevé el RGPD, sin ser conscientes de los riesgos que ello puede implicar. Si un proveedor sufre una brecha de seguridad por la que resultan afectados datos personales, y se demuestra que la misma deriva de una insuficiente adopción de medidas técnicas y organizativas por parte del proveedor (sin que las mismas le hayan sido exigidas al proveedor), la entidad que contrata al proveedor (es decir, la responsable del tratamiento) podría resultar sancionada por una clara falta de diligencia en la selección y control de los encargados del tratamiento. Por tanto, debe realizarse un análisis casuístico de cada proveedor, a fin de identificar los riesgos inherentes a los tratamientos que en cada caso llevan a cabo. Una vez realizado dicho análisis, el acuerdo de encargado suscrito con cada proveedor deberá incluir una relación detallada de medidas técnicas y organizativas que mitiguen adecuadamente los riesgos identificados.

---

[10]   Entre las cuestiones a regular en el acuerdo se encuentran: la determinación de los tipos de tratamiento que puede llevar a cabo el proveedor y las correspondientes instrucciones al respecto; la obligación de notificar en un breve plazo de tiempo cualquier incidente de seguridad que sufra, así como cualquier ejercicio de un derecho que reciba por parte de un interesado; o la obligación de acreditar debidamente la supresión de los datos una vez concluida la relación contractual. En relación con el contenido de los acuerdos de encargado del tratamiento, la AEPD publicó las *"Directrices para la elaboración de contratos entre responsables y encargados"* en las que detalla el contenido mínimo a incluir en este tipo de acuerdos, más allá de las previsiones más genéricas del artículo 28 del RGPD. En cualquier caso, es conveniente que el responsable del tratamiento incluya todas las menciones que a este respecto exige la AEPD en sus Directrices, a fin de contar con un acuerdo con todas las garantías y cumplir con las exigencias de la autoridad de control competente.

- **Auditoría de los sistemas y tratamientos.** El control sobre el cumplimiento de las correspondientes medidas por parte del proveedor requiere, sin perjuicio de que la normativa actual no lo exija, la realización de auditorías periódicas de sus sistemas y los tratamientos que lleva a cabo. Esta facultad del responsable de realizar auditorías periódicas al proveedor, así como las condiciones en las cuales podrán llevarse a cabo, deben necesariamente regularse en los acuerdos de encargado del tratamiento, a fin de evitar posteriormente que el proveedor se niegue a participar en el proceso.

3.1.3 Política de ciberseguridad

A fin de reducir el impacto y efectos de cualquier incidente de seguridad, principalmente si se trata de un ciberataque, resulta fundamental actuar con rapidez y eficacia, sin que exista lugar para la improvisación. Para ello, es imprescindible que la organización cuente con una sólida política de ciberseguridad que contenga un plan de actuación global ante cualquier incidente o quiebra de seguridad. Es evidente que todas las dificultades que afronta una entidad en el momento en que es víctima de un ciberataque son imposibles de prever, pero la experiencia de los últimos años ha demostrado que la existencia de una política de ciberseguridad que anticipe determinadas cuestiones supone un factor fundamental para mejorar la capacidad de cualquier organización de gestionar un ciberincidente o cualquier brecha de seguridad[11].

---

[11]   Entre otras cuestiones, dicha política deberá prever: (i) la constitución de un equipo de gestión, formado por miembros de la propia organización y, en su caso, los asesores externos que puedan resultar necesarios para liderar la gestión del incidente; (ii) las principales funciones y obligaciones a las que deberá dar cumplimiento dicho equipo; (iii) las obligaciones de notificación a las autoridades de control que puedan resultar de aplicación de acuerdo con la normativa aplicable, así como las circunstancias, requisitos y excepciones aplicables, y plazos y requisitos de forma a los que dar cumplimiento; (iv) mecanismos efectivos para notificar internamente cualquier sospecha de incidente de seguridad; (v) listado de medidas a valorar para la contención y/o erradicación de un posible incidente; y (vi) un protocolo con las claves que garanticen la continuidad del negocio en caso de sufrir un incidente.

3.1.4 Realización de auditorías periódicas

A diferencia de la normativa de protección de datos anterior, el RGPD no establece expresamente la obligación de realizar auditorías en un plazo determinado. No obstante, conforme se ha destacado anteriormente, el principio de responsabilidad proactiva que rige el RGPD impide que una organización se ajuste con carácter formal a las obligaciones previstas en la norma y se olvide de esta materia hasta la próxima modificación normativa. El RGPD exige una cobertura real y actualizada de los riesgos existentes mediante la adopción de las medidas que resulten pertinentes en cada momento. En una materia como la ciberseguridad, donde los riesgos son tan cambiantes, únicamente mediante la realización de auditorías periódicas podrá garantizarse que las medidas técnicas, organizativas y jurídicas implantadas son las idóneas y suficientes en cada momento, en función de los tratamientos que se lleven a cabo y los riesgos inherentes a los mismos.

3.1.5 Suscripción de una póliza de ciberriesgos

Pese a implementar todas las medidas preventivas a las que anteriormente se ha hecho mención, ninguna organización podrá estar en disposición de afirmar que su nivel de riesgo frente a posibles ciberataques es nulo. Es por ello que, en los últimos años, se ha dado una evolución sin precedentes en el mercado asegurador, con la proliferación de las pólizas de ciberriesgos. Se trata de pólizas innovadoras en la materia, que incluyen coberturas muy específicas entre las que caben destacar los honorarios derivados de la contratación de proveedores para la gestión del incidente (expertos en análisis forense, asesoramiento legal y técnico, etc.) o los costes relacionados con la recuperación de datos o la descontaminación y/o la mitigación de la interrupción de los sistemas. Todo ello las convierte en una herramienta fundamental para una adecuada gestión de la ciberseguridad, ya que permite a la organización trasladar los riesgos a un tercero, con carácter previo a sufrir cualquier incidente[12].

---

[12] No obstante, nótese que debido al aumento de la siniestralidad (por el constante incremento de los ciberataques y sus efectos), el mercado de las pólizas de ciberriesgos resulta menos atractivo para las aseguradoras. En consecuencia, se observa un evidente incremento del importe de las primas de estos seguros, así como la exigencia de un coaseguro en muchos casos. Asimismo, se imponen más límites y condiciones en la determinación de muchas de las coberturas de la póliza (*i.e.*

3.2 Medidas para una efectiva gestión del incidente

Debido a las características particulares de cada caso, es imposible realizar una enumeración taxativa de todas las medidas a implementar durante la gestión de un ciberataque. No obstante, la experiencia de los últimos años ha demostrado que una adecuada aplicación de las medidas que se indican a continuación resulta, sin lugar a duda, fundamental:

3.2.1 Mecanismos internos de comunicación y designación de un equipo de gestión adecuado

De acuerdo con lo que previamente se haya previsto en la política de ciberseguridad, deberán existir mecanismos efectivos por los que cualquier empleado que sospeche de la existencia de un posible incidente de seguridad, ponga este hecho en conocimiento del responsable que corresponda. En estos casos, una detección temprana y la optimización de tiempos pueden marcar la diferencia en cuanto al perjuicio final sufrido.

Asimismo, se deberá constituir inmediatamente el equipo responsable de la gestión del incidente. Sin perjuicio de que el análisis previamente realizado en la política de ciberseguridad agilizará mucho el trabajo, en cada incidente debe valorarse, en función de lo ocurrido, qué perfiles internos (*i.e.* responsable de IT, asesoría jurídica, responsables de los departamentos afectados, representante del equipo de dirección, etc.) y externos (análisis forense, despachos de abogados, expertos en comunicación) resultan más idóneos, así como el rol y responsabilidades que desempeñará cada uno. La composición de este equipo no debe ser estanca y de resultar necesario, deberán incorporarse nuevos miembros, en función de las necesidades que se vayan detectando.

Dicho equipo deberá actuar de forma coordinada, mediante la celebración de reuniones con la periodicidad que en cada caso se requiera y adoptando las decisiones de forma consensuada. Resulta fundamental que la celebración de dichas reuniones y las decisiones que se vayan adoptando queden debidamente documentadas, a fin de acreditar *a posteriori* que el incidente fue gestionado de forma diligente.

---

limitaciones a la contratación de proveedores que no pertenezcan al panel ofertado por la aseguradora o hayan sido previamente aprobados).

3.2.2 Cumplimiento de las obligaciones de notificación previstas en la normativa aplicable

En caso de que un ciberataque afecte a datos de carácter personal, el RGPD establece la obligación de notificarlo a la autoridad de control competente (en España la AEPD), así como a los interesados afectados, en determinados supuestos[13]. Con carácter adicional, cada organización debe verificar si está sujeta a normativa por la que se establecen obligaciones de notificación adicionales (*i.e.* normativa de telecomunicaciones, normativa NIS, Real Decreto 43/2021, etc.).

Se debe tener presente que las obligaciones de notificación previstas en la normativa aplicable no son una cuestión menor. Por un lado, sitúan a la organización en el foco de la autoridad de control, la cual, una vez conocido el incidente, podrá realizar las comprobaciones que estime pertinentes en relación con las causas que ocasionaron el incidente y el cumplimiento de la normativa aplicable. Por otro lado, poner en conocimiento de los afectados, que en muchas ocasiones podrán ser clientes, que sus datos personales se han visto comprometidos, puede tener un importante efecto sobre el negocio de cualquier entidad. Por ello, debe realizarse un ex-

---

[13]   En concreto, según prevé el artículo 33 del RGPD, el responsable del tratamiento deberá notificar una brecha de seguridad, *"sin dilación indebida y, de ser posible, a más tardar 72 horas después de que haya tenido constancia de ella, a menos que sea improbable que dicha violación de la seguridad constituya un riesgo para los derechos y las libertades de las personas físicas"*. Por otro lado, de acuerdo con lo previsto en el artículo 34 del RGPD, la comunicación a los interesados debe realizarse, sin dilación indebida, en caso de que sea probable que la brecha *"entrañe un alto riesgo para los derechos y libertades de las personas físicas.*

Asimismo, la AEPD en su *"Guía para la notificación de brechas de datos personales"*, así como las *"Directrices sobre la notificación de las violaciones de la seguridad de los datos personales de acuerdo con el Reglamento 2016/679"* del Grupo de Trabajo del Artículo 29 y las *"Directrices 1/2021 sobre ejemplos de notificación de violaciones de la seguridad de los datos personales"* del CEPD, desarrollan diversas cuestiones a tener en cuenta en el marco de las brechas de seguridad, así como los criterios de ponderación para su posible notificación y el contenido mínimo de dichas notificaciones.

La AEPD también cuenta con herramientas para ayudar a los responsables a decidir si deben notificar una brecha a la autoridad de control ("Asesora Brecha"), así como a valorar la obligación de informar a las personas físicas afectadas ("Comunica-Brecha RGPD"). Se trata de herramientas adicionales de apoyo que pueden dar unas primeras pautas a los responsables del tratamiento. En cualquier caso, siempre resultará preciso completar dichas pautas con un análisis más completo y exhaustivo de las circunstancias concretas aplicables al caso y los riesgos inherentes a cada entidad.

haustivo análisis del nivel de riesgo del incidente, incluida la gravedad del impacto y la probabilidad de que ocurra, para determinar si efectivamente debe notificarse a la autoridad de control y/o los afectados, todo ello desde distintas perspectivas (volumen de datos afectados y su sensibilidad, número de interesados, perjuicios ocasionados a los mismos, etc.). La complejidad de este análisis, unida a los breves plazos que prevé la normativa, requerirá en muchas ocasiones contar con asesoramiento legal externo que garantice la realización de una ponderación adecuada y una comunicación de la brecha en tiempo y forma. Asimismo, es muy importante contar con expertos en comunicación que aseguren trasladar el mensaje adecuado a los interesados afectados.

3.2.3 Importancia de una adecuada labor de documentación

Dicha labor de documentación resulta fundamental de cara a cumplir con el principio de responsabilidad proactiva que actualmente rige el RGPD y facilita, en su caso, la acreditación de las medidas implementadas y el cumplimiento de las obligaciones aplicables[14]. De esta forma, deberá elaborarse un registro donde se incluya un historial de los incidentes de seguridad que, en su caso, haya sufrido la entidad, tengan o no finalmente la consideración de brecha de seguridad, así como el impacto de los mismos y las medidas adoptadas. Conforme a lo señalado anteriormente, deberán documentarse en detalle las reuniones que celebre el equipo responsable de la gestión, así como las decisiones que adopte y las medidas que se implementen en consecuencia, lo que resultará fundamental para acreditar una gestión diligente del incidente frente a la autoridad de control.

3.3 Cierre del incidente. Actualización y refuerzo de medidas

Por último, con carácter previo a dar por cerrada la gestión de cualquier incidente, deberán establecerse controles periódicos y suficientes que permitan verificar la efectividad de las medidas implementadas durante el proceso de gestión. Asimismo, resultará preciso valorar la adopción de medidas de refuerzo. La existencia y gestión de un ciberataque supone una prueba

---

[14] El propio RGPD en su artículo 33.5 destaca su relevancia, exigiendo que el responsable del tratamiento documente *"cualquier violación de la seguridad de los datos personales, incluidos los hechos relacionados con ella, sus efectos y las medidas correctivas adoptadas"*.

sin precedentes para poner en práctica los protocolos y medidas con las que cuenta una organización. Por ello, dicha gestión, sin perjuicio de que resulte exitosa, supone un aprendizaje de indudable valor para cualquier organización. En consecuencia, es importante que la entidad aproveche este aprendizaje para reforzar y mejorar las medidas y políticas con las que cuenta, a fin de minimizar el riesgo de sufrir un nuevo incidente. Además, deberán establecerse los correspondientes mecanismos de revisión para comprobar la implementación de las nuevas medidas y su efectividad.

4. REFERENCIAS BIBLIOGRÁFICAS

BRINES ALMIÑANA, Javier *"Las medidas de seguridad en el tratamiento de los datos personales, constituyen una obligación de medios y no de resultado"*. Consultor de los ayuntamientos y de los juzgados. Revista técnica especializada en administración local y justicia municipal, Nº. 5, 2022, págs. 73-85.

"Estudio Anual de Aon y gestión del riesgo ciber en España", ediciones de 2020, 2021 y 2022.

"Directrices para la elaboración de contratos entre responsables y encargados" publicadas por la AEPD.

"Guía para la notificación de brechas de datos personales" publicada por la AEPD.

"Directrices sobre la notificación de las violaciones de la seguridad de los datos personales de acuerdo con el Reglamento 2016/679" del Grupo de Trabajo del Artículo 29.

"Directrices 1/2021 sobre ejemplos de notificación de violaciones de la seguridad de los datos personales" del CEPD.

El futuro de la justicia: tribunales en línea

MARLEN ESTÉVEZ SANZ

Socia del Departamento de Litigación, Arbitraje y Mediación Roca Junyent

VALENTINA YANE GAUFFIN

Abogada en el Departamento de Litigación, Arbitraje y Mediación Roca Junyent

SUMARIO: 1. INTRODUCCIÓN: LEY, JUSTICIA E IMPACTO SOCIAL DE LA TECNOLOGÍA. 2. TRIBUNALES EN LÍNEA. 3. INTELIGENCIA ARTIFICIAL: ¿QUÉ CUESTIONES ÉTICAS SUSCITA SU USO EN TRIBUNALES? 4. ¿QUÉ DEBEMOS HACER LOS ABOGADOS Y LA ADMINISTRACIÓN PÚBLICA PARA ADAPTARNOS A LA REVOLUCIÓN TECNOLÓGICA? 5. CONCLUSIÓN. 6. REFERENCIAS BIBLIOGRÁFICAS.

> *"El arte de la vida radica en un constante reajuste a nuestro entorno."*
>
> Pearl Zhu

1. INTRODUCCIÓN: LEY, JUSTICIA E IMPACTO SOCIAL DE LA TECNOLOGÍA

Estando las nuevas tecnologías más presentes que nunca en nuestra cultura, sería impensable que el derecho no se hubiera adaptado a esta nueva realidad, en calidad de ente vivo que evoluciona junto a la sociedad y va adaptándose a sus necesidades.

En efecto, es un hecho indubitado que la tecnología (o el *legaltech*, que no es más que la tecnología al servicio del derecho) ha tenido un impacto significativo en el derecho en los últimos años, cambiando la forma en que se practica y se administra justicia. A continuación, algunos ejemplos:

- **Acceso a la información y documentación legal**: la tecnología ha hecho que la información y la documentación legal estén más accesibles que nunca. Con un simple clic, los abogados y los jueces pueden acceder a una amplia gama de recursos legales, incluyendo leyes, regulaciones, sentencias y otros documentos relevantes.

- **Comunicación y colaboración mejoradas**: el *legaltech* también ha mejorado la comunicación y la colaboración entre abogados, jueces y otros profesionales del derecho. Con herramientas de mensajería instantánea, videoconferencias y plataformas en línea, es más fácil para los profesionales del derecho trabajar juntos y compartir información en tiempo real.

- **Resolución de casos más rápida**: la tecnología también ha permitido una resolución más rápida de casos. Con la capacidad de acceder a la información y documentación relevantes en línea, los abogados y los jueces pueden tomar decisiones más informadas y resolver los casos más rápidamente.

- **Adopción de la inteligencia artificial**: la inteligencia artificial (IA) está cambiando la forma en que se practica el derecho. Desde la asistencia en la investigación y la identificación de patrones hasta la predicción de resultados de casos, la IA está ayudando a los abogados a tomar decisiones más informadas y a resolver casos más rápidamente.

- **Mejora de la eficiencia**: la tecnología también ha mejorado la eficiencia en la Administración de Justicia. Con la capacidad de gestionar y almacenar información digitalmente, los tribunales y los abogados pueden acceder a la información más rápidamente y reducir los tiempos de espera.

Sin embargo, también hay desafíos que deben abordarse en relación con el impacto de la tecnología en el derecho. Algunos de estos desafíos incluyen:

- **Protección de la privacidad y la seguridad de la información**: con la cantidad de información y datos sensibles que se almacenan y comparten digitalmente, es importante garantizar la privacidad y la seguridad de la información.

- **Regulación**: el tema de la regulación es muy complejo porque la tecnología avanza a pasos agigantados mientras que la producción normativa no lo hace.

En este sentido, como algunos indican, *"la producción normativa no pasa por su mejor momento y la democracia deliberativa está en sus horas más bajas"*[1]. Además, **las empresas tecnológicas, por lo general, son multinacionales, por lo que es difícil establecer jurisdicción.**

---

[1]   GARCÍA, I. I. (2022). Nunca se legisló tan mal. Debemos exigir un cambio radical al respecto. *Diario La Ley*, (10184), 1.

Según el gurú de la profesión jurídica, Richard Susskind, apodado como *"uno de los niños bonitos de los pensadores contemporáneos, como Niall Ferguson o la periodista Anne Aplebaum"*, de forma apriorística, **el sector jurídico se redefinirá por despachos innovadores y flexibles,** junto con nuevos actores, que aprovecharán las oportunidades y darán forma al mercado legal.[2]

Por su parte, los letrados y bufetes que se aferren a antiguas formas de trabajar tendrán dificultades para sobrevivir a largo plazo, incapaces de cumplir con las **exigencias de coste y competencia del mercado,** así como de igualar las mejoras y eficiencias que brindará la tecnología.

El presente artículo se consagra a analizar las repercusiones que tendrá la **transformación digital dentro del sector legal** tanto desde la perspectiva privada como pública.

2. TRIBUNALES EN LÍNEA

A pesar de que algunas jurisdicciones son más avanzadas que otras, la mayoría de los procesos civiles son costosos, lentos, obsoletos y confusos para aquellos que sean legos en derecho. Además, en muchos países existe una desconfianza generalizada en el sistema judicial.

Aunque resulte inverosímil, lo cierto es que el retraso abrumador es la seña de identidad de algunos países. A modo ilustrativo, cabe citar el caso de **Brasil, donde más de 100 millones casos esperan ser resueltos**[3]. La **India no se queda atrás, con un retraso ascendente a los 40 millones de casos**[4].

Si bien en España, afortunadamente, la situación no es tan alarmante, lo cierto es que de conformidad con los indicadores de la UE del año 2022, el nuestro es uno de los países de la Unión Europea más lentos en términos

---

[2]   JAMIE SUSSKIND: "Necesitamos tribunales tecnológicos y una ley antitrust para evitar la concentración de poder en internet". (2022, 29 diciembre). ELMUNDO. https://www.elmundo.es/papel/el-mundo-que-viene/2022/12/29/63a58122fdd dffbf038b4585.htm

[3]   KAPLAN, A. (2020, 2 enero). Online courts, the future of justice and being bold in 2020. ABA Journal. https://www.abajournal.com/news/article/online-courts-the-future-of-justice-and-being-bold-in-2020

[4]   Reuters. (2022, 30 abril). India has court backlog of 40 million cases, chief justice says. https://www.reuters.com/world/india/india-has-court-backlog-40-million-cases-chief-justice-says-2022-04-30/

de sistema judicial.[5] La proposición de que todo ser humano es igual en dignidad y derechos forma parte del axioma lógico de los derechos humanos y se utiliza como base para inferir conclusiones éticas y políticas. Sin embargo, paradójicamente, menos de la mitad de la población mundial está protegida por la Ley, lo que demuestra que **la falta de acceso a la justicia es una pandemia global**[6].

Se requiere un **cambio radical, que solo puede lograrse mediante el uso de la tecnología**. Esta puede y debe convertir en una gran aliada para lograr el acceso a la justicia para todos.

Precisamente, el Objetivo de Desarrollo Sostenible de la Agenda 2030 de Naciones Unidas tiene como objetivo promover sociedades justas, pacíficas e inclusivas y garantizar la igualdad de acceso a la justicia para todos[7]. Por lo tanto, en concordancia con dicho objetivo, es totalmente lógico que gran parte del trabajo de los tribunales se realice en línea en el marco de una sociedad cada vez más digital.

Los tribunales online son una alternativa cada vez más popular a los tribunales tradicionales. Estos tribunales ofrecen una solución más rápida, económica y conveniente para la resolución de disputas. Algunos de estos sistemas van más allá y también ofrecen herramientas para ayudar a los usuarios a comprender la legislación y las opciones disponibles, guiarlos en el proceso judicial y ofrecer soluciones extrajudiciales.

El funcionamiento de los tribunales *online* es sencillo. La mayoría de los tribunales *online* ofrecen una plataforma en línea fácil de usar que permite a las partes subir documentos y presentar sus argumentos. Posteriormente, es el juez *online* es el que toma una decisión basada en esa información.

Una de las ventajas más evidentes de los tribunales *online* es la rapidez. En muchos casos, las decisiones se pueden tomar en cuestión de días o, incluso, horas, en comparación con los meses o hasta años que puede tardar un caso en un tribunal tradicional.

---

[5]   European Commission. The 2022 EU Justice Scoreboard. ISBN 978-92-76-51630-9 ISSN 2467-2254 doi: 10.2838/819957 DS-AG-22-001-EN-N

[6]   El Grupo de Trabajo sobre la Justicia, Justicia para Todos - El informe del Grupo de Trabajo sobre Justicia: versión de conferencia (New York: Center on International Cooperation, 2019), disponible en https://www.justice.sdg16.plus/

[7]   MORAN, M. (2020, 17 junio). Paz y justicia. Desarrollo Sostenible. https://www.un.org/sustainabledevelopment/es/peace-justice/

Además, los tribunales *online* son mucho más económicos que los tribunales tradicionales. Las tarifas son, generalmente, mucho más bajas, y las partes no tienen que incurrir en gastos de desplazamientos innecesarios.

Otra ventaja de los tribunales *online* es la comodidad. Las partes pueden presentar sus argumentos y pruebas desde sus propias casas. Además, la mayoría de los tribunales *online* permiten a las partes seguir el progreso de su caso en línea, lo que les permite estar al tanto de cualquier novedad.

Por supuesto, huelga poner de manifiesto que los tribunales *online* también tienen algunas desventajas. Algunos críticos argumentan que los jueces *online* no están capacitados para tomar decisiones complejas y que pueden ser influenciados por intereses comerciales.

A pesar de estos problemas, los tribunales *online* siguen incrementando su popularidad en todo el mundo. Muchos creen que son una solución eficaz y económica para la resolución de disputas y que ofrecen a las partes una forma más rápida de resolver sus problemas. Algunos ejemplos:

- **Reino Unido**: el proyecto de divorcio en línea de Inglaterra y Gales es una iniciativa que permite a los solicitantes iniciar y completar el proceso de divorcio *online*, utilizando una plataforma web en lugar de acudir a la jurisdicción ordinaria. El proyecto comenzó en abril de 2018 y es el primero en el mundo en permitir un divorcio sin la necesidad de acudir a un abogado o al tribunal. La plataforma es intuitiva y está diseñada para ser fácil de usar, lo que permite a los solicitantes completar el proceso de divorcio en una sola sesión. La iniciativa busca mejorar la eficiencia y la accesibilidad del sistema de divorcio, reduciendo los costos y el tiempo necesarios para obtener un divorcio[8].

- **Canadá**: el sistema de tribunales en línea en Canadá incluye la plataforma "Civil Resolution Tribunal" (CRT). También existe el "Small Claims Court Online Dispute Resolution Service"[9], que permite a los usuarios presentar y resolver reclamaciones de pequeñas cantidades

---

[8]   Divorce-Online. (2023, 24 enero). Quick & Easy Online Managed No-Fault Divorce Services | Divorce-Online. Divorce Online. https://www.divorce-online.co.uk/home-2/

[9]   PRIVACY, J. (2022, 23 agosto). Small claims court —procedures and fees— Province of British Columbia. https://www2.gov.bc.ca/gov/content/justice/courthouse-services/small-claims

en línea, en comparación con los procesos tradicionales de los tribunales[10].

- **Estados Unidos**: en EEUU, los tribunales en línea son una alternativa cada vez más popular para la resolución de disputas legales. Algunos Estados están adoptando sistemas en línea para resolver disputas de baja cuantía, incluidas disputas civiles, familiares y de pequeños negocios. Otros Estados están utilizando tecnología en línea para complementar y mejorar su sistema de justicia tradicional. Estos sistemas permiten a los usuarios presentar documentos, hacer un seguimiento de sus casos y comunicarse con los funcionarios judiciales a través de una plataforma en línea accesible. Un ejemplo de un sistema de tribunales en línea en los Estados Unidos es el sistema E-Court de la Corte Estatal de Nueva York[11].

- **India**: el caso de este país es especialmente alarmante, ya que India tarda una media de 2.184 días en resolver un caso en sus tribunales subordinados, 1.128 días en sus tribunales superiores y 1.095 días en el Tribunal Supremo, con lo que el ciclo de vida total de un caso en India es de más de 12 años[12]. Con vistas a digitalizar los tribunales, el Tribunal Supremo puso en marcha ya en 2004 el E-Committee, que ejecutó dos fases del proyecto e-Courts. Actualmente, el proyecto ha tenido grandísimos avances. De hecho, durante el mes de enero de 2023, Pravash Prashun Pandey, Secretario Adjunto, realizó una presentación sobre el proyecto eCourts, con especial énfasis en el Premio India Digital 2022, el Premio e-Governance 2022 y el Premio Nacional para Instituciones Comprometidas en el Empoderamiento de las Personas con Discapacidad, subrayando la importancia de la habilitación tecnológica de los tribunales y su impacto en la vida del público en general. Explicó cómo el proyecto eCourts del Departamento de Justicia, bajo la dirección del eCommittee, del Tribunal Supremo de India, está ayudando a crear una infraestructura sólida en los Tribunales de Distrito y Subordinados del país[13].

---

[10]   Civil Resolution Tribunal. (2023, 3 enero). Home. BC Civil Resolution Tribunal. https://civilresolutionbc.ca/

[11]   eCourts. (s. f.). https://iapps.courts.state.ny.us/webcivil/ecourtsMain

[12]   Daksh Foundation - Daksh Foundation. (s. f.). https://dakshfoundation.org/

[13]   https://indiaeducationdiary.in/minister-kiren-rijiju-felicitates-the-winners-of-ecourts-project-initiatives/

Los tribunales en línea también están funcionando en otros países como China, Singapur y Australia. Todo ello lleva a pensar, tal y como manifiesta Susskind, que para la próxima década o, incluso, antes los tribunales de todo el mundo se habrán transformado gracias a tecnologías que todavía no se han inventado o será común que se lleven a cabo comparecencias en sala por medio de hologramas. Esto podría llegar a ser una nueva realidad en los próximos años[14].

3. INTELIGENCIA ARTIFICIAL: ¿QUÉ CUESTIONES ÉTICAS SUSCITA SU USO EN TRIBUNALES?

Como hemos expuesto *ut supra*, es un hecho indubitado que la transformación digital de nuestras sociedades ya está aquí y en los últimos años se ha impuesto también en los sistemas judiciales en forma de una auténtica revolución.

En lo que a la inteligencia artificial (**IA**) respecta, es innegable que está experimentando una fulgurante evolución y seguirá adentrándose en todos los ámbitos de nuestra vida. En efecto, la aprobación del reglamento europeo de inteligencia artificial que previsiblemente verá la luz este año es uno de los grandes retos de 2023.

El punto de confluencia entre la inteligencia artificial y los tribunales subyace en la justicia predictiva. En este sentido, en el año 2016 el "University College of London" publicó una investigación analizando decisiones del Tribunal Europeo de Derechos Humanos en las cuales se había aplicado un algoritmo a esos asuntos para encontrar patrones en el texto. La finalidad era ver si el *software* podía predecir el fallo y, efectivamente, así fue[15].

Básicamente, si se usa bien la inteligencia artificial ayudará a mejorar la previsibilidad del proceso judicial mediante la evaluación de las posibilidades de éxito de un litigio en particular (pretende asegurar una mayor transparencia del trabajo de los jueces y armonizar la construcción de la jurisprudencia).

---

[14] SUSSKIND, R. (2021). Online Courts and the Future of Justice. Oxford University Press.

[15] MORELL, J. El uso ético de inteligencia artificial en el sistema judicial. Blog de Innovación Legal y Nuevas Tecnologías. El uso ético de inteligencia artificial en el sistema judicial - Abogacía Española (abogacia.es)

Actualmente, existen algoritmos de IA extremadamente potentes que pueden superar a las personas en muchos niveles y esto tendrá un enorme impacto en los puestos de trabajo. Es de vital importancia estar preparados para este cambio, formándonos continuamente en competencias digitales y estando a la vanguardia en nuevas tecnologías.

En efecto, cabe tener en cuenta que, en muchos aspectos, la inteligencia artificial se está volviendo capaz de pensar a nivel humano. En este sentido, el fenómeno conocido como "singularidad de la IA" (o singularidad tecnológica) se refiere a la hipótesis de que un día existirá una inteligencia artificial que superará la inteligencia humana en todos los aspectos, incluidos la creatividad y la sabiduría. A partir de ese momento, la IA seguiría mejorándose a sí misma a un ritmo exponencial y los humanos no serían capaces de predecir o controlar sus acciones y decisiones.

Un estudio publicado por el Foro Económico Mundial en 2018 prevé que para el año 2030, alrededor del 30% de los trabajos actualmente realizados por personas serán suplantados por robótica e inteligencia artificial.[16]

Sin embargo, es importante tener en cuenta que estas previsiones pueden variar debido a múltiples factores, tales como la velocidad de adopción de la tecnología, la inversión en investigación y desarrollo, la regulación gubernamental y la evolución del mercado laboral. Además, la automatización y la inteligencia artificial pueden crear nuevos puestos de trabajo que compensen a aquellos que se eliminen. Por lo tanto, es difícil predecir con certeza el impacto exacto de la IA en el empleo en los próximos años.

La singularidad de la IA es un concepto controvertido en la comunidad científica y tecnológica. Algunos expertos creen que la singularidad es inevitable y se producirá en el futuro cercano, mientras que otros la ven como una idea poco probable o incluso irracional.

Además de la incertidumbre sobre si se producirá la singularidad y cuándo, también existen preocupaciones éticas y de seguridad relacionadas con la existencia de una inteligencia artificial más inteligente que los humanos. Por ejemplo, ¿cómo garantizar que la IA actúe en concordancia

---

[16]   TOYAMA, K. (2023, 16 enero). La IA y los trabajos que desaparecerán, los que llegarán y el riesgo de plagios, según 5 expertos en ChatGPT y DALL-E. 20bits. https://www.20minutos.es/tecnologia/actualidad/la-ia-y-los-trabajos-que-desapareceran-los-que-llegaran-y-el-riesgo-de-plagios-segun-5-expertos-en-chatgpt-y-dall-e-5092404/

con los valores humanos? ¿Cómo proteger la privacidad y la seguridad en un mundo controlado por la IA? ¿Cómo conseguir una inteligencia artificial sin sesgos?

En este sentido, es de vital importancia: (**i**) seleccionar cuidadosamente los datos, ya que los que utiliza un modelo de IA para aprender deben ser representativos y diversos para evitar sesgos hacia ciertos grupos o categorías; (**ii**) evaluar y monitorear regularmente el modelo para detectar posibles sesgos y corregirlos a tiempo; (**iii**) desarrollar y utilizar técnicas de mitigación de sesgos, como la adversarial training, que pueden ayudar a reducir la presencia de sesgos en un modelo de IA.

El derecho y la singularidad de la IA están interrelacionados, ya que la singularidad de la IA plantea una serie de desafíos legales y éticos que deben abordarse. A continuación, expondremos algunos ejemplos:

- La IA se basa en algoritmos y modelos matemáticos y existe la preocupación de que estos modelos puedan estar sesgados por datos previos o por los intereses de los desarrolladores de la tecnología. Por lo tanto, la IA puede tomar decisiones injustas o discriminatorias en el marco de un proceso judicial.

- Otra preocupación ética es la transparencia. La IA es en gran medida un "*black box*", lo que significa que es difícil entender cómo toma una decisión. Esto hace que sea difícil evaluar la imparcialidad de la IA y puede socavar la confianza en la justicia.

- La **privacidad** también es una preocupación importante. La IA puede tener acceso a grandes cantidades de datos personales, incluyendo información confidencial y delicada. Existe el riesgo de que esta información se comparta con terceros o se utilice para fines no autorizados.

- Otra preocupación ética es la **responsabilidad**. Si una decisión tomada por la IA resulta en una injusticia, ¿quién será responsable: el desarrollador de la tecnología, el juez que la utilizó o el sistema de justicia en su conjunto? Esta es una pregunta importante que debe ser abordada a medida que la IA se integre en los tribunales.

- Por último, la **capacitación** también es una preocupación importante. Muchos jueces y abogados no están familiarizados con la tecnología de IA y pueden no estar capacitados para evaluar su uso en el marco de un proceso judicial. Es importante que se proporcione una capacitación adecuada para garantizar un uso ético y responsable de la IA en los tribunales.

Estos son solo algunos ejemplos de los muchos desafíos legales y éticos que plantea la singularidad de la IA. Ahora bien, ¿cómo debemos abordar la misma para garantizar que la incorporación de la inteligencia artificial en los tribunales se haga de forma adecuada? La respuesta a esta cuestión no se desprende de forma irreflexiva del razonamiento anterior, sino que para para abordarla adecuadamente, **es necesario un diálogo interdisciplinario entre expertos en tecnología, derecho, ética y política**.

Todo ello pone de manifiesto la **imperiosa necesidad de establecer un marco jurídico sobre inteligencia artificial debido a todas las implicaciones éticas y jurídicas que conlleva el uso y desarrollo de esta tecnología**. En este sentido, cabe tener en cuenta que en España se ha establecido en A Coruña la Agencia Española de Supervisión de Inteligencia Artificial como autoridad supervisora en esta materia[17].

4. ¿QUÉ DEBEMOS HACER LOS ABOGADOS Y LA ADMINISTRACIÓN PÚBLICA PARA ADAPTARNOS A LA REVOLUCIÓN TECNOLÓGICA?

Actualmente, estamos experimentando un periodo único debido a la combinación de importantes progresos en la implementación de tecnologías y conceptos innovadores (como la inteligencia artificial, la biometría, la enfoque en datos y la sostenibilidad ambiental), el cual se está viendo impulsado por el Plan de Recuperación, Transformación y Resiliencia al que haremos referencia *ut infra*.

La revolución tecnológica está transformando a todas las industrias y sectores. La abogacía y la Administración Pública, como pilar esencial del Estado de Derecho, no son una excepción y deben estar actualizadas y preparadas para satisfacer las demandas de la sociedad en cuanto a cercanía y transparencia. Para adaptarse a estos cambios, es importante que los abogados y la Administración Pública adopten medidas proactivas para mantenerse a la vanguardia con las tecnologías más punteras y garantizar una práctica eficiente y efectiva.

---

[17]   TILVES, M. (2022, 6 diciembre). A Coruña será la sede de la Agencia Española de Supervisión de la Inteligencia Artificial. Silicon. https://www.silicon.es/a-coruna-sera-la-sede-de-la-agencia-espanola-de-supervision-de-la-inteligencia-artificial-2468935

Concretamente, la llamada transformación digital en la Administración de Justicia se refiere a la integración de tecnologías digitales para mejorar la eficiencia, transparencia y accesibilidad del sistema judicial. Esto incluye la automatización de procesos, la gestión electrónica de documentos, la creación de plataformas en línea para presentar y resolver casos y la implementación de herramientas de análisis de datos para ayudar a tomar decisiones basadas en hechos.

Éste es, precisamente, el objetivo del Plan de Recuperación, Transformación y Resiliencia para el Servicio Público de Justicia 2030, el cual se articula a través de tres proyectos de Ley: A) Proyecto de Ley de Medidas de Eficiencia Procesal del Servicio Público de Justicia; B) Proyecto de Ley Orgánica de Eficiencia Organizativa del Servicio Público de Justicia y C) Proyecto de Ley de Medidas de Eficiencia Digital del Servicio Público de Justicia y tiene como objetivo desarrollar un proyecto transversal de vertebración digital[18].

Este ecosistema está en constante evolución y, por tanto, es un proceso en continuo cambio que se enriquece con la participación de todos los actores a nivel nacional. Esta alianza persigue impulsar la actividad y el rendimiento del sector, así como también garantizar su futura sostenibilidad.

Por su parte, los abogados pueden adaptarse a la transformación digital de la siguiente manera:

- Aprendiendo nuevas habilidades tecnológicas: es importante que los abogados estén familiarizados con las herramientas digitales y plataformas en línea que se utilizan en la administración de justicia.

- Utilizando herramientas de gestión de casos electrónicas: las herramientas de gestión de casos electrónicas pueden ayudar a los abogados a mantener un registro centralizado y accesible de sus casos.

- Participando en entrenamiento en línea y cursos: es importante que los abogados sigan aprendiendo sobre las nuevas tecnologías y cómo pueden aplicarse en su práctica.

- Aprovechando la inteligencia artificial y el análisis de datos: la inteligencia artificial y el análisis de datos pueden ayudar a los abogados a tomar decisiones informadas y resolver casos de manera más eficiente.

---

[18]   GARCÍA, R. (2023, 14 enero). Principales retos de la jurisdicción social en 2023. Economist & Jurist. https://www.economistjurist.es/articulos-juridicos-destacados/principales-retos-de-la-jurisdiccion-social-en-2023/

En general, los abogados deben estar dispuestos a aprender y adaptarse a las nuevas tecnologías para seguir siendo competitivos en un mundo cada vez más digital.

Como exponíamos, la transformación digital requiere un enfoque coordinado y una visión a largo plazo para lograr una implementación exitosa en la administración pública. La Administración Pública también debe estar familiarizada con las TIC y cómo se pueden utilizar para mejorar la eficiencia y la transparencia de sus operaciones. Esto incluye la implementación de sistemas en línea para la presentación de solicitudes y la presentación de informes, así como la utilización de tecnologías avanzadas, como la IA, para mejorar la toma de decisiones y la resolución de problemas.

Es importante que los abogados y la Administración Pública se esfuercen por ser más accesibles y transparentes en su uso de tecnología. Esto implica la utilización de tecnologías en línea para facilitar el acceso a información y servicios legales y gubernamentales, además de la utilización de tecnologías avanzadas para mejorar la transparencia y la responsabilidad en la toma de decisiones.

A modo ilustrativo, cabe citar el caso de **Minsait**, compañía de **Indra**, la cual ha desarrollado diversas herramientas y soluciones tecnológicas destinadas a facilitar la **transformación digital de la justicia**. El Centro de Excelencia en Justicia de Minsait ha publicado el informe '**Transformación Digital en la Administración de Justicia. Innovación y Modernización**', en el que señala que es **fundamental incentivar la formación y capacitación de los profesionales del Servicio Público de Justicia** para incrementar sus competencias digitales y ayudarles a mejorar el desempeño de su actividad.

5. CONCLUSIÓN

Es un hecho innegable que, teniendo en cuenta los datos, los cuales indican que el 22% de la riqueza generada por España ya depende de la economía digital, "un porcentaje del Producto Interior Bruto (PIB) que queremos que llegue al 40% en 2030", en palabras de la Secretaria de Digitalización, más pronto que tarde la automatización y la Inteligencia Artificial estarán incorporadas de forma transversal en el ecosistema digital integrado de Justicia[19].

---

[19]   ZARAGOZÁ, J. L. (2023, 31 enero). Carme ARTIGAS: "La transformación digital es clave en el proceso de recuperación de la economía". Levante-EMV. https://

Sin duda, la digitalización puede contribuir a democratizar el sistema judicial en aquellos países subdesarrollados y en vía de desarrollo en los que la población no goza de un acceso a la justicia. La digitalización puede ponerlo al alcance de todos. El poder judicial debe valerse del liderazgo tecnológico y la innovación como aliadas para conseguir este objetivo.

Sin embargo, no todo es un camino de rosas y la incorporación de la inteligencia artificial en los tribunales plantea una serie de preocupaciones éticas importantes, incluyendo imparcialidad, transparencia, privacidad, impacto en el empleo, responsabilidad y capacitación. Es esencial abordar estas preocupaciones para garantizar un uso responsable y justo de la IA en el marco de la justicia. La formación y la transparencia son claves para asegurar que la IA se utilice de manera justa y equitativa, y para fortalecer la confianza en la justicia.

En la actualidad, es crucial ser conscientes y coherentes con nuestro estado de desarrollo tecnológico para progresar en la digitalización. Debemos abordar iniciativas que ofrezcan resultados tangibles y aporten un valor concreto y cuantificable a la mejora de los servicios en un plazo corto, demostrando así el esfuerzo realizado hasta ahora.

Como exponíamos, **el sector jurídico se redefinirá por despachos innovadores y flexibles** junto con nuevos actores, que aprovecharán las oportunidades y darán forma al mercado legal. Por su parte, los letrados y bufetes que se aferren a antiguas formas de trabajar tendrán dificultades para sobrevivir a largo plazo, incapaces de cumplir con las **exigencias de coste y competencia del mercado**, así como de igualar las mejoras y eficiencias que brindará la tecnología.

En conclusión, la revolución tecnológica está transformando el sector legal y es importante que los abogados y la Administración Pública adopten medidas proactivas para adaptarse a estos cambios y aprovechar al máximo las oportunidades que brindan las tecnologías avanzadas. Esto incluye la familiarización con las TIC, la capacitación, la colaboración y la atención a cuestiones éticas y legales. Si los abogados y la Administración Pública pueden trabajar juntos para adaptarse a la revolución tecnológica, podrán mejorar la eficiencia, la eficacia y la transparencia de su trabajo y brindar un mejor servicio a sus clientes y ciudadanos.

---

www.levante-emv.com/economia/2023/01/31/carme-artigas-transformacion-digital-clave-82259428.html

Los tribunales en línea son una alternativa atractiva a los tribunales tradicionales. Ofrecen una solución más rápida, económica y conveniente para la resolución de disputas, pero también tienen algunos inconvenientes. Será interesante ver cómo evolucionan.

Suscribo las palabras de Elisavetsky, cuando señala que "nada es mejor que poder abrazarse" y que "lo virtual nunca reemplazará lo presencial, sin embargo, también sabemos que lo perfecto es enemigo de lo posible y por ello la utilización de la tecnología a los jueces, mediadores, negociadores, conciliadores o árbitros, les otorga la posibilidad de enriquecer su praxis profesional, permitiendo que llegue más lejos".[20]

Si bien es importante gestionar las expectativas para empezar a trazar nuestro futuro soñado en términos de sistema judicial, un buen ejercicio sería empezar a hacernos la siguiente pregunta: si tuviéramos una hoja en blanco —sin edificios, funciones judiciales, funcionarios, procedimientos, tecnología— y se nos invitara a diseñar nuestro sistema judicial desde cero, ¿qué aspecto tendría? El propósito aquí es basarse en la visión y no en el legado. Esto último implica caminar hacia atrás en el futuro, contenido y limitado por donde estamos hoy.

6. REFERENCIAS BIBLIOGRÁFICAS

CIVIL RESOLUTION TRIBUNAL. (2023, 3 enero). Home. BC Civil Resolution Tribunal. https://civilresolutionbc.ca/

DAKSH FOUNDATION - Daksh Foundation. (s. f.). https://dakshfoundation.org/

DIVORCE-ONLINE. (2023, 24 enero). Quick & Easy Online Managed No-Fault Divorce Services | Divorce-Online. Divorce Online. https://www.divorce-online.co.uk/home-2/

ECOURTS. (s. f.). https://iapps.courts.state.ny.us/webcivil/ecourtsMain

EL GRUPO DE TRABAJO SOBRE LA JUSTICIA, JUSTICIA PARA TODOS - EL INFORME DEL GRUPO DE TRABAJO SOBRE JUSTICIA: VERSIÓN DE CONFERENCIA (New York: Center on International Cooperation, 2019), disponible en https://www.justice.sdg16.plus/

ELISAVETSKY, A. (2020). La mediación a la luz de las nuevas tecnologías: Un recorrido multigeográfico por los orígenes y presente del desarrollo de la resolución de conflictos y el impacto tecnológico. Errepar.

---

[20]   ELISAVETSKY, A. (2020). La mediación a la luz de las nuevas tecnologías: Un recorrido multigeográfico por los orígenes y presente del desarrollo de la resolución de conflictos y el impacto tecnológico. Errepar.

EUROPEAN COMMISSION. The 2022 EU Justice Scoreboard. ISBN 978-92-76-51630-9 ISSN 2467-2254 doi: 10.2838/819957 DS-AG-22-001-EN-N

GARCÍA, I. I. (2022). Nunca se legisló tan mal. Debemos exigir un cambio radical al respecto. *Diario La Ley*, (10184), 1.

GARCÍA, R. (2023, 14 enero). Principales retos de la jurisdicción social en 2023. Economist & Jurist. https://www.economistjurist.es/articulos-juridicos-destacados/principales-retos-de-la-jurisdiccion-social-en-2023/

JAMIE SUSSKIND: "Necesitamos tribunales tecnológicos y una ley antitrust para evitar la concentración de poder en internet". (2022, 29 diciembre). ELMUNDO. https://www.elmundo.es/papel/el-mundo-que-viene/2022/12/29/63a58122fdddffbf038b4585.htm

KAPLAN, A. (2020, 2 enero). Online courts, the future of justice and being bold in 2020. ABA Journal. https://www.abajournal.com/news/article/online-courts-the-future-of-justice-and-being-bold-in-2020

MORAN, M. (2020, 17 junio). Paz y justicia. Desarrollo Sostenible. https://www.un.org/sustainabledevelopment/es/peace-justice/

MORELL, J. EL USO ÉTICO DE INTELIGENCIA ARTIFICIAL EN EL SISTEMA JUDICIAL. BLOG DE INNOVACIÓN LEGAL Y NUEVAS TECNOLOGÍAS. El uso ético de inteligencia artificial en el sistema judicial - Abogacía Española (abogacia.es)

PRIVACY, J. (2022, 23 agosto). Small claims court —procedures and fees— Province of British Columbia. https://www2.gov.bc.ca/gov/content/justice/courthouse-services/small-claims

REUTERS. (2022, 30 ABRIL). India has court backlog of 40 million cases, chief justice says. https://www.reuters.com/world/india/india-has-court-backlog-40-million-cases-chief-justice-says-2022-04-30/

SUSSKIND, R. (2021). Online Courts and the Future of Justice. Oxford University Press.

TILVES, M. (2022, 6 diciembre). A Coruña será la sede de la Agencia Española de Supervisión de la Inteligencia Artificial. Silicon. https://www.silicon.es/a-coruna-sera-la-sede-de-la-agencia-espanola-de-supervision-de-la-inteligencia-artificial-2468935

TOYAMA, K. (2023, 16 ENERO). La IA y los trabajos que desaparecerán, los que llegarán y el riesgo de plagios, según 5 expertos en ChatGPT y DALL-E. 20bits. https://www.20minutos.es/tecnologia/actualidad/la-ia-y-los-trabajos-que-desapareceran-los-que-llegaran-y-el-riesgo-de-plagios-segun-5-expertos-en-chatgpt-y-dall-e-5092404/

ZARAGOZÁ, J. L. (2023, 31 enero). Carme Artigas: "La transformación digital es clave en el proceso de recuperación de la economía". Levante-EMV. https://www.levante-emv.com/economia/2023/01/31/carme-artigas-transformacion-digital-clave-82259428.html

Retos jurídicos ante el avance de la neurotecnología

FERNANDO FERNÁNDEZ-MIRANDA VIDAL

Socio de PwC Tax & Legal

SUMARIO: 1. INTRODUCCIÓN. 2. ANÁLISIS DEL RECONOCIMIENTO DE LOS NEURODERECHOS EN NUESTRO ORDENAMIENTO JURÍDICO. 3. ANÁLISIS DE LA NECESIDAD DE REVISAR NUESTRO MARCO DE DERECHOS FUNDAMENTALES PARA DAR CABIDA A LOS DENOMINADOS NEURODERECHOS. 3.1 Derecho a la identidad personal como mecanismo que garantice el control de cada persona sobre su propia identidad. 3.2. Derecho a la autodeterminación individual, soberanía y libertad en la toma de decisiones (libre albedrío). 3.3 Derecho a la confidencialidad y seguridad de los datos y el pleno dominio sobre los mismos (privacidad mental). 3.5 Derecho a la protección contra sesgos y discriminación. 4. CONCLUSIÓN. 5. REFERENCIAS BIBLIOGRÁFICAS. 6. RECURSOS DE INTERNET.

> "There is no gate, no lock, no bolt that you can set upon the freedom of my mind."
>
> (No hay barrera, cerradura ni cerrojo que puedas imponer a la libertad de mi mente).
>
> Virginia Woolf.

1. INTRODUCCIÓN

Existe el convencimiento de que una de las pocas cosas que un ser humano puede mantener fuera del alcance de los demás es su libertad mental, es decir, la libertad a tener los pensamientos que desee. Mientras que el cuerpo puede ser fácilmente controlado, encerrado o privado de libertad, no es posible leer la mente del prójimo ni impedir a una persona pensar y formar libremente sus propias ideas en su mente. Por tanto, se puede afirmar que los pensamientos de cada uno son la expresión máxima de la libertad personal y la autodeterminación individual.

Pues bien, los avances de la neurotecnología invitan a pensar que el concepto de la mente como refugio último de la libertad humana se enfrenta a una amenaza cada vez más real. Estamos hablando de diferentes prácticas, tecnologías y herramientas diseñadas para modular, corregir y manipular nuestro comportamiento a través de los correlatos neuronales de nuestros procesos mentales.

En este sentido, especial mención merece el proyecto "BRAIN", iniciado en 2013 bajo el auspicio de Barack Obama con el objetivo de desarrollar técnicas nuevas para poder mapear la actividad de circuitos neuronales enteros y desarrollar técnicas para poder alterar la actividad de dichos circuitos y, de esa manera, poder corregir los defectos que ocurren en las enfermedades mentales y neuronales, como el Alzheimer o el Parkinson. Este proyecto cuenta con presupuesto total que se calcula entorno a 6.000 millones de dólares una vez concluya en 2026/28 según su diseño original.

Pero más allá del proyecto BRAIN que nace de una iniciativa pública, los grandes proyectos de neurotecnología están actualmente en manos de grandes compañías privadas de naturaleza tecnológica. El multimillonario Elon Musk, creador de Tesla, SpaceX y reciente propietario de Tweeter, lanzó en 2016 la empresa Neuralink con el objetivo desarrollar interfaces cerebro-máquina que traten diversas dolencias relacionadas con el cerebro, con el objetivo final de crear una interfaz para todo el cerebro capaz de conectar más estrechamente la inteligencia biológica y la artificial

Fundada ese mismo año con una inversión inicial de 54 millones de dólares, la empresa Kernel comenzó a investigar neuroprótesis, dispositivos implantados en el cerebro que imitan, sustituyen o ayudan a las funciones cerebral. Meta, Microsoft y Google también están desarrollando sus propios proyectos de neurotecnología.

En definitiva, todos estos proyectos tienen en común la finalidad de analizar e influir sobre el sistema nervioso del ser humano, especialmente sobre el cerebro. De este modo, se puede afirmar que el concepto de neurotecnología engloba todas las tecnologías desarrolladas para entender el cerebro, visualizar sus procesos e, incluso, controlar, reparar o mejorar sus funciones.

Sin embargo, a nadie se le escapa que, si bien estos avances pueden suponer una revolución de una dimensión extraordinaria que traiga enormes beneficios para la sociedad, también alberga amenazas y desafíos sin precedentes a la autodeterminación individual y a la libertad en la toma de decisiones.

Por ello, como consecuencia de las enormes implicaciones que el uso de la neurotecnología puede entrañar en los derechos y libertades de los ciudadanos, algunas aún inimaginables por la incapacidad siquiera de atisbar cuáles serán los límites a la interacción entre las máquinas y el cerebro humano, surge lo que se han denominado "neuroderechos", como el marco jurídico destinado a garantizar que la evolución de esta tecnología en campos como la medicina, la genética, la bioingeniería, la psicología o incluso el militar, se lleva a cabo con todas las garantías jurídicas y sin el menoscabo de los derechos fundamentales de los ciudadanos

En concreto, a raíz de los postulados del neurocientífico Rafael Yuste, director del Centro de Neurotecnología de la Universidad de Columbia (EE.UU.) y principal impulsor del proyecto BRAIN mencionado anteriormente, parece existir un consenso internacional en que los neuroderechos pueden agruparse en las siguientes 5 categorías: (i) derecho a la identidad personal, (ii) derecho al libre albedrío, (iii) derecho a la privacidad mental, (iv) derecho al acceso equitativo y (v) derecho a la protección contra los sesgos.

En este contexto, el objeto de este artículo es analizar si el ordenamiento jurídico español cuenta en la actualidad con un desarrollo normativo que reconozca los denominados neuroderechos en el empleo de las neurotecnologías, y si resulta procedente revisar nuestro actual marco de derechos fundamentales en aras de reconocer nuevos derechos que puedan combatir de forma eficaz los riesgos intrínsecos al avance de este tipo de tecnologías.

2. ANÁLISIS DEL RECONOCIMIENTO DE LOS NEURODERECHOS EN NUESTRO ORDENAMIENTO JURÍDICO

Resulta evidente, sin necesidad de llevar a cabo un análisis exhaustivo de nuestro derecho positivo, que nuestro ordenamiento jurídico no cuenta en la actualidad con un desarrollo normativo que reconozca los denominados neuroderechos en el empleo de las neurotecnologías, de un modo que permitan hacer frente a todos los retos y amenazas que pueden surgir de la interacción entre el binomio cerebro-tecnología, permitiendo orientar la actividad de los investigadores a la vez que brindando protección jurídica a los ciudadanos y a la sociedad en su conjunto.

No obstante, resulta relevante poner de manifiesto que, a resultas de las preocupaciones surgidas a propósito del desarrollo imparable de estas técnicas se promulgó en nuestro país hace ya algunos años la Ley 14/2007, de 3 de julio, de investigación biomédica ("L 14/2007").

Esta Ley articula el derecho —constitucional— a la investigación con los principios de la integridad de las personas y la protección de la dignidad e identidad del ser humano en cualquier investigación biomédica que implique intervenciones sobre seres humanos.

Sin embargo, como apunta Amoedo-Souto[1], la Ley 14/2007 *"parte de un ámbito objetivo de aplicación que no es suficientemente amplio para incluir todos los hallazgos neurocientíficos, que se caracterizan por una aplicación de tecnologías a gran escala en una convergencia a su vez transdisciplinaria, creadora de nuevos saberes y técnicas sobre un objeto concreto, el cerebro humano, susceptible de generar múltiples aplicaciones comerciales, militares, sociales…cuya consecuencia inmediata es la necesidad de un marco global de regulación jurídica que responda adecuadamente tanto a la naturaleza transnacional del espacio como al contenido transdisciplinar del objeto a regular"*.

Por otra parte, y aunque carece de carácter normativo o efectos vinculantes ya que su objetivo es reconocer los novísimos retos de aplicación e interpretación que la adaptación de los derechos al entorno digital plantea, merece la pena hacer mención a la Carta de Derechos Digitales, que fue presentada por el Presidente del Gobierno de España el 14 de julio de 2021.

Esta Carta de Derechos, cuya vocación es la de convertirse en un marco de referencia para la aplicación e interpretación de los derechos en el entorno digital, que contribuya a garantizar que los derechos y libertades que disfrutamos en nuestra vida offline estén igualmente protegidos online, reconoce en su artículo XXVI los derechos digitales en el empleo de las neurotecnologías, en los siguientes términos:

"1. Las condiciones, límites y garantías de implantación y empleo en las personas de las neurotecnologías podrán ser reguladas por la ley con la finalidad de:

a) Garantizar el control de cada persona sobre su propia identidad.

b) Garantizar la autodeterminación individual, soberanía y libertad en la toma de decisiones.

c) Asegurar la confidencialidad y seguridad de los datos obtenidos o relativos a sus procesos cerebrales y el pleno dominio y disposición sobre los mismos.

---

[1]   Amoedo-Souto, C. A. (2018). *"El Derecho administrativo español ante las neurociencias y el neuroderecho: desarrollos y perspectivas"*. Universidad de A Coruña

d) Regular el uso de interfaces persona-máquina susceptibles de afectar a la integridad física o psíquica.

e) Asegurar que las decisiones y procesos basados en neurotecnologías no sean condicionadas por el suministro de datos, programas o informaciones incompletas, no deseados, desconocidos o sesgados.

2. Para garantizar la dignidad de la persona, la igualdad y la no discriminación, y de acuerdo en su caso con los tratados y convenios internacionales, la ley podrá regular aquellos supuestos y condiciones de empleo de las neurotecnologías que, más allá de su aplicación terapéutica, pretendan el aumento cognitivo o la estimulación o potenciación de las capacidades de las personas."

Se trata, por tanto, de un buen exponente de una declaración soft law en el marco de la reflexión sobre los desafíos de sociedad digital, que pretende servir de guía y referencia para la protección de las personas de injerencias y manipulaciones que pongan en riesgo la identidad personal, el libre albedrío, la privacidad de nuestro cerebro y nos proteja frente a sesgos discriminatorios.

3. ANÁLISIS DE LA NECESIDAD DE REVISAR NUESTRO MARCO DE DERECHOS FUNDAMENTALES PARA DAR CABIDA A LOS DENOMINADOS NEURODERECHOS

Partiendo de que cada vez existen más voces demandando el desarrollo de un marco normativo robusto que positivice el contenido de los denominados neuroderechos, el debate que se plantea desde un punto de vista jurídico reside en determinar si los actuales derechos fundamentales reconocidos en la Constitución Española integran o aglutinan de algún modo estos derechos, o, por el contrario, ese desarrollo normativo debe partir primero de la incorporación de los neuroderechos a nuestra Norma Suprema como derechos fundamentales autónomos que garanticen su protección efectiva.

A esta pregunta, hay países como Chile que han decidido afrontar una reforma constitucional, convirtiéndose en el primer país del mundo en reconocer estos derechos en el plano constitucional a través de la modificación del número 1 del artículo 19 de la Constitución Política de la República de Chile en la siguiente forma: "El desarrollo científico y tecnológico estará al servicio de las personas y se llevará a cabo con respeto a la vida y a la integridad física y psíquica. La ley regulará los requisitos, condiciones y restricciones para su utilización en las personas, debiendo resguardar especialmente la actividad cerebral, así como la información proveniente de ella"[2].

Desde mi punto de vista, antes de tomar una decisión de tan hondo calado y para dar respuesta a esta cuestión, resulta necesario estudiar de forma analítica el contenido y alcance de los denominados neuroderechos para determinar su encaje jurídico en el actual marco de derechos fundamentales. A continuación una primera aproximación en la que expongo brevemente mis conclusiones.

3.1 Derecho a la identidad personal como mecanismo que garantice el control de cada persona sobre su propia identidad

Como indica López Calvo[3], se teme que al conectar los cerebros a computadoras se diluya la identidad de las personas, o cuando los algoritmos ayuden a tomar decisiones, el yo de los individuos pueda difuminarse. Por esta razón, frente a esta amenaza en el empleo de las neurotecnologías, una de las categorías en las que se articulan los neuroderechos aboga por garantizar el control de cada persona sobre su propia identidad.

El derecho a la identidad encuentra amparo en el plano constitucional en la conjunción del juego del valor de la dignidad, como valor fundante de nuestro ordenamiento jurídico, con los derechos de la personalidad garantizados en el artículo 18 CE: derecho al honor, a la intimidad y a la propia imagen.

Una visión amplia de estos derechos parece arrojar cobertura suficiente para reputar inconstitucional cualquier agresión imaginable a la identidad personal como consecuencia de la aplicación de neurotecnologías a las personas.

---

[2] *Si bien esta Constitución fue rechazada en el referéndum celebrado el 4 de septiembre de 2022 por un 62% de los votos. Aunque las causas de este rechazo son diversas, complejas y aún contradictorias, no dejaba de haber un sector de la opinión pública que fundaba su rechazo en los excesos en la constitucionalización de derechos fundamentales, considerando que ese texto era inflacionista y que convertía la Norma Suprema en una especie de reglamento de difícil, y en algunos casos, imposible aplicación.*

[3] *López Calvo, J. (2017). "Carta de Derechos Digitales y Privacidad". Diario la Ley*

3.2. Derecho a la autodeterminación individual, soberanía y libertad en la toma de decisiones (libre albedrío)

En la misma línea que el apartado anterior, la potencial interconexión de herramientas tecnológicas con el cerebro humano puede provocar la perdida de la soberanía individual en el libre desarrollo de la personalidad y la libre toma de decisiones. Según el profesor Yuste[4]: *"ahora mismo hay experimentos conectados a varios monos con interfaces cerebro-computadora donde toman decisiones de una manera conjunta"* o incluso, *"en la Universidad de Washington se ha conectado a tres personas con electrodos de superficie para que realicen una tarea mental conjunta"*.

Frente a esta realidad creciente, este neuroderecho pretende garantizar el libre albedrío de cada persona, el cual se desprende fácilmente en nuestro ordenamiento jurídico de los valores contenidos en el art. 10.1 CE en conexión con los derechos reconocidos en el art. 16.1 CE.

En el art. 10.1 CE se proclama, entre otros, como fundamento del orden político y de la paz social, la dignidad de la persona y el libre desarrollo de la personalidad. Por su parte, en el art. 16.1 CE se garantiza lo que en términos amplio podemos denominar libertad de conciencia o libertad de pensamiento, denominada por la Constitución Española, libertad ideológica y religiosa.

A este respecto, a mi parecer es inimaginable pensar que cualquier manipulación de las conciencias de las personas por cualquier método tecnológico no supusiera una actuación claramente inconstitucional.

3.3 Derecho a la confidencialidad y seguridad de los datos y el pleno dominio sobre los mismos (privacidad mental)

Como indican Ienca y Adorno[5] *"a medida que las aplicaciones generalizadas de la neurotecnologías están introduciendo datos cerebrales en la infosfera, los exponen al mismo grado de intrusión y vulnerabilidad al que está expuesto cualquier otro fragmento de información que circula por el ecosistema digital"*.

---

[4]   *Yuste, R. (2019). "Las nuevas neurotecnologías y su impacto en la ciencia, medicina y sociedad". Universidad de Zaragoza*

[5]   *Ienca, M. & Adorno, R (2017). "Towards new human rights in the age of neuroscience and neurothecnlogy". Lifes sciences, society and policy.*

Es decir, como indica Isla de la Vega[6], nos enfrentamos a una revolución neurotecnológica en la que, pese a las muchas incógnitas que a día de hoy presenta, parece atisbarse un mundo en el que la posibilidad de acceder a la mente, sus pensamientos y la información ahí almacenada, es menos distópica de lo que parece. Por ejemplo, en 2019 Facebook estaba desarrollando un prototipo de electrodos no invasivos capaces de convertir en texto nuestros pensamientos y así evitar la necesidad de teclear.

Frente a esta amenaza, los expertos consideran esencial preservar la inviolabilidad de los neurodatos que generan los cerebros humanos, de ahí el reconocimiento de la denominada privacidad mental como uno de los neuroderechos más firmemente asentados.

Este derecho a la privacidad en su faceta neuronal encuentra acomodo en nuestra Constitución en el derecho fundamental a la protección de datos consagrado en el artículo 18.4 CE, que determina que *"La ley limitará el uso de la informática para garantizar el honor y la intimidad personal y familiar de los ciudadanos y el pleno ejercicio de sus derechos"*.

Por tanto, no parece necesario reconocer en el plano constitucional el denominado derecho a la privacidad mental, que no es otra cosa que la extensión del derecho a la protección de datos de carácter personal aplicado a una dimensión hasta ahora inexplorada, lo que puede suscitar la necesidad de un desarrollo normativo específico respecto a una categoría de datos (datos mentales) o fuente de los mismos (el cerebro) no regulados a día de hoy, pero en ningún caso, un nuevo derecho fundamental.

(iv) Derecho a la regulación ordenada del uso de interfaces persona-máquina susceptibles de afectar a la integridad física o psíquica (acceso equitativo a las tecnologías de aumentación).

En el estado actual de la tecnología, el aumento cognitivo es un futurible impreciso del que se desconoce cuáles son las técnicas adecuadas, cuáles serían sus costes y sus eventuales efectos secundarios indeseables.

En este contexto, desde mi punto de vista resultaría una ocurrencia sin sentido incorporar el derecho al acceso equitativo a las tecnologías de aumentación a la Constitución como un derecho fundamental.

Por otra parte, el artículo 9.2 de la CE, al servicio de la cláusula del estado social, establece *"el deber de los poderes públicos de promover las condiciones*

---

[6]   *Isla de la Vega, B., (2021). "Los derechos fundamentales ante el avance de las neurotecnologías; ¿Es necesario un nuevo catálogo de derechos y libertades"? Universidad de Comillas*

para que la libertad y la igualdad del individuo y de los grupos en que se integra sean reales y efectivas; remover los obstáculos que impidan o dificulten su plenitud y facilitar la participación de todos los ciudadanos en la vida política, económica, cultural y social", de forma que ya se contempla una cobertura constitucional para la intervención de los poderes públicos si, en su momento, ese eventual aumento cognitivo pudiera ser gravemente discriminatorio para quiénes no tuvieran medios económicos para acceder a la tecnología.

Y si se quiere reforzar la defensa de ese interés legítimo, llegado el caso, podría incorporarse al Capítulo III de la CE como un principio rector de la política económica y social, puesto que en el mismo vienen recogidos otros intereses legítimos de los ciudadanos, no menos importantes, como el derecho a la salud o a la vivienda o la protección el medio ambiente.

3.5 Derecho a la protección contra sesgos y discriminación

Con la creciente automatización de la sociedad y la penetración de la inteligencia artificial en todos los órdenes de la vida, cada vez es más patente que los algoritmos en los que se basan presentan sesgos y discriminaciones, que no son más que el reflejo de la sociedad donde recaban los datos que sirven para su entrenamiento.

Asegurar que las decisiones y procesos basados en neurotecnologías no sean condicionadas por el suministro de datos, programas o informaciones incompletas, no deseados, desconocidos o sesgados es lo que pretende garantizar la última categoría en la que se engloban los neuroderechos.

Este derecho, que en fondo no es otro que el derecho a la igualdad y no discriminación se encuentra reconocido constitucionalmente como derecho fundamental, en el artículo 14 de la CE, que establece que todos los españoles somos iguales ante la ley sin que pueda prevalecer discriminación alguna por razón de nacimiento, raza, sexo, religión, opinión o cualquier otra condición o circunstancia personal o social.

Por otra parte, resulta relevante traer de nuevo a colación el contenido del artículo 18.4 CE comentado anteriormente. Es decir, desde mi punto de vista, cualquier interacción máquina-cerebro que menoscabe cualquier derecho del ciudadano con informaciones sesgadas o falsas, con utilización de tecnologías de manipulación, sería considerado inconstitucional.

4. CONCLUSIÓN

El número y diversidad de aplicaciones de la neurotecnología está creciendo significativamente dentro y fuera del ámbito clínico y de investigación, lo que representa a la vez un beneficio extraordinario para la sociedad y una amenaza a la libertad de las personas.

El hecho de que las principales compañías tecnológicas a nivel mundial estén apostando por el desarrollo de interfaces capaces de comunicar a las máquinas directamente con el cerebro con fines comerciales está generando un debate cada vez más intenso acerca de la necesidad incorporar los denominados neuroderechos en nuestro catálogo de derechos fundamentales para afrontar de este modo, con las máximas garantías jurídicas, los desafíos específicos que plantean la neurociencia y la neurotecnología.

Frente a este debate, comparto la opinión de que resulta necesario diseñar un marco normativo que permita orientar la actividad de los investigadores a la vez que brindar protección jurídica a los ciudadanos y a la sociedad en su conjunto. Sin embargo, observo con preocupación la tendencia actual de exigir constantemente el reconocimiento de nuevos derechos fundamentales —sobre todo en su dimensión de aplicación digital— en lo que se ha bautizado como inflación de derechos, que desde mi punto de vista no viene más que desnaturalizar el concepto mismo de derecho fundamental, contribuyendo de este modo a su pérdida de valor y eficacia.

A mi parecer, los denominados neuroderechos no necesitan ser incorporados directamente en nuestra Constitución al existir ya en la misma derechos fundamentales que los aglutinan y los incorporan. Todo ello porque el derecho constitucional no es ni derecho penal ni derecho administrativo sancionador, ni puede pretender concretar la responsabilidad patrimonial.

No se trata, por tanto, de sancionar conductas desde una reforma de la Constitución Española, sino determinar si la misma ofrece cobertura suficiente para que el legislador, desde su libertad política de configuración, pueda afrontar estas amenazas con medidas coercitivas, preventivas o de fomento, y a mi juicio, la respuesta es afirmativa.

Es decir, no se trata de tener la absurda pretensión de que una Constitución pude prever los problemas que el desarrollo tecnológico pueda plantear la dignidad, a la libertad y a la igualdad de las personas, sino de buscar la cobertura constitucional suficiente para la acción del legislador y, en su caso, del juez.

Por tanto, una vez que se encuentra suficiente cobertura constitucional para la acción del legislador, lo prudente es que sea este quien tome las medidas adecuadas para evitar, prevenir o reprimir los riesgos derivados del uso o aplicación de las neurotecnologías.

Para ello, llegado el momento, en función de la evolución que este tipo de tecnología experimente en los tiempos venideros y, por tanto, de las amenazas concretas y específicas a las que nos enfrentemos como sociedad y como individuos, el legislador deberá determinar si este desarrollo legislativo debe producirse a través de una norma con rango de ley específica para esta materia (sea esta o no de naturaleza orgánica) o mediante la modificación de normas ya existentes. Un ejemplo de este último caso sería la modificación del LOPGDD, o a nivel europeo del RGPD, para incorporar una regulación específica para la captación, tratamiento y uso de los datos personales generados en la interrelación del cerebro con las máquinas

5. REFERENCIAS BIBLIOGRÁFICAS

AMOEDO-SOUTO, C. A. (2018)."El Derecho administrativo español ante las neurociencias y el neuroderecho: desarrollos y perspectivas". Universidad de A Coruña

IENCA, M. & ADORNO, R., (2017). *"Towards new human rights in the age of neuroscience and neurothecnlogy"*. Lifes sciences, society and policy.

ISLA DE LA VEGA, B., (2021). *"Los derechos fundamentales ante el avance de las neurotecnologías; ¿Es necesario un nuevo catálogo de derechos y libertades"?* Universidad de Comillas.

LÓPEZ CALVO, J. (2017). "Carta de Derechos Digitales y Privacidad". Diario la Ley

YUSTE, R., (2019). "Las nuevas neurotecnologías y su impacto en la ciencia, medicina y sociedad". Universidad de Zaragoza.

6. RECURSOS DE INTERNET

* Entrevista Rafael Yuste (2015). https://www.youtube.com/watch?v=iVyTEu4FDvw
* Neurotecnología, ¿cómo revelar los secretos del ser humano? Iberdrola. https://www.iberdrola.com/innovacion/neurotecnologia
* ¿Qué son los neuroderechos? El Gobierno plantea proteger los "procesos cerebrales" de la tecnología abusiva. (2020) El Diario.es. https://www.eldiario.es/tecnologia/son-neuroderechos-gobierno-plantea-primera-vez-proteger-procesos-cerebrales-tecnologia-invasiva_1_6478246.html

La financiación a través de NFTs en la industria

RUBÉN ILLESCAS

Abogado. Digital & Metaverse Officer del Departamento de Media & Tech de AUREN ABOGADOS

1. ¿QUÉ SON LOS NFTs?

Los non fungibles tokens (NFTs) o tokens no fungibles, son una **representación única digital basada en la tecnología de registro descentralizado (blockchain)**. Además, a diferencia de las monedas digitales, los NFTs son un **tipo de criptoactivo** que no se puede intercambiar por otros del mismo tipo ni dividir, pero sí **que se puede transmitir**.

Los NFTs cumplen la función de identificar un activo específico en la cadena de bloques, pudiendo este activo adoptar multitud de formatos digitales para vincularse con canciones, contratos, obras audiovisuales, etc…

Para remontarnos al **origen tenemos que acudir a las llamadas "monedas coloreadas"** que se desarrollaron en el año 2012 en la red bitcoin. Estas monedas coloreadas se utilizaban por los desarrolladores y miembros de comunidades para repartir beneficios, representar propiedades, representar arte, etc…

De este modo, desde hace más de 10 años el concepto de los NFTs está vigente en la sociedad. De hecho, multitud de las nuevas funcionalidades que se están implementando en la industria son funcionalidades que se utilizaron en las monedas coloreadas. La tecnología en las que se basan las monedas coloreadas no llegó a triunfar, debido a que se desarrolló sobre una red que no estaba ideada para implementar este tipo de mecanismos, por lo que limitaba en gran medida su potencial.

Estas barreras que limitaban a las monedas coloreadas pronto se eliminarían con la creación de nuevas redes blockchain que implementaban funcionalidades que suplían las carencias de la red bitcoin. Es en estos momentos, donde aparece la red de Etherium, que marcó un antes y un después en la tecnología blockchain, permitiendo una mayor escalabilidad de la red, un desarrollo más complejo de Smart contracts y la capacidad para almacenar NFTs. Los desarrolladores al contar con redes que les permitían mayores funcionalidades comenzaron a explorar las ideas utilizadas con las monedas coloreadas para crear lo que hoy en día conocemos como NFTs.

Con estas mejoras comenzaron a utilizarse los NFTs como certificados de autenticidad, permitiendo suplir otra de las grandes carencias del mundo digital, es decir, la duplicidad de copias y reproducciones. De este modo, todos aquellos archivos digitales que estuvieran identificados a través de NFTs se serían los archivos auténticos, únicos e indivisibles.

Esta "revolución digital" no solo ha permitido a los usuarios conocer cuál es el archivo autentico, único e indivisible, sino también conocer otras características del mismo, como su acuñamiento, el número de transacciones, direcciones de billeteras que lo han poseído, etc.

El primer sector en abanderar esta tipo de tecnología fue el sector del arte digital. En este sentido, el primer NFT sobre el que se tiene constancia es la animación con forma de octágono denominada "Quantum" que se creó en el año 2014 y cuyo autor es Steve McCoy. No obstante, a esta creación le han seguido colecciones mundialmente famosas como los "CryptoPunks" que están ambientados en el movimiento cyberpunk, la novela Neuromante de William Gibson, Johnny Mnemonic y Blade Runner.

1.1 Tipos de NFTs

En la actualidad existen varias categorías de NFTs que dependen de sus características, pudiendo pertenecer un mismo NFT a varios grupos. De este modo, en primer lugar, podemos encontrar a los **NFTs de primera generación.** Este tipo de NFTs es el más básico de todos, ya que no pueden cambiar de forma y fue el primer tipo que se desarrolló. En un primer momento, fue pensado para reflejar situaciones en las que únicamente debía variar el propietario a lo largo de los años. Como, por ejemplo, la adquisición de obras de arte, títulos de propiedad, etc.

En contraposición a los NFTs estáticos surgieron los NFTs de **segunda generación**. Los NFTs dinámicos han incorporado contratos inteligentes que permiten modificar ciertos aspectos del NFT, mientras otros aspectos quedan inalterables. Estos NFTs son dinámicos y mejoran notablemente a los de primera generación, ya que pueden ofrecer al adquirente grandes utilizades como incentivos por su tenencia, vincularse con otros NFTs, almacenar monedas digitales e incluso actualizarse en tiempo real.

Una de las grandes diferencias entre estos dos tipos de NFT es que los NFT de primera generación únicamente se vinculaban con un bien tangible o intangible de manera inmutable, pero los NFT de segunda generación permiten que sus NFT puedan actualizarse e incluso poseer diferentes funcionalidades. Por ejemplo, un NFT de primera generación basado en una obra audiovisual solo podía contener la obra audiovisual o un fragmento de esta. En cambio, los NFTs de segunda generación son capaces de almacenar no solo la obra audiovisual y su fragmento, si no también el guion de la obra, la banda sonora, etc.

Otra de las grandes diferencias entre ambas tipologías de NFTs consiste en las operaciones que se podían llevar a cabo: los NFTs de primera generación, únicamente permitían la compraventa, pero, por su parte, los NFTs de segunda generación también permiten otras operaciones como por ejemplo el alquiler.

Por otro lado, podemos encontrar otra tipología paralela como son aquellos NFTs que proveen ventajas (**NFTs útiles**) y los que no. Estos últimos NFTs, son aquellos que no otorgan al propietario ninguna ventaja o un beneficio por su tenencia. En este capitulo dedicaremos un apartado expresamente para este tipo de NFT, ya que la implementación de ventajas o beneficios a la adquisición de un NFT ha sido uno de los principales motivos del crecimiento de esa tecnología.

2. ÁMBITO JURÍDICO DE LOS NFTS

A grandes rasgos, la tecnología blockchain es una base de datos, donde de manera pública, todas las personas pueden rastrear las transacciones que se han realizado en ella. El origen de los NFTs radica en esta tecnología y nació con el fin de suplir la necesidad de obtener un certificado de autenticidad sobre las propiedades digitales y del mundo real sin necesidad de depender de organismos centralizados.

Es por ello, que la normativa jurídica aplicable a cada NFT dependerá esencialmente del bien digital o analógico que identifique. Por ejemplo, un NFT puede representar el título de propiedad sobre un inmueble, los derechos de una canción, una reserva en un restaurante…

Si bien podemos aplicar la normativa adecuada dependiendo de la naturaleza del producto, servicio o derecho, la realidad es que la mecánica en la venta de los NFTs provoca en la actualidad una serie de problemas a los usuarios. Por ejemplo, un error muy habitual que sufren los usuarios radica en las plataformas de venta donde se venden gran número de NFTs, en los mercados secundarios o en la venta entre particulares.

Respecto a la venta en plataformas, en muchísimas ocasiones las condiciones de compra no reflejan con fidelidad ni describen realmente lo que el usuario está adquiriendo.

Respecto a la venta entre particulares o mercados secundarios, normalmente se comercializan los NFTs sin informar correctamente de los derechos que pudieran pertenecer a los posibles compradores.

En la actualidad, **la mayoría de las colecciones de NFTs ofrecen una seguridad jurídica deficiente a los adquirentes**. Las tres grandes razones del porqué la citada comercialización carece de la seguridad jurídica necesaria, podrán concretarse en (i) la educación de los adquirentes, (ii) la globalización del mercado y (iii) la falta de análisis jurídico previo a la emisión de la colección. **En estos mercados existe una falsa ideología de que todo lo adquirido por la tecnología NFT es del propietario.**

Por ejemplo, este error es muy habitual en la adquisición de NFTs basados en obras de arte. Estas obras de arte plasmadas en un NFT pueden no otorgar derechos de propiedad intelectual sobre las mismas, sino únicamente derechos de exposición. En estos casos los usuarios en ocasiones caen en la falsa creencia que su NFT le proporciona derechos de propiedad y derechos de propiedad intelectual sobre su adquisición, cuando la realidad podría ser distinta.

Llevando está práctica a un ejemplo similar, si en vez de estar ante un NFT estuviéramos ante un cuadro, el adquiriente conocería por la práctica habitual global que seguramente este comprando el cuadro, pero no los derechos del autor que lo creó.

Dentro de este concepto podríamos llegar a pensar que estaríamos ante compraventas que adolecen de vicio en el consentimiento, al no conocer realmente "qué" se está comprando por parte del adquirente. No obstante, los NFTs al estar bajo la tecnología blockchain, confieren a las transacciones un valor de inmutabilidad, por lo que, el adquirente tendría que recurrir a medios judiciales para lograr la reversión de la compraventa, salvo que por voluntad del vendedor decidiera devolverle la cuantía.

Al margen de la normativa aplicable a la naturaleza de los bienes a los que se referencien los NFTs, no debemos olvidar que el medio por el que se comercializan es internet. Por tanto, estas comercializaciones estarán reguladas por la Ley 34/2002, de 11 de julio, de servicios de la sociedad de la información y de comercio electrónico (en adelante, LSSI).

La aplicación de esta normativa es complicada, ya que no fue redactada para los mecanismos comerciales que han sido desarrollados en los mercados de NFTs. Además, no hay que olvidar que la tecnología blockchain y su posterior industria surgen del ideal de desvincularse de las organizaciones centralizadas.

De hecho, el ideal de la descentralización ha llevado a generar dos tipos de plataformas contrapuestas. La primera de ellas, de corte muy purista y con el foco en **organizaciones autónomas descentralizadas** que pretenden dotar al usuario de todas las ventajas de comercialización de los NFTs sin límites, pero también dotarle de inconvenientes como el traslado de la responsabilidad sobre sus transacciones al propio usuario.

Este tipo de plataformas más puristas, que se basan en la seguridad propia de la tecnología blockchain para regular las operaciones que se lleven a cabo dentro de las mismas, posicionan a las partes de la compraventa en grandes dificultades. Sobre todo, cuando la mayoría no implementan medidas de "*Know Your Costumer*" (KYC), con el fin de conocer internamente los datos de sus usuarios y facilitárselos entre ellos si hubiera alguna reclamación respecto a la transacción.

Estas circunstancias afectan de forma desmedida a ambas partes, ya que podrían no conocer bajo qué ley están constituyendo la operación. El artículo 29 de la LSSI regula que:

> *"Los contratos celebrados por vía electrónica en los que intervenga como parte un consumidor, se presumirán celebrados en el lugar en que éste tenga su residencia habitual.*
> *Los contratos electrónicos entre empresarios o profesionales, en defecto de pacto entre las partes, se presumirán celebrados en el lugar en que esté establecido el prestador de servicios".*

El desconocimiento afectaría siempre a unas de las partes, al depender de condiciones subjetivas como la de consumidor o como la de empresario. Desprotegiendo en el primero de los supuestos al vendedor y en el segundo de los supuestos al comprador.

Otra circunstancia que no debemos obviar es que los usuarios en este tipo de plataformas también se encuentran con dificultades para averiguar la identidad de la persona que hay detrás de la compraventa del NFT.

De este modo, si bien podríamos determinar que es posible aplicar soluciones jurídicas ante este tipo de operaciones que se llevan a cabo en las plataformas más puristas, lo cierto es que estamos ante soluciones muy complejas que provocan desigualdades entre las partes.

La segunda tipología de plataformas estaría representada por **entidades centralizadas que se basan en plataformas de web 2.0,** como Amazon. Estas entidades se adaptan más a las normativas vigentes y llevan a cabo procesos como el "KYC", permitiendo solventar algunos de los problemas que hemos mencionado anteriormente.

No obstante, estas plataformas al posibilitar la venta de NFTs de múltiples naturalezas también se encuentran con inconvenientes al enfrentarse con leyes imperativas nacionales que regulan procesos específicos para su comercialización, provocando que las operaciones de compraventa de NFTs también adolezcan de vicios en el consentimiento. Por ejemplo, un sector que se encuentra muy influenciado por leyes imperativas nacionales sería el inmobiliario.

En consecuencia, la conclusión a la que podemos llegar es que, si bien las operaciones llevadas a cabo con NFTs son jurídicamente protegibles, la normativa con la que contamos en la actualidad no es efectiva frente a este tipo de operaciones al estar ante un mercado global que promueve la venta de NFTs vinculados con bienes de todas las naturalezas y de todos los sectores.

3. NFTs DE UTILIDAD

Los NFTs de utilidad están suponiendo un punto de inflexión, debido a su gran adaptación a la mayoría de los sectores económicos, facilitando a empresas tradicionales la adopción de la tecnología NFT. **El potencial de los NFTs de utilidad permite a los emisores no comercializar únicamente el NFT, sino que, el usuario que lo adquiere obtiene derechos que le permiten interactuar con el mundo rea**l, obtener beneficios por su participación en un proyecto, formar parte de una comunidad, entre otros ejemplos.

Estos derechos siempre estarán vinculados al NFT, por lo que en el caso de que se revenda, los derechos los obtendrá el siguiente adquirente. Los NFTs de utilidad no son un tipo de NFT distinto a los NFTs primera generación o segunda generación tecnológicamente hablando, sino que formarán parte de esta tipología todos aquellos que otorguen ventajas o beneficios a los poseedores del propio NFT.

La ventajas o beneficios que pueden proporcionar estos NFTs son ilimitadas, ya que dependen de la voluntad e imaginación de la empresa emisora. Sin embargo, como hemos comentado anteriormente, hoy en día, no contamos con una regulación propia o una propuesta de regulación, ya que el Reglamento del Parlamento Europeo y del Consejo relativo a los mercados de criptoactivos y por el que se modifica la Directiva (UE) 2019/1937 excluye expresamente de su regulación a los criptoactivos que sean únicos y no fungibles respecto de otros criptoactivos.

En el ámbito de las monedas digitales, esta propuesta de reglamento permite a los emisores y a las entidades gubernamentales conocer ante qué tipo de moneda digital se encuentran y, por tanto, conocen qué requisitos deben cumplir o exigir para estar conformes a la normativa, dotando de esta manera una mayor seguridad jurídica a todo el ecosistema.

Si analizamos los antecedentes a esta propuesta, encontramos como grandes organismos gubernamentales han intentado definir durante años los tipos de monedas digitales. Un claro ejemplo de ello ha sido la diferenciación entre las monedas digitales que se encuadran como activos financieros (security tokens) y aquellas que serían como cupones para adquirir servicios o productos de una empresa (utility tokens).

Uno de los motivos por los cuales se ha hecho tanto hincapié en la diferenciación entre un tipo de token y otro, es la protección a los consumidores respecto a los activos financieros. Sin embargo, las monedas digitales no son las únicas que pueden confeccionarse como activos financieros, sino que los NFTs también necesitan de una regulación similar.

Como hemos explicado anteriormente, los derechos que se pueden asignar un emisor a su NFT son ilimitados. Entre estos beneficios puede encontrarse la obtención de rendimientos por la adquisición de un NFT vinculado a un proyecto, la obtención de intereses por su mantenimiento, etc.

Uniendo el concepto de security tokens al de los NFTs que reportan beneficios financieros obtenemos que, aunque estemos ante dos tipos distintos de activos intangibles, **ciertos NFTs deberían estar regulados por la normativa financiera**. Esta problemática en la actualidad no ha sido abordada por ningún ente gubernamental. No obstante, la Comisión de Valores de Estados Unidos ha anunciado que está analizando diferentes proyectos de NFTs que podrían encuadrarse en este ámbito financiero.

4. ¿CÓMO HA APROVECHADO LA INDUSTRIA DEL ENTRETENIMIENTO ESTA TECNOLOGÍA?

El sector del entretenimiento ha sido uno de los sectores que más se ha beneficiado de la tecnología NFT, ya que el sector del entretenimiento es uno de los sectores que más se ha digitalizado en los últimos años con plataformas como Netflix, Amazon, Youtube, Twitch, Spotify…

Estas grandes compañías han conseguido una posición dominante en el mercado, siendo compañías que reportan grandes beneficios a los agentes de la industria, pero también han acotado las posibilidades de que los agentes del sector puedan desarrollar sus proyectos sin contar con ellos. Por este motivo, el sector del entretenimiento ha encontrado en la tecnología NFT una fuente de financiación y de engagement con los usuarios que consumen sus contenidos o productos.

El **sector audiovisual** ha combinado de una forma magistral esta tecnología para (**i**) obtener financiación sin contar con ayudas públicas o plataformas digitales, (**ii**) crear expectación con anterioridad al estreno de las obras y (**iii**) fidelizar a sus espectadores. España ha sido uno de los países pioneros en aunar el desarrollo tradicional de las obras audiovisuales con la venta de colecciones de NFTs sobre estas obras.

Un ejemplo de ello es el largometraje "*Calladita*" que vendió una colección de NFTs basada en la obra audiovisual y, dotó a sus adquirentes, de ciertos derechos dependiendo del NFT adquirido. En este caso concreto, ciertos NFTs otorgaban al adquirente la facultad de unirse a un grupo dentro de una red social para que pudiera conocer de primera mano los avances del proyecto y aparecer en los títulos de crédito. En cambio, ciertos NFTs también otorgaban al adquirente el derecho a visitar el plató y a obtener algún bien utilizado para la producción de la película.

Esta nueva vía de negocio le ha permitido convertirse en la primera película europea en ser financiada a través de NFTs abriendo un nuevo panorama en el sector.

Los beneficios que está tecnología proporciona, no solo se circunscriben a la obtención de financiación en un momento inicial para la producción del proyecto, sino que los NFTs podrían utilizarse para comercializar guiones originales del proyecto, vestuario, etc…

Además, en la actualidad estamos observando como ciertos proyectos están implementando está tecnología para que los propios poseedores de los NFTs del proyecto sean quienes que decidan el devenir del proyecto audiovisual. Este supuesto, de hecho, se visualiza perfectamente tomando como ejemplo una serie, ya que los poseedores de la colección de NFT sobre el proyecto podrán decidir cómo continua el argumento del siguiente episodio, de la próxima temporada, etc.

De igual modo, la tecnología NFT está brindando grandes oportunidades a los agentes del **sector musical**. Las obras musicales al conllevar un menor coste de producción ofrecen alternativas más factibles a los agentes del sector para que financiar sus producciones.

Por ejemplo, en este escenario destacan sobre manera los artistas que no son muy reconocidos a nivel nacional y que no cuentan con una gran compañía apoyándoles, ya que a través de su fan base pueden financiar sus proyectos a través de los NFts. Una de las ventajas que destacan, y que están siendo acogida con gran éxito, es la celebración de conciertos privados a los poseedores del NFT.

Los grandes artistas reconocidos a nivel nacional e internacional también se han beneficiado enormemente de este nuevo escenario, ya que encontramos como artistas como Eminem que han vendido colecciones de NFT por valor de 1,78 millones de dólares o el DJ 3LAU que logró vender más de 11 millones de dólares con su colección de vinilos "*Ultraviolet*".

Las plataformas digitales dedicadas al sector musical también y que utilizan tecnología NFT están proliferando, ofreciendo a los artistas mayores ventajas que las que otorgan las plataformas digitales que no la utilizan. El objetivo de estas plataformas es devolver el "poder" a los artistas, pudiendo explotar sus creaciones sin necesidad de ningún intermediario, mientras incluyen funcionalidades para que puedan mantener un contacto directo con sus seguidores.

El sector musical todavía puede implementar de gran manera los NFTs en su industria, ya que esta tecnología permite recaudar un porcentaje por cada compraventa que se produzca sobre el NFT, permitiendo a los artistas recaudar sus derechos de gestión sin necesidad de afiliarse a una entidad de gestión o bien, al estar bajo tecnología blockchain, poder conocer con total transparencia las cantidades reales que le pertenecerían por su trabajo.

A su vez, la **industria de los videojuegos** esta siendo la industria que más provecho esta obteniendo de la tecnología NFT. El factor más relevante es que, esta industria ya utilizaba los mecanismos que brinda esta tecnología sin que estuviera implementada en los videojuegos. Desde hace años los videojuegos han pasado de que su modelo de negocio se basase en la venta de ejemplares, a la obtención de financiación a través de skins, compra de personajes, etc.

Este factor es muy similar al que hoy en día utilizan los denominados *"play to earn"*. Esta modalidad de videojuegos cuenta con una economía propia, que permite a los usuarios adquirir NFTs que están vinculados a la adquisición de los personajes o de las skins que hemos mencionado anteriormente, y reporta un beneficio en forma de tokens al jugador dependiendo de sus victorias, logros o cualquier otro mecanismo que establezca el videojuego.

Estos NFTs se pueden adquirir mediante el intercambio de monedas digitales al igual que los videojuegos tradicionales permiten a sus usuarios adquirir puntos o monedas dentro de su título a cambio de monedas fiat para intercambiarlos por skins, personajes, contenido exclusivo, etc.

La llegada de los *play to earn* y los NFTs ha permitido que todas estas adquisiciones que obtenían los usuarios las puedan revender en el mercado para alquilarlas o venderlas, dotándoles de una funcionalidad extra que antes no tenían cuando ya no jugaban a ese título.

De hecho, multitud de desarrolladoras destinaban recursos económicos para que los usuarios no pudieran revender sus cuentas con skins exclusivas, logros, estadísticas muy superiores a la media, etc. Sin embargo, un ejemplo de un título que ha permanecido activo durante años gracias al mercado secundario es *"counter strike"*, donde los usuarios pueden vender las skins de sus armas. En concreto, la transacción más cara por una skin de un arma ha llegado al precio de 61.052,63 dólares.

Otra de los cambios que ha producido la irrupción de los NFTs en el sector de los videojuegos es la oportunidad a pequeñas desarrolladoras de videojuegos. El sector de los NFTs, por todo lo que hemos ido detallando a lo largo de este capítulo, es un sector que ofrece muchísimas ventajas, pero a la vez es inseguro jurídicamente. Por ello, las grandes desarrolladoras no han adoptado esta tecnología desde un inicio, sobre todo si tenemos en cuenta que la gran mayoría de ellas tenían políticas en contra de los intercambios de los bienes intangibles.

De este modo, las pequeñas desarrolladoras han comenzado a lanzar al mercado títulos implementados con la tecnología NFT sin apenas competencia, obteniendo grandes fuentes de financiación para desarrollar videojuegos más elaborados y poder competir en un futuro con las grandes desarrolladoras en este sector.

Tal ha sido el éxito y la aceptación por parte de los usuarios que, grandes desarrolladoras ya están implementando esta metodología en sus próximos lanzamientos, debido a que la obtención de beneficios por parte de los usuarios es un aliciente para ellos y, además, otorga una nueva fuente de ingresos a la industria de los esports.

Por lo que respecta a **la industria de los creadores de contenido e influencers,** también ha sido uno de los sectores que más se ha beneficiado de la tecnología NFT. Desde el año 2021, las personas de media utilizamos las redes sociales 147 minutos por día, siendo uno de los sectores por el que más optan las personas para entretenerse a través de aplicaciones como Instagram, Twitter, Youtube…

La tecnología NFT ha tenido un impacto directo, ya que muchos creadores e influencers han surgido al recoger noticias, opinar y explicar sobre las utilidades de los NFTs, las nuevas colecciones de los mismos, etc.

Asimismo, este sector tampoco ha dejado escapar la oportunidad de implementar NFT de utilidad como nuevo modelo de negocio. En este sentido encontramos como grandes creadores de contenido han creado nuevas colecciones dotando a sus seguidores de la posibilidad de acceder a grupos exclusivos, de acceder a contenidos que no están en sus canales o perfiles sociales…

La **industria de la organización de eventos** si bien es cierto que estrictamente podría no formar parte del sector del entretenimiento, si que es una industria que alberga multitud de eventos de este sector y que se ha adaptado a la tecnología NFT.

En concreto, este tipo de industria cuenta con un protocolo de NFT en específico, los llamados "*Proof of Attendance Protocol*". Este tipo de NFTs se utilizan en los eventos para que los usuarios cuenten con la posibilidad de adquirirlo por haber asistido o participado en un evento en concreto. Además, para adquirir un POAP no es necesario incluir datos personales ni por parte del receptor ni por parte del emisor, estando de esta manera alineados con la regulación de protección de datos.

Los POAP pueden distribuirse tanto en evento digitales como en eventos físicos. En la actualidad la forma más usual de que los participantes puedan adquirirlos en estos eventos es a través del escaneo de un código QR.

Este tipo de NFT cuenta con dos funcionalidades. La primera de ellas es la posibilidad de que el participante cuente con un NFT para demostrar que ha asistido al evento, y la segunda de ellas, es permitir al organizador conocer realmente los participantes que han tenido un papel activo en el evento, ya que en ocasiones los organizadores supeditan la obtención del POAP a la realización de una serie de actividades.

Asimismo, el sector de la organización de eventos se aprovecha de esta tecnología al vincular entradas para sus eventos a NFTs, no pudiendo participar ningún usuario que no posea uno que se lo permita.

Los NFTs no solo pueden cumplir su función como entradas para eventos físicos, sino que también pueden servir como entradas para el mundo digital. Por ejemplo, un organizador de eventos puede poner a disposición del usuario entradas para un concierto y que este pueda adquirir una entrada para acudir al evento físico o adquirir una entrada para disfrutar del concierto digitalmente.

Esta tendencia ya ha tenido gran acogida por el público, ya que, si bien las grandes desarrolladoras no han implementado esta tecnología, desde hace unos años encontramos grandes eventos digitales como es el caso de Fornite que ha celebrado conciertos con artistas de la talla de Ariana Grande, Travis Scott o Marshmello.

De este modo, podemos comprobar como la tecnología NFT está siendo aprovechada por todos los sectores de entretenimiento, siendo actualmente una gran fuente de financiación. Asimismo, aunque en un primer momento podamos pensar que este nuevo modelo de negocio es muy de "nicho" y que es necesario contar con conocimientos técnicos para la compra de estos activos digitales, la realidad es que se están desarrollando plataformas digitales que intentan romper con esta barrera de entrada con el fin de dotar a los futuros adquirentes de funcionalidades muy similares a las páginas web o aplicaciones de compraventa.

5. REFERENCIAS BIBLIOGRÁFICAS

MENDELSOHN, W. S. (2022). *Criptoarte y NFT - La Guía Definitiva para Crear, Entender e Invertir con éxito en Tokens No Fungibles en el mercado del arte digital. Entiende el... a generar beneficios con* (Spanish Edition). Independently published.

GRANADOS, Á. (2022). NFT. LA ESFERA DE LOS LIBROS, S.L.

ROJAS, J. (2022, 8 julio). *El origen de los NFTs y por qué están cambiando el mundo digital. Telefónica.* https://www.telefonica.com/es/sala-comunicacion/el-origen-de-los-nfts-y-por-que-estan-cambiando-el-mundo-digital/

LEAL, A. (2022, 24 agosto). *Te contamos el origen de los NFT, un activo financiero distinto. CriptoNoticias* - Noticias de Bitcoin, Ethereum y criptomonedas. https://www.cripto-noticias.com/criptopedia/contamos-origen-nft-activo-financiero-distinto/

SIAKAM, C. (2022, 30 septiembre). *NFT MARKET- STATISTICS 2021-2022. METAV.RS.* https://metav.rs/blog/nft-market-statistics-2021-2022/

CASTELLANO GARCÍA, A. (2021). *Conceptualización de los contratos inteligentes o autoejecutables basados en la tecnología blockchain y su encuadre en el ordenamiento jurídico español.* Revista Estudios Jurídicos. Segunda Época, 21, e6756. https://doi.org/10.17561/rej.n21.6756

ACADEMY, B. (2022, 26 agosto). ¿Qué es un token NFT? Bit2Me Academy. https://academy.bit2me.com/que-es-token-nft/

"Calladita" será la primera película española financiada con NFTs. (2022, 2 marzo). Sierra Block Games. https://sierrablockgames.es/noticias/calladita-sera-la-primera-pelicula-espanola-financiada-con-nfts/

23 of the Most Revealing NFT Statistics You Must Know in 2022. (s. f.). Bankless Times. Recuperado 5 de noviembre de 2022, de https://www.banklesstimes.com/nft-statistics/

Las skins más caras del mundo en CS:GO. (2018, 31 enero). Movistar eSports. https://esports.as.com/counter-strike--global-offensive/skins-caras-mundo-CS-GO_3_1104819508-1.html

¿Qué es un POAP? (2022, 17 octubre). CryptoConexión. https://cryptoconexion.com/que-es-un-poap/

Tiempo medio diario empleado en redes sociales a nivel mundial 2012-2021. (2022, 19 julio). Statista. https://es.statista.com/estadisticas/513084/cantidad-tiempo-uso-diario-redes-sociales/

Notificaciones electrónicas sin contacto ni conocimiento y otras desventuras en el camino hacia el pleno derecho de todas las personas a comunicarse electrónicamente con la administración

LUCÍA LÓPEZ MARTÍNEZ

Abogada especializada en derecho público y digital

SUMARIO: 1. INTRODUCCIÓN. 2. UNA APROXIMACIÓN AL CONTEXTO CUANTITATIVO Y CUALITATIVO DE LAS NOTIFICACIONES ELECTRÓNICAS. 3. NOTIFICACIONES ELECTRÓNICAS SIN CONTACTO NI CONOCIMIENTO Y OTRAS DESVENTURAS: UNA CLASIFICACIÓN DE CONTROVERSIAS. 4. EL CAMINO HACIA EL PLENO DERECHO DE TODAS LAS PERSONAS A COMUNICARSE ELECTRÓNICAMENTE CON LA ADMINISTRACIÓN. 5. REFERENCIAS BIBLIOGRÁFICAS.

1. INTRODUCCIÓN

Han transcurrido más de siete años desde que, con la publicación de la Ley 39/2015, de 1 de octubre, de Procedimiento Administrativo Común de las Administraciones Públicas, en adelante LPACAP, se incorporaron con carácter general en el ámbito administrativo mecanismos dirigidos[1] a la "Administración sin papel basada en un funcionamiento íntegramente electrónico". La notificación electrónica es una de las piezas esenciales en el engranaje de la mecánica electrónica del procedimiento administrativo, como se comprueba al observar que la exposición de motivos de la LPACP les dedicaba una "mención especial" para destacar "que serán preferentes y se realizarán en la sede electrónica o en la dirección electrónica habilitada única, según corresponda". Ese texto iluminaba la clave de la confor-

---

[1] Así se establece en la exposición de motivos de la LPACAP. El régimen jurídico del funcionamiento electrónico del sector público se complementó con la publicación en la misma fecha de la Ley 40/2015, de 1 de octubre, de Régimen Jurídico del Sector Público, en adelante también, LRJSP.

midad a derecho de esta práctica: que la actividad de la Administración garantice el conocimiento por el interesado de su puesta a disposición. El legislador consideraba esa garantía más que cubierta cuando anunciaba a la notificación electrónica prioritaria como herramienta que consigue un incremento de la seguridad jurídica de los interesados al integrar dos medidas: el envío de avisos de notificación a un dispositivo electrónico y/o a una dirección de correo electrónico y el acceso a la notificación a través del Punto de Acceso General Electrónico de la Administración.

La experiencia acumulada en este periodo confirma que, tanto desde el punto de vista jurídico[2] como pragmático, aún hoy, la notificación electrónica presenta debilidades. Las líneas que siguen se dedican a subrayar algunas de las incidencias que continúan provocando controversias entre la Administración y los ciudadanos y empresas en este ámbito, extraídas de sentencias dictadas por tribunales de la jurisdicción contencioso-administrativa y de resoluciones emitidas por tribunales administrativos en los primeros meses del año 2022. El acercamiento a estos casos se lleva a cabo con la descripción previa del contexto del nivel de implantación del funcionamiento electrónico de la Administración en esta materia, desde el punto de vista cuantitativo y cualitativo, mediante la consideración de los datos y conclusiones derivados de los informes elaborados por diversas entidades de carácter nacional e internacional. Este examen contextual y casuístico permitirá, finalmente, compartir unas conclusiones propositivas encaminadas a acentuar la esencia de la notificación como instrumento de comunicación y conocimiento.

2. UNA APROXIMACIÓN AL CONTEXTO CUANTITATIVO Y CUALITATIVO DE LAS NOTIFICACIONES ELECTRÓNICAS

El Observatorio de Administración Electrónica (OBSAE) publica un conjunto de indicadores[3] (DataOBSAE) que aportan información signifi-

---

[2]   El régimen jurídico general de las notificaciones administrativas electrónicas se encuentra en los artículos 40 a 45 de la LPACAP en relación con el artículo 14 de la misma Ley y en los artículos 41 a 45 del Reglamento de actuación y funcionamiento del sector público por medios electrónicos, aprobado por el Real Decreto 203/2021, en adelante RAFSPME.

[3]   El origen de los datos se encuentra en los indicadores DataOBSAE de la Secretaría General de Administración Digital del Ministerio de Asuntos Económicos y

cativa para aproximarse a la comprensión del grado de incorporación de los medios electrónicos en la actividad administrativa.

Como punto de partida, conviene considerar el porcentaje ciudadanos que interactúan con las Administraciones Públicas a través de Internet. Este dato[4] se ofrece con carácter anual para los ejercicios 2009 a 2020, ambos inclusive, en relación con los ciudadanos entre 16 y 74 años. La senda se inicia en 2009 con un porcentaje del 30%, alcanza en 2015, año de publicación de la LPACAP, el 50,1% y finaliza en 2020 con el 68,70%. Atendiendo a las franjas de edad proporcionadas, en el año 2020, este porcentaje superó el 80% entre los 25 y los 44 años y el 60% en el resto del rango, con excepción del grupo de los 65 a los 74 años en el que no llegó al 40%. Si se tiene en cuenta la localización, el porcentaje se acerca o supera[5] el 60% en todos los tamaños de población presentados y en todas las Comunidades Autónomas (CCAA).

Acercando esta visión general al ámbito de las notificaciones electrónicas, cabe fijarse en los datos[6] sobre el número de accesos (*login*) al portal de la dirección electrónica habilitada única[7] (DEHú) y el número de envíos puestos a disposición.

Transformación Digital, (SGAD), publicados en el sitio web https://dataobsae. administracionelectronica.gob.es/cmobsae3/dashboard/Dashboard.action Última consulta realizada el 31 de octubre de 2022. A los efectos de facilitar la lectura, de forma ilustrativa, los datos en números se presentan redondeaos a la unidad superior y se acompañan de cálculos porcentuales.

[4]   Estos datos se encuentran en el sitio web de DataOBSAE, donde se indica que se trata de datos obtenidos a partir de la encuesta sobre "Equipamiento y Uso de Tecnologías de Información y Comunicación en los Hogares" publicada por el INE. Última consulta realizada el 31 de octubre de 2022.

[5]   Desde lugares con menos de 10.000 habitantes hasta capitales de provincia y ciudades con más de 100.000 habitantes, y se aprecia un incremento paulatino del porcentaje (a partir del 62,50% para el rango inferior) según aumenta el número de habitantes considerado (hasta el 73,10% para el rango superior). Se encuentra por encima del 70% en los casos de Baleares, Canarias, Cataluña, Ceuta, Comunidad Valenciana, Madrid y Melilla.

[6]   Estos datos se encuentran en el sitio web de DataOBSAE, apartado "Atención ciudadano y empresa", subapartado "DEHú", con la visión mensual a septiembre de 2022. Última consulta realizada el 31 de octubre de 2022.

[7]   De acuerdo con el artículo 44 del RAFSPME, la Dirección Electrónica Habilitada única es el sistema de información para la notificación electrónica cuya gestión corresponde al Ministerio de Asuntos Económicos y Transformación Digital en

El total de accesos, acumulado desde julio de 2020 a septiembre de 2022, alcanza los 243 millones (M). Ese total se reparte en 200,77 M de accesos correspondientes a personas jurídicas (el 83%) y 42,23 M de accesos de personas físicas (el 17%). La última cifra disponible, en el momento de la consulta a DataOBSAE, relativa al mes de septiembre de 2022, indica un total mensual de 36,72 M de accesos (81% personas jurídicas, 19% a personas físicas).

Por su parte, el total de envíos puestos a disposición en la DEHú, igualmente acumulado desde julio de 2020 a septiembre de 2022, es de 68,25 M. En ese total de envíos, se identifican[8] 48,19 M de notificaciones (el 71% de los envíos). Los orígenes se clasifican en: (i) Administración General del Estado (AGE), con 52,69 M de envíos, un 77,21% del total; (ii) Administración local, con 10,78 M de envíos, un 15,80% del total; (iii) Administración autonómica, con 4,58 M de envíos, un 6,71% del total; (iv) Administración de Justicia, Universidades y otras instituciones, con 194,35 miles de envíos, que suponen un 0,28% del total. En cuanto al destino, se dirigieron a personas físicas 36,37 M de envíos, (un 53% del total), y a personas jurídicas 31,88 M envíos, (un 47%). Si se relacionan accesos y envíos, resulta que las personas jurídicas realizan 6,3 accesos por envío (200,77/31,88) y las personas físicas 1,16 (42,23/36,37). Es relevante destacar que 47,71 M de envíos, que implican un 70% de los puestos a disposición en la DEHú, se realizaron "sin datos de contacto". El total acumulado de envíos "con datos de contacto" asciende a 20,54 M.

Finalmente, cabe completar esta aproximación cuantitativa, indicando que el número de organismos emisores[9] de estos envíos asciende a 9.402,

---

colaboración con el Ministerio de Política Territorial y Función Pública. La DEHú se encuentra en el sitio web: https://dehu.redsara.es/.

[8] En el sitio web de consulta de DataOBSAE se definen las notificaciones como documentos en que se comunica a un titular y/o destinatario una resolución administrativa o judicial, con carácter administrativo y relevancia jurídica y se diferencian de las comunicaciones a las que se describe como documentos en que se comunica un asunto oficial sin relevancia jurídica. El subtotal de comunicaciones acumulado en 2022 asciende a 20,06 M (el 29% de los envíos).

[9] Se ha consultado la versión a 3 de octubre de 2022 del listado de emisores DEHú. Origen de los datos: Indicadores DataOBSAE - Secretaría General de Administración Digital del Ministerio de Asuntos Económicos y Transformación Digital. El listado de organismos emisores consultado se encuentra en el siguiente enlace https://administracionelectronica.gob.es/ctt/lema/descargas#.Y2ZqvHbMK5c. Apartado "administraciones y organismos".

de los cuales 961 emisores se incluyen en la Administración autonómica[10] (10,22%); 949 emisores pertenecen a la AGE (10,09%); 7.401 emisores forman parte de la Administración local (78,72%); y 91 emisores (0,97%) se corresponden con otras instituciones (entre las que se encuentran la Agencia Española de Protección de Datos, el Tribunal de Cuentas, el Congreso de los Diputados, el Consejo General del Poder Judicial) y con Universidades. A este respecto, cabe referir que, según el Inventario[11] de entidades el sector público estatal, autonómico y local confeccionado y publicado por la Intervención General de la Administración del Estado el total de entes del sector público administrativo alcanza a 13.012 entes y del sector público institucional a 5.135 entes, lo que supone un total de 18.147 entidades inventariadas.

Si se coloca el punto de vista en el contexto cualitativo, se pueden identificar las variables utilizadas para evaluar los diversos modelos de funcionamiento electrónico de la Administración. En particular, a continuación, entre tales características, a partir de varios estudios de carácter nacional e internacional, se pone el énfasis en la importancia que se otorga a aquellas vinculadas con la comunicación con los ciudadanos.

En el ámbito nacional, el informe *"Las Tecnologías de la Información y las Comunicaciones en la Administración Local. IRIA 2020"*, (2021), elaborado y coordinado por la SGAD, analiza los planes de transformación digital de entidades locales verificando su "enfoque orientación ciudadano", en concreto, si contemplan los principios recogidos al respecto en la Declaración Ministerial de Administración Electrónica de Tallin[12], y muestra

---

[10] De las diecisiete CCAA constan diez en el listado de organismos emisores. Se trata de: Comunidad Autónoma de Canarias, Comunidad de Madrid, Comunidad Foral de Navarra, Generalitat Valenciana, Gobierno de Aragón, Gobierno de Cantabria, Gobierno de las Islas Baleares, Junta de Andalucía, Principado de Asturias y Región de Murcia. También consta la Ciudad Autónoma de Ceuta.

[11] Accesible en el sitio web https://www.igae.pap.hacienda.gob.es/sitios/igae/es-ES/BasesDatos/Invente/Paginas/inicio.aspx Última consulta realizada el 5 de noviembre de 2022.

[12] Adoptada el 6 de octubre de 2017 por los ministros responsables de la coordinación y la política de administración electrónica de 32 países de la Unión Europea (UE) y la Asociación Europea de Libre Comercio (AELC). Esta declaración se encuentra accesible en el apartado específico dedicado en el portal de Administración Electrónica a las Declaraciones Ministeriales en esta materia: https://administracionelectronica.gob.es/pae_Home/pae_Estrategias/pae_lineas_ccoperacion/pae_Cooperacion_Internacional/pae_estrategias_de_administracion_electronica/pae_Ambito_Europeo_-_Las_Declaraciones_Ministeriales.html

que[13]: (i) "el enfoque centrado en el usuario" y "el acceso desde móviles" se incorpora por más del 70% de las estrategias de administración electrónica de las entidades locales; y (ii) "el enfoque digital por defecto", "el enfoque de diseño para todos" y "el principio de solo una vez" se incluye en más del 60% de esas planificaciones. Como "servicio centrado en el usuario" y elemento facilitador, este informe IRIA destaca[14] la "Carpeta Ciudadana" y constata que el 89% de las entidades locales ofrecen esta herramienta, que integra en un 84% de los casos las funcionalidades de notificaciones electrónicas. Sin embargo, en cuanto al efectivo cumplimiento del principio "diseño para todos", con datos extraídos del Observatorio de Accesibilidad Web[15], se llama la atención[16] sobre que casi el 79% de los portales de las entidades locales evaluadas "presentan un cumplimiento parcial de las características básicas de accesibilidad". En cuanto a la reutilización de los servicios electrónicos de la Administración General del Estado, se señala[17] que el servicio NOTIFICA-notificaciones electrónicas se reutiliza por el 47% de las entidades locales analizadas. Por último, se puede resaltar que el informe apunta que el 30% de las entidades locales disponen de planes de acción dirigidos a la disminución de la brecha digital, con medidas como la capacitación de los ciudadanos, la utilización de recursos multimedia o los contenidos adaptados a aplicaciones móviles.

En el ámbito europeo, el *Informe de progreso sobre la implementación de la Declaración de Berlín*" (2022), elaborado por la Comisión Europea, ofrece indicadores de desempeño y relaciona buenas prácticas de aplicación de sus políticas de gobierno digital basado en valores[18]. Según este informe,

---

[13] Páginas 13 a 15 del informe IRIA 2020.

[14] Páginas 28 y 29 del informe IRIA 2020.

[15] La información sobre este Observatorio se encuentra en el portal de Administración Electrónica: https://administracionelectronica.gob.es/pae_Home/pae_Estrategias/pae_Accesibilidad/pae_Observatorio_de_Accesibilidad.html

[16] Páginas 22 a 24 del informe IRIA 2020.

[17] Páginas 41 a 43 del informe IRIA 2020. Destaca un porcentaje de reutilización de NOTIFICA superior al 70% en los municipios entre 1.000 y 5.000 habitantes y en las Diputaciones.

[18] "*Report on the monitoring of the Berlin Declaration*": Este informe puede encontrarse a través de la siguiente referencia del portal de Administración Electrónica https://administracionelectronica.gob.es/pae_Home/pae_Actualidad/pae_Noticias/Anio2022/Mayo/Noticia-2022-05-11-Primer-informe-de-progreso-sobre-la-implementaci-n-de-la-Declaracion-de-Berlin.html. Los datos relativos a España se encuentran en las páginas 84 y 85.

España supera en seis de las siete áreas examinadas la calificación media de los países de la Unión Europea. En particular, en el área relativa a la mejora de la participación social y la inclusión en el gobierno electrónico, en la que se analiza, entre otros aspectos, la accesibilidad y el acceso sencillo desde móviles, España obtiene una puntuación del 73% (media europea de 59%); y en el área correspondiente al fomento de la capacitación digital, que valora cuestiones como facilitar servicios digitales de acceso y uso sencillo y sin restricciones y las iniciativas de alfabetización digital, España alcanza una valoración de 76% (media europea de 69%). Igualmente, en el entorno europeo, el informe *"eGovernmet Benchmark 2022"*, preparado para la Comisión Europea[19], estudia la característica de "centralidad en el usuario" (*user centricity*) y otorga a España una puntuación global de 96 (media europea de 88,3), valorando la disponibilidad electrónica de los servicios (*online availability*), el soporte al usuario (*user support*) y la oferta de servicios electrónicos con interfaz amable para su uso desde dispositivos móviles (*mobile friendliness*). Este estudio identifica a las notificaciones electrónicas (*digital post*) como uno de los cuatro elementos técnicos clave y atribuye a España una puntuación de 94 (media europea de 76,3).

Finalmente, en el ámbito internacional, el estudio *"eGovernmet Survey 2002, The future of Digital Government"* (2022), de Naciones Unidas[20], presenta una clasificación de países a nivel global en materia de gobierno electrónico, (índice EGDI), en la que se otorga a España la posición decimoctava. En este trabajo se calcula el denominado subíndice de participación pública (*E-participation subindex*, EPI) que valora la utilización de medios electrónicos por los gobiernos para: facilitar información a los ciudadanos, consultarles sobre las políticas o los servicios públicos en diferentes estados de su proceso diseño y prestación e involucrarles en la toma de decisiones. Resulta, especialmente, significativa la atención dedicada en este estudio[21] al denominado principio de "no dejar a nadie atrás" (*leaving no one behind*), que se califica como principio guía en el desarrollo e implementación del gobierno electrónico en el sector público, subrayando que supone la adopción de estrategias de inclusión prioritaria, por diseño y por defecto (*inclusion by design, inclusion by default, inclusion first*).

---

[19]   Este estudio se encuentra en el siguiente sitio web https://digital-strategy. ec.europa.eu/en/library/egovernment-benchmark-2022. En la página 35 del documento *"Country Factsheets"* se encuentra la información sobre España.

[20]   Este estudio se encuentra en el sitio web: https://publicadministration.un.org/egovkb/en-us/Reports/UN-E-Government-Survey-2022.

[21]   Páginas 113 a 156 del estudio.

3. NOTIFICACIONES ELECTRÓNICAS SIN CONTACTO NI CONOCIMIENTO Y OTRAS DESVENTURAS: UNA CLASIFICACIÓN DE CONTROVERSIAS

La revisión de diversas resoluciones recaídas en lo que va de año 2022 sobre controversias entre ciudadanos o empresas y entidades públicas permite apreciar los tipos de problemáticas generadas en la aplicación de los elementos básicos de las notificaciones electrónicas y comprobar que causan perjuicios vinculados a la extemporaneidad de las acciones ejercidas o a la falta de atención de requerimientos y concretados en la inadmisión de recursos, la pérdida de derechos o la imposición de sanciones y recargos. Para explorar estas disputas, se propone recorrer una clasificación estructurada con las variables: (i) personalidad del destinatario[22] (física, jurídica o entidad sin personalidad); (ii) acceso, o no, al contenido[23]; (iii) recepción, o no, de aviso de puesta a disposición[24]; (iv) designación, o no, de representante[25]; y (v) aplicación de normativa especial.

La conexión entre las variables de "personalidad del destinatario" y de "acceso, o no, al contenido notificado", con la que se inicia la clasificación propuesta, se utiliza para resolver supuestos en los que la Administración dirige notificaciones en papel a personas obligadas, o que han optado por la vía electrónica, y notificaciones electrónicas a personas físicas no obligadas a recibirlas por esa vía.

Los casos de sujetos obligados que acceden a notificaciones en papel se validan. Así, la Sala de lo Contencioso Administrativo (en adelante C-A)

---

[22]   Esta variable se pone en relación con la obligación de recibir notificaciones electrónicas derivada de los artículos 14.2 y 41.1 de la LPACAP para las personas jurídicas, las entidades sin personalidad, quienes ejerzan una profesión que requiera colegiación, los empleados públicos y quienes representen a un obligado.

[23]   Esta variable se corresponde con lo previsto en el artículo 43.2 de la LPACAP que dispone que las notificaciones se entenderán practicadas en el momento en que se produzca el acceso a su contenido y rechazadas por el transcurso de diez días naturales desde de su puesta a disposición si no se accede.

[24]   Esta variable se deriva del artículo 41.6 de la LPACAP que obliga a la Administración a enviar un aviso al dispositivo electrónico y/o a la dirección de correo electrónico comunicada por el interesado para informar de la puesta a disposición de una notificación sea en papel o electrónica. El artículo 43 del RAFSPME desarrolla el régimen de estos avisos.

[25]   Esta variable resulta de los artículos 5 y 41.1 de la LPACP que facultan al representante para la recepción y acceso a las notificaciones.

del Tribunal Supremo (TS) en sentencias de 20 de julio de 2022 (procedimientos 1662/2021 y 3963/2021) entiende que la notificación en papel a una sociedad mercantil de una resolución sancionadora en materia de consumo "constituye una irregularidad que carece de relevancia invalidante" y que no causa indefensión porque la recurrente tuvo pleno conocimiento y en el mismo procedimiento había notificaciones previas admitidas por ese medio. El Tribunal no considera necesario fijar doctrina de alcance general dada la casuística de la controversia. La sentencia de la Sala C-A de la Audiencia Nacional (AN) de 26 de septiembre de 2022 (procedimiento —en adelante p.— 2303/2022) recoge este criterio. Igualmente, en el caso de notificación por correo con acuse de recibo de acuerdo de Jurado de Expropiación, aunque otras comunicaciones en el expediente se llevaron a cabo por medios electrónicos, la Sala C-A del Tribunal Superior de Justicia (en adelante TSJ) de Navarra en sentencia de 4 de julio de 2022 (p. 330/2021) entiende que tal notificación es válida, dado que la entidad interesada tuvo acceso. Incluso la notificación a través de agente tributario en un "día de cortesía[26]" es considerada válida por el Tribunal Económico Administrativo Central (TEAC), en resolución de 18 de mayo de 2022, "por razones de eficacia en la actuación administrativa".

No ocurre lo mismo cuando la notificación a una persona obligada, o que ha optado por la vía electrónica, es intentada en papel y se realiza de forma edictal. Así, no se admite en el caso de un acuerdo de demolición de obras, por la Sala C-A del TSJ Madrid en sentencia de 14 de julio de 2022 (p. 508/2021) que aprecia "una frontal conculcación" de la obligación de practicar las notificaciones por medios electrónicos a las personas obligadas a recibirlas y la falta del "preceptivo aviso de notificación". También aplica este entendimiento, la Sala C-A del TSJ de Castilla y León en sentencia de 10 de junio de 2022 (p. 1351/2020). Igualmente, la sentencia del C-A del TSJ de Aragón de 9 de junio de 2022 (p. 142/2021) califica de inválida la notificación edictal de un acuerdo sancionador a un funcionario. Por su parte, la sentencia de la Sala C-A del TSJ de Andalucía de 21 de enero de 2022 (p. 801/2019) admite el recurso de una persona física al que se realizaron en agosto, cuando estaba ausente de su domicilio, dos intentos infructuosos de notificación en papel, acudiéndose a la vía edic-

---

[26] La posibilidad de señalar días en los que no se podrán notificaciones en la dirección electrónica habilitada está prevista en la disposición adicional tercera del Real Decreto 1363/2010, de 29 de octubre, por el que se regulan supuestos de notificaciones y comunicaciones administrativas obligatorias por medios electrónicos en el ámbito de la Agencia Estatal de Administración Tributaria.

tal, a pesar de que había ejercido su derecho a recibir las notificaciones electrónicamente. La sentencia califica la actuación administrativa como "arbitraria y sorpresiva" y afirma que se defraudó la confianza legítima generada en el interesado.

La actuación administrativa consistente en seguir practicando notificaciones electrónicas a una persona jurídica inactiva, con número de identificación fiscal revocado por baja provisional, se valida por el TEAC, en resolución de 26 de abril de 2022. El TEAC no atiende las alegaciones sobre la imposibilidad de obtención del certificado digital, necesario para acceder a la dirección electrónica habilitada (DEH), considera que la falta de acceso al buzón electrónico asociado a la DEH se debe a una "causa exclusivamente imputable al obligado" y califica como "irrelevante, a estos efectos, las causas o motivos por los que eso sucedía". Sin embargo, el Juzgado de lo Contencioso Administrativo número 1 de Santander en sentencia de 8 de abril de 2022 (p. 443/2021) se pregunta "por qué la persona física, entonces socio y después sujeto subrogado en todas las obligaciones como nuevo empresario individual, va a seguir accediendo años después, a esa sede electrónica de una empresa dada de baja expresamente" y "por qué debe exigirse ese control de una sede electrónica, de modo indefinido (habría que discutir, además, hasta cuándo) a pesar de esa baja". Y señala que "la cuestión no es si esa sede era o no accesible todavía, en teoría, sino que ciertamente, ni es esperable ni es exigible que alguien siga accediendo a ella años después". Por ello, concluye que "el método de notificación no es hábil para dar a conocer el contenido del acto".

Las personas físicas, no obligadas, que acceden a una notificación electrónica se entiende notificadas, con carácter general, aunque la reciban posteriormente en papel[27]. La Sala C-A del TSJ de Islas Baleares en sentencia de 25 de febrero de 2022 (p.1527/2021) y la Sala C-A del TSJ de Castilla La Mancha en sentencia de 8 de julio de 2022 (p. 321/2020) alcanzan esa conclusión. Sin embargo, en la sentencia de 15 de julio de 2022, (p. 743/2020), esa última Sala atiende a la fecha de la segunda notificación por correo realizada "antes de que transcurriera el plazo legal de un mes desde que la interesada accedió voluntariamente a la sede electrónica de la AEAT", porque considera que "la actora quiso adoptar

---

[27]   De acuerdo con el artículo 42.1 LPACAP todas las notificaciones que se practiquen en papel deberán ser puestas a disposición del interesado en la sede electrónica de la Administración u Organismo actuante para que pueda acceder al contenido de las mismas de forma voluntaria.

desde el primer momento la misma estrategia defensiva que la de su marido frente al que se había seguido paralelamente otro procedimiento [...] la de recurrir en reposición dentro del plazo legal". No obstante, la notificación electrónica a una persona física no obligada no siempre se valida, incluso con acceso a su contenido. Así, la Sala C-A del TSJ de Madrid en sentencia de 17 de marzo de 2022 (p. 1593/2020), aunque consta el acuse de recibo, estima que la notificación electrónica no se ajusta a la legalidad, dado que se debía haber practicado la notificación en papel en el domicilio indicado a tales efectos.

En cuanto a las entidades sin personalidad jurídica, se confirma la actuación administrativa de notificación electrónica, aunque no se acceda a su contenido, en el caso de un acuerdo sancionador de la Agencia Española de Protección de Datos dirigida a una comunidad de propietarios, por la Sala C-A AN en su sentencia de 28 de abril de 2022 (p, 392/2021) y se subraya que estaba obligada a relacionarse electrónicamente con la Administración desde el 2 de octubre de 2016, con la entrada en vigor de la LPACAP, desestimando el entendimiento de que dicha obligación no estuvo vigente hasta el 2 de abril de 2021 como las previsiones relativas al registro electrónico y al archivo electrónico único en el ámbito de la Administración General del Estado[28].

Continuando con la clasificación planteada, la relación entre las variables "personalidad del destinatario" y "recepción, o no, de aviso", sirve para valorar casos de personas obligadas a recibir notificaciones electrónicas en los que se omite el aviso.

Así, respecto de una orden de embargo de créditos, la Sala C-A del TSJ del País Vasco en sentencia de 10 de febrero de 2022 (p. 1089/2020) no comparte la posición de la actora en cuanto a que el incumplimiento por parte de la Administración de su obligación de enviar el aviso "debería tener alguna consecuencia (habida cuenta de que, en otro caso, ese deber quedaría convertido en papel mojado)". Concluye que "no podemos asumir el argumento de que la interesada no era consciente de la existencia del embargo, dado que, de hacerlo así, estaríamos privando de eficacia real a la notificación, en contra de lo pretendido por el legislador". Y además afirma que la mercantil "incurrió en negligencia en el cumplimiento de sus obligaciones" si no contó con "los medios precisos

---

[28] Disposición final séptima de la Ley 39/2015, modificada por la disposición final novena de la Ley 10/2021, de 9 de julio y por el artículo 6 del Real Decreto Ley 11/2018, de 31 de agosto.

para acceder a todas las notificaciones". Igualmente, en el supuesto de acuerdos de liquidación y de imposición de sanción dirigidos a una persona jurídica, la Sala C-A del TSJ de Madrid en su sentencia de 5 de mayo de 2022 (p. 35/2020) considera que la consignación de una dirección de correo electrónico en el sistema de DEH no es preceptiva y que tampoco el aviso se configura como necesario para que la notificación sea válida, incluso cuando no se accede a su contenido, precisando que la entidad debía haber verificado el correcto funcionamiento en sus ordenadores del sistema de notificaciones electrónicas. También, la Sala C-A del TSJ de Valencia en sentencia de 2 de junio de 2022 (p. 663/2021) desestima el recurso, aunque la Administración no remitió aviso porque "resulta incontrovertido que la actora estaba dada de alta" en el sistema de notificaciones electrónicas.

Sin embargo, la sentencia del Tribunal Constitucional (TC) de 27 de junio de 2022 (recurso de amparo 83/2021) afirma que la falta de recepción de avisos, aún en el caso de una persona obligada a relacionarse electrónicamente con la Administración, "adquiere particular relevancia" por haber impedido al recurrente "tener conocimiento de la asignación de oficio de una dirección electrónica habilitada; de que a través de ese medio fue requerido para aportar la información […] y de que ante la falta de respuesta le fue incoado un procedimiento sancionador respecto de cuya tramitación y resolución final fue desconocedor hasta la apertura de la vía de apremio". El Tribunal entiende que la actuación administrativa "no ha sido respetuosa con el derecho de defensa y el derecho a ser informado de la acusación que se reconocen en el artículo 24.2 CE" y subraya que "ante lo infructuoso de las comunicaciones practicadas por vía electrónica, la administración debería haber desplegado una conducta tendente a lograr que las mismas llegaran al efectivo conocimiento del interesado", en particular para verificar que la dirección de correo electrónico a la que se dirigían los avisos "correspondía realmente al demandante" e iba a recibirlos. También, la sentencia de la Sala C-A del TSJ de Valencia de 15 de junio de 2022 (p. 11/2022), en un supuesto en que una sociedad había presentado una solicitud en papel que fue admitida por un Ayuntamiento, afirma que la entidad local "debió poner en conocimiento de la solicitante su alta en el sistema electrónico o avisarle que había una notificación en la sede electrónica municipal" y señala que las notificaciones electrónicas "no pueden ser unilaterales y esperar que el interesado adivine el método de notificación elegido".

En tercer lugar, la clasificación formulada lleva a combinar las variables de "personalidad del destinario" y de "designación, o no, de representante". En este marco, la sentencia de 16 de febrero de 2022 (p. 543/2019) de la Sala C-A AN concluye que la actuación de la Administración tributaria, enviando antes y después notificaciones al representante, pudo generar "la creencia en la recurrente" de que las notificaciones se realizarían a su representante, por lo que la mercantil obligada tributaria, que había encargado mediante contrato la gestión de sus notificaciones, "actuó siempre de buena fe" y se puede "justificar su falta de diligencia en la comprobación de las notificaciones". La sentencia afirma que "el principio de buena administración exigía una mayor diligencia de la AEAT en orden a la realización de la efectividad de la notificación". En el mismo sentido, la misma Sala estima el recurso número 841/2019 en la sentencia de 26 de abril de 2022, donde destaca que "no se ha justificado por la Administración qué razones o circunstancias podrían explicar y avalar dicho cambio de criterio" (dirigir solo al contribuyente y no a su representante las notificaciones electrónicas). Además, en esta sentencia se señala que "la falta de aviso al buzón de cortesía" podría "reforzar la convicción del Tribunal". Sin embargo, se confirma la notificación electrónica de una resolución en materia de residencia a la abogada, que había presentado la solicitud en nombre de una persona física no obligada, por la Sala C-A del TSJ de Islas Baleares en sentencia de 18 de junio de 2022 (p. 253/2021), a pesar de que la falta de acceso a la notificación terminó derivando en la imposición de una sanción de expulsión.

Por último, culminando la clasificación sugerida, corresponde observar casos de notificaciones electrónicas realizadas en sectores que cuentan con normativa especial.

Así, en materia tributaria, la notificación electrónica a la que no se accede por persona obligada no se valida sin la acreditación de la previa notificación de su inclusión obligatoria en el sistema DEH. Este criterio se sigue por la Sala C-A del TSJ de Islas Canarias en sentencia de 20 de junio de 2022 (p. 30/2021), por la Sala C-A del TSJA de Valencia en sentencia de 21 de septiembre de 2022 (p. 86/2022) y por la Sala C-A del TSJ de Andalucía en sentencia de 21 de junio de 2022 (p. 874/2019). Sin embargo, la sentencia de la Sala C-A del TSJ de Aragón de 29 de septiembre de 2022 (p. 91/2021) entiende que desde la entrada en vigor de la LPACAP la normativa no contempla la notificación de la inclusión en el sistema DEH, con apoyo en las resoluciones del TEAC de 22 y 25 de enero de 2021. De otro lado, la sentencia de 12 de julio de 2022 de la Sala C-A AN (p. 586/2020) desestima un recurso relativo a un procedimiento de comprobación limitada que se tuvo íntegramente por notificado por falta de comparecencia electrónica, al entender que constando la mercantil incorporada al sistema de notificación electrónica no puede alegar "la insuficiencia o ineficacia de la notificación realizada por esta vía".

En los procedimientos de contratación pública, la notificación electrónica de la resolución de adjudicación enviada y accedida, antes de ser publicada en la Plataforma de Contratación, se confirma por el Tribunal Administrativo Central de Recursos Contractuales (TACRC), en sus resoluciones número 340/2022 de 10 de marzo de 2022 y número 792/2022 de 1 de julio de 2022, aplicando la disposición adicional decimoquinta de la Ley 9/2017, de 8 de noviembre, de Contratos del Sector Público.

En materia arbitral, la notificación electrónica dirigida a una mercantil que alega no estar dada de alta en la plataforma autonómica se valida por la Sala C-A del TSJ de Cataluña en sentencia de 3 de junio de 2022 (p. 23/2021) que destaca que las personas jurídicas sujetas al "régimen imperativo" de las notificaciones electrónicas deben activar alguna de las vías de acceso disponibles al portal electrónico de la Administración, en este caso, la catalana, y califica de "irrelevante la circunstancia de que el aviso de la notificación del laudo fuese ciertamente enviado por la Junta Arbitral a una dirección de correo errónea", al definir el aviso como "actuación complementaria de la Administración" que "no incide en la validez de la notificación". Sin embargo, la sentencia de 16 de marzo de 2022 (p. 35/2021) de la Sala C-A TSJ de Aragón considera que la ley especial que regula el procedimiento de arbitraje contiene exigencias distintas a las de la LPACAP, derivadas de los principios de igualdad, audiencia y contradicción y estima un supuesto en el que el aviso de notificación electrónica se había enviado a una dirección de correo electrónico equivocado, afirmando que la Junta Arbitral debió realizar una "indagación razonable" para lograr el emplazamiento cuando comprobó que no se había accedido a la notificación electrónica.

Finalmente, en el ámbito de un proceso de ejecución hipotecaria, la notificación electrónica dirigida a una persona jurídica no se admite en la STC de 7 de febrero de 2022 (recurso de amparo 715/2021) que aplica su doctrina (SSTC 6/2019 de 17 de enero y 47/2019 de 8 de abril) en relación con la garantía de emplazamiento personal del demandado o ejecutado en los procesos regidos por la Ley de Enjuiciamiento Civil como primera comunicación con el órgano judicial competente, sin que pueda ser sustituida por una notificación electrónica.

4. EL CAMINO HACIA EL PLENO DERECHO DE TODAS LAS PERSONAS A COMUNICARSE ELECTRÓNICAMENTE CON LA ADMINISTRACIÓN

Las reglas básicas de interpretación de las normas (artículo 3 del Código Civil) conducen a confirmar que el derecho a comunicarse[29] con la Administración constituye la esencia de la práctica de las notificaciones y que en la actual sociedad la naturaleza de su ejercicio es digital.

Se confirma siguiendo el sentido propio de las palabras. Según, el Diccionario de la Real Academia Española, (DRAE), "notificar" significa (en la segunda acepción) "comunicar formalmente a su destinatario una resolución administrativa o judicial". El mismo DRAE define "comunicar" como "hacer a una persona partícipe de lo que se tiene", "descubrir, manifestar o hacer saber" y "conversar, tratar con alguien de palabra o por escrito".

Se confirma en relación con el contexto. Lo ya apuntado en un apartado anterior puede complementarse con dos declaraciones de ámbito europeo divulgadas en este año 2022. De una parte, la Declaración Europea sobre los Derechos y Principios Digitales para la Década Digital COM(2022) 28, propuesta por la Comisión Europea con fecha 26 de enero de 2022, titula su capítulo I "Las personas en el centro de la transformación digital" y parte de la afirmación de que "la tecnología debe servir y beneficiar a todos los europeos y empoderarles para que cumplan sus aspiraciones, en total seguridad y con pleno respeto de sus derechos fundamentales[30]". De otra parte cabe reseñar la Declaración de Estrasburgo, de 17 de marzo de 2022, de los Ministros de la UE responsables de la Administración Pública sobre retos y valores comunes, para los que identifica, entre otras, el área

---

[29]   Este derecho se deriva de lo previsto en los artículos 24 CE, 13, 14 y 53 de la LPA-CAP y 3 LRJSP, en relación con el artículo 41 de la Carta de Derechos Fundamentales de la Unión Europea.

[30]   Continúa estableciendo, en su capítulo II "Solidaridad e inclusión" que "toda persona debería tener acceso a una tecnología que tenga como fin unir a las personas", asume el compromiso de "llevar a cabo una transformación digital que no deje a nadie atrás" y, respecto de los servicios públicos digitales, determina que "toda persona debería tener acceso en línea a la totalidad de los servicios públicos esenciales de la Unión" y "no debe pedirse a nadie que facilite datos con más frecuencia de la necesaria al acceder a los servicios públicos digitales y utilizarlos". Además, en ese ámbito, incluye, entre otros, el compromiso de garantizar una accesibilidad y reutilización a gran escala de la información de la Administración pública.

de "servicios públicos transparentes y resilientes que cumplan las expectativas de los usuarios", que se refiere al enfoque centrado en la experiencia y necesidades del usuario y a la simplificación de la acción pública, y el área de "servicios públicos de alta calidad e inclusivos que respeten los valores europeos", que incluye hacer por diseño todos los procedimientos administrativos accesibles online y desde un enfoque móvil y profundizar en la inclusión y accesibilidad.

Se confirma en relación con los antecedentes. Como referencia mínima, es significativo recordar la preparación de la LPACAP y las reflexiones realizadas en el dictamen del Consejo de Estado, de 29 de abril de 2015, relativo al anteproyecto, sobre la conciliación de "la multiplicidad de Administraciones Públicas potencialmente notificadoras con los derechos de los interesados que, si no quieren ver rechazadas las notificaciones que se les practiquen, se ven abocados a acceder a sus direcciones electrónicas al menos cada diez días" y sobre la conveniencia de evitar "el peregrinaje virtual periódico de los interesados". Estas reflexiones se recogieron en enmiendas[31] al proyecto de la LPACAP. Aunque no fueron aceptadas siguen resultando de total actualidad, dado que se pedía reforzar el mecanismo del aviso de puesta a disposición para equipararlo al aviso preceptivo que Correos deja en el buzón físico y garantizar el conocimiento de la puesta a disposición de la notificación.

Se confirma en relación con la realidad social actual. Además de lo ya indicado sobre el nivel de penetración del canal electrónico para contactar con la Administración y el volumen de accesos y envíos que generan las notificaciones electrónicas, puede considerarse también aquí como referencia de la percepción social el "Estudio sobre digitalización de la Administración", (noviembre, 2021) del Observatorio Nacional de Tecnología y Sociedad (ONTSI), en el que se evalúa, entre otros aspectos, la medida de implantar un buzón electrónico único de recepción de notificaciones de la Administración y se califica como "medida bien recibida por la mayoría de la ciudadanía".

Y se confirma, fundamentalmente, atendiendo al espíritu y finalidad de las normas. Lo que devuelve a la exposición de motivos de la LPACAP, desde la que se iniciaba este trabajo, y permite destacar la conexión de su llamamiento a la garantía de conocimiento de las notificaciones con la necesidad de complementar las medidas que la misma LPACAP estableció, si

---

[31]   Enmiendas números 99 y 100. Boletín Oficial de las Cortes Generales, Congreso de los Diputados, de 28 de julio de 2015.

se pretende alcanzar el derecho pleno de todas las personas a comunicarse electrónicamente con la Administración.

El ejercicio de este derecho conlleva la conceptuación por parte de las Administraciones de la notificación como herramienta de participación, conocimiento, en definitiva, de trato. La relación de notificación lleva, así, implícita la correspondencia y la conexión y se contrapone con una perspectiva de unilateralidad configurada desde la mera imposición de obligaciones y cargas para los administrados a las que no se anudan consecuencias expresas para el caso de incumplimiento de las que corresponden a la Administración.

Desde esta posición, y a modo de recopilación, cabe formular unas conclusiones propositivas que apuntan ideas prácticas que podrían contribuir a reducir algunas de las desventuras y perjuicios derivados de la práctica de las notificaciones electrónicas tratados:

— Impulsar la creación de bases de datos de contacto electrónico para la práctica de los avisos de puesta a disposición de notificaciones[32].

— Establecer políticas de gestión de datos de contacto electrónico que incorporen medidas y detallen actividades concretas encaminadas al cumplimiento del deber diligencia para garantizar el conocimiento de la notificación y permitan verificar si se agotan los medios al alcance en tal sentido, previo análisis de los riesgos afectantes a cada procedimiento.

— Extremar la adopción de dichas medidas en los casos de procedimientos que pudieran conducir a la imposición de sanciones o la apertura de vías ejecutivas contra los interesados.

— Diseñar y configurar en el proceso de gestión de notificaciones electrónicas mecanismos de advertencia para detectar y comprobar la adecuada actuación en los supuestos en que estas se relacionen con entidades inactivas o personas que hayan otorgado representación a los efectos de recepción de notificaciones.

---

[32] Artículo 43.3 RAFSPME. En el documento sometido a trámite de información pública, de 23 de mayo de 2018, relativo al proyecto de este Real Decreto se dedicaba el artículo 24 a regular los "datos de contacto electrónico", estableciendo la creación de una base de datos de contacto electrónico en el sector público estatal con carácter imperativo.

– Fijar compromisos de calidad e indicadores que muestren y faciliten la evaluación del sistema de gestión de notificaciones electrónicas utilizado, publicando datos como el número de notificaciones rechazadas y las practicadas sin aviso y realizando periódicamente encuestas dirigidas a evaluar la calidad del servicio de notificaciones electrónicas por parte de sus destinatarios e identificar las dificultades y limitaciones que se encuentran.

– Enfatizar el enfoque en la experiencia y necesidades de los usuarios, que valora unificación de los portales de acceso, para la reutilización[33] de sistemas o aplicaciones relacionados con la gestión de las notificaciones electrónicas.

– Incorporar y priorizar, en los procedimientos de adjudicación de contratos públicos para la adjudicación de sistemas o aplicaciones involucrados con la gestión de notificaciones electrónicas, criterios de selección y adjudicación y condiciones de ejecución enfocados desde el diseño y por defecto a la experiencia y necesidades de los usuarios, a la simplificación de los procesos y a la accesibilidad e inclusión.

– Facilitar el uso de aplicaciones móviles para la recepción de notificaciones electrónicas y la incorporación en las mismas de los medios necesarios para la identificación.

– Consolidar la normativa sectorial reguladora de las notificaciones electrónicas, reduciendo las diferencias y favoreciendo su conocimiento y comprensión por los interesados.

– Implementar planes de acción orientados a reducir la brecha digital y a la capacitación de los usuarios de los sistemas de notificaciones electrónicas.

5. REFERENCIAS BIBLIOGRÁFICAS

BELLMONT LORENTE, S., MARCOS RAMÓN, M. I., TARDÍO PATO, J. A, directores. PÉREZ JUAN, J. A., SANJUÁN ANDRÉS, F. J., autores. *La digitalización en los procedimientos administrativos y en los procedimientos contencioso-administrativos.* Cuadernos Digitales, Aranzadi, 2022.
CERDÁ MESEGUER, J. I., *Las garantías constitucionales de las notificaciones electrónicas en los procedimientos judiciales y las singularidades en el ámbito contencioso-administrativo.*

---

[33] Artículo 157 LRJSP.

Revista Andaluza de Administración Pública, número 106, enero-abril (2020), págs. 87-127.

COTINO HUESO, L., *La preocupante falta de garantías constitucionales y administrativas en las notificaciones electrónicas*, Revista General de Derecho Administrativo, número 57, Iustel, mayo 2021

ESTEBAN PAUL, A., GARCÍA MARTÍN, A., TORRES CARBONELL, J. J., GARCÍA ROGER, C., MARTÍNEZ PÉREZ, M., *Administración electrónica. Aspectos jurídicos, organizativos y técnicos.* Aranzadi, 2021.

GALLARDO CASTILLO, M. J., *El nuevo régimen de las notificaciones electrónicas*, Colex, 2021.

GOMEZ PUENTE, M., *La administración electrónica. El procedimiento administrativo digital.* Editorial Aranzadi, 2019.

LEIVA LÓPEZ, A. D., *La regulación de la relación electrónica. En particular: el incumplimiento de la obligación de relacionarse electrónicamente y la validez y práctica de las notificaciones electrónicas.* Revista Aragonesa de Administración Pública, número 58, 2022, págs. 291-313, 2022.

MARTÍN DELGADO, I., *La práctica de las notificaciones electrónicas en la contratación pública. Premisa de transparencia, libre competencia y simplificación administrativa.* Cuadernos de Derecho Local, Fundación Democracia y Gobierno Local, 2018, págs. 178-220.

A vueltas con las transferencias internacionales de datos personales

BARTOLOMÉ MARTÍN

1. INTRODUCCIÓN

El artículo 1.2 de la Constitución española reza: "*La soberanía nacional reside en el pueblo español, del que emanan los poderes del Estado.*" Sin embargo, en un mundo donde incluso el Partido Comunista de China ha abrazado el llamado "capitalismo de Estado", la soberanía de una nación reside, para ser más exactos, en la capacidad económica de sus ciudadanos (de sus "consumidores"). Así, cuanto más importante es esa capacidad de consumo, mayor es la autonomía e influencia política del Estado, su autoridad para imponer la "reglas del juego" en sus relaciones con otros Estados.

En la actualidad, contamos en el mundo con tres súper potencias económicas: EE.UU., el conjunto de los países que conforman el Espacio Económico Europeo (dentro del que incluiremos a estos efectos al Reino Unido y al que nos referiremos en adelante como un único ser colectivo) y China (las tres con un producto interior bruto aproximado en 2021 de 23, 21 y 18 billones de dólares, respectivamente)[1].

Estén significativamente intervenidas, como en el caso de China, o se trate de economías de "libre" mercado, como la estadounidense o la europea (intensamente regulada en algunos sectores), una de las principales claves del éxito de las economías de mercado radica en la capacidad de quienes participan en ellas (tanto operadores del sector privado como ins-

---

[1] Recuperado de https://data.worldbank.org/indicator/NY.GDP.MKTP.CD (5 de noviembre de 2022).

tituciones y empresas públicas) para conocer y comprender, con el mayor grado de detalle posible, los deseos y necesidades de los consumidores.

Hasta la irrupción de Internet y de la computación, estudiar el comportamiento y hábitos de consumo de la población era un verdadero desafío. Las empresas contaban con información muy limitada, que obtenían en el marco de sus relaciones con los clientes (de forma presencial o por teléfono) y de los estudios de mercado e informes estadísticos disponibles, capaces de identificar tendencias, pero notablemente limitados como instrumentos útiles para anticiparse a las mismas. Todo ello se traducía en escasa escalabilidad, ciclos de producción largos y mercados muy atomizados. Un entorno en el que la privacidad se concebía más bien como un derecho propio del ámbito doméstico (familiar) y la protección de los datos personales ocupaba un lugar irrelevante entre las preocupaciones de los ciudadanos y/o de los propios Estados.

En 2022, la situación es bien distinta. La evolución e implantación global de las redes de telecomunicaciones y el incremento exponencial de la capacidad de computación (que permite ejecutar algoritmos cada vez más complejos y eficaces) ofrecen la posibilidad de procesar ingentes cantidades de información (accesible a través de Internet) de forma casi instantánea y muy asequible (en términos de coste). El desarrollo de sistemas de *inteligencia artificial* cada vez más autónomos y avanzados (robotizados y no robotizados), de los sistemas de hardware y software basados en la mecánica cuántica, del llamado *Internet de las Cosas*, de los cada vez más debatidos *metaversos* o de los dispositivos intracorporales y los *wearables*, entre otros avances, han colocado a la privacidad, a la protección de datos, en el centro de la agenda política de los Estados y en una de las principales inquietudes de los ciudadanos.

Así las cosas, la Unión Europea, que al tiempo de aprobarse el Reglamento General de Protección de Datos (Reglamento (UE) 2016/679) contaba con el Reino Unido entre sus Estados miembros, tiene en la privacidad (y, por extensión, en la ciberseguridad) una prioridad estratégica desde hace más de una década, no sólo por la amenaza que el uso no regulado de las citadas tecnologías de la información supone para la libertad individual de sus ciudadanos (amenaza que no hará sino progresar en los próximos años), sino porque es una de las palancas con las que cuenta todavía para protegerse frente al avance de las otras dos súper potencias (EE. UU. y China), que han tomado considerable ventaja en la carrera tecnológica, aprovechándose para consolidar y reforzar esa ventaja (no para tomarla), especialmente en el caso de China (ambos países, no obstante, en plena transición hacia modelos más garantistas), de sistemas de protección de la privacidad más amables (al menos hasta que, por una pura cuestión demográfica y si la inmigración no lo impide, otras economías emergentes la desplacen como el segundo mercado de consumidores por capacidad económica del mundo y, por ende, como uno de los actores dominantes a la hora de fijar estándares normativos con impacto mundial).

2. EL RÉGIMEN DE TRANSFERENCIAS INTERNACIONALES DE DATOS PERSONALES APLICABLE EN EL EEE

Se produce una transferencia internacional de datos personales cuando una organización (exportador), sea como responsable o encargada del tratamiento de esos datos y con fines comerciales (en un sentido amplio), los transmite o, de otro modo, pone a disposición de otra organización (importador), con sede en un territorio que no ofrece un nivel de protección de la privacidad sustancialmente equivalente al que se disfruta en el EEE (en adelante, "**territorios sin nivel de adecuación**"), pudiendo el importador, a su vez, tratar tales datos como responsable, corresponsable o encargado del tratamiento.

Por contraposición, no se reconoce como transferencia internacional de datos personales la captación directa (para su tratamiento con fines comerciales) de datos personales de ciudadanos en suelo europeo por parte de organizaciones ubicadas en territorios sin nivel de adecuación.

El régimen de protección aplicable a estas transferencias de datos personales hacia territorios sin nivel de adecuación (incluidos, entre otros, los EE.UU. o China) se articula esencialmente a través de las disposiciones recogidas en el Capítulo V del RGPD y de la doctrina jurisprudencial del TJUE, concretamente, de la fijada en la Sentencia del Tribunal de Justicia (Gran Sala) de 16 de julio de 2020 en el asunto C-311/18 (caso *Schrems II*) y tiene una doble dimensión.

Por una parte, persigue garantizar, mediante la aplicación de salvaguardas, generalmente por vía contractual (a través de las llamadas Cláusulas Contractuales Tipo[2] o "**SCCs**", por sus siglas en inglés, o de Normas Corpo-

---

[2]   Aprobadas mediante la Decisión de Ejecución (UE) 2021/914 de la Comisión de 4 de junio de 2021 relativa a las cláusulas contractuales tipo para la transferencia de datos personales a terceros países de conformidad con el Reglamento (UE) 2016/679 del Parlamento Europeo y del Consejo.

rativas Vinculantes[3]), aunque también a través de mecanismos de certificación o compromisos vinculantes en forma de códigos de conducta, que el importador de los datos observe obligaciones de protección de la privacidad sustancialmente equivalentes a las que resultan de aplicación a los sujetos obligados al cumplimiento del RGPD y, por otra, en la medida en que la legislación del territorio sin nivel de adecuación de que se trate autorice un eventual acceso de las autoridades públicas de ese país tercero a los datos personales transferidos y/o ampare o propicie el incumplimiento de dichas obligaciones por parte del importador, la adopción e implantación de medidas adicionales (por ejemplo, aplicando a los datos tecnologías de cifrado asimétrico) a determinar en función de los riesgos derivados del ordenamiento jurídico de ese tercer país, que el exportador, en colaboración con el importador de los datos, tiene obligación de evaluar.

Alternativamente, el exportador puede acudir a la tutela de la autoridad de control competente y someter a autorización la transferencia, modelo muy consolidado en países como España con carácter previo a la promulgación del RGPD.

En el caso concreto de EE.UU., la sentencia dictada en el caso *Schrems II* aclara que algunos de sus programas de inteligencia (como PRISM o Upstream[4]), regulados en el artículo 702 de la FISA[5] y en la E.O. 12333[6], no incorporan limitaciones ni garantías para las personas no nacionales de los Estados Unidos que permitan asegurar un nivel de protección sustancialmente equivalente al garantizado en la Carta de los Derechos Fundamentales de la Unión Europea.

---

[3] Las Normas Corporativas Vinculantes se regulan en el artículo 47 del RGPD.

[4] En el marco del programa PRISM, los proveedores de servicios de Internet están obligados a proporcionar a la NSA todas las comunicaciones enviadas y recibidas por un «selector», de las cuales una parte se transmite también al FBI y a la Central Intelligence Agency (CIA) (Agencia Central de Inteligencia). En lo que se refiere al programa Upstream, las empresas de telecomunicaciones que explotan la «red troncal» de Internet —es decir, la red de cables, conmutadores y enrutadores— están obligadas a permitir a la NSA copiar y filtrar los flujos de tráfico de Internet con el fin de recabar comunicaciones enviadas o recibidas por el nacional no americano al que corresponda un «selector» o que estén relacionadas con esa persona. En el marco de ese programa, la NSA tiene acceso tanto a los metadatos como al contenido de las comunicaciones de que se trate.

[5] FISA es el acrónimo de Foreign Intelligence Surveillance Act.

[6] E.O. 12333 es el acrónimo de Executive Order 12333 - United States intelligence activities.

Merece la pena destacar que la decisión en el caso *Schrems II* vino asimismo a invalidar el mecanismo acordado por el Departamento de Comercio de EE.UU., la Comisión Europea y la Administración suiza, que permitía a las empresas que operaban desde suelo norteamericano certificar que su práctica de protección de datos era conforme con el estándar de protección de la privacidad europeo (el llamado Escudo de Privacidad o "*Privacy Shield*", sucesor del mecanismo de Puerto Seguro o "*Safe Harbor*", también invalidado por el TJUE pocos años antes) y que se configuraba como salvaguarda adicional y suficiente para llevar a cabo estas transferencias a operadores económicos en EE.UU.

De este modo, como decimos, para transferir datos a una organización situada en un territorio sin nivel de adecuación, no basta con acudir al referido régimen de salvaguardas recogido en el RGPD, sino que resulta necesario, además, llevar a cabo una evaluación de los riesgos que derivan de la aplicación del ordenamiento jurídico del país de que se trate.

Aunque no parece que se trate de un criterio compartido por la mayor parte de las autoridades de protección de datos europeas y, a nuestro juicio, resulta difícilmente conciliable con los fundamentos del RGPD, el supervisor austríaco (el DSB, por sus siglas en alemán) ha defendido, en el marco de una resolución sancionadora contra Google LLC[7], que, cuando se trata de un importador ubicado en EE.UU., esa evaluación de riesgos no puede (si se quiere que sea conforme con lo señalado por el TJUE en la sentencia en el caso *Schrems II*) concluir que no se precisan medidas de protección adicionales a la adopción de las SCCs, con independencia de las circunstancias y particularidades de la transferencia en cuestión.

Por otro lado, si se van a transferir datos recabados en el marco de actividades dirigidas al mercado británico o cuando el exportador sea una entidad con sede en el propio Reino Unido o en Suiza, será preciso respetar, adicionalmente, ciertas disposiciones específicas promulgadas por las autoridades de dichos países (a través de la incorporación a las SCCs del llamado *UK Addendum* y/o de las menciones recogidas en el Informe de la autoridad de protección de datos suiza, el EDOB, por sus siglas en alemán, de 21 de agosto de 2021 en materia de transferencias internacionales de datos a países con un nivel inadecuado de protección de la privacidad basadas en cláusulas contractuales tipo).

---

[7]   Resolución ante la reclamación presentada ante DSB por NOYB - European Centre for Digital el 18 de agosto de 2020.

Procede subrayar, asimismo, que la decisión en el caso *Schrems II* prevé que, cuando no sea posible implantar medidas adicionales que garanticen un nivel de protección de la privacidad sustancialmente equivalente al promulgado por la normativa europea, la transferencia de datos no podrá llevarse a cabo.

Merece nuestra atención también, finalmente, el régimen de derogaciones recogido en el artículo 49 del RGPD, que admite la posibilidad de, de forma excepcional, llevar a cabo este tipo de transferencias aun en ausencia de garantías adecuadas. Un conjunto de excepciones (tales como que el interesado haya dado explícitamente su consentimiento a la transferencia propuesta o que la transferencia resulte necesaria para la celebración o ejecución de un contrato, en interés del interesado, o para la formulación, el ejercicio o la defensa de reclamaciones, entre otras) que, sin embargo, conforme a lo señalado por el Comité Europeo de Protección de Datos ("**CEPD**") en sus "Directrices 2/2018 sobre las excepciones contempladas en el artículo 49 del Reglamento 2016/679" resultan de aplicación únicamente a transferencias "ocasionales" y en las que, por tanto, no cabe ampararse para realizar transferencias de naturaleza recurrente.

3. CONSIDERACIONES SOBRE LA APLICACIÓN PRÁCTICA DEL RÉGIMEN DE TRANSFERENCIAS INTERNACIONALES DE DATOS PERSONALES APLICABLE EN EL EEE

Cuando explicas a un cliente (al director de asesoría jurídica de una compañía norteamericana que acaba de adquirir una empresa europea, por ejemplo) que, para poder acceder a los documentos y/o sistemas de esa empresa, debe suscribir un acuerdo de transferencia internacional de datos personales, incorporando un determinado clausulado específico aprobado por la Comisión Europea (al que deberá sumar un adendum adoptado en Reino Unido, si se incluye información recabada en el marco de actividades dirigidas a este territorio), que debe realizar una evaluación de los riesgos asociados a la transferencia (para la que es necesario analizar, entre otros aspectos, los fines de la misma, las categorías de datos afectadas, el sector de actividad en el que opera, las normas de aplicación o las relaciones que mantiene con proveedores dentro y fuera de EE.UU.), que el resultado de esa evaluación de riesgos puede (y, según alguna autoridad de protección de datos europea, debe) suponer la adopción de medidas adicionales de seguridad para proteger la información a la que vaya a acceder y que, a pesar de todo esto, es decir, a pesar de este esfuerzo (del tiempo y el coste asociado a la preparación y ejecución de estos documentos, a la adopción de esas medidas de seguridad y a no poder acceder a los datos inmediatamente), no le puedes garantizar que esté cumpliendo de forma plena con la normativa de protección de datos y, más aún, que su nueva empresa corre el riesgo de ser sancionada por no haber llevado a cabo dicho esfuerzo antes de haberle dado acceso a dicha información en el marco del ejercicio de diligencia debida previo a la transacción, puedes ver cómo, en el curso de tan sólo unos pocos minutos, pasa de la incomprensión inicial a un episodio (no tan efímero) de profunda frustración, seguido de un súbito interés por explorar soluciones alternativas, que termina, no sin cierta angustia e incluso congoja, en la aceptación de que acceder a la información alojada en los sistemas de su nueva empresa no será algo que ocurra en los tiempos que estaba manejando ni con el coste proyectado (esto es, a la manifestación de un proceso muy similar al que propusiera la Dra. Elisabeth Kübler-Ross allá por 1969 cuando se refería a las cinco fases del duelo).

Aunque se trata de un ejemplo un tanto ventajista, en tanto que hace referencia a transferencias de datos entre empresas de un mismo grupo y a EE.UU., como país importador, frente a otro tipo de transferencias de mayor riesgo: a entidades sobre las que no se tienen control alguno y que pueden llegar a estar situadas en territorios en los que pueden no existir siquiera normas que protejan la privacidad (como la India), lo cierto es que no son pocas las ocasiones en que se hace complicado justificar la proporcionalidad del esfuerzo que se exige a quien realiza una transferencia internacional de datos personales hacia un territorio sin nivel de adecuación, en especial, cuando se compara con las exigencias que se imponen a quienes dirigen su actividad al mercado europeo desde esos mismos territorios.

Si bien en el primer caso el exportador está obligado tanto a garantizar que el importador cumple el estándar europeo como a adoptar medidas de protección adicionales en función del resultado de la evaluación del riesgo-país que también debe realizar, en el segundo, el responsable ubicado en territorio sin nivel de adecuación que opera en el EEE sólo se encuentra sometido al primero de estos requisitos.

Hay quien defiende que se trata de situaciones diferentes que, por lo tanto, pueden merecer respuestas jurídicas distintas, en tanto que, en este último supuesto, el ciudadano (el interesado) tiene la capacidad de decidir si entabla o no relaciones con la empresa extranjera. No obstante, no nos parece ésta una justificación demasiado acertada.

En primer lugar, porque, cuando se trata de tratamientos llevados a cabo por un responsable de tratamiento ubicado en un territorio sin nivel de adecuación, en la práctica, el interesado no tiene por qué ser plenamente consciente de dicha circunstancia, ya que para cumplir con el deber de informar (conforme a lo que establece en el artículo 13 del RGPD) no es preciso referirse al estándar de privacidad aplicable en el Estado en el que se ubique el responsable del tratamiento.

En segundo lugar, porque, cuando se trata de responsables ubicados en territorios confiables a nivel comercial, como los EE.UU., no suele ser ésta una cuestión que le preocupe excesivamente.

Y, en tercer lugar, porque si la diferencia cualitativa entre uno y otro escenario estribase en la capacidad de elección del interesado, en la medida en que quedase informado de las condiciones en que se producirá la transferencia internacional en un momento anterior al inicio de la misma, pudiendo, por tanto, ejercitar, entre otros, su derecho de oposición al tratamiento, y de que se le solicitase que manifestase de manera explícita su consentimiento para llevar a cabo la transferencia en ausencia de garantías plenas de adecuación, se estarían recreando esas mismas condiciones y, sin embargo, se abomina del recurso del consentimiento, a pesar de contemplarse como una derogación respecto a la que (al contrario de lo que sucede con las recogidas en las letras b), c) y e) del ya citado artículo 49.1 del RGPD, relativas a las transferencias necesarias para la ejecución de un contrato o para la defensa frente a reclamaciones) el Considerando 111 de la misma norma no se refiere en términos de no recurrencia. Así lo reconoce el propio CEPD en las también referidas Directrices 2/2018 sobre las excepciones contempladas en el artículo 49 del Reglamento 2016/679.

De este modo, lo que sería suficiente cuando los tratamientos los lleva a cabo un responsable del tratamiento ubicado en un territorio sin nivel de adecuación, no lo es cuando lo que se produce es una transferencia internacional de datos a ese mismo responsable, sin que existan, creemos, argumentos para defender que, de obtenerse el consentimiento informado y explícito del interesado para dicha transferencia (de poder aplicar la citada derogación), estaríamos ante presupuestos de hecho realmente diferentes que, por tanto, podrían requerir distinto trato jurídico.

Por otro lado, no podemos olvidar que, en la práctica, puesto que a los responsables del tratamiento (tan ciudadanos como los interesados) se les despoja de la posibilidad de acudir a este régimen excepcional de derogaciones recogido en el artículo 49 del RGPD, es decir, de la posibilidad de amparar la transferencia en el consentimiento de los interesados, y se les impone la obligación de proteger la privacidad (entendida como bien jurídico colectivo y superior) no sólo frente a potenciales injerencias en la privacidad de los importadores de los datos (esto es, de los responsables o encargados del tratamiento con los que mantienen relaciones comerciales o de negocio), sino frente a la injerencia de los propios Estados, y en especial cuando se trate de prestadores de servicios que no tienen competidores en suelo europeo o en otros territorios con nivel de adecuación a los que acudir o de empresas del propio grupo al que pertenece el exportador, se les está usurpando en cierta medida esa condición de ciudadanos y se les está trasladando una responsabilidad que, generalmente, suele quedar encuadrada dentro de la esfera de competencias de las autoridades públicas; algo que se nos antoja harto desproporcionado, máxime cuando, en muchos casos, se trata de operadores económicos de tamaño reducido y recursos limitados y, como sucede en el caso de los EE.UU., de sistemas jurídicos razonablemente garantistas y que comparten valores con los de los Estados europeos.

El principio de acuerdo anunciado hace ya más de seis meses por los presidentes de los EE.UU., Joe Biden, y de la Comisión Europea, Ursula von der Leyen, para establecer un nuevo marco legal que permita el flujo de datos personales desde suelo europeo a suelo norteamericano de forma segura, en lo que será el tercer intento de ambas administraciones por simplificar las relaciones comerciales transatlánticas en materia de protección de datos, parece patrocinar esta posición de que estamos ante una cuestión a resolver por parte de los poderes públicos que no parece oportuno (ni razonable) arrojar sobre los hombros de los ciudadanos.

Del mismo modo, posiciones como la defendida por la autoridad austríaca en relación con la necesidad de imponer salvaguardas adicionales (en forma de medidas de seguridad) a todas las transferencias internacionales a importadores ubicados en EE.UU. resultan, a nuestro modo de ver, incompatibles con el sistema de protección de la privacidad consagrado en el RGPD, que señala expresamente (entre otros preceptos, en los artículos 25.1 y 32 de la propia norma) que *"el responsable y el encargado del tratamiento aplicarán medidas técnicas y organizativas apropiadas para garantizar un nivel de seguridad adecuado al riesgo"*, *"teniendo en cuenta el estado de la técnica, los costes de aplicación, y la naturaleza, el alcance, el contexto y los fines del tratamiento, así como riesgos de probabilidad y gravedad variables para los derechos y libertades de las personas físicas."*

Y es que, cuando se analizan los programas de inteligencia a los que se refiere el TJUE en la sentencia, se puede apreciar, por una parte, que están

dirigidos a capturar información y comunicaciones entre sujetos extranjeros (por contraposición a aquellas que se producen entre sujetos extranjeros y estadounidenses), minimizando cualquier recogida incidental de comunicaciones de personas estadounidenses, siendo, de facto, la E.O. 12333
inaplicable cuando el destinatario de los datos es una entidad norteamericana y, por otra, que la naturaleza de los datos a transferir en el marco
de las relaciones comerciales entre los operadores económicos europeos y
norteamericanos es generalmente ajena a los intereses de las agencias de
seguridad de EE.UU., sin que ello signifique, claro está, que no puedan
producirse transferencias que justifiquen la adopción e implantación de
dichas salvaguardas adicionales.

A la vista de todo lo anterior, para encontrar sentido pleno al actual régimen de transferencias internacionales de datos personales a territorios sin
nivel de adecuación se requiere, a nuestro juicio, ir más allá de las propias
normas e incluso de sus propios fines y tener en consideración los intereses
geopolíticos europeos. Una estrategia que, por otra parte, se está demostrando muy eficaz, en la medida en que el estándar de privacidad europeo
parece estar imponiéndose en la mayor parte del mundo civilizado.

Aspectos legales relacionados con los asistentes virtuales a la luz de la "Digital Services ACT"

CRISTINA MARTÍNEZ GARAY

Manager área TMT de ECIJA

1. INTRODUCCIÓN

1.1 Orígenes de los asistentes virtuales

Un asistente virtual es, por lo general, una aplicación de software que permitiría a una persona física interactuar dentro de un sistema automatizado.

El término *chatterbot*, viene de la unión de dos vocablos ingleses: "chatter", cuyo significado es "hablador", y "bot", que sirve como abreviatura de la palabra inglesa adoptada también por nuestro idioma, "robot". A veces el término bot conversacional (en inglés: *chatbot*) se utiliza para referirse a los asistentes virtuales en general o específicamente a aquellos a los que se accede por chat en línea (o en algunos casos, programas de chat en línea que son para entretenimiento y no para propósitos útiles)[1].

Centrándonos ahora en los asistentes virtuales conversacionales, un chatbot se puede definir como *"un programa de ordenador configurado para estimular una conversación inteligente con usuarios a través de voz, imágenes, vídeos y/o texto basado en mensajería instantánea. Estos programas son a veces referidos como entidades conversacionales artificiales, talk bots o robot conversacional. En otras palabras, los chatbots proporcionan al usuario funciones text-to-speech y reco-*

---

[1] Fuente: https://es.wikipedia.org/wiki/Asistente_virtual

nocimiento de la conversación de tal modo que los usuarios pueden interactuar con el chatbot de forma similar a si tuvieran una conversación con una personal real. El chatbot, por tanto, reconocerá la conversación del usuario y la convertirá en una forma legible para la máquina para procesar las peticiones del usuario y proporcionar respuestas como en el lenguaje hablado[2] "

Por su parte, se puede definir robot conversacional como: *"U]n robot conversacional, comúnmente conocido como chatterbot, no es más que [...] un tipo de agente conversacional inteligente diseñado para simular una conversación, el cual procesa una entrada de un usuario en lenguaje natural y consulta su base de conocimiento para dar una respuesta que imite lo máximo posible la de un humano. La mayoría de estos robots son capaces de mantener una conversación mediante el reconocimiento de palabras o frases de entrada, lo que les permite seleccionar respuestas preparadas (programadas con anterioridad en su base de conocimiento) de tal manera que consiguen llevar una conversación, sin requerir necesariamente por parte del robot una auténtica comprensión de lo que se está diciendo. La línea de investigación relacionada con el procesamiento de lenguaje natural se basa más concretamente en la utilización de estos robots conversacionales como interfaz entre un sistema y sus usuarios. Estos chatterbots intentan emular la conversación que un humano mantendría con el usuario, de tal manera que este usuario (en la medida de lo posible) no se diera cuenta de que está comunicándose con un programa[3]".*

Si pensamos en asistententes virtuales que facilitan el intercambio utilizando la voz, quizá nos vienen a la mente "Siri" o "Alexa", de hecho, el primer asistente virtual digital instalado en un teléfono inteligente fue "Siri",

---

[2]   Información obtenida de la web WIPO Pearl https://wipopearl.wipo.int/es/linguistic consultada el 19/04/2022 y en la que se obtiene esta definición en inglés *"As used herein, the term "chatbot" refers to a computer program configured to simulate an intelligent conversation with users via voice, images, video and/or text on an instant message basis. Such programs are sometimes referred to as artificial conversational entities, talk bots or chatterbots. In other words, chatbots may provide users with text-to-speech and speech recognition functions such that users may interact with a chatbot similarly as in communication with a real person. The chatbot may therefore recognize a user's speech, convert it into machine-readable form, process user requests, and deliver corresponding responses as spoken language.*
      US20120260263"

[3]   Concepto obtenido de WIPO Pearl, consultado el 19/04/2022 que extrae la definición de GIST (Grupo de Ingeniería de Sistemas Telemáticos), UVIGO, Llamas Nistal, Martín et al., Revista Iberoamericana de Informática Educativa, (15), junio de 2012: 67-74.

que fue presentado como una característica del iPhone 4S el 14 de octubre de 2011[4].

Si bien, como parte de la historia de los asistentes virtuales también tenemos los *chatterbots* o agentes conversacionales surgidos en algunas páginas de Internet en los años 90 y principios del 2000, que buscaban la interacción con el usuario de la página simulando mantener una conversación con él, con el fin de ayudarle en sus búsquedas de un modo automatizado[5].

A nadie se le escapa el cambio conversacional que la sociedad digital en la que vivimos viene experimentando de un tiempo a esta parte y cada vez de forma más acelerada o abrupta.

Las aplicaciones de mensajería y las redes sociales se han convertido en nuestros compañeros del día a día, y la conversación escrita ("los chats") se han convertido en la principal forma de comunicación en la sociedad[6].

Por su parte, el Reglamento (UE) 2022/2065 del Parlamento Europeo y del Consejo de 19 de octubre de 2022 relativo a un mercado único de servicios digitales y por el que se modifica la Directiva 2000/31/CE (Reglamento de Servicios Digitales o DSA) recoge en su Considerando 1) lo siguiente:

"Los servicios de la sociedad de la información y especialmente los servicios intermediarios se han convertido en una parte importante de la economía de la Unión y de la vida cotidiana de sus ciudadanos. Veinte años después de la adopción del marco jurídico vigente aplicable a dichos servicios establecido en la Directiva 2000/31/ CE del Parlamento Europeo y del Consejo (4), han aparecido nuevos e innovadores modelos de negocio y servicios, como las redes sociales y las plataformas en línea que permiten a los consumidores celebrar contratos a distancia con comerciantes, que han permitido a los usuarios profesionales y a los consumidores comunicar información y acceder a ella, y efectuar transacciones de formas novedosas. La mayoría de los ciudadanos de la Unión utiliza ahora este tipo de servicios a diario. Sin embargo, la transformación digital y el creciente uso de esos servicios también entraña nuevos riesgos y desafíos para los destinatarios individuales de los correspondientes servicios, las empresas y la sociedad en su conjunto."

Hablemos, entonces, de nuevos e innovadores modelos de negocio y servicios…

---

4 Fuente: https://www.engadget.com/2011/10/04/iphone-4s-hands-on/
5 Fuente: Jiménez Martin, Pedro; Sánchez Allende, Jesús. "De Eliza a Siri, la evolución". Universidad Alfonso X El Sabio. Consultado el 25 de marzo de 2021.
6 Fuente: Guía Legal de ECIJA los Chatbots aspectos legales y de mercado.2018.

1.2 Chatbots del futuro

En realidad, Chatbots del futuro y también del presente. De lo simples Chatbots que usan plantillas prediseñadas a los Chatbots con "Inteligencia Artificial." Sin duda ahí es donde se está produciendo el gran cambio, por llamarlo de alguna forma.

A tener en cuenta que, la mayoría de Chatbots que se diseñan a partir de 2023 les resultará de aplicación lo dispuesto en el Reglamento de Servicios Digitales ya mencionado (conocido popularmente como la DSA) y el Reglamento UE 2022/1925 del Parlamento Europeo y del Consejo de 14 de septiembre de 2022 sobre mercados disputables y equitativos en el sector digital y por el que se modifican las Directivas (UE) 2019/1937 y UE 2020/1828 (Reglamento de Mercados Digitales o conocido popularmente como DMA)

El Reglamento de Servicios Digitales publicado en DOUE el pasado 27/10/2022 recoge en el Considerando 14 que: "(…) *Los servicios de comunicaciones interpersonales definidos en la Directiva (UE) 2018/1972 del Parlamento Europeo y del Consejo, como los correos electrónicos o los servicios de mensajería privada, quedan fuera del ámbito de la definición de plataformas en línea, ya que se utilizan para la comunicación interpersonal entre un número finito de personas determinado por el remitente de la comunicación. No obstante, las obligaciones establecidas en el presente Reglamento para los prestadores de plataformas en línea pueden aplicarse a los servicios que permitan poner información a disposición de un número potencialmente ilimitado de destinatarios, no determinado por el remitente de la comunicación, por ejemplo, a través de grupos públicos o canales abiertos.*"

Así las cosas, el Reglamento no se aplicaría, por ejemplo, al grupo de mensajería instantánea que con carácter personal y doméstico utilizáramos un grupo de amigas de la Universidad, pero sí a una empresa que utilizara un Chatbot como canal abierto y con información puesta a disposición de un número potencialmente ilimitado de destinatarios.

Por otro lado, de especial relevancia para Chatbot o asistentes virtuales, es el Reglamento de Mercados Digitales, que establece la condición previa de que los proveedores de mercados digitales, deberán ser designadas como "guardianes de acceso" para alguno de los "servicios de plataforma" que figuran en la DMA (como motores de búsqueda en línea, servicios de redes sociales, tiendas de aplicaciones, determinados servicios de mensajería, asistentes virtuales, navegadores web, sistemas operativos y servicios de intermediación en línea).

2. ASPECTOS LEGALES DE LOS ASISTENTES VIRTUALES

2.1 Aproximación a la regulación

Ciertamente, el desarrollo exponencial experimentado por ciertas tecnologías en los últimos años ha supuesto un desafío a nivel normativo para los diferentes entes legislativos y gubernamentales de la Unión Europea.

Habida cuenta el impacto que el uso de asistentes virtuales y chatbots puede tener dado que estaríamos hablando de interacciones humanas y software, la normativa aplicable sería toda aquella que resulte aplicable dependiendo de la actividad concreta que desarrolle el Chatbot o el asistente.

Desde luego, no será lo mismo un mero asistente que suministre, de forma limitada información sobre la empresa o las actividades de la empresa que aquél que posibilite o incluso realice una transacción electrónica.

En cualquier caso, conviene tener presente normativa sobre responsabilidad contractual y extracontractual, de Servicios de la Sociedad de la Información y Comercio Electrónico, Protección de Datos de Carácter Personal, Derecho al honor y a la intimidad personal y familiar, Consumidores y usuarios, normativa publicitaria, Propiedad Intelectual e Industrial, DSA y DMA, futura Ley de Inteligencia Artificial, etc…

2.2 El impacto en la privacidad

Si hay alguna normativa en la que la que el uso de tecnología impacte de forma más intensa, esa es la normativa de Protección de Datos de Carácter Personal[7].

Los asistentes virtuales y Chatbots están destinados a ofrecer una amplia variedad de servicios a los usuarios o destinatarios del servicio y, para ello, necesitarán obtener información de los usuarios con los que interactúen. Los datos recabados por parte del Chatbot pueden ser de muy diversa índole y tipología, conllevando en la gran mayoría de ocasiones, que dichos datos tengan la consideración de datos de carácter personal.

En este sentido, se entiende por dato de carácter personal toda información sobre una persona física identificada o identificable. Bajo esta definición, quedaría encuadrada la información que el usuario le proporcionase al Chatbot como su nombre, apellidos, documento acreditativo

---

[7]   RGPD y LOPDyGDD

de identidad o domicilio. Sin embargo, también tiene la consideración de dato de carácter personal la información relativa a sus intereses, sus gustos, sus datos bancarios o cualesquiera otros datos que pudieran identificar al usuario.

La persona física/jurídica o administración pública que opere el Chatbot y decida sobre la finalidad de los tratamientos será la responsable del tratamiento y deberá analizar los riesgos que para la privacidad del usuario conlleva dicho tratamiento de datos.

La exposición a los riesgos[8] con impacto en la protección de datos se produce desde el inicio o puesta en marcha de los tratamientos, evolucionando en función de las variaciones del contexto y de factores o elementos que intervienen en las mismas.

El RGPD, consciente de que un tratamiento nace expuesto a riesgos con impacto en la protección de los datos, introduce los conceptos de *"protección de datos desde el diseño y por defecto"*.

Los responsables de tratamiento que realizan o desea realizar actividades de tratamiento con datos personales, en este caso a partir de un asistente virtual o Chatbot, deben establecer procedimientos de control que garanticen cumplir los principios de protección de datos desde el diseño y por defecto, pudiendo tener como referencia orientativa la Guía de la Agencia Española de Protección de Datos[9].

Definir y establecer medidas de control y seguridad es una tarea fundamental que se debe realizar de acuerdo con las particularidades de las actividades de tratamiento. No será lo mismo un Chatbot que simplemente conduce al usuario hacia contenidos que no encuentra en la web que un Chatbot de un Hospital que pueda identificar al paciente y, llegado el caso, incluso suministrar información del historial clínico o pedir nueva información con datos sensibles o de categoría especial (salud) por el impacto en la privacidad que supone…

En cuanto a la identificación del usuario, debemos conocer que: "(…) *pueden utilizarse distintos modos de verificación de la identidad del usuario, dirigidos a evitar que la información del usuario pueda ser conocida por terceros. Entre*

---

[8]   Fuente: Guía Práctica de análisis de riesgos en los tratamientos de datos personales sujetos al RGPD.

[9]   Guía de Privacidad desde el Diseño AEPD Guía de Privacidad desde el Diseño (aepd.es)

ellos encontramos métodos habituales como puede ser introducir el nombre de usuario registrado, utilización de las credenciales de otras plataformas en las que el usuario ya esté registrado como pueden ser Google, Microsoft, AppleID o Facebook, el número de teléfono, el uso de certificados, o, incluso, recurrir a la identificación biométrica[10], entre otros.

Como se adelantaba, en estos casos, los datos recabados por el Chatbot, pese a que pueden tener distinta tipología, muy probablemente, podrán ser considerados como datos de carácter personal, entendiéndose como tal toda información sobre una persona física identificada o identificable[11].

En esta definición de dato de carácter personal, se engloba a toda aquella información, como nombre, apellidos, dirección, documento de identidad, etc., que el usuario proporcione al chatbot, así como aquella información relativa a intereses, gustos, datos bancarios o, en definitiva, todos aquellos datos que puedan conducir a la identificación del usuario."[12]

Implementar un 'chatbot' conllevará para el responsable del tratamiento cumplir con el RGPD, y para ello, hay un conjunto mínimo de condiciones que deben cumplirse para garantizar la conformidad del tratamiento realizado por el responsable. En esencia, serían las siguientes:

- Verificar la existencia de una base para legitimación del tratamiento de datos personales.

---

[10]   Comité Europeo de Protección de Datos. Directrices 2/2021 sobre los asistentes de voz virtuales Versión 2.0 Adoptadas el 7 de julio de 2021. Técnicamente, el concepto de identificación debe distinguirse del de verificación (autenticación). La identificación es un proceso de búsqueda y comparación múltiples (1: N) y requiere, en principio, una base de datos en la que figuren varias personas. Por el contrario, el tratamiento con fines de verificación es una comparación simple (1:1) y se utiliza para verificar y confirmar mediante una comparación biométrica si una persona es la misma persona de la que proceden los datos biométricos. Disponible en https://edpb.europa.eu/system/files/2022-02/edpb_guidelines_202102_on_vva_v2.0_adopted_es.pdf.

[11]   "datos personales": toda información sobre una persona física identificada o identificable ("el interesado"); se considerará persona física identificable toda persona cuya identidad pueda determinarse, directa o indirectamente, en particular mediante un identificador, como por ejemplo un nombre, un número de identificación, datos de localización, un identificador en línea o uno o varios elementos propios de la identidad física, fisiológica, genética, psíquica, económica, cultural o social de dicha persona.

[12]   Fuente: "Un Chatbot me arruinó." ECIJA- Woztell

- La obligación de informar y ser transparente respecto al tratamiento de los datos.

- La obligación de facilitar a los usuarios el ejercicio de sus derechos.

- La aplicación del principio de responsabilidad proactiva implicaría realizar un análisis de riesgos y, en su caso, una 'Evaluación de Impacto en la Privacidad' (la EIPD es una obligación establecida en el RGPD cuando los niveles de riesgo asociados al tratamiento son elevados) o la obligación de mantener un registro de actividades de tratamiento.

- Adoptar medidas de seguridad organizativas y técnicas que minimicen riesgos.

- El cumplimiento de las condiciones para poder realizar transferencias internacionales de datos[13].

En definitiva, cada vez de forma más acelerada las empresas irán incorporando 'chatbots' en su actividad que además incorporarán Inteligencia Artificial por lo que el impacto en la Privacidad será alto y requerirá una evaluación del cumplimiento normativo en materia de protección de datos para no incurrir en riesgos legales que impliquen una sanción económica considerable, o lo que quizá sea peor, socaven la reputación de su IA conversacional.

Para el Profesor Sartor y la Dra. Francesca Lagioia: *"A diferencia de la Directiva de protección de datos de 1995, el RGPD contiene algunos términos que hacen referencia a Internet (Internet, redes sociales, sitio web, enlaces, etc.), pero no contiene el término "inteligencia artificial", ni ningún término que exprese conceptos relacionados, como sistemas inteligentes, sistemas autónomos, razonamiento e inferencia automatizados, aprendizaje automático o incluso big data.*

Esto refleja el hecho de que el RGPD se centra en los retos emergentes para Internet —que no se tuvieron en cuenta en la Directiva de Protección de Datos de 1995, pero

---

[13]   *Artículo 44 RGPD: Principio general de las transferencias. Solo se realizarán transferencias de datos personales que sean objeto de tratamiento o vayan a serlo tras su transferencia a un tercer país u organización internacional si, a reserva de las demás disposiciones del presente Reglamento, el responsable y el encargado del tratamiento cumplen las condiciones establecidas en el presente capítulo, incluidas las relativas a las transferencias ulteriores de datos personales desde el tercer país u organización internacional a otro tercer país u otra organización internacional. Todas las disposiciones del presente capítulo se aplicarán a fin de asegurar que el nivel de protección de las personas físicas garantizado por el presente Reglamento no se vea menoscabado.*

que estaban bien presentes en el momento en que se redactó el RGPD— más que en las nuevas cuestiones relativas a la IA, que no ha adquirido relevancia social hasta los últimos años. Sin embargo, como veremos, muchas disposiciones del RGPD son muy pertinentes para la IA.

(…) En efecto, existe una tensión entre los principios tradicionales de protección de datos —limitación de la finalidad, minimización de datos, tratamiento especial de "datos sensibles", limitación de las decisiones automatizadas— y el pleno despliegue del poder de la IA y los macrodatos. Estos últimos implican la recopilación de ingentes cantidades de datos relativos a las personas y sus relaciones sociales y su tratamiento para fines que no estaban totalmente determinados en el momento de la recopilación. Sin embargo, hay formas de interpretar, aplicar y desarrollar los principios de protección de datos que sean coherentes con los usos beneficiosos de la IA y los macrodatos."[14]

2.3 Chatbots e Inteligencia Artificial

Conviene ahora adentrarnos —si quiera sea brevemente— en lo que se considera "Inteligencia Artificial (IA)" y **debemos tener en cuenta que,** el concepto de sistemas de "IA" comprendería un amplio grupo de tecnologías distintas, incluidos la simple estadística, el aprendizaje automático y el aprendizaje profundo.

El Grupo de Expertos de Alto Nivel en IA (AI HLEG), creado por la Comisión Europea, ha aportado una noción más elaborada:

"Los sistemas de inteligencia artificial (IA) son sistemas de software (y posiblemente también de hardware) diseñados por humanos que, dado un objetivo complejo, actúan en la dimensión física o digital percibiendo su entorno mediante la adquisición de datos, interpretando los datos recogidos, estructurados o no, razonando sobre el conocimiento, o procesando la información, derivada de estos datos y decidiendo la(s) mejor(es) acción(es) a tomar para alcanzar el objetivo dado. Los sistemas de IA pueden utilizar reglas simbólicas o aprender un modelo numérico, y también pueden

---

[14]   El impacto del Reglamento General de Protección de Datos (RGPD) en la IA. El estudio fue dirigido por el Profesor Giovanni Sartor, del Instituto Universitario Europeo de Florencia, a petición del Grupo para el Futuro de la Ciencia y la Tecnología (STOA) y gestionado por la Unidad de Prospectiva Científica, dentro de la Dirección General de Servicios de Investigación Parlamentaria (EPRS) de la Secretaría del Parlamento Europeo. Ha sido elaborado conjuntamente por el Profesor Sartor y la Dra. Francesca Lagioia, del Instituto Universitario Europeo de Florencia, que ha trabajado bajo su supervisión.

adaptar su comportamiento analizando cómo se ve afectado el entorno por sus acciones anteriores."

En la Propuesta de Reglamento de 21 de abril de 2021 del Parlamento Europeo y del Consejo por el que se establecen normas armonizadas en materia de inteligencia artificial (Ley de Inteligencia Artificial)[15] se pretende definir a los sistemas de inteligencia artificial (sistema de IA) como *"el software que se desarrolla empleando una o varias de las técnicas y estrategias que figuran en el anexo I y que puede, para un conjunto determinado de objetivos definidos por seres humanos, generar información de salida como contenidos, predicciones, recomendaciones o decisiones que influyan en los entornos con los que interactúa."*

La Propuesta trata de definir la IA[16] como *"(…) un sistema basado en programas informáticos o incorporado en dispositivos físicos que manifiesta un comportamiento inteligente al ser capaz, entre otras cosas, de recopilar y tratar datos, analizar e interpretar el entorno y pasar a la acción con cierto grado de autonomía, con el fin de alcanzar objetivos específicos."*

Al tiempo de escribir este capítulo, ChatGPT está revolucionado las Redes Sociales y algunas mentes… Se trata de un sistema de chat con IA que no deja de sorprender con su potencialidad. Es un sistema de chat basado en el modelo de lenguaje de IA GPT-3 y genera respuestas muy exactas sin perjuicio de que es muy posible que cometa errores y de facto, en un '*paper*' publicado el 16 de diciembre de 2022 por investigadores de la Universidad de Stanford[17] concluía que el código es más inseguro cuando los programadores se confiaban en los asistentes de IA.

Llegados a este punto, y más allá de las tremendas expectativas que estos sistemas están despertando, desde un punto de vista legal, debemos apostar porque la seguridad jurídica sea condición esencial para el desarrollo dinámico de la IA.

Debiéramos plantearnos, a efectos de responsabilidad, quién opera el Chatbot con un sistema de IA. El Parlamento considera adecuado que por "operador" se entienda tanto al operador final como al operador inicial. Por el "operador inicial" debe entenderse la persona física o jurídica que define, de forma continuada, las características de la tecnología, propor-

---

[15]   https://eur-lex.europa.eu/legal-content/ES/TXT/?uri=celex:52021PC0206

[16]   Recomendaciones detalladas para la elaboración de un Reglamento del Parlamento Europeo y del Consejo relativo a la Responsabilidad civil por el funcionamiento de los sistemas de IA.

[17]   Do users write more insecure code with AI assistants?

ciona datos y un servicio de apoyo final de base esencial y, por tanto, ejerce también un grado de control sobre un riesgo asociado a la operación y el funcionamiento del sistema de IA y por "operador final" debe entenderse la persona física o jurídica que ejerce un grado de control sobre un riesgo asociado a la operación y el funcionamiento del sistema de IA y se beneficia de su funcionamiento. Por ejemplo, operador inicial podría ser la empresa desarrolladora que crea el sistema de IA y operador final la empresa que lo explota.

Un sistema de IA que conlleve un alto riesgo inherente y actúe de manera autónoma potencialmente pone en peligro en mucha mayor medida al público en general; en estos supuestos, parece razonable establecer un régimen común de responsabilidad objetiva para los sistemas de IA autónomos de alto riesgo; debiendo definirse y actualizarse constantemente el concepto de "alto riesgo".

En principio, ningún problema, salvo que si ese Chatbot utilizara un sistema de reconocimiento facial o identificación biométrica remota en tiempo real de todos aquellos que se conecten a la plataforma digital o se sirviera de técnicas subliminales que transciendan la conciencia de una persona para alterar de manera sustancial su comportamiento. En estos casos, el Reglamento (Ley de Inteligencia Artificial), considera que son prácticas de inteligencia artificial directamente prohibidas.

3. DIGITAL SERVICES ACT Y ASISTENTES VIRTUALES

3.1 Chatbots como "puntos de contacto"

El Reglamento de Servicios Digitales recoge en el Considerando 42 que: "(…) *los prestadores de servicios intermediarios*[18] *deben estar obligados a designar*

---

[18]   RSD: g) "servicio intermediario": uno de los siguientes servicios de la sociedad de la información: i) un servicio de "mera transmisión", consistente en transmitir, en una red de comunicaciones, información facilitada por el destinatario del servicio o en facilitar acceso a una red de comunicaciones, ii) un servicio de "memoria caché", consistente en transmitir por una red de comunicaciones información facilitada por el destinatario del servicio, que conlleve el almacenamiento automático, provisional y temporal de esta información, prestado con la única finalidad de hacer más eficaz la transmisión ulterior de la información a otros destinatarios del servicio, a petición de estos, iii) un servicio de "alojamiento de datos", consistente en almacenar datos facilitados por el destinatario del servicio y a petición de este

*un punto único de contacto electrónico y a publicar y mantener actualizada informa-
ción pertinente relativa a dicho punto de contacto, incluidas las lenguas que deban
utilizarse en tales comunicaciones. El punto de contacto electrónico también puede
ser utilizado por los alertadores fiables y por entidades profesionales que mantengan
una relación específica con el prestador de servicios intermediarios. A diferencia del
representante legal, el punto de contacto electrónico debe cumplir fines operativos y
no se le debe exigir una localización física. Los prestadores de servicios intermediarios pueden establecer el mismo punto único de contacto para cumplir los requisitos
del presente Reglamento y las finalidades de otros actos de Derecho de la Unión. Al
especificar las lenguas de comunicación, se alienta a los prestadores de servicios intermediarios a que garanticen que las lenguas escogidas no constituyan, de por sí,
un obstáculo a la comunicación (...)"*

Y en el Considerando 43: *"También se debe exigir a los prestadores de servicios
intermediarios que designen un punto único de contacto para los destinatarios del
servicio que posibilite una comunicación rápida, directa y eficiente, en particular por
medios de fácil acceso, como un número de teléfono, direcciones de correo electrónico,
formularios electrónicos de contacto, chatbots o la mensajería instantánea. Cuando
un destinatario del servicio se esté comunicando con un chatbot, esta circunstancia
debe indicarse expresamente. Los prestadores de servicios intermediarios deben permitir a los destinatarios del servicio elegir medios de comunicación directa y eficiente
que no dependan únicamente de herramientas automatizadas. Los prestadores de
servicios intermediarios deben hacer todos los esfuerzos que resulten razonables para
garantizar que se destinan recursos humanos y financieros suficientes para que esta
comunicación tenga lugar de manera rápida y eficiente."*

Los artículos 11 y 12 del Reglamento de Servicios Digitales regulan, dentro de las obligaciones de diligencia debida para crear un entorno en línea
transparente y seguro, lo relativo a los puntos de contacto tanto con autoridades como con destinatarios del servicio[19].

La previsión en el DSA de los chatbots o asistentes virtuales como puntos de contacto digitales pone de relieve la importancia que el cambio
conversacional produce en la forma de interactuar de los consumidores y
destinatarios de servicios.

---

[19]   DSA: b) "destinatario del servicio": toda persona física o jurídica que utilice un
       servicio intermediario, en particular para buscar información o para hacerla acce-
       sible;

3.2 Transacciones e impacto de la normativa de consumidores y usuarios

La utilización de asistentes virtuales y chatbots en plataformas de e-commerce impacta claramente en la normativa de consumidores y usuarios y en otras normativas relacionadas como la LSSI[20] o el DSA anteriormente citado.

De un lado, el Considerando 24 del DSA recoge lo siguiente: *"A fin de garantizar la protección efectiva de los consumidores que efectúan transacciones comerciales intermediadas en línea, determinados prestadores de servicios de alojamiento de datos, en concreto, las plataformas en línea que permiten a los consumidores celebrar contratos a distancia con comerciantes, no deben poder acogerse a la exención de responsabilidad aplicable a los prestadores de servicios de alojamiento de datos establecida en el presente Reglamento, en la medida en que dichas plataformas en línea presenten la información pertinente relativa a las transacciones en cuestión de manera que induzca a los consumidores a creer que dicha información ha sido facilitada por las propias plataformas en línea o por comerciantes que actúan bajo su autoridad o control, y que dichas plataformas en línea tienen por tanto conocimiento de la información o control sobre ella, aunque puede que en realidad no sea así. Entre los ejemplos de estas prácticas encontramos el de una plataforma en línea que no muestre claramente la identidad del comerciante como exige el presente Reglamento, el de una plataforma en línea que no revele la identidad o los datos de contacto del comerciante hasta después de la formalización del contrato celebrado entre el comerciante y el consumidor, o el de una plataforma en línea cuando comercialice el producto o servicio en su propio nombre en lugar de en nombre del comerciante que suministrará el producto o servicio. A este respecto, debe determinarse de manera objetiva, teniendo en cuenta todas las circunstancias pertinentes, si la presentación podría inducir a un consumidor medio a creer que la información en cuestión "*

Y, por otro lado, un Chatbot también puede ser empleado para canalizar, íntegra o parcialmente, el proceso de contratación de bienes y servicios, permitiendo al usuario seleccionar bienes y servicios concretos, ser informado sobre las condiciones de contratación, facilitar los datos personales necesarios para la puesta a su disposición de los bienes o servicios contratados, firmar las condiciones de contratación y otros textos como la política de privacidad y/o emitir órdenes de pago[21].

---

[20]   Ley 34/2002 de 11 de julio Servicios de la Sociedad de la Información y Comercio Electrónico.

[21]   Fuente: "Un Chatbot me arruinó" —ECIJA— Woztell

No obstante, antes de utilizar un Chatbot con fines de comercio electrónico, el usuario del Chatbot siempre debe ser capaz de conocer quién es el prestador de servicios de la sociedad de información o el editor (ambos términos empleados indistintamente por la LSSI que le está prestando este servicio de interacción con un asistente virtual para la contratación de bienes y servicios, así como las condiciones bajo las cuales este servicio es prestado y el tratamiento que se realizará de cualquier dato que deba facilitar para activar el servicio.

El artículo 97 del TRLGDCU, que establece el mínimo de detalles que deberán proporcionarse a los consumidores y usuarios, pero en cualquier caso, la información sobre las condiciones de contratación podrá ponerse a disposición del usuario de diversas formas, y no necesariamente a través del propio Chatbot. En caso de que las condiciones de contratación no sean comunicadas por el Chatbot, éste deberá informar al usuario sobre el medio a través del cual se han remitido tales condiciones, así como el modo en que el usuario podrá confirmar su aceptación de estas. De la misma manera, esta aceptación podría otorgarse directamente al propio Chatbot.

En definitiva, distintos retos legales relacionados con las transacciones digitales van a articularse a través de asistentes virtuales o Chatbots y un análisis de riesgos legales derivados de su uso deviene necesario no sólo por diligencia debida sino también por mantener la necesaria confianza en los mercados y servicios digitales.

La motivación de los actos administrativos tomados en base a sistemas de inteligencia artificial[1]

JAVIER MIRANZO DÍAZ

Profesor Ayudante Doctor de Derecho Administrativo
Universidad de Castilla-La Mancha

1. INTRODUCCIÓN

El uso de las nuevas tecnologías está llamado a ser, sin duda, uno de los elementos motores del cambio de la Administración Pública en el futuro próximo. Y entre las herramientas digitales disponibles, el uso de la Inteligencia Artificial debe adquirir un papel fundamental en el apoyo de las decisiones.[2] Y es que la transformación hacia una actuación administrativa verdaderamente eficiente y estratégica, basada en datos, se posiciona como uno de los ejes vertebradores de los planes nacionales y europeos de modernización de la economía[3]. Situaciones que hasta ahora eran difícilmen-

---

[1]   Este trabajo se ha realizado en el marco del proyecto del "Personalización de servicios públicos, sesgos e inteligencia artificial: los derechos digitales", concedido por el Ministerio de Ciencia e Innovación a la Universidad de Barcelona. PID2020-115774RB-I00.

[2]   A modo ilustrativo, pueden mencionarse lo siguientes documentos y acuerdos adoptados por las instituciones internacionales, a los que se suman otras declaraciones nacionales y europeas. OCDE, *State of implementation of the OECD AI principles: insights from national ai policies*, 2021; OCDE, *Enhancing Access to and Sharing of Data: Reconciling Risks and Benefits for Data Re-use across Societies*, 2019.

[3]   Así, sucede a nivel nacional, con el Plan Estratégico Nacional de Investigación y Desarrollo en Inteligencia Artificial (2019), la Estrategia Nacional de Inteligencia Artificial (2020); y a nivel europeo con las comunicaciones *Inteligencia Artificial*

te evaluables, cuando no imposibles, pueden ahora ser abordadas a través de la IA, que analiza grandes cantidades de datos, extrayendo patrones, tendencias, indicadores y predicciones que facilitarán múltiples tareas administrativas.

La IA permite, por ejemplo, que la Administración tome la iniciativa en los procedimientos de adjudicación de subvenciones u otras ayudas públicas, "yendo a buscar" a los interesados en lugar de esperar a que ellos localicen la convocatoria[4]; que los planes y estrategias de supervisión antifraude respondan a indicadores y anomalías detectadas por el propio sistema, optimizando así los esfuerzos del personal de inspección; que las decisiones sobre horarios y frecuencia de autobús urbano, o de recogida de basuras, o del alumbrado eléctrico, se optimicen de acuerdo con los usos habituales de los ciudadanos, etc.[5] A pesar de su relativa novedad en el marco de la Administración, son muchos, en definitiva, los ejemplos de cómo la Inteligencia Artificial puede contribuir a ayudar a la actividad administrativa.

---

para Europa (2018), *Directrices éticas para una IA fiable* (2019), *Libro Blanco de la Comisión sobre inteligencia artificial* (2020), o la *Declaración Europea sobre los Derechos y Principios Digitales para la Década Digital* COM(2022) 28 final.

[4]   Es el caso por ejemplo, del Ayuntamiento de Barcelona, que tal y como explica PONCE SOLÉ, pasar del sistema actual de necesaria solicitud de la persona necesitada y espera a la resolución administrativa, a un sistema en el que no hubiera solicitud, sino un uso de sistemas algorítmicos e inteligencia artificial que proactivamente identifique a las personas necesitadas y proceda a conceder las ayudas a las que se tiene derecho, como máximo exigiendo una declaración responsable de concurrencia de los requisitos que diera lugar a la concesión automática de la prestación, sin perjuicio de que la Administración, a posteriori, pueda realizar las comprobaciones y reaccionar en aquellos casos en que las mismas demuestren la inadecuación de la resolución adoptada. PONCE SOLÉ, J. "De como la calidad normativa y los sistemas algorítmicos, unidos a las aportaciones conductuales, pueden contribuir a la buena administración: a propósito del estudio El impacto de los trámites administrativos en el acceso a las prestaciones sociales. Una perspectiva conductual", en Nudging aplicado a la Mejora de la Regulación y al Uso de Algoritmos y de Inteligencia Artificial, 3 de junio de 2022. Disponible en: https://rednmr.wordpress.com/2022/06/03/de-como-la-calidad-normativa-y-los-sistemas-algoritmicos-unidos-a-las-aportaciones-conductuales-pueden-contribuir-a-la-buena-administracion-a-proposito-del-estudio-el-impacto-de-los-tramites-admini/

[5]   Un mapeo de los casos de aplicación pueden consultarse en VAN NOORDT, C. and G. MISURACA, 'Artificial Intelligence for the Public Sector: Results of Landscaping the Use of Ai in Government across the European Union,' *Government Information Quarterly*, 2022, 101714.

Sin embargo, desde la doctrina y la práctica se viene advirtiendo de cómo los usos de Inteligencia Artificial, precisamente por las características esencialmente opacas de estos sistemas, pueden plantear problemas de transparencia en las decisiones, falta de motivación y, por ende, trabas en la garantía a la buena administración y a la tutela judicial efectiva frente a actos administrativos[6].

2. LOS RIESGOS DE DISCRIMINACIÓN EN LA TOMA DE DECISIONES A TRAVÉS DE IA

Si bien se percibe que los sistemas de IA son imparciales, en ocasiones, la toma de decisiones en una situación real es altamente compleja. Los sistemas informáticos que operan en entornos reales o con grandes cantidades de datos, como la IA, a menudo están demostrando que, si no son programados con los debidos filtros y garantías, pueden identificar patrones que en la psique de la sociedad actual se entienden como discriminatorios, o derivar en resultados que lo sean. Esto puede ocurrir porque existe un fallo en la programación, deficiencias del propio sistema o en la calidad de los datos, o porque simplemente perpetúan prejuicios ya existentes en el histórico que analizan.

Diferentes factores pueden llevar a un algoritmo a desarrollar nuevos criterios de valoración originariamente no incluidos o previstos que, bajo una decisión administrativa llevada a cabo por humanos, nunca hubieran sido tenidos en cuenta por ejemplo, un sistema de IA puede identificar, como factor de riesgo para corrupción o para el riesgo de reincidencia delictiva, elementos como el origen étnico de los gestores, su sexo, orientación sexual, etc.[7] La existencia de estas y otras situaciones identificadas en

---

[6]   Algunas de las voces pioneras fueron MITTELSTADT, B. D. et al., 'The Ethics of Algorithms: Mapping the Debate,' *Big Data & Society*, 3 (2), 2016; HILDE-BRANDT, M., *Smart Technologies and the End (S) of Law: Novel Entanglements of Law and Technology*, Edward Elgar Publishing, 2015; VALERO TORRIJOS, J., 'Las Garantías Jurídicas De La Inteligencia Artificial En La Actividad Administrativa Desde La Perspectiva De La Buena Administración,' *Revista catalana de dret públic*, (58), 2019, 82-96; MARTÍN DELGADO, I., 'Automazione, Intelligenza Artificiale E Pubblica Amministrazione: Vecchie Categorie Concettuali Per Nuovi Problemi,' *Istituzioni del federalismo*, 3, 2019, 643.

[7]   De entre ellas, podemos citar cómo algoritmos para predecir la probabilidad de reincidencia de presos en EEUU identificaron el color de la piel como una variable notablemente importante a la hora de predecir la posibilidad de reincidencia

entornos especialmente sensibles —la asignación de vivienda a las personas sin hogar, dirigir las intervenciones preventivas de protección infantil- han generado una importante controversia[8], hasta el punto de que algunos autores han hecho públicas sus inquietudes sobre la toma de decisiones automatizadas en aspectos asistenciales o de bienestar social como una forma de perpetuar la segregación de la parte más pobre de la sociedad[9].

Estas discriminaciones se deben en gran medida al modo de funcionamiento de los algoritmos, basado en el análisis estadístico y en la clasificación de patrones en base a ciertas características comunes (entre las que pueden aparecer la escala social, ingresos, etnia, etc.)[10]. Aunque los sistemas de análisis utilizados no incluyan discriminaciones expresas —es decir, la consideración de la raza como un elemento determinante en sí mismo, por ejemplo[11]—, la búsqueda autónoma de variables y patrones relevantes para, por ejemplo, un riesgo de reincidencia, puede hacer que, de manera indirecta, esas variables sean vinculadas con mayor fuerza a un grupo o tipología dentro de la muestra (rango de edad, sexo, profesión, etc.), otorgándole un peso específico en el proceso valorativo. Un algoritmo correctamente diseñado no debería elegir nunca una persona de una etnia o de una región geográfica en base a dicha pertenencia[12], pero puede asignar un determinado peso a esa característica si estadísticamente los datos muestran que las personas que una determinada región, o de una determinada etnia, tienen más probabilidades de desempeñar mejor

---

de los presos. OSOBA, O. A. and W. WELSER IV, *An Intelligence in Our Image: The Risks of Bias and Errors in Artificial Intelligence*, Rand Corporation, 2017; en p. 27.; COTINO HUESO, L., 'Ética En El Diseño Para El Desarrollo De Una Inteligencia Artificial, Robótica,' *Revista catalana de dret públic*, (58), 2019, 29-48, en págs. 30-48. MIRON, M. et al., 'Evaluating Causes of Algorithmic Bias in Juvenile Criminal Recidivism,' *Artificial Intelligence and Law*, 29 (2), 2021, 111-47.

[8] EUBANKS, V., *Automating Inequality: How High-Tech Tools Profile, Police, and Punish the Poor*, St. Martin's Press, 2018.

[9] Ibid., en p. 12.

[10] SOBRINO-GARCÍA, I., 'Artificial Intelligence Risks and Challenges in the Spanish Public Administration: An Exploratory Analysis through Expert Judgements,' *Administrative Sciences*, 11 (3), 2021, 102.

[11] COGLIANESE, C. and D. LEHR, 'Regulating by Robot: Administrative Decision Making in the Machine-Learning Era,' *Geo. LJ*, 105, 2016, 1147.

[12] SORIANO ARNANZ, A., 'Decisiones Automatizadas: Problemas Y Soluciones Jurídicas. Más Allá De La Protección De Datos,' *Revista de Derecho Público: teoría y método*, (3), 2021, 85-127.

las actividades objeto de adjudicación o habilitación administrativa[13]. Además, los algoritmos de aprendizaje "Deep learning" o PDP acometen por sí mismos una búsqueda de patrones entre de datos que pueden no estar estructurados, de forma que es casi imposible entender —o prever— en qué datos concretos está basando sus decisiones y cómo compara y combina dichas informaciones en el proceso decisorio[14]. Este tipo de algoritmos no establecen una relación causal o lógica entre un factor o característica inicial y la conclusión, sino que se basan únicamente en reglas estadísticas de los muestreos[15].

La raza o el sexo pueden no ser en sí mismas un factor importante para el desempeño de determinadas funciones o actividades sujetas a supervisión o autorización pública (no existe relación causal), pero si existe un patrón estadístico que o sugiere una correlación, el algoritmo puede tomarlos como factores relevantes[16]. Existe, por tanto, un riesgo de ponderación de variables que, en un contexto de decisión humano, hubieran sido consideradas irrelevantes para la toma de decisiones, e incluso improcedentes conforme a otros estándares de Derechos Humanos, discriminación, etc.[17]

Además, una selección errónea de las bases o conjuntos de datos utilizados puede derivar en la generación de sesgos. Y esto, además, no ocurre únicamente con datos personales o especialmente protegidos, sino que los sesgos pueden producirse incluso utilizando fuentes y tipos de algoritmo que, desde el punto de vista de la normativa de protección de datos, no entrañan riesgo específico[18]. Si los datos de formación presentan sesgos —

---

[13]   Como afirma Zlotnik, el algoritmo "asigna la misma relevancia a variables de entrada tales como el nivel de renta de un individuo, su código postal, su origen étnico o el color del cielo de un determinado día". ZLOTNIK, A. "Inteligencia Artificial en las Administraciones Públicas: definiciones, evaluación de viabilidad de proyectos y áreas de aplicación", *Boletic*, 84, 2019, págs. 24-32.

[14]   COGLIANESE, C. and LEHR, D., op. cit.

[15]   MITTELSTADT, B. D. et al., op. cit.

[16]   ZLOTNIK, A. "Inteligencia Artificial en las Administraciones Públicas: definiciones, evaluación de viabilidad de proyectos y áreas de aplicación", *Boletic*, 84, 2019, págs. 24-32.

[17]   COTINO HUESO, L., "Big data e inteligencia artificial. Una aproximación a su tratamiento jurídico desde los derechos fundamentales", *DILEMATA*, 24, 2017, págs. 131-150.

[18]   COTINO HUESO, L., 'Nuevo Paradigma En Las Garantías De Los Derechos Fundamentales Y Una Nueva Protección De Datos Frente Al Impacto Social Y Colectivo De La Inteligencia Artificial,' in BAUZÁ REILLY, M. and COTINO HUESO, L.

por ejemplo, si no son suficientemente equilibrados o inclusivos, o no conforman un espectro suficientemente amplio—, el sistema de IA formado a partir de esos datos no podrá extraer generalizaciones socialmente correctas y existe la posibilidad de que tome decisiones indebidas que favorezcan a unos grupos sobre otros[19].

Finalmente, los algoritmos tienen, aún hoy, problemas para contextualizar sus decisiones, para asumir o percibir esas cuestiones básicas que el ser humano da por sabidas o aprehendidas, y sobre las que conforma sus decisiones y los criterios de asignación de relevancia a los factores lo que se ha denominado *frame problem*[20]. La IA aún tiene dificultades para procesar lo "infraordinario", como lo definió Perec, es decir, *"lo que ocurre cada día y vuelve cada día, lo trivial, lo cotidiano, lo evidente, lo común, lo ordinario, el ruido de fondo"*[21]. Y esto puede, por tanto, tener importantes implicaciones en entornos decisorios en los que se precise atribuir una relevancia a conceptos jurídicos subyacentes al ordenamiento como la buena administración, proporcionalidad o razonabilidad, que se vienen aplicando en nuestro entorno. Esta posible laguna en la actuación de los algoritmos únicamente podría llenarse en el supuesto de que todas las posibles combinaciones que agitan la mente humana fueran conocidas y trasladables a un software informático —es decir, lo que se ha venido denominando la IAG (Inteligencia Artificial General)[22]— algo que, como se ha mencionado, está aún lejos de conseguirse[23]. La IA actual, en definitiva, carece actualmente de

(eds), *Derechos Y Garantías Ante La Inteligencia Artificial Y Las Decisiones Automatizadas*, Cizur Menor (Navarra): Aranzadi, 2022, 2022, 69-105.

[19]   WIRTZ, B. W., J. C. WEYERER, and C. GEYER, 'Artificial Intelligence and the Public Sector—Applications and Challenges,' *International Journal of Public Administration*, 42 (7), 2019, 596-615.

[20]   SORIANO ARNANZ, A., op. cit.; PONCE SOLÉ, J., 'Inteligencia Artificial, Derecho Administrativo Y Reserva De Humanidad: Algoritmos Y Procedimiento Administrativo Debido Tecnológico,' *Revista General de Derecho Administrativo*, (50), 2019.; HAYES, P. J., 'The Frame Problem and Related Problems in Artificial Intelligence,' in WEBBER, B. L. and NILSSON, N. J. (eds), *Readings in Artificial Intelligence*, Morgan Kaufmann, 1981, 223-30.; MIRACCHI, L., 'Updating the Frame Problem for Ai Research,' *Journal of Artificial Intelligence and Consciousness*, 07 (02), 2020, 217-30.

[21]   La expresión está tomada de la obra de PEREC, G. *Lo Infraordinario*. Impedimenta, 2008.

[22]   MIRACCHI, L., op. cit.

[23]   BERRYHILL, J. et al., 'Hello, World,' 2019, p. 13.; GRACE, K. et al., 'When Will Ai Exceed Human Performance? Evidence from Ai Experts,' *Journal of Artificial*

un *common sense* o sentido común desde el punto de vista humano que puede tener importantes implicaciones morales[24].

En definitiva, es cierto que los prejuicios y la discriminación son riesgos inherentes a toda actividad social o económica y a toda decisión humana, y dado que los sistemas de algoritmos tratan de emular y optimizar este tipo de razonamiento, es hasta cierto punto previsible que integren algunos de estos sesgos o prejuicios. Sin embargo, en el caso de la IA, esta parcialidad puede tener efectos mucho más amplios, y dadas las particularidades de esta tecnología, los mecanismos actuales de control sobre la calidad de los datos y su tipología deben ser capaces de detectar o corregir correctamente las posibles desviaciones, avisos o insuficiencias[25].

3. PROBLEMAS EN LA MOTIVACIÓN DE LAS DECISIONES

Ante los riesgos expuestos y la evidencia de algunas experiencias problemáticas, los sistemas de toma de decisiones por medio de algoritmos también han sido criticados por ser opacos en sus procesos de toma de decisiones, en ocasiones por falta de difusión de determinada información[26], y en otras por las propias características del software. Y es que los usuarios del sistema de IA, e incluso los programadores, a menudo tienen dificultades para entender las razones en que se basan los sistemas de IA, especialmente en aquellos que utilizan tecnología "deep learning", que tienen la capacidad de programar sus propios algoritmos. Esta cuestión es del todo fundamental para motivar las posibles decisiones administrativas

---

Intelligence Research, 62, 2018, 729-54.

[24]   BODEN, M. A. *Artificial Intelligence: Avery short introduction.* Oxford University Press, 2018, p. 37

[25]   COMISIÓN EUROPEA. Libro Blanco sobre la inteligencia artificial - un enfoque europeo orientado a la excelencia y la confianza. COM(2020) 65 final, p. 14

[26]   CERRILLO I MARTÍNEZ, A., 'La Transparencia De Los Algoritmos Que Utilizan Las Administraciones Públicas,' *Anuario de Transparencia Local,* (3), 2020, 41-78. BOIX PALOP, A., 'Límites Al Derecho De Acceso a La Información Pública En Procedimientos De Información Y Actuaciones Previas,' in COTINO HUESO, L. and BOIX PALOP, A. (eds), *Los Límites Al Derecho De Acceso a La Información Pública,* Valencia: Tirant lo Blanch, 2021, 228-42. COTINO HUESO, L., 'Hacia La Transparencia 4.0: El Uso De La Inteligencia Artificial Y Big Data Para La Lucha Contra El Fraude Y La Corrupción Y Las (Muchas) Exigencias Constitucionales,' in RAMIÓ MATAS, C. (ed), *Repensando La Administración Digital Y La Innovación Pública,* Madrid: Instituto Nacional de Administración Pública, 2021, 2021, 169-96.

tomadas basándose en sus resultados, ya que de ello depende la capacidad de los posibles afectados para impugnar las decisiones, fundamentar ante los tribunales sus pretensiones, y hacer valer, en definitiva, las garantías y balances jurídicos propios del sistema administrativo.

Cuando los sistemas informáticos participan en el proceso decisorio en la Administración, igual que cuando no lo hacen, los tribunales esperan, para poder juzgar el asunto, una explicación razonada que garantice, por un lado, su propia capacidad para evaluar si la decisión ha sido correcta o no —evaluación sobre el fondo—, y por otro, para determinar a quién se le puede imputar la responsabilidad final de la decisión —evaluación de causalidad—. Para ello, sin embargo, en ocasiones se ha planteado como necesaria una revelación de todas las especificaciones del algoritmo[27]. Pero lo cierto es que, en determinados sistemas, como los que utilizan tecnología de *Deep learning*, esto —conocer todos y cada uno de los pasos del algoritmo— implicaría conocer, además del código fuente, todas las relaciones y los pesos ejercidos entre los nodos de entrada, los nodos ocultos en los diferentes niveles y los nodos de salida, algo que es altamente complejo, cuando no imposible. Y es que, en función del enfoque metodológico, los sistemas basados en la IA pueden caracterizarse por diversos grados de opacidad, lo que puede hacer que el proceso lógico de toma de decisiones sea difícil de determinar[28], de forma que la IA más desarrollada, o que mejores resultados, en cuanto a precisión se refiere, ha obtenido, y precisamente debido a su complejidad, tiene problemas para revelar la fuente de su decisión debido al conocido efecto denominado "black box" (o efecto caja negra)[29]. Fruto de la ausencia de causalidad entre los *inputs* y los *outputs* de este tipo de algoritmos, es imposible discernir qué criterios específicos ha seguido para determinar su decisión en un sentido u otro[30].

---

[27]   VALDIVIA, A.; DE LA CUEVA, J. 'The Paradox of Efficiency: Frictions Between Law and Algorithm*s*", *VerfBlog*, 2022/4/02, https://verfassungsblog.de/roa-the-paradox-of-efficiency/, DOI: 10.17176/20220402-131142-0.; VESTRI, G., 'La Inteligencia Artificial Ante El Desafío De La Transparencia Algorítmica: Una Aproximación Desde La Perspectiva Jurídico-Administrativa,' *Revista Aragonesa de Administración Pública,* (56), 2021, 368-98.

[28]   COMISIÓN EUROPEA. *Informe sobre las repercusiones en materia de seguridad y responsabilidad civil de la inteligencia artificial, el internet de las cosas y la robótica.* COM(2020) 64 final, p. 10.

[29]   Sobre el concepto de Black Box, véase BATHAEE, Y., 'The Artificial Intelligence Black Box and the Failure of Intent and Causation,' *Harvard Journal of Law & Technology,* 31 (2), 2018, 889.; HILDEBRANDT, M., op. cit. p. 72 y ss.

[30]   COGLIANESE, C. and LEHR, D., op. cit. en p. 1734 y ss.

Mientras que es posible conocer y analizar qué tipo de datos se utilizan y definir los resultados del sistema, el funcionamiento interno del algoritmo es incomprensible para muchos, planteando desafíos en términos de responsabilidad y confianza[31].

Cuando un mecanismo basa su actuación en un número limitado de reglas lógicas, en sistemas de técnicas "tradicionales", es relativamente sencillo rastrear cuál de ellas ha provocado el conflicto, pero sin embargo, en los sistemas más desarrollados, y especialmente dentro de la tipología *Deep Learning* o aprendizaje profundo, que operan con un amplio número de cánones lógicos, dichos conflictos son virtualmente indescifrables[32]. Las relaciones entre las variables, la lógica y los factores utilizados son, en este sentido, inaccesibles al usuario del algoritmo. Este tipo de herramientas están diseñadas en torno a la precisión y la exactitud, y no la razonabilidad y la causalidad, y este es el parámetro de medición que determina su utilidad. Es decir, es el resultado o la decisión, y no el proceso o razonamiento, lo que la IA maximiza. Con los resultados de aprendizaje automático, las relaciones causales entre los *inputs* y los *outputs* pueden, en consecuencia, simplemente no existir, no importa cuán intuitiva pueda parecer dicha relación. Un algoritmo de aprendizaje automático puede pronosticar que las personas mayores cometen menos delitos que las personas más jóvenes, o las mujeres menos que los hombres, por ejemplo, pero no se puede afirmar sobre la base del proceso de aprendizaje automático que la edad avanzada o el sexo tenga una relación causal en la propensión a cometer crímenes[33]. Esto además, puede ocurrir con sistemas complejos más allá de los sistemas de aprendizaje automático, como los sistemas de IA de aprendizaje por refuerzo o supervisión, en los que, en ocasiones, la complejidad de los cálculos y la lógica seguida por el algoritmo puede derivar en una explicación excesivamente compleja, no permita al interesado impugnar una decisión concreta y al juez evaluar la decisión tomada por la Administración[34].

Este problema de motivación y explicabilidad, que en el sector privado no parece haber representado representar grandes problemas —Netflix,

---

[31]   CRAGLIA, M., *Artificial Intelligence: A European Perspective*, Publications Office of the European Union, 2018.

[32]   BODEN, M. A., *Artificial Intelligence: A Very Short Introduction*, Oxford University Press, 2018; en p. 28.

[33]   COGLIANESE, C. and LEHR, D., op. cit.

[34]   BRENNAN-MARQUEZ, K., 'Plausible Cause: Explanatory Standards in the Age of Powerful Machines,' *Vand. L. Rev.*, 70, 2017, 1249.

Google, Amazon u otras grandes empresas hacen descansar sus principales decisiones estratégicas en estos sistemas—, genera importantes reservas en el ámbito del derecho público y la toma de decisiones administrativas. No en vano, debemos recordar que la Ley 39/2015 señala en su artículo 35, a este respecto, que todas las decisiones discrecionales deben estar en disposición de explicarse[35].

4. LA GARANTÍA DE RECURSO Y LA NECESIDAD DE MOTIVACIÓN

La capacidad para recurrir los actos administrativos con las mismas garantías a las que tendríamos en un contexto de decisiones humanas es, por tanto, uno de los elementos centrales para aceptar un uso de IA como legítimo en el sector público[36]. En relación con la motivación de las decisiones, algunas propuestas normativas a nivel internacional proponen crear un derecho a impugnar eficazmente las decisiones informadas y/o adoptadas por un sistema de IA y a exigir que dicha decisión sea revisada por una persona[37]. Esto exigiría, por un lado, una suficiente motivación y transparencia de las aprobación y funcionamiento de los algoritmos, y por el otro, una suerte de "reserva de humanidad" en forma de segunda instancia.

En cualquier caso, debemos partir de que, para conseguir una tutela efectiva de los derechos de los individuos debemos acudir, sin duda, a la motivación de las decisiones y al derecho a una buena administración. Esta motivación, además, debe adaptarse al contexto específico en el que se planteen, y proporcionarse de una manera que sea útil y comprensible para un individuo, permitiendo a los individuos proteger efectivamente sus derechos[38]. Solo es posible cuestionar un acto administrativo si se conoce por qué se ha dictado y sobre qué hechos y criterios se ha fundado, y la falta de motivación suprime un elemento clave de control e impide verificar la

---

[35] En el mismo sentido, véase NAVARRO GONZÁLEZ, R. M. *La motivación de los actos administrativos*. Thompson Reuters Aranzadi, 2017, págs. 474.

[36] GAVOOR, A. A., 'The Impending Judicial Regulation of Artificial Intelligence in the Administrative State,' *Notre Dame Law Review Reflection*, 180 (97), 2021.

[37] LESLIE, D. et al., 'Artificial Intelligence, Human Rights, Democracy, and the Rule of Law: A Primer,' *Available at SSRN 3817999*, 2021, en p. 19.

[38] Ibid., en p. 21.

adecuación a Derecho del acto administrativo, que puede afectar incluso a las propias bases del Estado de Derecho[39].

La doctrina ha puesto de manifiesto la necesidad de que los actos administrativos adoptados o informados por sistemas de IA estén sujetos a requisitos de motivación de los mismos[40]. En este sentido, debemos recordar que la ausencia de motivación de las decisiones administrativas es una causa de anulabilidad con carácter general[41], y especialmente en las decisiones administrativas automatizadas, como han defendido algunos autores[42]. Y debería ser el caso también, como han sostenido entre otros Casado Gamero y Valero Torrijos, de las decisiones administrativas adoptadas mediante algoritmos, ya que, aunque ninguna norma contiene de forma expresa una obligación de las decisiones administrativas informadas por algoritmos, basta con la aplicación de artículo 35 LPAC que impone la ne-

---

[39]   VALDIVIA, A. y DE LA CUEVA, J. *"The Paradox of Efficiency: Frictions Between Law and Algorithms"*, *VerfBlog*, 2022/4/02, https://verfassungsblog.de/roa-the-paradox-of-efficiency/; COTINO HUESO, L., 'Nuevo Paradigma En Las Garantías De Los Derechos Fundamentales Y Una Nueva Protección De Datos Frente Al Impacto Social Y Colectivo De La Inteligencia Artificial,' op. cit.

[40]   CERRILLO I MARTÍNEZ, A., '¿Son Fiables Las Decisiones De Las Administraciones Públicas Adoptadas Por Algoritmos?,' *European review of digital administration & law,* 1 (1), 2020, 18-36.

[41]   Como recuerda Gamero: "La jurisprudencia contencioso-administrativa ha establecido que los actos administrativos carentes de motivación (cuando ésta es preceptiva) generan indefensión (SSTS 1198/2019, de 19 de septiembre; 198/2019, de 19 de febrero; y 10/5/2000, rec.5.760/1995, entre otras muchas). Pero además, cuando se encuentra en entredicho un derecho fundamental (derecho de reunión, procedimientos sancionadores), la exigencia de motivación tiene alcance constitucional (SSTC 26/1981, f.j.14; 236/2007, f.j.12; 17/2009, f.j.2; y 46/2014, f.j.4, entre otras muchas), por lo que determina un vicio de nulidad radical o de pleno Derecho [artículo 47.1 a) LPAC]". Véase GAMERO CASADO, E. "Necesidad de motivación e invalidez de los actos administrativos sustentados en inteligencia artificial o en algoritmos", Almacén de Derecho, 4 febrero 2021. Disponible en: https://almacendederecho.org/necesidad-de-motivacion-e-invalidez-de-los-actos-administrativos-sustentados-en-inteligencia-artificial-o-en-algoritmos

[42]   ALAMILLO DOMINGO, I. and F. X. URIOS APARISI, *La Actuación Administrativa Automatizada E N El Ámbito De Las Administraciones Públicas. Análisis Jurídico Y Metodológico Para La Construcción Yl a Explotación De Trámites Automáticos,* Barcelona: EAPC, 2011.

cesidad de motivación de todos los actos independientemente del soporte o el proceso mediante el que se dictan[43].

El problema reside entonces, como señala Casado, en determinar cómo deben motivarse estos actos[44]. En este sentido, conviene recordar que la motivación ha sido entendida por los tribunales, en primer lugar, como una exigencia meramente formal de que consten las razones por las que se dicta un acto. Es decir, no se exige que haya un determinado contenido en la motivación, ni permite a los jueces realizar un juicio de oportunidad, sino que se requiere que esa motivación exista, con motivos transparentes y visibles. Tampoco se exige, en las decisiones adoptadas por un ser humano, explicaciones causales el requisito legal de motivación no requiere una descripción de cómo la arquitectura del cerebro de las personas que participan en el proceso de decisión opera, qué componentes del pensamiento importaron más, o cómo los tomadores de decisiones han tratado de superar sus propios sesgos, etcétera[45]. Pero lo que sí viene exigiendo la jurisprudencia es una motivación jurídica, estos es, que se proporcione un argumento comprensible y sólido que justifique la decisión adoptada desde el punto de vista legal. En este sentido, los actos adoptados de forma automatizada por sistemas de IA deberán respetar en todo caso estas exigencias, y por tanto en su caso deberá adaptarse su funcionalidad técnica. Por ello parte de la doctrina aboga una búsqueda de mecanismos de exigencia de motivación de las decisiones que no exijan una apertura total (causal) de los contenidos matemáticos y algorítmicos del sistema —ya que esto en ocasiones podría repercutir en menor eficiencia del sistema e incluso en su inutilidad— través de evaluaciones de conformidad previas y mecanismos de revisión humana efectiva[46].

---

[43]   VALERO TORRIJOS, J., op. cit.; GAMERO CASADO, E. "Necesidad de motivación e invalidez…" op. cit.

[44]   GAMERO CASADO, E. "Necesidad de motivación e invalidez…" op. cit.

[45]   OLSEN, H. P., J. L. SLOSSER, and T. T. HILDEBRANDT, 'What's in the Box? The Legal Requirement to Explain Computationally Aided Decision-Making in Public Administration,' *Constitutional Challenges in the Algorithmic Society. OUP*, 2020.

[46]   Este es el planteamiento que se plantea en la propuesta de Reglamentoe de IA de la UE, y que ha sido también abordada por otros autores como PONCE SOLÉ, J., op. cit.; SIERRA MORÓN, S. D. L., 'Inteligencia Artificial Y Justicia Administrativa: Una Aproximación Desde La Teoría Del Control De La Administración Pública,' ibid.(53), 2020.; OLSEN, H. P., SLOSSER, J. L., and HILDEBRANDT, T. T., op. cit.

Por otro lado, debemos ser conscientes de que los sistemas de IA a menudo no adoptan actos de forma automatizada, sino que se utilizan únicamente como apoyo en la toma de decisiones que son tomadas por empleados públicos. En estos casos, es de interés analizar las relaciones entre el papel de la IA en el procedimiento, las tradicionales instituciones jurídicas de discrecionalidad administrativa y discrecionalidad técnica, y su necesidad de motivación. Y es que en determinados supuestos decisorios complejos, especialmente aquellos estratégicos o de planificación —diseño de programas de conservación ambientales, priorización de zonas de protección o de asignación de recursos de protección ambiental, o en el caso de la contratación, el diseño del contrato, análisis de mercados previos a la contratación, etc.— la IA puede entrar a sustituir o complementar la actividad de los técnicos expertos de la administración que informan sobre determinadas necesidades, tendencias o realidades, y en base a los cuales, aunque no tengan carácter vinculante, la Administración conforma la voluntad administrativa y toma la decisión final[47]. En estos casos, la IA actuaría como un experto o técnico del procedimiento, y podría entenderse que sus conclusiones entran dentro del concepto de discrecionalidad técnica de la Administración. El Tribunal Supremo ha establecido que la discrecionalidad técnica, si bien admite un importante margen en la toma de decisiones, también se impone la necesidad de justificar los juicios técnicos que la fundamentan en aquellos casos en los que sean el fundamento principal de un eventual recurso[48].

De modo similar se ha manifestado en el caso de decisiones discrecionales administrativas como en el caso Syri neerlandés. En él, el tribunal asume que las decisiones en las que influye/participa el programa informático son decisiones discrecionales de la administración; pero ello no implica que estén libres de garantías. Como recuerda el tribunal, en un caso de inspección, la Administración puede elegir, basándose en su experiencia o en cualquiera otros datos o informaciones, los sujetos objeto de su trabajo. Pero siempre estará sujeto a los límites que prohíben la arbitrariedad y los tratos discriminatorios basados en la edad, el sexo, la raza, etc.[49] De la misma forma que en una decisión discrecional tradicional, aunque fuera

---

[47]   Sobre los detalles de la posible identificación con concepto de discrecionalidad técnica y su aplicación a la IA tendremos ocasión de profundizar más adelante.

[48]   STS de 10 de mayo de 2007, recurso 545/2002.

[49]   TODOLÍ SIGNES, A., 'Retos Legais Do Uso Do Big Data Na Selección De Suxeitos a Investigar Pola Inspección De Traballo E Da Seguridade Social,' *REGAP: Revista galega de administración pública,* 1 (59), 2020, 79-102.

de trámite o de carácter puramente instrumental, no sería lícito basarse exclusivamente en la nacionalidad de la empresa o de la persona física, tampoco en el uso de tecnologías podemos justificar el uso de criterios discriminatorios[50]. Aunque, evidentemente, existen sectores de riesgos más alto o en los que la discriminación puede ser más directa —la aplicación de la ley, justicia, asilo y migración, salud, seguridad social y empleo—, lo cierto es que el riesgo discriminación, como se ha expuesto, debe ser abordado en todos los usos, y su interdicción debe actuar como una de las bases comunes, de manera transversal, a todo el sistema de prevención. Esto hace que, aunque estos usos de IA estén amparados bajo la doctrina de la discrecionalidad administrativa, esto no implica que se pueda obviar la necesidad de motivación, pues la Administración Pública debe estar en disposición de justificar sus actuaciones de forma generalizada para asegurarnos de que no están basados en cuestiones discriminatorias[51].

Además, aquí el mencionado caso de Syri, en Países Bajos, añade el criterio de la relevancia del algoritmo en la decisión final como parámetro de medición del grado de motivación exigible, utilizando el concepto de juridicidad de las conclusiones del sistema. Así, interpretación de la juridicidad de los actos fue trascendental en este caso para extender el alcance de las garantías del RGPD —y lo será para el futuro Reglamento de Inteligencia Artificial— no sólo a los actos administrativos automatizados, sino a las actuaciones previas que pueden dirigir o condicionar el desarrollo del procedimiento o su propio inicio. Es decir, no es necesario que las conclusiones del sistema de IA produzcan efectos jurídicos de manera directa, sino que su uso en fases previas, si inciden de forma clara en los intereses del ciudadano, también puede hacerlo caer en el ámbito de aplicación del artículo 22 RGPD.

De lo anterior se derivan dos conclusiones principales. En primer lugar, que la exigencia de motivación es de aplicación no sólo a las decisiones automatizadas, sino a cualquier situación en la que las conclusiones de un algoritmo tengan una relevancia específica en la decisión final de la administración. En segundo lugar, que la gradación de las exigencias de motivación dependerá, sin embargo, de determinados factores de riesgo que rodean al algoritmo, y que ya se han convertido en elemento central

---

[50] FINK, M. and M. FINCK, 'Reasoned a(I)Dministration: Explanation Requirements in Eu Law and the Automation of Public Administration,' *European law review*, (3), 2022, 376-92.

[51] TODOLÍ SIGNES, A., op. cit.

de las garantías del algoritmo tanto en la normativa aprobada como en la jurisprudencia existente: el grado de afectación a derechos e intereses legítimos de la decisión administrativa, la propia naturaleza y funcionamiento del algoritmo, o su grado de incidencia sobre la decisión final.

5. CONCLUSIONES

Tras lo expuesto en este breve análisis pueden extraerse algunas conclusiones. Partiendo de la base de que la digitalización es un objetivo fundamental de la estrategia de desarrollo internacional y europea para la modernización de la economía y la Administración, ésta debe hacerse sin menoscabar los derechos y garantías que la normativa administrativa reconoce al ciudadano. Esto implica, por tanto, generar conciencia entre los gestores públicos de los riesgos que la implantación de este tipo de herramientas digitales, en especial la IA, puede generar para elementos esenciales como la transparencia o la motivación de las decisiones.

El marco jurídico actual no responde de forma expresa a estas cuestiones, pero los instrumentos jurídicos existentes en torno a la teoría de la motivación de los actos administrativos y la buena administración ofrecen herramientas suficientes como para construir una primera aproximación a la necesidad de motivación de las decisiones algorítmicas. La fijación del umbral de exigencia y la intensidad de la misma debe realizarse, a nuestro juicio, atendiendo a los dos criterios mencionados. En primer lugar, teniendo en cuenta que, aun con la normativa actual, atendiendo a aplicaciones comparadas del artículo 22 RGPD, la exigencia de motivación es de aplicación no sólo a las decisiones automatizadas, sino a cualquier situación en la que las conclusiones de un algoritmo tengan una relevancia específica en la decisión final de la administración. En segundo lugar, que la gradación de las exigencias de motivación dependerá, sin embargo, de determinados factores de riesgo que rodean al algoritmo, y que ya se han convertido en elemento central de las garantías del algoritmo tanto en la normativa aprobada como en la jurisprudencia existente: el grado de afectación a derechos e intereses legítimos de la decisión administrativa, la propia naturaleza y funcionamiento del algoritmo, o su grado de incidencia sobre la decisión final.

6. REFERENCIAS BIBLIOGRÁFICAS

ALAMILLO DOMINGO, I. and F. X. URIOS APARISI, *La Actuación Administrativa Automatizada E N El Ámbito De Las Administraciones Públicas. Análisis Jurídico Y Metodológico Para La Construcción Yl a Explotación De Trámites Automáticos*, Barcelona: EAPC, 2011.

BATHAEE, Y., 'The Artificial Intelligence Black Box and the Failure of Intent and Causation,' *Harvard Journal of Law & Technology*, 31 (2), 2018, 889.

BERRYHILL, J. et al., 'Hello, World', 2019.

BODEN, M. A., *Artificial Intelligence: A Very Short Introduction*, Oxford University Press, 2018.

BOIX PALOP, A., 'Límites Al Derecho De Acceso a La Información Pública En Procedimientos De Información Y Actuaciones Previas,' in COTINO HUESO, L. and BOIX PALOP, A. (eds), *Los Límites Al Derecho De Acceso a La Información Pública*, Valencia: Tirant lo Blanch, 2021, 228-42.

BRENNAN-MARQUEZ, K., 'Plausible Cause: Explanatory Standards in the Age of Powerful Machines,' *Vand. L. Rev.*, 70, 2017, 1249.

CERRILLO I MARTÍNEZ, A., 'La Transparencia De Los Algoritmos Que Utilizan Las Administraciones Públicas,' *Anuario de Transparencia Local*, (3), 2020, 41-78.

CERRILLO I MARTÍNEZ, A., '¿Son Fiables Las Decisiones De Las Administraciones Públicas Adoptadas Por Algoritmos?,' *European review of digital administration & law*, 1 (1), 2020, 18-36.

COGLIANESE, C. and D. LEHR, 'Regulating by Robot: Administrative Decision Making in the Machine-Learning Era,' *Geo. LJ*, 105, 2016, 1147.

CERRILLO I MARTÍNEZ, A., 'Ética En El Diseño Para El Desarrollo De Una Inteligencia Artificial, Robótica,' *Revista catalana de dret públic*, (58), 2019, 29-48.

CERRILLO I MARTÍNEZ, A., 'Hacia La Transparencia 4.0: El Uso De La Inteligencia Artificial Y Big Data Para La Lucha Contra El Fraude Y La Corrupción Y Las (Muchas) Exigencias Constitucionales,' in RAMIÓ MATAS, C. (ed), *Repensando La Administración Digital Y La Innovación Pública*, Madrid: Instituto Nacional de Administración Pública, 2021, 2021, 169-96.

CERRILLO I MARTÍNEZ, A., 'Nuevo Paradigma En Las Garantías De Los Derechos Fundamentales Y Una Nueva Protección De Datos Frente Al Impacto Social Y Colectivo De La Inteligencia Artificial,' in BAUZÁ REILLY, M. and COTINO HUESO, L. (eds), *Derechos Y Garantías Ante La Inteligencia Artificial Y Las Decisiones Automatizadas*, Cizur Menor (Navarra): Aranzadi, 2022, 2022, 69-105.

CRAGLIA, M., *Artificial Intelligence: A European Perspective*, Publications Office of the European Union, 2018.

EUBANKS, V., *Automating Inequality: How High-Tech Tools Profile, Police, and Punish the Poor*, St. Martin's Press, 2018.

FINK, M. and M. FINCK, 'Reasoned a(I)Dministration: Explanation Requirements in Eu Law and the Automation of Public Administration,' *European law review*, (3), 2022, 376-92.

GAVOOR, A. A., 'The Impending Judicial Regulation of Artificial Intelligence in the Administrative State,' *Notre Dame Law Review Reflection*, 180 (97), 2021.

GRACE, K. et al., 'When Will Ai Exceed Human Performance? Evidence from Ai Experts,' *Journal of Artificial Intelligence Research*, 62, 2018, 729-54.

HAYES, P. J., 'The Frame Problem and Related Problems in Artificial Intelligence,' in WEBBER, B. L. and NILSSON, N. J. (eds), *Readings in Artificial Intelligence*, Morgan Kaufmann, 1981, 223-30.

HILDEBRANDT, M., *Smart Technologies and the End (S) of Law: Novel Entanglements of Law and Technology*, Edward Elgar Publishing, 2015.

LESLIE, D. et al., 'Artificial Intelligence, Human Rights, Democracy, and the Rule of Law: A Primer,' *Available at SSRN 3817999*, 2021.

MARTÍN DELGADO, I., 'Automazione, Intelligenza Artificiale E Pubblica Amministrazione: Vecchie Categorie Concettuali Per Nuovi Problemi,' *Istituzioni del federalismo*, 3, 2019, 643.

MIRACCHI, L., 'Updating the Frame Problem for Ai Research,' *Journal of Artificial Intelligence and Consciousness*, 07 (02), 2020, 217-30.

MIRON, M. et al., 'Evaluating Causes of Algorithmic Bias in Juvenile Criminal Recidivism,' *Artificial Intelligence and Law*, 29 (2), 2021, 111-47.

MITTELSTADT, B. D. et al., 'The Ethics of Algorithms: Mapping the Debate,' *Big Data & Society*, 3 (2), 2016.

OLSEN, H. P., J. L. SLOSSER, and T. T. HILDEBRANDT, 'What's in the Box? The Legal Requirement to Explain Computationally Aided Decision-Making in Public Administration,' *Constitutional Challenges in the Algorithmic Society. OUP*, 2020.

OSOBA, O. A. and W. WELSER IV, *An Intelligence in Our Image: The Risks of Bias and Errors in Artificial Intelligence*, Rand Corporation, 2017.

PONCE SOLÉ, J., 'Inteligencia Artificial, Derecho Administrativo Y Reserva De Humanidad: Algoritmos Y Procedimiento Administrativo Debido Tecnológico,' *Revista General de Derecho Administrativo*, (50), 2019.

SIERRA MORÓN, S. D. L., 'Inteligencia Artificial Y Justicia Administrativa: Una Aproximación Desde La Teoría Del Control De La Administración Pública,' *Revista General de Derecho Administrativo*, (53), 2020.

SOBRINO-GARCÍA, I., 'Artificial Intelligence Risks and Challenges in the Spanish Public Administration: An Exploratory Analysis through Expert Judgements,' *Administrative Sciences*, 11 (3), 2021, 102.

SORIANO ARNANZ, A., 'Decisiones Automatizadas: Problemas Y Soluciones Jurídicas. Más Allá De La Protección De Datos,' *Revista de Derecho Público: teoría y método*, (3), 2021, 85-127.

TODOLÍ SIGNES, A., 'Retos Legais Do Uso Do Big Data Na Selección De Suxeitos a Investigar Pola Inspección De Traballo E Da Seguridade Social,' *REGAP: Revista galega de administración pública*, 1 (59), 2020, 79-102.

VALERO TORRIJOS, J., 'Las Garantías Jurídicas De La Inteligencia Artificial En La Actividad Administrativa Desde La Perspectiva De La Buena Administración,' *Revista catalana de dret públic*, (58), 2019, 82-96.

VAN NOORDT, C. and G. MISURACA, 'Artificial Intelligence for the Public Sector: Results of Landscaping the Use of Ai in Government across the European Union,' *Government Information Quarterly*, 2022, 101714.

VESTRI, G., 'La Inteligencia Artificial Ante El Desafío De La Transparencia Algorítmica: Una Aproximación Desde La Perspectiva Jurídico-Administrativa,' *Revista Aragonesa de Administración Pública*, (56), 2021, 368-98.

WIRTZ, B. W., J. C. WEYERER, and C. GEYER, 'Artificial Intelligence and the Public Sector—Applications and Challenges,' *International Journal of Public Administration*, 42 (7), 2019, 596-615.

La tipificación del contrato de intermediación en línea en el reglamento de servicios digitales

JUAN MONTERO
Catedrático de Derecho administrativo
Universidad Nacional de Educación a Distancia (UNED)
Abogado of counsel MLAB

ISABEL RODRÍGUEZ MARTÍNEZ
Catedrática de Derecho Mercantil
Universidad CEU Cardenal Herrera
CEU Universities

1. INTRODUCCIÓN

La adopción por la Unión Europea del Reglamento de Servicios Digitales[1] en el marco de una ambiciosa reforma legislativa sobre los servicios digitales[2], supone la tipificación del que la doctrina venía denominando

---

[1]   Reglamento (UE) 2022/2065 del Parlamento Europeo y del Consejo de 19 de octubre de 2022 relativo a un mercado único de servicios digitales y por el que se modifica la Directiva 2000/31/CE (Reglamento de Servicios Digitales), *DOUE L 277/1, de 27.10.2022.*

[2]   Las instituciones de la Unión Europea vertebran la reforma legislativa sobre los servicios digitales, y en especial sobre las plataformas en línea, en varios textos legales. En primer lugar, en el referido Reglamento de Servicios Digitales. En segundo lugar, en el Reglamento de Mercados Digitales, publicado en el DOUE de 12 de octubre de 2022 y cuya aplicación con carácter general se hará efectiva a partir del 2 de mayo de 2013. Otras normas relevantes son el Reglamento de Go-

contrato atípico de mediación electrónica[3], esto es el servicio prestado por las plataformas digitales por el que se facilita la contratación entre terceros de bienes y servicios.

La norma desarrolla el régimen jurídico de una nueva categoría legal, los servicios de intermediación en línea, incluida en la más amplia categoría de los servicios intermediarios de alojamiento de datos, y por ello incluidos en la categoría de servicios de la sociedad de la información y beneficiados por el régimen de libre prestación de servicios establecido en la Directiva 2000/31/CE, sobre el comercio electrónico[4].

La nueva norma zanja sendos debates doctrinales sobre la calificación y régimen del servicio[5]. En primer lugar, confirma que la gestión activa por la plataforma de los datos alojados, en forma de clasificación, búsqueda y recomendaciones automatizados mediante algoritmos, ni excluye el servicio de la categoría de servicio intermediario de alojamiento de datos, ni excluye la exención de responsabilidad introducida para esta categoría de servicios en la Directiva sobre el Comercio Electrónico. En segundo lugar, confirma que incluso si la plataforma ejerce influencia o control sobre la prestación del servicio subyacente, el servicio de intermediación sigue siendo un servicio de la sociedad de la información sujeto al régimen de libre

---

bernanza de Datos, publicado en el DOUE de 3 de junio de 2022, y el Reglamento 2019/1150 (P2B).

[3]   RODRÍGUEZ MARTÍNEZ, I., "El servicio de mediación electrónica y las plataformas de economía colaborativa", en *Revista de Derecho Mercantil*, núm. 305, 2017, págs. 181-216; ÁLVAREZ MORENO, Mª T., La contratación electrónica mediante plataformas en línea: modelo negocial (B2C), régimen jurídico y protección de los contratantes (proveedores y consumidores), ed. Reus, Madrid, 2021

[4]   Directiva 2000/31/CE del Parlamento Europeo y del Consejo, de 8 de junio de 2000, relativa a determinados aspectos jurídicos de los servicios de la sociedad de la información, en particular el comercio electrónico en el mercado interior (Directiva sobre el comercio electrónico), DOUE L 171/1, de 17.7.2000.

[5]   Dando cuenta de ello, entre otros, v, OLMEDO PERALTA, E., "Liberalizar el transporte urbano de pasajeros para permitir la competencia más allá de taxis y VTC: una cuestión de política de la competencia", *Revista de Estudios Europeos*, 2017, núm. 70, págs. 250-283; LÓPEZ SÁNCHEZ, C., "Las plataformas digitales vinculadas a la economía colaborativa: de la simple intermediación a la prestación del servicios subyacente", *Revista de Derecho Privado*, 2019, núm. 6, págs. 79-116; BOBOC, S., "Uber: ¿transportista o intermediaria en el transporte? El caso español". *Revista de Estudios Europeos*, 2017, núm. 70, págs. 7-26; TOBÍO RIVAS, A. Mª. *Las plataformas electrónicas de transporte terrestre de personas y su configuración jurídica*, ed. Reus, Madrid, 2021, págs. 11-16.

prestación de servicios[6], al que le es de aplicación el nuevo régimen jurídico establecido en el Reglamento, aunque no se beneficiará de la exención de responsabilidad.

El nuevo Reglamento mantiene los pilares básicos de la Directiva sobre el Comercio Electrónico y, en concreto, la aplicación de un régimen reforzado de libre prestación de servicios así como la regla general de exención de responsabilidad de las plataformas digitales en relación con los contenidos, bienes y servicios intermediados. En efecto, no les exige una obligación de supervisión de los mismos, ni les hace responsables por ellos en el caso de que voluntariamente purguen los contenidos ilícitos. No obstante, define escenarios en los que las plataformas sí que serán responsables (ejercicio de autoridad y control sobre los proveedores subyacentes y presentación del bien o servicio al consumidor como prestado por la propia plataforma). Más allá, establece un prolijo régimen de obligaciones legales que se imponen a las plataformas, especialmente a las más grandes, a fin de que minimicen los riesgos derivados de contenidos ilícitos, en especial las circunstancias y procedimientos por los que las plataformas estarán obligadas a retirar contenidos en cuanto conocedoras de su ilicitud.

2. LA PAULATINA CONSTRUCCIÓN DE CATEGORÍAS

2.1 *La Directiva de Comercio Electrónico y los Servicios de la Sociedad de la Información y los servicios intermediarios*

Si bien los antecedentes directos de Internet pueden situarse en el tiempo en el año 1969, cuando se estableció la primera conexión en ARPANET[7], Internet no se popularizó hasta mediados de la década de 1990. Es en ese momento cuando se lanzaron los primeros servicios de comercialización de bienes y servicios a distancia haciendo uso de Internet, esto

---

[6]   En estos términos nos pronunciábamos ya en 2017. MONTERO PASCUAL, JJ, "El régimen jurídico de las plataformas colaborativas", en AAVV (MONTERO PASCUAL, JJ, Dir.), *La regulación de la economía colaborativa*, ed. Tirant lo Blanch, 2017, (págs. 87-124), págs. 100-105 y RODRÍGUEZ MARTÍNEZ, I., "El servicio de mediación electrónica y las obligaciones de las plataformas de economía colaborativa", en AAVV (MONTERO PASCUAL, JJ, Dir.), *La regulación ..., cit.*, (págs. 125-168), 135-139,

[7]   MONTERO PASCUAL, J. J., *La regulación de las nuevas industrias en red. Plataformas digitales en las comunicaciones, transportes y energía*, Tirant lo Blanch, Valencia, 2021.

es, por medios electrónicos. El Legislador de la Unión Europea reaccionó prontamente con la adopción de la Directiva 2000/31, la Directiva sobre el Comercio Electrónico.

La Directiva sobre el Comercio Electrónico creó la categoría de los Servicios de la Sociedad de la Información (en adelante también SSI), definidos como aquellos "que se presta a distancia, por vía electrónica, a petición individual del destinatario, y normalmente a cambio de una remuneración"[8]. Estos servicios quedaron sujetos al régimen de libre prestación de servicios del artículo 56 del Tratado de Funcionamiento de la Unión Europea (TFUE), y en desarrollo de dicha disposición, a un régimen de protección especialmente intenso, que no sólo excluyó la exigencia de autorización para los SSI como regla general, sino que estableció el principio de aplicación a estos servicios de la ley del Estado de establecimiento, limitando a una lista cerrada las razones imperiosas de interés general que podrían justificar restricciones a la prestación del servicio por los Estados de recepción de los servicios[9]. Se entendió que los SSI, dado su carácter virtual, y también disruptivo, resultarían fácilmente presa de restricciones indebidas sin esta protección.

La Directiva sobre el Comercio Electrónico no definió el contenido esencial y un régimen jurídico para los Servicios de la Sociedad de la Información. De hecho, en la categoría de SSI quedan incluidos contratos bien diferentes: compraventa, arrendamiento, prestación de los más diversos servicios, etc. Por el contrario, la Directiva se limitó a crear una nueva categoría de servicios con el elemento común de ser prestados a distancia por medios electrónicos, para simplemente garantizarles un régimen reforzado de libre prestación de servicios, en desarrollo de los previsto en el artículo 56 TFUE. Cada tipo de servicio quedaría sujeto a su propio régimen jurídico específico, pero se beneficiarían del mismo régimen reforzado de libre prestación de servicios.

---

[8]   Definición recogida hoy en el artículo 1 de la Directiva (UE) 2015/1535 del Parlamento Europeo y del Consejo, de 9 de septiembre de 2015, por la que se establece un procedimiento de información en materia de reglamentaciones técnicas y de reglas relativas a los servicios de la sociedad de la información, DOUE L 241/1, de 17.9.2015.

[9]   MONTERO PASCUAL, J. J., "Régimen jurídico de las plataformas colaborativas", en *"La regulación de la economía colaborativa"*, 2017, Tirant lo Blanch, Valencia, 2017, págs. 87-82.

La excepción fue hecha en relación con un grupo de Servicios de la Sociedad de la Información, denominados "servicios intermediarios", para los que sí que se definió un esbozo de régimen jurídico, y en particular, un régimen de exención de responsabilidad en beneficio de los prestadores de dichos servicios. En esta categoría fueron incluidos tres servicios: 1) los servicios de mera transmisión (los servicios de acceso a Internet); 2) los servicios de cache; y 3) los servicios de alojamiento de datos (o *hosting*). Los prestadores de estos servicios no serían considerados responsables por los datos transmitidos o alojados en sus servidores. Se extendió a estos servicios el régimen de exención de responsabilidad tradicional de los prestadores de servicios postales o de telecomunicaciones, que tradicionalmente no han sido responsables del contenido de las comunicaciones que transportan. Ni los proveedores de servicios de acceso a Internet, ni las empresas que alojan páginas web, blogs u otros contenidos en línea, serían responsables por los contenidos generados por terceros. Fue ésta una opción razonable dado el objeto de dichos servicios intermediarios.

La Directiva sobre el Comercio Electrónico resultó acertada en su aproximación, como prueba el hecho de que lleva en vigor más de 20 años. Este éxito reposa en que no fue particularmente ambiciosa en sus objetivos, limitándose a garantizar la libre prestación de servicios, eximir de responsabilidad a los prestadores de servicios intermediarios, y establece unas reglas mínimas para el comercio electrónico.

Sin embargo, la evolución de los mercados digitales en los últimos 20 años ha generado disfunciones en la aplicación de la Directiva a nuevos fenómenos no previstos en la misma, y en particular, a las plataformas digitales. Cuando se ha pretendido resolver los crecientes conflictos entre las plataformas y sus usuarios aplicando la Directiva sobre el Comercio Electrónico, el resultado ha sido frustrante y se ha generado inseguridad jurídica, pues la Directiva no estableció un régimen jurídico para unas plataformas digitales que apenas existían cuando se adoptó en el año 2000.

La aplicación a las plataformas de las categorías preexistentes, Servicios de la Sociedad de la Información y servicios intermediarios, ha generado debates que podemos agrupar en torno a dos cuestiones: 1) si los servicios prestados por las plataformas eran o no un mero servicio intermediario de alojamiento de datos y 2) si un servicio de plataforma debía ser considerado un Servicio de la Sociedad de la información, con sus implicaciones sobre la aplicación del régimen de libre prestación de servicios.

2.2 La mediación por plataformas y la exención de responsabilidad

Se ha venido cuestionando si las plataformas digitales prestaban servicios intermediarios de alojamiento de datos. Se observó que las plataformas no se limitan a alojar datos y ponerlos a disposición del público, sino que desarrollaban una ulterior actividad: facilitar la interacción entre terceros, en particular para la conclusión de contratos entre ellos, actividad que crecientemente implicó una activa ordenación, selección y recomendación de los contenidos, bienes y servicios a fin de facilitar de forma efectiva la contratación entre la marea de contenidos, bienes y servicios incluidos en plataformas con cada vez con más usuarios.

Una de las primeras plataformas digitales fue eBay, que facilitaba la conclusión de contratos de compraventa entre propietarios de bienes usados y compradores interesados en la adquisición de dichos bienes. eBay desarrolló paulatinamente toda una serie de herramientas como sistemas de pago (adquirió PayPal) o de comunicación (adquirió Skype), y desarrolló algoritmos para facilitar el encuentro de oferta y demanda, para ayudar a los compradores a encontrar la aguja en el inmenso pajar de contenidos alojados por eBay. ¿Era eBay responsable por las falsificaciones y copias vendidas en la plataforma? ¿Era eBay un mero proveedor de servicios de alojamiento de datos, exento de responsabilidad, o iba más allá, y debía ser considerado responsable?

El Tribunal de Justicia de la Unión Europea enmarcó el debate en 2011, en el Asunto L'Oreal/eBay[10]. eBay prestaría un servicio intermediario, en concreto un servicio de alojamiento de datos, y estaría exento de responsabilidad por la compraventa de bienes que infringieran derechos de propiedad intelectual, en tanto "almacene en su servidor ofertas de venta, determine las condiciones de su servicio, sea remunerado por el mismo y dé información general a sus clientes" (párrafo 116). "Cuando, por el contrario, este operador presta una asistencia consistente, entre otras cosas, en optimizar la presentación de las ofertas de venta en cuestión o en promover tales ofertas, cabe considerar que no ha ocupado una posición neutra entre el cliente vendedor correspondiente y los potenciales compradores, sino que ha desempeñado un papel activo que le permite adquirir conocimiento o control de los datos relativos a esas ofertas. De este modo y por lo que se refiere a esos datos, tal operador no puede acogerse a la excepción

---

[10]   Sentencia del Tribunal de Justicia de la Unión Europea de 12 de julio de 2011, Asunto C-324/2009, ECLI ECLI:EU:C:2011:474.

en materia de responsabilidad prevista por el artículo 14 de la Directiva 2000/31". La valoración final sobre el papel de eBay quedó para el Tribunal nacional que había elevado la cuestión prejudicial.

Esta posición jurisprudencial, sin embargo, ha ido matizándose con el tiempo. Se ha constatado que, en realidad, las plataformas raramente actúan como meros repositorios pasivos de información. Por el contrario, lo habitual es que las plataformas gestionen los datos de una forma crecientemente activa, gracias a la utilización de algoritmos para la automatización de la gestión de los datos, bienes y servicios intermediados. Esto no ha supuesto la exclusión de las plataformas del régimen de exención de responsabilidad que caracteriza los servicios intermediarios de alojamiento de datos. De forma generalizada se ha venido entendiendo que eBay y las principales plataformas merecen la exención de responsabilidad, quizás por influencia de una paralela sentencia en Estados Unidos en otro caso de eBay, esta vez iniciado por la empresa de joyería Tiffany, y resuelto en favor de eBay en aplicación de la *Communications Decency Act*.

La consolidación de los servicios de las plataformas como meros servicios intermediarios de alojamiento de datos se explica por la existencia de una evidente laguna. La evolución de los mercados digitales había superado no ya lo previsto en la Directiva sobre el Comercio Electrónico, sino incluso los tradicionales análisis de los economistas expertos en organización industrial. Estaba surgiendo un nuevo modelo de organización que no estaba contemplado en la Directiva sobre el Comercio Electrónico. El TJUE colmató la laguna como mejor pudo. La confusión terminológica no ayudó, pues el término "servicio intermediario" se confundía fácilmente con el servicio de mediación prestado por muchas plataformas. Además, la exención de responsabilidad otorgada a los servicios intermediarios no casaba mal con la menor responsabilidad de un mediador frente a la responsabilidad de las partes del contrato mediado.

El foco se fue paulatinamente fijando no tanto en si la gestión de los datos por las plataformas es más o menos activa, cuanto en si la plataforma tiene capacidad de conocer el carácter ilícito de los datos y servicios gestionados. Según la literalidad de la Directiva sobre el Comercio Electrónico, el prestador del servicio de alojamiento de datos no tendría responsabilidad por los mismos en cuanto "a) [...] no tenga conocimiento efectivo de que la actividad a la información es ilícita y, en lo que se refiere a una acción por daños y perjuicios, no tenga conocimiento de hechos o circunstancias por los que la actividad o la información revele su carácter ilícito, o de que, b) en cuanto tenga conocimiento de estos puntos, el prestador de servicios actúe con prontitud para retirar los datos o hacer que el acceso a ellos sea imposible" (art. 14.1).

Se ha ido consolidando la apreciación de que incluso cuando las plataformas realizan una gestión activa de los datos que alojan, y clasifiquen los mismos, faciliten búsquedas o incluso realicen recomendaciones sobre los bienes o servicios de terceros, cuando estas acciones se realizan de forma automática por algoritmos, esta gestión automatizada no suponen realmente que el prestador del servicio tenga conocimiento efectivo de la ilicitud de los datos que almacena. Las plataformas digitales gestionan de forma automática mediante algoritmos volúmenes masivos de datos, lo que a menudo impide que tengan un conocimiento efectivo de la existencia de datos potencialmente ilícitos. A esto se une la inexistencia de una obligación general de supervisión (art. 15 de la Directiva sobre el Comercio Electrónico).

2.3 La mediación por plataformas y la calificación como Servicios de la Sociedad de la Información

El debate se extendió hasta cuestionar si algunas plataformas incluso prestaban Servicios de la Sociedad de la Información en cuanto que su gestión es tan activa que llegan a ejercer influencia o control de los datos sobre las entidades que contratan el servicio de mediación electrónica[11]. Se llegó a cuestionar si las plataformas debían asumir la titularidad de los bienes y servicios intermediados. La intervención del TJUE al respecto generó cierta confusión.

La Comisión Europea publicó en 2016 la Comunicación "Una Agenda Europea para la economía colaborativa[12], donde identificó que, en ocasiones, las plataformas ejercen una influencia o control significativos sobre el prestador de los servicios subyacentes, "lo que puede indicar a su vez que debe considerarse que presta también el servicio subyacente (además de un servicio de la sociedad de la información)" (punto 2.1). Entre los signos de existencia de influencia o control se identificó la fijación del precio por

---

[11]   Sentencia del TJUE de 23 de marzo de 2010, sentencia Google France, asunto n° C-236/2008, ECLI:EU:C:2010:159.

[12]   Comunicación de la Comisión al Parlamento Europeo, al Consejo, al Comité Económico y Social Europeo y al Comité de las Regiones, Una Agenda Europea para la economía colaborativa, COM/2016/0356 final, de 2.6.2016.

la plataforma, la fijación por la plataforma de otras condiciones contractuales, y la propiedad de activos clave como los vehículos, casas, etc.

Obsérvese cómo la Comisión adelantó ya en 2016 que la existencia de influencia o control no excluiría la existencia de un Servicio de la Sociedad de la Información, sino que la plataforma además podría prestar el servicio subyacente, que podría quedar fuera de la categoría de Servicio de la Sociedad de la Información[13].

El TJUE introdujo cierta confusión a partir de la Sentencia en el Asunto Elite Taxi/Uber[14], que el año 2017 concluyó que el servicio uberPOP no era un Servicio de la Sociedad de la Información, sino un servicio en el ámbito del transporte. La posterior interpretación de la Sentencia por la doctrina ha añadido una ulterior confusión.

Para empezar, el TJUE en ningún momento concluyó que Uber prestaba un servicio de transporte, tampoco que era titular del servicio de transporte urbano. Por el contrario, se limitó a concluir que el servicio uberPOP, que mediaba servicios prestados por conductores no profesionales, debía ser calificado como un servicio en el ámbito del transporte, esto es, un servicio al que no es aplicable el principio de libre prestación de servicios del artículo 56 del TFUE, y como consecuencia, tampoco el régimen de protección de la libre prestación de servicios de la Directiva sobre el Comercio Electrónico. Unos meses antes el TJUE había concluido que los servicios de ITV en España también eran servicios en el ámbito del transporte, en cuanto indisolublemente vinculados al transporte, que no servicios de transporte en sentido estricto[15]. El mismo razonamiento se aplicó al servicio uberPOP.

La Sentencia reconoce que Uber prestaba servicios de intermediación, pero también que iba más allá, creando una nueva oferta, y que sus servicios resultaban ineludiblemente vinculados al servicio de transporte prestado por conductores no profesionales, que no estaban en posición de prestar su servicio sin el uso de la plataforma. La influencia y control ejercidos por

---

[13] Sentencia del TJUE de 12 de julio de 2011, sentencia L'Oreal, asunto n° C-324/2009. ECLI:EU:C:2011:474

[14] Sentencia del TJUE de 20 de diciembre de 2017 en el Asunto C-434/15, *Elite Taxi/Uber*, ECLI:EU:C:2017:981.El autor de este trabajó asesoró a Uber en este Asunto, pero las posiciones expresadas en este trabajo no son más que de su responsabilidad, y en ningún caso corresponden con la posición de esta empresa.

[15] Sentencia del TJUE de 15 de octubre de 2015 en el Asunto C-168/14, *Itevelesa*, ECLI:EU:C:2015:685.

Uber sobre los conductores son relevantes en cuanto señal de la indisoluble vinculación de la intermediación en línea y el servicio subyacente de transporte, lo que convierte el conjunto, según el Tribunal, en un servicio en el ámbito del transporte.

Esta posición resultaría irrelevante en relación con mediaciones en otros sectores diferentes al transporte, en cuanto sólo el transporte está exento de la aplicación del régimen general del TFUE de libre prestación de servicios. Y más allá, debería haber resultado irrelevante en cuanto la jurisprudencia del propio TJUE había admitido la posibilidad de un doble régimen jurídico incluso en contratos de compraventa. Así, el TJUE había confirmado que deben calificarse como Servicio de la Sociedad de la Información elementos de un negocio jurídico que cumplan con los requisitos señalados en la Directiva (Sentencia del TJUE en el Asunto Ker-Optika[16]). La legislación húngara exigía la comercialización de lentes de contacto y gafas graduadas en un local físico, excluyendo la compraventa electrónica. El TJUE confirmó que esta restricción era contraria a la Directiva 2000/31/CE. El TJUE aclaró que "el ámbito coordinado de la Directiva 2000/31 cubre las disposiciones nacionales que prohíben los actos relativos a la venta de lentes de contacto, a saber, la oferta en línea y la celebración del contrato por vía electrónica." (párrafo 28), pero "los requisitos de entrega de lentes de contacto no están comprendidos en el ámbito de aplicación de la Directiva 2000/31" (párrafo 31). Así, hubiese debido calificarse como Servicio de la Sociedad de la Información el servicio de mediación electrónica de Uber prestado a distancia y por medios electrónicos, y no el servicio subyacente de transporte, independientemente del grado de control de Uber sobre el mismo.

La posición del TJUE en el Asunto Elite Taxi/Uber se explica por el hecho de que el TFUE se vio obligado a resolver sobre la calificación como SSI del servicio prestado por Uber sin disponer de más normas que la ya entonces añeja Directiva de Comercio Electrónico, adoptada 17 años antes. La calificación del servicio prestado por Uber como un Servicio de la Sociedad de la Información sujeto al régimen de libre prestación de servicios y exento de responsabilidad, habría dejado inermes a las autoridades nacionales para hacer frente a la mediación digital de bienes y servicios potencialmente ilícitos.

---

[16] Sentencia del TJUE de 2 de diciembre de 2010 en el Asunto C-108/09, *Ker-Optika*, ECLI:EU:C:2010:725.

La Comunicación de la Comisión de 2016 y la Sentencia en el Asunto Elite Taxi/Uber han sido objeto de mucho interés en la doctrina española, aunque la lectura ha resultado frecuentemente algo atropellada, adelantando interpretaciones que el Reglamento de Servicios Digitales finalmente excluye[17].

El nuevo Reglamento de Servicios Digitales desarrolla todo un régimen jurídico para este tipo de servicios, dotando de instrumentos a las autoridades nacionales para atajar la mediación de contenidos, bienes y servicios ilícitos. Como consecuencia, la nueva norma retorna a la posición de la Comisión en 2016 (también sostenida en el Asunto Elite Taxi/Uber) sobre la posibilidad de diferenciar el régimen jurídico incluso de un mismo negocio jurídico, de forma que la actividad de la plataforma deba ser calificada como SSI, incluso si se ejerce influencia o control sobre el servicio intermediado.

3. LA CONSOLIDACIÓN DE LA CATEGORÍA DE SERVICIOS DE INTERMEDIACIÓN EN LÍNEA

3.1 *Una nueva categoría: los servicios de intermediación en línea*

La Legislación de la Unión Europea definió ya en 2019 los denominados "servicios de intermediación en línea" en el Reglamento UE 2019/1150[18]. Son servicios de intermediación en línea "los servicios que cumplen todos los requisitos siguientes: a) constituyen servicios de la sociedad de la información […]; b) permiten a los usuarios profesionales ofrecer bienes o servicios a los consumidores, con el objetivo de facilitar el inicio de transacciones directas entre dichos usuarios profesionales y consumidores, con independencia de dónde aquellas concluyan en última instancia; y c) se prestan a los usuarios profesionales sobre la base de relaciones contractuales entre el proveedor de los servicios y los usuarios profesionales que ofrecen los bienes o servicios a los consumidores" (art. 2.2 Reglamento UE 2019/1150).

---

[17]   Especialmente exhaustivo es el análisis en BOBOC, S., *Las plataformas en línea y el transporte discrecional de viajeros por carretera*, Marcial Pons, Madrid, 2021.

[18]   Reglamento (UE) 2019/1150 del Parlamento Europeo y del Consejo, de 20 de junio de 2019, sobre el fomento de la equidad y la transparencia para los usuarios profesionales de servicios de intermediación en línea, DOUE L 186/57, de 11.7.2019.

Debemos empezar subrayando la confusa terminología de la normativa de la Unión Europea, que ha creado sendas categorías jurídicas diferentes con una denominación casi idéntica: los servicios intermediarios y los servicios de intermediación en línea. La confusión terminológica es especialmente relevante ya que ambas categorías están vinculadas. El Reglamento de Servicios Digitales aclara la relación. Entre los servicios intermediarios de alojamiento de datos (hosting) se identifica la categoría de los servicios de plataforma en línea, y entre los servicios de plataforma en línea, los servicios de intermediación en línea. Esto es, los servicios de intermediación en línea son un tipo de servicio intermediario. Reconstruyamos esta relación con mayor detalle.

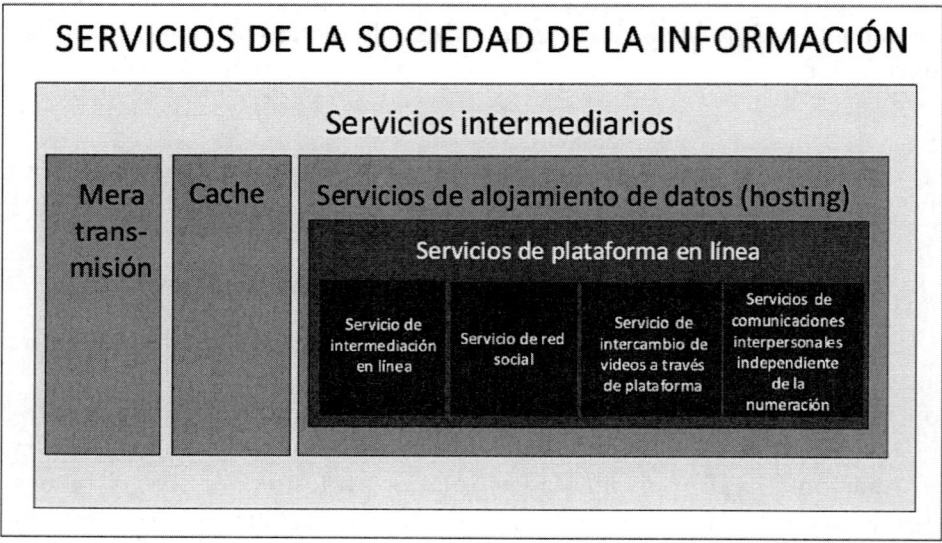

Sigue en vigor la definición de Servicios de la Sociedad de la Información, y entre estos servicios se distingue la categoría de los servicios intermediarios, y en particular los servicios de alojamiento de datos (hosting) definidos como "almacenar datos facilitados por el destinatario del servicio y a petición de este" (art. 3.g.iii).

La primera clave del Reglamento de Servicios Digitales es la confirmación de que entre los servicios de alojamiento de datos está el tradicional servicio de mero alojamiento de datos en la nube (*cloud computing*), pero también los denominados servicios de plataforma en línea, que se definen como "un servicio de alojamiento de datos que, a petición de un destinatario del servicio, almacena y difunde información al público[…]". Se observará que la norma distingue los servicios de plataforma dentro de los servicios de alojamiento de datos en cuanto se caracterizarían por incluir la difusión de datos al público, definida como "poner información a disposición de un número potencialmente ilimitado de terceros a petición del destinatario del servicio que ha facilitado dicha información" (art. 3.k).

Se distinguen varios servicios diferentes de plataforma en línea, como servicios de red social (por ejemplo, Facebook), servicios de intercambio de videos a través de plataforma (por ejemplo, YouTube), servicios de comunicaciones interpersonales independiente de la numeración (como WhatsApp) y finalmente los servicios de intermediación en línea, recogiendo la definición de los mismos ya realizada en el Reglamento UE 2019/1150.

El Reglamento de Servicios Digitales no excluye de la categoría de servicios de plataforma online, y por tanto de las categorías de alojamiento de datos y servicios intermediarios, aquellos que implican una gestión activa de los datos almacenados. El Reglamento es claro al afirmar en sus considerandos que "[u]na parte fundamental del negocio de una plataforma en línea es la manera en que prioriza y presenta la información en su interfaz en línea para facilitar y optimizar el acceso a ella por los destinatarios del servicio. Esto se hace, por ejemplo, mediante la recomendación, clasificación y priorización algorítmica de la información, la distinción de texto u otras representaciones visuales, o la organización de manera diferente de la información facilitada por los destinatarios" (considerando 70). Todas estas actividades implican una superación de la mera gestión pasiva de los datos, y son correctamente identificadas como una parte fundamental del negocio de las plataformas en línea, y ello sin que el prestador se vea excluido de la categoría de servicio intermediario, la categoría de servicio de alojamiento de datos, la categoría de plataforma en línea.

Por ejemplo, parece evidente que YouTube no se limita a alojar contenidos y diseminarlos al público de forma pasiva. Por el contrario, YouTube activamente clasifica, permite búsquedas y de forma muy activa recomienda videos. Pero estas acciones son desarrolladas de forma automática, lo que no implica conocimiento efectivo de la posible ilicitud del contenido. Esto no impide que se considere el servicio de YouTube como un Servicio de la Sociedad de la Información, un servicio intermediario, un servicio de alojamiento de datos (*hosting*), un servicio de plataforma en línea y finamente, un servicio de intercambio de videos a través de plataforma.

En la misma línea, el hecho de que Airbnb utilice algoritmos para la gestión activa de la información que aloja (rankings, búsquedas, recomendaciones), no excluye que este servicio se clasifique como servicio de inter-mediación en línea, servicio de plataforma en línea, servicio intermediario de alojamiento de datos y servicio de la Sociedad de la Información[19].

El RSD también confirma explícitamente que una plataforma sigue prestando servicios intermediarios de alojamiento de datos incluso cuando ejerce influencia o control sobre el prestador del servicio subyacente: "cuando el destinatario del servicio actúe bajo la autoridad o el control del prestador de un servicio de alojamiento de datos" (párrafo 23). Se afirma literalmente que un prestador de servicio de alojamiento de datos puede ejercer autoridad o incluso control sobre el servicio subyacente, pero no modifica la naturaleza de servicio intermediario de alojamiento de datos. Esta circunstancia puede llegar a derivar en la asunción de responsabilidad por la plataforma, pero no en la exclusión de la clasificación como Servicio de intermediario de alojamiento de datos, y por ello servicio de la Sociedad de la Información. Será de aplicación el régimen de libre prestación de servicios y, desde luego, todas las obligaciones definidas para los prestadores de estos servicios en el Reglamento. Por el contrario, según se explica en su párrafo 6, el RSD no se aplicará a los servicios intermediados cuando no se presten a distancia y por medios electrónicos, tampoco cuando estos servicios constituyen una parte integral de otro servicio que no es un servicio intermediario.

Se vuelve así, sin manifestarlo expresamente, a la doctrina Ker-Optika, a lo afirmado en la Comunicación de la Comisión de 2016. No puede ser de otra forma, pues de lo contrario la Directiva de Comercio Electrónico no sería aplicable a los contratos de compraventa que se concluyen en línea, sin intervención de mediadores, en los que el proceso de contratación for-

---

[19]   Se supera así la posición del Tribunal Supremo español, que en la reciente STS de 7 de enero de 2022 (Sala de lo Contencioso-Administrativo 3ª), RJ 2022\515, en relación con la plataforma *Airbnb*, la considera responsable porque "la actora no se limita a una función neutra o pasiva de mero tratamiento técnico y automático de los datos facilitados por los clientes sino que alcanza un papel determinante, de forma que se constituye en el centro del negocio de alquiler de inmuebles o viviendas de vacaciones, ya que organiza la información bajo una forma que ella misma decide, lleva a cabo la publicidad en los términos que considera oportunos, gestiona las reservas y domina la operación desde el control del flujo económico, esto es, imponiendo su intermediación en el pago. No se puede considerar en consecuencia que el papel de la actora se limite a almacenar y transmitir una información que desconoce. Al contrario, logra un papel activo en el formato y tráfico de los datos que impide la aplicación de la cláusula de exención de responsabilidades sobre los contenidos" (FJ 2º).

ma parte integral de la compraventa y la entidad que gestiona el proceso de contratación y la entrega suelen no sólo estar bajo un mismo control, sino coincidir en la misma persona.

Así se confirma en el párrafo 6 del Reglamento, en la confusa terminología que le es propia: "[e]n la práctica, algunos prestadores de servicios intermediarios sirven de intermediarios en servicios que pueden prestarse o no por vía electrónica, como servicios de tecnologías de la información a distancia o servicios de transporte, de hospedaje o de reparto. El presente Reglamento solo debe aplicarse a los servicios intermediarios y no afectar a los requisitos impuestos por el Derecho de la Unión o nacional en relación con productos o servicios intermediados a través de servicios intermediarios, incluidas las situaciones en las que el servicio intermediario constituye una parte integrante de otro servicio que no es un servicio intermediario como se reconoce en la jurisprudencia del Tribunal de Justicia de la Unión Europea".

Entendemos que, de esta forma, algo críptica quizás en deferencia al Tribunal de Justicia, debe zanjarse una peligrosa deriva en la jurisprudencia que amenazaba con limitar el ámbito de aplicación de la Directiva sobre el Comercio Electrónico. Además, una vez desarrollado en el RSD el régimen jurídico de los servicios de intermediación en línea, las autoridades públicas disponen de suficientes instrumentos para intervenir contra hipotéticas intermediaciones no sólo de contenidos ilícitos, sino también de bienes y servicios que se consideren ilícitos. Colmatada la laguna legal, el TJUE no necesita limitar el ámbito de aplicación de la Directiva sobre el Comercio Electrónico.

En cualquier caso, ya disponemos de una categoría jurídica específica, los servicios de intermediación en línea, perfectamente relacionados con la categoría primigenia de los Servicios de la Sociedad de la Información, con el servicio intermediario de alojamiento de datos, en paralelo a otros tipos de servicios de plataforma. Más allá, tenemos una definición que subraya que el elemento diferenciador de este servicio de la sociedad de la información es que "permite[…] a los usuarios profesionales ofrecer bienes o servicios a los consumidores, con el objetivo de facilitar el inicio de transacciones directas entre dichos usuarios profesionales y consumidores".

Difícilmente íbamos a encontrar en una norma de la Unión una coincidencia mayor con la generalizada definición en la jurisprudencia española del contrato atípico de mediación o corretaje. No obstante, no vamos a avanzar conclusiones sobre la naturaleza jurídica de estos servicios hasta analizar el régimen jurídico establecido en el Reglamento de Servicios Digitales para estos servicios.

3.2 Régimen de responsabilidad

El Reglamento de Servicios Digitales dedica una especial atención al régimen de responsabilidad de los prestadores de servicios de intermediación en línea. Más en concreto, el Reglamento determina si los prestadores de servicios de intermediación en línea deben de ser considerado responsables de la licitud de los contenidos, bienes y servicios intermediados.

Se confirma la regla general de que los prestadores de servicios de intermediación en línea, en cuanto servicios intermediarios, en concreto en cuanto servicios de alojamiento de datos, están exentos de responsabilidad por los contenidos, bienes y servicios intermediados. Ello a pesar de que las plataformas gestionan activamente los datos almacenados. Esto casa mal con la literalidad del término "alojamiento", que en su definición por el DRAE se limita a la acción de colocar una cosa dentro de otra, de almacenarla, lo que en principio tiene un cariz fundamentalmente pasivo. Debe entenderse que el alojamiento de datos permite una gestión activa de los mismos en forma de clasificación, búsqueda o incluso recomendación, en cuanto se realiza de forma automatizada.

Se confirma el principio de que la exención de responsabilidad deriva de la falta de conocimiento efectivo de la ilicitud del dato almacenado. La exención de responsabilidad no se excluye por la gestión activa automatizada de los datos por la plataforma. Lo que excluye la responsabilidad es que la plataforma tenga conocimiento efectivo de la ilicitud del dato, bien o servicio mediado. A tal efecto, el RSD delimita en detalle en qué circunstancias debe entenderse que la plataforma ha adquirido conocimiento efectivo de la ilicitud, y por ello, se convierte en responsable.

Primero, son las autoridades públicas las que pueden señalar la existencia de contenidos ilícitos y requerir su retirada (art. 16). El RSD determina el contenido mínimo de los requerimientos de las autoridades públicas para retirar contenidos ilícitos, y cómo los prestadores han de informar inmediatamente de las acciones adoptadas para dar cumplimiento a dichos requerimientos retirando el contenido, bienes o servicios ilícitos.

Segundo, el RSD ordena el modo en el que los particulares pueden alertar a la plataforma de la existencia de contenido ilícito en la plataforma (art. 18). La plataforma se tendrá por conocedora de la existencia de contenido ilícito, y será responsable del mismo, si la información proporcionada por un usuario permitiría a un prestador diligente identificar la ilicitud de la información o actividad sin un detallado análisis legal.

Tercero, el RSD ordena la posibilidad de que unas entidades especialmente designadas por las autoridades públicas tengan la potestad de identificar para la plataforma la existencia de información o actividades ilícitas, de forma que la plataforma deba entenderse responsable si realizada la notificación por estas entidades privadas, el contenido o actividad no es retirada de la plataforma (art. 22). Se codifica así la actividad de entidades como los denominados "alertadores fiables" o "*fact checkers*" con la particularidad de que en cuanto tales, habrán de ser nombrados por las autoridades públicas, y no por las propias plataformas, como venía ocurriendo hasta ahora.

Subrayamos cómo el RSD ya no se refiere sólo a la exención de responsabilidad en relación con contenido ilícito que pueda estar alojando, sino que la exención se extiende a "actividades ilícitas" medidas por los prestadores de servicios de intermediación en línea. De esta forma se admite implícitamente que los prestadores de servicios de alojamiento no sólo alojan datos, sino que dichos datos reflejan bienes y servicios que también pueden resultar potencialmente ilícitos.

Siempre en la misma línea, el Reglamento de Servicios Digitales confirma que los prestadores de servicios de alojamiento de datos no tienen una obligación general de supervisión de los datos que alojan o de activamente identificar contenidos ilícitos (art. 8). También se confirma en el artículo 7, cosa que no se explicitó en la Directiva sobre el comercio electrónico, que la intervención de buena fe para excluir contenido ilícito no genera responsabilidad al prestador del servicio de alojamiento de datos (regla del buen samaritano).

El RSD introduce tres excepciones a la regla general de exención de responsabilidad de los prestadores de servicios de intermediación en línea. Primero, la plataforma no se beneficia de la exención de responsabilidad establecido como regla general en el Reglamento cuando la plataforma presenta la información en un modo que lleva a un usuario medio a entender que la información, el producto o el servicio objeto de transacción es prestado por la plataforma (art. 6.3). Entendemos que este es un caso frecuente entre las plataformas más dinámicas, que intermedian de forma tan eficiente que el usuario final no percibe la existencia de terceros en la transacción.

Segundo, el RSD determina que la exención de responsabilidad no es de aplicación cuando el prestador de servicios subyacentes actúa bajo la autoridad o control de la plataforma que presta servicios de intermediación en línea (art. 6.3). Se incorpora así al RSD la jurisprudencia del TJUE sobre control del servicio subyacente a partir de la Sentencia en el Asunto Elite Taxi/Uber. En función de lo previsto en dicha jurisprudencia, existe control cuando la plataforma determina el precio del servicio subyacente, determina otras condiciones de contratación, o, finalmente, cuando el usuario final no puede determinar la identidad del prestador del servicio sólo la de la plataforma que intermedia.

Debe observarse que el RSD, si bien incorpora la referida jurisprudencia, lo hace en un ámbito bien preciso, que es el de la responsabilidad de la plataforma. No obstante, el hecho de que exista control sobre los prestadores de los servicios subyacentes no implica una modificación en la calificación jurídica del servicio de la plataforma. Dicho control no impide que el servicio sea calificado como un Servicio de la Sociedad de la Información, un servicio intermediario de alojamiento de datos y un servicio de intermediación digital.

Las consecuencias son de la máxima relevancia. Por una parte, en cuanto Servicio de la Sociedad de la Información, el servicio queda amparado por el régimen de la Directiva sobre el Comercio Electrónico en materia de libre prestación de servicios. Por otra parte, en cuanto servicio de plataforma en línea, y en cuando servicio de intermediación en línea, el servicio queda sujeto al prolijo régimen jurídico del Reglamento de Servicios Digitales, que describimos en el siguiente epígrafe, y en su caso, al Reglamento de Mercados Digitales[20].

Tercero, el Reglamento contempla que la plataforma no se beneficiará de la exención de responsabilidad cuando no se limite a al mero procesamiento técnico y automático de la información proporcionada por los prestadores de servicios subyacentes, sino que desarrolle un papel activo que le otorgue conocimiento o control sobre dicha información (párrafo 18). Aclarado previamente que la gestión automatizada no otorga dicho conocimiento, no queda más que concluir que la exención de responsabilidad decae cuando la plataforma gestione activamente el contenido más allá de la clasificación, búsqueda y recomendaciones automatizadas. Se abre así una cierta inseguridad sobre la interpretación de esta gestión activa.

---

[20]   Reglamento (UE) 2022/1925 del Parlamento Europeo y del Consejo de 14 de septiembre de2022 sobre mercados disputables y equitativos en el sector digital y por el que se modifican las Directivas (UE) 2019/1937 y (UE) 2020/1828 (Reglamento de Mercados Digitales, DOUE L 265/1, de 12.10.2022.

El régimen de responsabilidad de las plataformas digitales, y en concreto de los intermediarios en línea, responde al tradicional régimen de responsabilidad de los prestadores de servicios de mediación o corretaje. La regla general establecida jurisprudencialmente para el contrato de mediación, la exención de responsabilidad por los bienes y servicios cuya contratación es facilitada por el prestador de servicios de mediación.

El régimen detallado en el Reglamento presenta una particularidad frente al régimen tradicional de responsabilidad del prestador de servicio de mediación. Tradicionalmente la jurisprudencia española subrayaba la responsabilidad del intermediario que de acuerdo con la diligencia esperada de un comerciante debía ser conocedor de la existencia de un vicio o ilicitud en el bien o servicio mediado. Dado el carácter masivo de la información, bienes y servicios intermediados por las plataformas en línea, el RSD no incide tanto en el propio conocimiento que se esperaría por parte de la plataforma, cuanto de la reacción ante notificaciones por terceros de la existencia de contenido, bienes o servicios ilícitos.

En cualquier caso, entendemos que el régimen de responsabilidad de las plataformas en línea, y en particular de los prestadores de servicios de intermediación en línea, es el propio del servicio de mediación o corretaje, si bien adaptado a las concretas circunstancias de la intermediación en masa y automatizada que desarrollan las plataformas digitales.

3.3 Régimen jurídico

El RSD impone un copioso conjunto de obligaciones a los prestadores de servicios de intermediación en línea, obligaciones que conforman un completo régimen jurídico que pasamos primero a describir, y luego a valorar. En lo fundamental, este régimen jurídico tiene como objeto 1) garantizar una relación transparente entre la plataforma y los proveedores de bienes y servicios subyacentes; 2) delimitar en qué circunstancias las plataformas tienen conocimiento efectivo de la existencia de contenidos ilícitos; y 3) ordenar precisamente el núcleo duro de la actividad de las plataformas, esto es, la gestión automatizada de los contenidos, bienes y servicios.

Primero, el RSD impone al prestador de servicios de intermediación en línea la obligación de constatar la identidad del comerciante cuyos bienes y servicios pretende intermediar y a constatar también sus datos de contacto, sus datos de pagos, su inscripción en su caso en registros o el cumplimiento de obligaciones de autorización de la actividad y cumplimiento de la normativa sobre productos y servicios (art. 30).

De esta forma se impone al mediador un deber de diligencia en relación no sólo con la identidad del comerciante cuyos bienes o servicios son intermediados, sino también de la legalidad de sus servicios en forma de inscripción en registros, autorizaciones y obligaciones específicas en relación con los bienes y servicios. Esta obligación queda matizada por el hecho de que bastará una declaración responsable del comerciante para dar por acreditado el cumplimiento de obligaciones por el comerciante. El mediador queda obligado a realizar sus mejores esfuerzos para contrastar la información proporcionada por el comerciante, aunque no se le hace responsable de errores o información falsa proporcionada por el comerciante. Esta obligación no es de aplicación a las plataformas que sean pequeñas empresas.

Segundo, los prestadores de servicios de intermediación digital quedan obligados a trasladar a los usuarios finales la información proporcionada por los comerciantes, en concreto la identidad del comerciante, y en su caso su inscripción en registros de prestadores de servicios y la declaración de cumplimiento con las obligaciones que rigen la prestación del bien o servicio en cuestión (art. 32). Más allá, quedan obligados a diseñar el interfaz con los usuarios finales de modo que éstos tengan fácil acceso a la información sobre los comerciantes.

Tercero, los prestadores de servicios de intermediación en línea, cuando tengan conocimiento de que bienes o servicios ilícitos han sido comercializados a través de la plataforma en los seis meses anteriores al descubrimiento de este hecho, quedan obligados a comunicarlo a los usuarios que hayan adquirido los bienes o servicios, informando de la identidad del comerciante y de los medios para remediar su situación (art. 32).

Cuarto, un régimen especial es definido para las denominadas "plataformas de muy gran tamaño", que se definen como las que tienen más de 45 millones de usuarios activos mensuales en la Unión Europea y así son formalmente designadas por la Comisión Europea. Estas plataformas quedan obligadas a realizar un plan de riesgos que identifique potenciales riesgos, entre otros, la diseminación de contenido ilícito, impacto en los derechos de los usuarios, en sus derechos fundamentales, así como las concretas medidas para reducir dichos riesgos, por ejemplo, en relación con sus algoritmos de recomendación (arts. 34 y 35). Quedan también obligados a diseñar mecanismos de respuesta en caso de crisis, para atender con celeridad a eventos de gran impacto siguiendo las instrucciones de las autoridades públicas (art. 36). Quedan obligados a realizar una auditoria anual sobre el cumplimiento de estas obligaciones (art. 37). Estas plataformas deben facilitar el acceso a las autoridades públicas a la gestión de sus datos (art. 40). Finalmente, deben nombrar un responsable de cumplimiento de obligaciones, independiente de los departamentos operativos de la empresa, que supervise internamente el cumplimiento del régimen establecido en el RSD.

Quinto, especialmente interesante es una obligación ulterior que se impone a las plataformas muy grandes en relación con los sistemas de recomendación. Estas plataformas no sólo deben informar transparentemente sobre los criterios de recomendación que utilicen sus algoritmos, indicando claramente la posibilidad de elegir criterios si esta opción está disponible, obligaciones aplicables a la generalidad de las plataformas (art. 27). Además, quedan obligadas a proporcionar una opción a los usuarios finales que no se base en el perfil del usuario (art. 38), tal y como se define el Reglamento 2016/679: "toda forma de tratamiento automatizado de datos personales consistente en utilizar datos personales para evaluar determinados aspectos personales de una persona física, en particular para analizar o predecir aspectos relativos al rendimiento profesional, situación económica, salud, preferencias personales, intereses, fiabilidad, comportamiento, ubicación o movimientos de dicha persona física"[21].

Esta obligación es un ulterior reconocimiento de que se califica como plataforma en línea, y por lo tanto como servicio de alojamiento de datos y servicio intermediario, un Servicio de la Sociedad de la Información que activamente gestiona los datos alojados, que supera la mera posición pasiva de alojar y difundir los datos.

No creemos que esta evolución resulte incoherente o errónea. Por el contrario, la norma responde a la evolución del mercado en los últimos quince años, reconoce el papel activo de las plataformas y no por ello modifica la calificación jurídica del servicio, ni siquiera el principio general de limitación de la responsabilidad. Pero este principio general queda matizado por un completo régimen jurídico que claramente incrementa las obligaciones y responsabilidad de las plataformas. Es este incremento de

---

[21]   Artículo 4 del Reglamento (UE) 2016/679 del Parlamento Europeo y del Consejo, de 27 de abril de 2016, relativo a la protección de las personas físicas en lo que respecta al tratamiento de datos personales y a la libre circulación de estos datos y por el que se deroga la Directiva 95/46/CE (Reglamento general de protección de datos), DOUE L 119/1, de 4.5.2016.

obligaciones, y en caso de incumplimiento, de la responsabilidad de las plataformas, lo que permite mantener la regla general de limitación de responsabilidad sin renunciar a la protección de los usuarios finales.

El RSD ha buscado un punto medio[22]. Podía haber mantenido el régimen de escasas obligaciones y limitación de responsabilidad de la Directiva de Comercio Electrónico, o podría haber superado la clasificación de las plataformas como meros prestadores de servicios intermediarios de alojamiento de datos, con escasas obligaciones y responsabilidad, y hacerles titulares de a prestación del servicio subyacente. Por el contrario, la opción ha sido mantener la calificación como servicio de alojamiento de datos, pero incrementado sustancialmente las obligaciones y responsabilidad, centrando la intervención precisamente en los efectos de la automatización de los servicios de mediación: los algoritmos de recomendación y la elaboración de perfiles.

En cualquier caso, el análisis del régimen jurídico establecido en el RSD permite concluir que la naturaleza jurídica del servicio de intermediación en línea es la de una subespecie del contrato mercantil de mediación o corretaje. En efecto, a través de este servicio la plataforma se encarga de facilitar a sus usuarios el acceso, mediante sistemas de alojamiento de datos y su tratamiento con difusión al público (*display*), de información pertinente en relación con las transacciones sobre un producto o servicio con el fin último de facilitar el contacto entre usuarios y, por tanto, a la conclusión del contrato sin que, en último término y salvo pacto en contrario, asuma o intervenga en la conclusión o ejecución del contrato subyacente. Así había sido ya identificado en algunos de nuestros trabajos[23], y no cabe concluir más que el nuevo RSD así lo confirma, pasando a tratarse de un contrato típico.

---

[22] La necesidad de identificar un punto medio había sido plateada en TOBÍO RIVAS, A. M., *Las plataformas electrónicas de transporte terrestre de personas y su configuración jurídica*, Reus, Madrid, 2021, y por nosotros en MONTERO PASCUAL, J. J., *La regulación de las nuevas industrias en red. Plataformas digitales en las comunicaciones, transportes y energía*, Tirant lo Blanch, Valencia, 2021, donde calificamos a la plataformas como "superintermediarios".

[23] V. RODRÍGUEZ MARTÍNEZ, I., "El servicio de mediación electrónica ….". *cit.*, (págs. 125-168), 131-135; y "El servicio de mediación electrónica y las plataformas de economía colaborativa", en *Revista de Derecho Mercantil*, 2017, núm. 305, págs. 181-216.

4. CONCLUSIÓN: EL NUEVO CONTRATO TÍPICO DE INTERMEDIACIÓN EN LÍNEA

Nuestra conclusión es que, tras una larga maduración, la Unión Europea ha adoptado un nuevo régimen jurídico que tipifica el contrato de intermediación en línea como una subespecie de mediación o corretaje en el Derecho español, esto es, la prestación del servicio de mediación o corretaje cuando se presta a distancia por medios electrónicos entre un comerciante y un consumidor.

El Reglamento de Servicios Digitales establece un régimen jurídico completo, directamente aplicable en los Estados miembros de la Unión. Señalamos que el régimen jurídico parte de la Directiva sobre el Comercio Electrónico, respetando la categoría de los Servicios de la Sociedad de la Información y de los servicios intermediarios, y en concreto la categoría de servicios de alojamiento de datos.

La nueva norma confirma que la gestión activa de los datos, en forma de clasificación, búsqueda e incluso recomendación automatizada mediante el uso de algoritmos no modifica la naturaleza del servicio. Es más, ni siquiera excepciona la exención de responsabilidad del prestador del servicio de intermediación digital.

Los prestadores de servicios de intermediación en línea están exentos de responsabilidad en cuanto no conozcan de forma efectiva la ilicitud del contenido, bien o servicio. La nueva norma ordena con detalle el momento en que ha de entenderse que la plataforma es efectivamente conocedora de la ilicitud de los contenidos que aloja.

Partiendo de esta base, la norma crea un régimen jurídico nuevo, sustancialmente más detallado que el jurisprudencialmente desarrollado en los últimos años, que establece obligaciones concretas para los prestadores del servicio de intermediación en línea, obligaciones especialmente intensas para las plataformas de muy gran tamaño, con más de 45 millones de usuarios medios mensuales en la Unión Europea.

El nuevo régimen jurídico entronca perfectamente con el tradicional contrato de mediación o corretaje, contrato atípico perfectamente definido en la jurisprudencia española. El nuevo régimen jurídico contiene la obligación esencial del contrato de mediación: prestación contra el pago de un precio de un servicio para facilitar la contratación de bienes y servicios entre terceros. La legislación de la Unión Europea recoge de forma casi literal la tradicional definición jurisprudencial del contrato de mediación: son servicios de intermediación en línea "los servicios que [...]

permiten a los usuarios profesionales ofrecer bienes o servicios a los consumidores, con el objetivo de facilitar el inicio de transacciones directas entre dichos usuarios profesionales y consumidores, con independencia de dónde aquellas concluyan en última instancia".

El régimen de responsabilidad establecido en el RSD para el prestador de un servicio intermediación en línea es el propio de un mediador. Se excluye como principio general la responsabilidad del mediador por el bien o servicio subyacente, responsabilidad que corresponde al prestador del mismo en el contrato principal. La especificidad del nuevo régimen es que la limitada responsabilidad del mediador en línea no deriva del conocimiento del vicio que pudiese derivar de la diligencia de un buen comerciante, sino del efectivo conocimiento de la existencia de un vicio de ilicitud del contenido, bien o servicio. Se reconoce así la especificidad derivada de la gestión en masa y automatizada de grandes volúmenes de contenidos, bienes y servicios. No se exige a las plataformas que identifiquen contenidos ilícitos, pero sí que actúen con celeridad cuando son advertidos de la existencia de dichos contenidos, incentivando políticas de buena gestión de los contenidos, bienes y servicios por las propias plataformas, sin que este control devenga en responsabilidad.

Finalmente, El RSD impone una serie de obligaciones para el prestador del servicio de mediación en línea. Estas obligaciones plenamente compatibles con las obligaciones propias del prestador de un servicio de mediación inciden en los rasgos distintivos de la intermediación digital, y en particular en la gestión en masa de grandes volúmenes de comerciantes y usuarios finales, y la automatización de la gestión de las plataformas mediante algoritmos de recomendación y la creación de perfiles.

Concluimos que el Reglamento de Servicios Digitales ha creado un nuevo régimen jurídico para el contrato de mediación cuando el servicio se presta a distancia por vía electrónica.

5. REFERENCIAS BIBLIOGRÁFICAS

ÁLVAREZ MORENO, Mª T., *La contratación electrónica mediante plataformas en línea: modelo negocial (B2C), régimen jurídico y protección de los contratantes (proveedores y consumidores)*, ed. Reus, Madrid, 2021.

BOBOC, S., *Las plataformas en línea y el transporte discrecional de viajeros por carretera*, Marcial Pons, Madrid, 2021.

BOBOC, S., "Uber: ¿transportista o intermediaria en el transporte? El caso español", *Revista de Estudios Europeos*, 2017, núm. 70, págs. 7-26.

LÓPEZ SÁNCHEZ, C., "Las plataformas digitales vinculadas a la economía colaborativa: de la simple intermediación a la prestación del servicios subyacente", *Revista de Derecho Privado*, 2019, núm. 6, págs. 79-116.

MONTERO PASCUAL, J. J., "El régimen jurídico de las plataformas colaborativas", en AAVV (MONTERO PASCUAL, JJ, Dir.), *La regulación de la economía colaborativa*, ed. Tirant lo Blanch, 2017, págs. 87-124.

MONTERO PASCUAL, J. J, *La regulación de las nuevas industrias en red. Plataformas digitales en las comunicaciones, transportes y energía*, Tirant lo Blanch, Valencia, 2021.

OLMEDO PERALTA, E., "Liberalizar el transporte urbano de pasajeros para permitir la competencia más allá de taxis y VTC: una cuestión de política de la competencia", *Revista de Estudios Europeos*, 2017, núm. 70, págs. 250-283.

RODRÍGUEZ MARTÍNEZ, I., "El servicio de mediación electrónica y las plataformas de economía colaborativa", en *Revista de Derecho Mercantil*, núm. 305, 2017, págs. 181-216.

RODRÍGUEZ MARTÍNEZ, I., "El servicio de mediación electrónica y las obligaciones de las plataformas de economía colaborativa", en AAVV (MONTERO PASCUAL, JJ, Dir.), *La regulación de la economía colaborativa*, ed. Tirant lo Blanch, 2017, págs. 125-168.

TOBÍO RIVAS, A. Mª. *Las plataformas electrónicas de transporte terrestre de personas y su configuración jurídica*, ed. Reus, Madrid, 2021, págs. 11-16.

Geopolítica y transferencias internacionales de datos en el contexto de la guerra de Ucrania

ALEJANDRO PADÍN VIDAL

Socio de Garrigues, Responsable del Área de Economía del Dato, Privacidad y Ciberseguridad

SUMARIO: 1. INTRODUCCIÓN. 1.1 Distintos enfoques de los datos personales. 1.2 Unión Europea. 1.3 Estados Unidos. 1.4 China. 2. CONTEXTO GEOPOLÍTICO. LOCALIZACIÓN Y SOBERANÍA SOBRE LOS DATOS. 2.1 Aproximación a la situación. 2.2 Territorialidad y localización de datos. 2.3 Soberanía en materia de protección de datos. 3. CUESTIONES CLAVE EN RELACIÓN CON LA REGULACIÓN DE LOS DATOS PERSONALES Y LAS TENSIONES GEOPOLÍTICAS. 3.1 Opciones de política legislativa, ordenación política y social. 3.2 Cuestiones relevantes en conflictos internacionales. 4. CONCLUSIÓN. 5. REFERENCIAS BIBLIOGRÁFICAS.

1. INTRODUCCIÓN

1.1 Distintos enfoques de los datos personales

El dato personal puede ser categorizado de diversas formas según el enfoque jurídico. En algunas jurisdicciones se acepta la configuración del dato personal como poseedor de varias de esas cualidades o categorías, mientras que en otras se percibe el dato personal de una forma más limitada. A continuación amplío esta exposición general con más detalle.

1.2 Unión Europea

En la Unión Europea, por ejemplo, el dato personal se configura como un derecho fundamental de todas las personas que se encuentren en la Unión Europea, pero también como un activo con valor comercial y económico y, por último, como un bien social. Así se desprende del contenido, entre otros, de los Expositivos 1, 4 y 13 del Reglamento General de Protección de Datos de la Unión Europea ("RGPD")[1]:

---

[1]   REGLAMENTO (UE) 2016/679 DEL PARLAMENTO EUROPEO Y DEL CONSEJO de 27 de abril de 2016 relativo a la protección de las personas físicas en lo que

Considerando 1: *"La protección de las personas físicas en relación con el tratamiento de datos personales es un derecho fundamental. (…)"*

Considerando 4: *"El tratamiento de datos personales debe estar concebido para servir a la humanidad. El derecho a la protección de los datos personales no es un derecho absoluto sino que debe considerarse en relación con su función en la sociedad y mantener el equilibrio con otros derechos fundamentales, con arreglo al principio de proporcionalidad. El presente Reglamento respeta todos los derechos fundamentales y observa las libertades y los principios reconocidos en la Carta conforme se consagran en los Tratados, en particular el respeto de la vida privada y familiar, del domicilio y de las comunicaciones, la protección de los datos de carácter personal, la libertad de pensamiento, de conciencia y de religión, la libertad de expresión y de información, la libertad de empresa, el derecho a la tutela judicial efectiva y a un juicio justo, y la diversidad cultural, religiosa y lingüística."*

Considerando 13: *"(…) El buen funcionamiento del mercado interior exige que la libre circulación de los datos personales en la Unión no sea restringida ni prohibida por motivos relacionados con la protección de las personas físicas en lo que respecta al tratamiento de datos personales."*

Vemos, por tanto, cómo en la Unión Europea el dato personal puede tener esas distintas configuraciones y la normativa que regula este ámbito está orientada a proteger todas ellas.

1.3 Estados Unidos

Si viajamos a los Estados Unidos de América ("EEUU"), sin embargo, el enfoque ya es algo diferente. En aquel país, el dato personal es un derecho de los ciudadanos americanos en tanto que consumidores. Por tanto, no se reconoce a todos los habitantes del país, sino solo a los que tienen la ciudadanía y, además, el hecho de equipararse el derecho al resto de los que tienen los consumidores, está sometido a negociación y uso comercial sometido a los requisitos de información y transparencia fundamentalmente. No existe una ley federal que proteja los derechos de los ciudadanos en relación con el tratamiento de datos personales de forma específica.

En algunos estados de EEUU se comienzan a publicar leyes estatales con vigencia en el territorio del estado correspondiente, que tratan de reforzar los derechos de los ciudadanos en relación con el tratamiento de datos per-

---

respecta al tratamiento de datos personales y a la libre circulación de estos datos y por el que se deroga la Directiva 95/46/CE (Reglamento general de protección de datos).

sonales. La primera de ellas fue la California Consumer Privacy Act del año 2018[2], que imponía a las empresas que tratan datos la obligación de incluir en todos los formularios de recogida de datos una casilla para que el usuario pueda elegir que sus datos no se vendan posteriormente ("do not sell").

Adicionalmente a todo ello, lo que sí existe en EEUU es normativa federal de seguridad nacional que permite que el gobierno federal y sus agencias de seguridad puedan acceder a la información personal en determinados casos y, en particular, cuando esa información personal se refiera a personas que no tengan la nacionalidad estadounidense. Normativa como la FISA ("Foreign Intelligence Surveillance Act" o "Ley de Vigilancia en Inteligencia Exterior") otorgan amplísimas facultades a las agencias de seguridad nacional para intervenir y acceder a información personal de no ciudadanos estadounidenses que se encuentren fuera del territorio de los EEUU cuando existan sospechas de que la información puede ayudar en la investigación o prevención de actos de terrorismo, contra la seguridad nacional o contra los intereses nacionales de los EEUU en el mundo.

1.4 China

Por su parte, en otras zonas geográficas como China tienen un enfoque de la protección de datos orientada al poder público como criterio fundamental. La ley de protección de datos de China, en vigor desde noviembre de 2021[3], si bien protege a los interesados como titulares de derechos sobre sus datos, incluye una supervisión absoluta y un régimen de preponderancia de las instituciones públicas por encima de la norma de protección de datos.

---

[2] La referencia completa de esta Ley es la siguiente:
CIVIL CODE - CIV
DIVISION 3. OBLIGATIONS [1427-3273.16] *(Heading of Division 3 amended by Stats. 1988, Ch. 160, Sec. 14.)*
PART 4. OBLIGATIONS ARISING FROM PARTICULAR TRANSACTIONS [1738-3273.16] *(Part 4 enacted 1872.)*
TITLE 1.81.5. California Consumer Privacy Act of 2018 [1798.100-1798.199.100] *(Title 1.81.5 added by Stats. 2018, Ch. 55, Sec. 3.)*

[3] Ley de Protección de Información Personal de la República Popular China (aprobada en la 30ª reunión del Comité Permanente de la 13.ª Asamblea Popular Nacional el 20 de agosto de 2021).

2. CONTEXTO GEOPOLÍTICO. LOCALIZACIÓN
Y SOBERANÍA SOBRE LOS DATOS

2.1 Aproximación a la situación

Acabamos de dibujar de forma general los principales enfoques en materia de regulación de protección de datos en diferentes regiones del mundo. Casi todos los países que han regulado la materia se encuentran dentro de, o se aproximan a, uno de los tres grupos.

Esa distribución de enfoques regulatorios de la protección de los datos personales tiene mucha relevancia en relación con las dinámicas existentes en los bloques a nivel geopolítico en el mundo, que están en pleno proceso de recolocación desde el primer trimestre del año 2022. Aunque es difícil saber cuál será la foto final, en el momento actual de tensión no cabe duda de que uno de los campos de batalla se está desarrollando en el mundo cibernético y en el ámbito de la utilización de la información.

En este sentido, los bloques en donde la información, incluyendo la información personal, está o se puede poner al servicio del estado, llevan cierta ventaja sobre aquellos otros países o regiones donde la información personal es, sobre todo, un derecho fundamental, aunque pueda tener un componente de utilidad social en determinados casos.

2.2 Territorialidad y localización de datos

En relación con esta cuestión también es importante entender el concepto de territorialidad o localización sobre los datos personales. En mayor o menor medida, todos los enfoques descritos anteriormente tienen un régimen de localización de datos o territorialidad, en el sentido de que pueden limitar, o incluso impedir, la exportación de datos personales fuera de las fronteras del territorio de que se trate.

Así, en normativas como la citada ley de protección de datos de China, por ejemplo, la información personal tratada por las administraciones públicas de cualquier nivel tiene que estar alojada necesaria y exclusivamente en territorio de China (artículo 36: "*La información personal manejada por órganos estatales se almacenará dentro del territorio de la República Popular China, si es realmente necesario proporcionarla en el extranjero, se realizará una evaluación de seguridad. Las evaluaciones de seguridad pueden requerir el apoyo y la asistencia de los departamentos pertinentes*". Por "departamentos pertinentes" se hace referencia a los organismos estatales encargados de la supervisión en materia de información y datos personales).

Pero, como decíamos, ese esquema de territorialidad es común a todos los enfoques regulatorios en mayor o menor medida. Se considera que esta materia tiene gran relevancia y afecta al fondo de la protección, ya que cada jurisdicción quiere asegurarse que los datos personales estén exactamente igual de protegidos fuera del territorio que dentro del mismo. Por ejemplo, en el caso del RGPD europeo existe toda una sección (Capítulo V, artículos 44 al 50) dedicada a las transferencias internacionales de datos hacia fuera de la Unión Europea y, aunque pueda resultar sorprendente, el régimen de partida es de prohibición de las transferencias de datos personales hacia fuera del territorio de la Unión (artículo 44 del RGPD: *"Solo se realizarán transferencias de datos personales que sean objeto de tratamiento o vayan a serlo tras su transferencia a un tercer país u organización internacional si, a reserva de las demás disposiciones del presente Reglamento, el responsable y el encargado del tratamiento cumplen las condiciones establecidas en el presente capítulo (…)"*). Posteriormente, el RGPD establece las condiciones específicas y los requisitos que se deben cumplir para poder transferir datos. Adicionalmente a la regulación del RGPD, el Tribunal de Justicia de la Unión Europea ("TJUE") ha reforzado los requisitos para alguno de los mecanismos de transferencia, en especial en las sentencias conocidas como Schrems I[4] (que anuló el esquema de transferencias de datos a EEUU denominado "Safe Harbour") y Schrems II[5] (que anuló el esquema de transferencias de datos a EEUU denominado "Privacy Shield").

Aunque de forma excepcional, en el caso español existen también algunos ejemplos específicos de sistema de territorialidad o limitación a la exportación de datos personales, como es el caso del Real Decreto-ley 14/2019, de 31 de octubre, por el que se adoptan medidas urgentes por razones de seguridad pública en materia de administración digital, contratación del sector público y telecomunicaciones. Este Real Decreto-ley introdujo modificaciones en diversas normas para incluir esquemas de localización de datos.

Una de las normas modificadas es la Ley 39/2015, del Procedimiento Administrativo de las Administraciones Públicas, que incluye un nuevo apartado 3 en su artículo 9, en relación con los sistemas de identificación

---

4   Sentencia del TJUE (Gran Sala) de 6 de octubre de 2015, asunto C-362/14.
5   Sentencia del TJUE (Gran Sala) de 16 de julio de 2020, asunto C-311/18.

electrónica y sobre los cuales *"se establece la obligatoriedad de que los recursos técnicos necesarios para la recogida, almacenamiento, tratamiento y gestión de dichos sistemas se encuentren situados en territorio de la Unión Europea, y en caso de tratarse de categorías especiales de datos a los que se refiere el artículo 9 del Reglamento (UE) 2016/679, del Parlamento Europeo y del Consejo, de 27 de abril de 2016, relativo a la protección de las personas físicas en lo que respecta al tratamiento de datos personales y a la libre circulación de estos datos y por el que se deroga la Directiva 95/46/CE, en territorio español. En cualquier caso, los datos se encontrarán disponibles para su acceso por parte de las autoridades judiciales y administrativas competentes."*. Este es el régimen más estricto de localización de datos que existe en el ordenamiento jurídico español actualmente.

El citado Real Decreto-ley también introdujo un nuevo artículo 46 bis en la Ley 40/2015 de Régimen Jurídico del Sector Público, cuyo primer párrafo establece que *"Los sistemas de información y comunicaciones para la recogida, almacenamiento, procesamiento y gestión del censo electoral, los padrones municipales de habitantes y otros registros de población, datos fiscales relacionados con tributos propios o cedidos y datos de los usuarios del sistema nacional de salud, así como los correspondientes tratamientos de datos personales, deberán ubicarse y prestarse dentro del territorio de la Unión Europea"*.

Por ver otros casos en que las normas de territorialidad de los datos tuvieron consecuencias concretas, en el año 2014 en la Federación de Rusia se dictaron normas de localización de datos según las cuales las empresas explotadoras de redes sociales tenían que alojar los datos de sus clientes rusos dentro del territorio de Rusia. Empresas como Linkedin decidieron no hacerlo, y fueron sancionadas con el bloqueo de sus servicios dentro del país. Es por ello que Linkedin no funciona en Rusia desde el año 2015, cuando se ejecutó la orden de bloqueo (es cierto que, en la práctica, todavía muchos ciudadanos rusos acceden a la red mediante la utilización de redes privadas virtuales o VPNs, pero resulta mucho más complejo).

Estamos, como podemos ver y aunque pueda resultar sorprendente, ante una cuestión que es común en cualquiera de los esquemas regulatorios analizados. Sin embargo, como hemos adelantado, los esquemas más intensivos en localización podrían estar mejor preparados para situaciones de fricción geopolítica.

2.3 Soberanía en materia de protección de datos

El último elemento importante para entender el argumento que pretendo compartir es el de soberanía en materia de protección de datos que, a diferencia del concepto de territorialidad, se refiere al alcance de una normativa nacional con respecto a los datos personales y a la extensión de ese alcance.

Por ejemplo, el RGPD de la Unión Europea establece la soberanía del derecho de la Unión a todos los tratamientos que se realicen de datos personales que correspondan a personas físicas que están en la Unión Europea, aunque el responsable del tratamiento (entidad que decide sobre los fines y los medios del tratamiento) se encuentre ubicado fuera del territorio de la Unión. Es decir, se establece una aplicación extraterritorial del RGPD, demostrando una intención expansiva de la soberanía europea sobre los tratamientos de datos.

De un modo similar, aunque quizá más agresivo, podemos reiterar el ejemplo de las normas FISA de EEUU citadas anteriormente, que permiten a las agencias de seguridad de aquel país acceder a datos personales de personas que no sean ciudadanos de los EEUU y se encuentren fuera del territorio estadounidense, cuando ese acceso pueda resultar útil para finalidades relacionadas con la seguridad nacional, la lucha contra el terrorismo o la política internacional de aquel país. En esos casos, ese acceso puede realizarse sin necesidad de que el interesado otorgue su consentimiento o sea informado de tales tratamientos de datos.

3. CUESTIONES CLAVE EN RELACIÓN CON LA REGULACIÓN DE LOS DATOS PERSONALES Y LAS TENSIONES GEOPOLÍTICAS

3.1 *Opciones de política legislativa, ordenación política y social*

¿A qué nos lleva todo lo aquí analizado en un contexto geopolítico como el que vivimos actualmente? Pues, como resulta fácil intuir, aquellos países que tienen una normativa con una territorialidad rigurosa y una soberanía sobre los datos amplia, están mejor preparadas para defender sus activos de datos y poder acceder a información relevante y valiosa sobre sus ciudadanos y los ciudadanos extranjeros. Actualmente, los servicios de inteligencia de la mayoría de los países cuentan con unidades de analítica de datos que utilizan para extraer esa información relevante de internet, redes sociales y otra información accesible por medios tecnológicos.

Por el contrario y paradójicamente, aquellos países con una mayor libertad de actuación, normas de territorialidad más flexibles y regímenes de soberanía de datos menos expansivos, están más expuestos al espionaje extranjero y peor preparados para librar la batalla de la información a nivel global.

Esta conclusión inmediata nos debe poner ante el espejo de las consecuencias que tiene la selección de cada uno de los esquemas regulatorios de la información y de los datos. Como sociedad responsable, debemos conocer las implicaciones de nuestro ordenamiento jurídico y del tipo de régimen político y social que nos hemos dado y queremos conservar. No quiere ello decir que debamos cambiarlo, puesto que el sistema que tenemos es el resultado de lo que somos, pero sí debemos conocerlo para no ser sorprendidos por interpretaciones erróneas de lo que tenemos como sociedad o por desconocimiento.

A estos efectos y con una visión de principios fundamentales europeístas, nos podemos hacer la siguiente preguntas: ¿preferimos una sociedad y un régimen político que sea más fuerte en un entorno geopolítico tensionado como el actual, aunque ello implique hacer dejación de la defensa de los derechos fundamentales y las libertades públicas que existen en nuestras constituciones o, por el contrario, optamos por un régimen político y una sociedad más protectora de los derechos fundamentales y las libertades públicas, aunque ello nos ponga en una situación de mayor debilidad en situaciones de enfrentamientos de bloques?

Otra pregunta que también nos puede ayudar a tomar una decisión formada: ¿Preferimos una sociedad y un sistema político en el que permitimos que el estado de forma opaca e injustificada tenga preponderancia sobre los derechos individuales con el objetivo de mejorar el bien común o, por el contrario, nos sentimos representados por un sistema político y social en el que los derechos del individuo prevalecen sobre los del estado, salvo en casos justificados e individualmente considerados?

Estas preguntas y disyuntivas nos pueden recordar un poco al ya tradicional debate entre seguridad y libertad, pero se añaden en esta ocasión otros elementos como el concepto de jurisdicción, la autodeterminación personal sobre los datos, el uso de la tecnología para fines opacos o la dificultad de elegir si desconocemos todos los elementos de la ecuación (en efecto, nuestra decisión va a estar fuertemente impactada por el desconocimiento de la realidad en relación con elementos tan básicos como quién tiene nuestros datos personales, para qué los utiliza, de dónde los obtiene, qué valor extraen de ellos, etc.).

3.2 Cuestiones relevantes en conflictos internacionales

Una de las cuestiones que menos desapercibidas pasan en situaciones como las que vivimos, pero también ocurren y no deberían ser obviadas en tiempos de paz relativa, es la existencia permanente de ataques cibernéticos que tienen por objetivo el acceso por parte de gobiernos extranjeros a la información y los datos, tanto personales como no personales, ubicados en otro país.

Dejando al margen los ataques cibernéticos a infraestructuras críticas o servicios esenciales, que pueden tener por finalidad la causación de daños directos a esos objetivos, los ataques relacionados con la información y los datos tiene por finalidad la adquisición de inteligencia, el espionaje y el contraespionaje. La tecnología existente actualmente para el almacenamiento, la transmisión y la realización de analítica de datos permite que, con bases de datos seleccionadas adquiridas en masa, se pueda extraer información extremadamente valiosa en muy poco tiempo. Así, operaciones de adquisición de información en volúmenes como los que se pueden obtener actualmente habrían sido absolutamente imposibles, igual que lo habría sido la ejecución de búsquedas o analítica sobre esa información. Todo ello gracias al incremento exponencial de la capacidad de almacenamiento de datos, la transmisión de datos y la analítica de datos que se ha venido produciendo de forma constante durante los últimos diez a quince años.

Para cerrar el círculo, pensemos en la gran facilidad existente para acceder a información objetivo si esa información está almacenada dentro del territorio del país que quiere analizarla, o dentro del ámbito de responsabilidad de las empresas que tienen su domicilio dentro del país que quiere adquirir y analizar la información (aunque esté físicamente almacenada fuera de ese territorio).

4. CONCLUSIÓN

Podemos finalizar con una conclusión que resulta de todo lo expuesto hasta aquí: la forma en que un país, un estado o un territorio organiza la regulación de los datos personales en materia de territorialidad y soberanía tiene mucha relevancia en relación con la posición geopolítica de aquel país, estado o territorio. La selección del sistema político y social relacionada con esa regulación es clave en materia de conflicto y guerra cibernética. Sin embargo, existen elementos que están por encima de los objetivos geopolíticos, existiendo territorios que siguen manteniendo la preponderancia de los derechos fundamentales y las libertades públicas por encima de los intereses del estado.

5. REFERENCIAS BIBLIOGRÁFICAS

REGLAMENTO (UE) 2016/679 DEL PARLAMENTO EUROPEO Y DEL CONSEJO de 27 de abril de 2016 relativo a la protección de las personas físicas en lo que respecta al tratamiento de datos personales y a la libre circulación de estos datos y por el que se deroga la Directiva 95/46/CE (Reglamento general de protección de datos).

Ley de Protección de Información Personal de la República Popular China (aprobada en la 30ª reunión del Comité Permanente de la 13.ª Asamblea Popular Nacional el 20 de agosto de 2021).

Sentencia del TJUE (Gran Sala) de 6 de octubre de 2015, asunto C-362/14.

Sentencia del TJUE (Gran Sala) de 16 de julio de 2020, asunto C-311/18.

La futura decisión de adecuación en protección de datos de los Estados Unidos (relevancia de la orden ejecutiva del Presidente de los Estados Unidos)

MIGUEL RECIO GAYO

Asociado del área de TMC (Tecnología, Medios y Comunicaciones Electrónicas) de CMS Albiñana & Suárez de Lezo

1. INTRODUCCIÓN

Hace más de dos décadas la Comisión Europea y los Estados Unidos alcanzaron un acuerdo sobre el Acuerdo de Puerto Seguro (en inglés *Safe Harbour Agreement*)[1] que cristalizó en la primera decisión de adecuación, aunque no sobre un tercer país[2].

Desde julio de 2000, fecha en la que se adoptó la Decisión 2000/520/CE[3], se han producido varios eventos relevantes que han dado lugar a la

---

[1]   Sobre el Acuerdo de Puerto Seguro, véase Álvarez Caro, M. y Recio Gayo, M. (2015), Hacia un acuerdo Safe Harbour renovado para la transferencia internacional de datos entre EE.UU. y la UE, Papeles de Derecho Europeo e Integración Regional, WP IDEIR nº 25. Consultado en https://www.ucm.es/data/cont/docs/595-2015-06-15-Binder218.pdf

[2]   La primera decisión de adecuación en materia de protección de datos sobre un tercer país fue la de Suiza.

[3]   Decisión 2000/520/CE de la Comisión, de 26 de julio de 2000, con arreglo a la Directiva 95/46/CE del Parlamento Europeo y del Consejo, sobre la adecuación de la protección conferida por los principios de puerto seguro para la protección de la vida privada y las correspondientes preguntas más frecuentes, publicadas

situación actual, en la que la Unión Europea y los Estados Unidos siguen avanzando hacia un nuevo acuerdo que dé lugar a la tercera decisión de adecuación. Dos eventos relevantes han sido las sentencias del Tribunal de Justicia de la Unión Europea (en adelante TJUE) por las que se anularon, respectivamente[4], las decisiones de adecuación sobre el Acuerdo de Puerto Seguro y sobre el Escudo de Privacidad (en inglés *Privacy Shield*)[5].

En relación con la última sentencia del TJUE, la Agencia Española de Protección de Datos afirmó que sus "implicaciones marcan un nuevo punto de inflexión sobre la forma en la que se realizan las transferencias internacionales de datos a EEUU, establece, a su vez, la validez de las cláusulas contractuales estándar adoptadas por la Comisión Europea para realizar transferencias internacionales de datos entre un responsable establecido en la Unión Europea y un encargado del tratamiento fuera de la UE"[6].

El futuro de las transferencias internacionales de datos en virtud de una decisión de adecuación dependerá de las garantías que se hayan previsto en esta. Pero es necesario tener en cuenta que estas garantías serán también una referencia para tener en cuenta en el caso de otros instrumentos

---

por el Departamento de Comercio de Estados Unidos de América [notificada con el número C(2000) 2441]. Publicada en el Diario Oficial de la Unión Europea L 215, de 25 de agosto de 2000. Consultada en https://eur-lex.europa.eu/legal-content/ES/TXT/?uri=CELEX%3A32000D0520&qid=1673085752410

[4] Se trata de la sentencia del Tribunal de Justicia (Gran Sala), de 6 de octubre de 2015, asunto C-362/14, caso Schrems, consultada en https://curia.europa.eu/juris/documents.jsf?num=C-362/14. Y de la sentencia del Tribunal de Justicia (Gran Sala), de 16 de julio de 2020, asunto C-311/18, caso Facebook Ireland y Schrems, consultada en https://curia.europa.eu/juris/documents.jsf?num=C-311/18

[5] Decisión de Ejecución (UE) 2016/1250 de la Comisión, de 12 de julio de 2016, con arreglo a la Directiva 95/46/CE del Parlamento Europeo y del Consejo, sobre la adecuación de la protección conferida por el Escudo de la privacidad UE-EE. UU. [notificada con el número C(2016) 4176]. Publicada en el Diario Oficial de la Unión Europea L 207, de 1 de agosto de 2016. Consultada en https://eur-lex.europa.eu/legal-content/ES/TXT/?uri=CELEX%3A32016D1250&qid=1673088980542

[6] Agencia Española de Protección de Datos, El Tribunal de Justicia de la Unión Europea declara inválido el Escudo de Privacidad para la realización de transferencias internacionales de datos a EEUU, Garantías para las transferencias de datos personales a terceros países u organizaciones internacionales, 9 de junio de 2021. Consultado en https://www.aepd.es/es/derechos-y-deberes/cumple-tus-deberes/medidas-de-cumplimiento/transferencias-internacionales/comunicado-privacy-shield#:~:text=El%2016%20de%20julio%20de,internacionales%20de%20datos%20a%20EEUU.

para las transferencias internacionales y para terceros países, ya que en el caso de Estados Unidos es necesario insistir que se limita a las empresas estadounidenses que se adhieran al futuro Marco de Privacidad de Datos UE-EE.UU. (en inglés *EU-US Data Privacy Framework*)[7] y no a Estados Unidos como tercer país fuera del Espacio Económico Europeo (EEE)[8].

El objeto de este capítulo es analizar qué es una decisión adecuación en el ámbito del Reglamento General de Protección de Datos (RGPD)[9], algunas cuestiones relevantes de la Orden Ejecutiva del Presidente de los EE.UU., que fue publicada el 7 de octubre de 2022, así como del borrador de decisión de adecuación sobre el Marco de Privacidad de Datos UE-EE.UU.

2. ¿QUÉ ES UNA DECISIÓN DE ADECUACIÓN?

En Derecho de la Unión Europea, una decisión de adecuación es un acto jurídico dirigido, en este caso, por la Comisión Europea, en el ejercicio de su función ejecutiva, a los Estados miembros.

Y "una decisión de este tipo puede exigir a un Estado miembro, a una empresa o a un ciudadano de la Unión una acción u omisión, conferirles derechos o imponerles obligaciones. Esto equivale exactamente a la situación prevista en los ordenamientos jurídicos nacionales, en los que las administraciones nacionales establecen de forma vinculante las consecuen-

---

[7] Commission Implementing Decision of XXX pursuant to Regulation (EU) 2016/679 of the European Parliament and of the Council on the adequate level of protection of personal data under the EU-US Data Privacy Framework, Brussels, XXX […] (2022) XXX draft. Consultado, en inglés, https://commission.europa.eu/system/files/2022-12/Draft%20adequacy%20decision%20on%20EU-US%20Data%20Privacy%20Framework_0.pdf

[8] Integrado por los Estados miembros de la Unión Europea, así como por Islandia, Liechtenstein y Noruega.

[9] Reglamento (UE) 2016/679 del Parlamento Europeo y del Consejo, de 27 de abril de 2016, relativo a la protección de las personas físicas en lo que respecta al tratamiento de datos personales y a la libre circulación de estos datos y por el que se deroga la Directiva 95/46/CE (Reglamento general de protección de datos o RGPD). Publicado en el Diario Oficial de la Unión Europea L 119, de 4 de mayo de 2016. Consultado en https://eur-lex.europa.eu/legal-content/ES/TXT/?uri=CELEX%3A32016R0679&qid=1673362909776

cias que se derivan en casos concretos para los ciudadanos de la aplicación, por ejemplo, de una ley, mediante la adopción de un acto administrativo"[10].

Aplicada a la protección de datos personales, "una decisión de adecuación de la Comisión Europea es un acto jurídico del derecho de la Unión Europea (Borchardt, 2017, pág. 111) en virtud del cual se facilita, como garantía adecuada, la libre circulación de datos personales a terceros países desde la UE, sin que sean necesarias garantías adicionales o cumplir otras condiciones (Comisión Europea, 2017, pág. 4)."[11]

Lo que reconoce una decisión de adecuación es que el sistema de protección de datos, que va más allá de la legislación o normativa sobre protección de datos, proporciona un estándar de "equivalencia esencial" (en inglés, *essential equivalence*). Este nivel adecuado, que no implica que el tercer país tenga que proporcionar un nivel idéntico de protección de datos, sino un nivel equivalente basado en su marco de protección de datos considerando (i) la protección aplicable a los datos personales y (ii) los mecanismos de supervisión y reparación disponibles.

En el RGPD la decisión de adecuación es la primera de las garantías adecuadas previstas cuando se trata de proporcionar un nivel adecuado de protección de datos en el caso de una transferencia de datos "a un tercer país u organización internacional cuando la Comisión haya decidido que el tercer país, un territorio o uno o varios sectores específicos de ese tercer país, o la organización internacional" (art. 45.1 del RGPD).

A falta de una decisión de adecuación será necesario recurrir a otras garantías adecuadas para la transferencia internacional de datos a un tercer país fuera del EEE, que podría ser entre otras, las normas corporativas vinculantes o las cláusulas contractuales tipo[12].

---

[10]   Comisión Europea, Dirección General de Comunicación, Borchardt, K., *El ABC del derecho de la Unión Europea*, Oficina de Publicaciones, 2018. Consultado en https://data.europa.eu/doi/10.2775/947712

[11]   RECIO GAYO, M. (2019), Nivel adecuado para transferencias internacionales de datos. *Derecho PUCP*, (83), 207- 240, pág. 224. Consultado en https://revistas.pucp.edu.pe/index.php/derechopucp/article/view/21472/21114

[12]   El RGPD prevé en su artículo 46 que podrían ser:
       "2. Las garantías adecuadas con arreglo al apartado 1 podrán ser aportadas, sin que se requiera ninguna autorización expresa de una autoridad de control, por:
       a) un instrumento jurídicamente vinculante y exigible entre las autoridades u organismos públicos;
       b) normas corporativas vinculantes de conformidad con el artículo 47;

En la práctica, esto implica que, como explica el considerando 103 del RGPD, la Comisión Europea "puede decidir, con efectos para toda la Unión, que un tercer país, un territorio o un sector específico de un tercer país, o una organización internacional ofrece un nivel de protección de datos adecuado, aportando de esta forma en toda la Unión seguridad y uniformidad jurídicas en lo que se refiere al tercer país u organización internacional que se considera ofrece tal nivel de protección".

Si se presta atención a las decisiones de adecuación que habían sido aprobadas ya en virtud de la derogada Directiva 95/46/CE[13], los países que han obtenido una decisión adecuación, salvo el caso de Estados Unidos, son (en orden alfabético): ç

1) Andorra[14],

---

c) cláusulas tipo de protección de datos adoptadas por la Comisión de conformidad con el procedimiento de examen a que se refiere el artículo 93, apartado 2;

d) cláusulas tipo de protección de datos adoptadas por una autoridad de control y aprobadas por la Comisión con arreglo al procedimiento de examen a que se refiere en el artículo 93, apartado 2;

e) un código de conducta aprobado con arreglo al artículo 40, junto con compromisos vinculantes y exigibles del responsable o el encargado del tratamiento en el tercer país de aplicar garantías adecuadas, incluidas la relativas a los derechos de los interesados, o

f) un mecanismo de certificación aprobado con arreglo al artículo 42, junto con compromisos vinculantes y exigibles del responsable o el encargado del tratamiento en el tercer país de aplicar garantías adecuadas, incluidas la relativas a los derechos de los interesados.

3. Siempre que exista autorización de la autoridad de control competente, las garantías adecuadas contempladas en el apartado 1 podrán igualmente ser aportadas, en particular, mediante:

a) cláusulas contractuales entre el responsable o el encargado y el responsable, encargado o destinatario de los datos personales en el tercer país u organización internacional, o

b) disposiciones que se incorporen en acuerdos administrativos entre las autoridades u organismos públicos que incluyan derechos efectivos y exigibles para los interesados."

13   Directiva 95/46/CE del Parlamento Europeo y del Consejo, de 24 de octubre de 1995, relativa a la protección de las personas físicas en lo que respecta al tratamiento de datos personales y a la libre circulación de estos datos. Publicada en el Diario Oficial de la Unión Europea L 281, de 23 de noviembre de 1995. Consultadas en https://eur-lex.europa.eu/legal-content/ES/TXT/?uri=CELEX%3A3199 5L0046&qid=1673109095084

14   Decisión 2010/625/UE de la Comisión, de 19 de octubre de 2010, de conformidad con la Directiva 95/46/CE del Parlamento Europeo y del Consejo, relativa a la adecuada protección de los datos personales en Andorra [notificada con el número C(2010) 7084], publicada en el Diario Oficial de la Unión Europea L 277, de 21 de octubre de 2010. Consultada en https://eur-lex.europa.eu/legal-content/ES/TXT/?uri=CELEX%3A32010D0625&qid=1673112514730

2) Argentina[15],

3) Canadá[16],

4) Corea del Sur[17],

5) Guernsey[18],

6) Isla de Man[19],

7) Islas Feroe[20],

---

[15]   Decisión 2003/490/CE de la Comisión, de 30 de junio de 2003, con arreglo a la Directiva 95/46/CE del Parlamento Europeo y del Consejo sobre la adecuación de la protección de los datos personales en Argentina (Texto pertinente a efectos del EEE). Diario Oficial de la Unión Europea L 168, de 5 de julio de 2003. Consultada en https://eur-lex.europa.eu/legal-content/ES/TXT/?uri=CELEX%3A3 2003D0490&qid=1673111514378

[16]   Decisión 2002/2/CE de la Comisión, de 20 de diciembre de 2001, con arreglo a la Directiva 95/46/CE del Parlamento Europeo y del Consejo, sobre la adecuación de la protección de los datos personales conferida por la ley canadiense *Personal Information and Electronic Documents Act* [notificada con el número C(2001) 4539]. Diario Oficial de la Unión Europea L 2, de 4 de enero de 2002. Consultada en https://eur-lex.europa.eu/legal-content/ES/TXT/?uri=CELEX%3A32002D000 2&qid=1673111296842

[17]   Decisión de Ejecución (UE) 2022/254 de la Comisión, de 17 de diciembre de 2021, con arreglo al Reglamento (UE) 2016/679 del Parlamento Europeo y del Consejo, relativa a la adecuación de la protección de los datos personales por parte de la República de Corea en virtud de la Ley sobre la protección de la información personal [notificada con el número C(2021) 9316] (Texto pertinente a efectos del EEE). Publicada en el Diario Oficial de la Unión Europea L 44, de 24 de febrero de 2022. Consultada en https://eur-lex.europa.eu/legal-content/ES/ TXT/?uri=CELEX%3A32022D0254&qid=1673113150508

[18]   Decisión 2003/821/CE de la Comisión, de 21 de noviembre de 2003, relativa al carácter adecuado de la protección de los datos personales en Guernsey (Texto pertinente a efectos del EEE) [notificada con el número C(2003) 4309]. Diario Oficial de la Unión Europea L 308, de 25 de noviembre de 2003. Consultada en https://eur-lex.europa.eu/legal-content/ES/TXT/?uri=CELEX%3A32003D082 1&qid=1673111707650

[19]   Decisión 2004/411/CE de la Comisión de 28 de abril de 2004 relativa al carácter adecuado de la protección de los datos personales en la Isla de Man. Diario Oficial de la Unión Europea L 151, de 30 de abril de 2004. Consultada en https:// eur-lex.europa.eu/legal-content/ES/TXT/?uri=CELEX%3A32004D0411&q id=1673111886556

[20]   Decisión 2010/146/UE de la Comisión, de 5 de marzo de 2010, con arreglo a la Directiva 95/46/CE del Parlamento Europeo y del Consejo, relativa a la protección adecuada dada en la Ley de las Islas Feroe sobre el tratamiento de datos

8) Israel[21],

9) Japón[22],

10) Jersey[23],

11) Nueva Zelanda[24],

12) Reino Unido[25],

---

personales [notificada con el número C(2010) 1130] (Texto pertinente a efectos del EEE). Diario Oficial de la Unión Europea L 58, de 9 de marzo de 2010. Consultada en https://eur-lex.europa.eu/legal-content/ES/TXT/?uri=CELEX%3A3 2010D0146&qid=1673112231143

[21] Decisión 2011/61/UE de la Comisión, de 31 de enero de 2011, de conformidad con la Directiva 95/46/CE del Parlamento Europeo y del Consejo, relativa a la protección adecuada de los datos personales por el Estado de Israel en lo que respecta al tratamiento automatizado de los datos personales [notificada con el número C(2011) 332]. Publicada en el Diario Oficial de la Unión Europea L 27, de 1 de febrero de 2011. Consultada en https://eur-lex.europa.eu/legal-content/ES/TXT/?uri=CELEX%3A32011D0061&qid=1673112779627

[22] Decisión de Ejecución (UE) 2019/419 de la Comisión, de 23 de enero de 2019, con arreglo al Reglamento (UE) 2016/679 del Parlamento Europeo y del Consejo, relativa a la adecuación de la protección de los datos personales por parte de Japón en virtud de la Ley sobre la protección de la información personal (Texto pertinente a efectos del EEE). Publicada en el Diario Oficial de la Unión Europea L 76, de 19 de marzo de 2019. Consultada en https://eur-lex.europa.eu/legal-content/ES/TXT/?uri=CELEX%3A32019D0419&qid=1673113380026

[23] Decisión 2008/393/CE de la Comisión, de 8 de mayo de 2008, de conformidad con la Directiva 95/46/CE del Parlamento Europeo y del Consejo, relativa a la protección adecuada de los datos personales en Jersey [notificada con el número C(2008) 1746]. Diario Oficial de la Unión Europea L 138, de 28 de mayo de 2008. Consultada en https://eur-lex.europa.eu/legal-content/ES/TXT/?uri=CELEX%3A32008D0393&qid=1673112080554

[24] Decisión de Ejecución 2013/65/UE de la Comisión, de 19 de diciembre de 2012, de conformidad con la Directiva 95/46/CE del Parlamento Europeo y del Consejo, relativa a la protección adecuada de los datos personales por Nueva Zelanda [notificada con el número C(2012) 9557]. Publicada en el Diario Oficial de la Unión Europea L 28, de 30 de enero de 2013. Consultada en https://eur-lex.europa.eu/legal-content/ES/TXT/?uri=CELEX%3A32013D0065&qid=1673113879839

[25] Decisión de Ejecución (UE) 2021/1772 de la Comisión, de 28 de junio de 2021, con arreglo al Reglamento (UE) 2016/679 del Parlamento Europeo y del Consejo, relativa a la protección adecuada de los datos personales por parte del Reino Unido [notificada con el número C(2021) 4800] (Texto pertinente a efectos del EEE). Publicada en el Diario Oficial de la Unión Europea L 360, de 11 de noviem-

13) Suiza[26] y

14) Uruguay[27].

La Comisión Europea[28] ha explicado que, incluyendo también el caso de Estados Unidos, son países que:

1. Tienen lazos estrechos con la Unión Europea y sus Estados miembros (Suiza, Andorra, las Islas Feroe, Guernesey, Jersey y la Isla de Man).

2. Son socios comerciales importantes (Argentina, Canadá, Israel, Estados Unidos y Japón).

3. Son países pioneros en la elaboración de leyes en su región (Nueva Zelanda y Uruguay).

Una decisión de adecuación implica que la Comisión Europea evalúe el nivel adecuado en protección de datos de un tercer país teniendo en cuenta, en particular, estos elementos:

"a) el Estado de Derecho, el respeto de los derechos humanos y las libertades fundamentales, la legislación pertinente, tanto general como sectorial, incluida la relativa a la seguridad pública, la defensa, la seguridad nacional y la legislación penal, y el acceso de las autoridades públicas a los datos perso-

---

bre de 2021. Consultada en https://eur-lex.europa.eu/legal-content/ES/TXT/?uri=CELEX%3A32021D1772&qid=1673114113868

[26]   Decisión 2000/518/CE de la Comisión, del 26 de julio de 2000, con arreglo a la directiva 95/46/CE del Parlamento Europeo y del Consejo relativa al nivel de protección adecuado de los datos personales en Suiza [notificada con el número C(2000) 2304] (texto pertinente a efectos del EEE). Diario Oficial de la Unión Europea L 215, de 25 de agosto de 2000. Consultado en https://eur-lex.europa.eu/legal-content/ES/TXT/?uri=CELEX%3A32000D0518&qid=1673111033263

[27]   Decisión de Ejecución 2012/484/UE de la Comisión, de 21 de agosto de 2012, de conformidad con la Directiva 95/46/CE del Parlamento Europeo y del Consejo, relativa a la protección adecuada de los datos personales por la República Oriental del Uruguay en lo que respecta al tratamiento automatizado de datos personales [notificada con el número C(2012) 5704]. Publicada en el Diario Oficial de la Unión Europea L 227, de 23 de agosto de 2012. Consultada en https://eur-lex.europa.eu/legal-content/ES/TXT/?uri=CELEX%3A32012D0484&qid=1673114353653

[28]   Comisión Europea, Comunicación de la Comisión al Parlamento Europeo y al Consejo: intercambio y protección de datos personales en un mundo globalizado. COM(2017) 7 final, Bruselas 10 de enero de 2017. Consultado en https://eur-lex.europa.eu/legal-content/ES/TXT/PDF/?uri=CELEX:52017DC0007&qid=1559205331387&from=ES

nales, así como la aplicación de dicha legislación, las normas de protección de datos, las normas profesionales y las medidas de seguridad, incluidas las normas sobre transferencias ulteriores de datos personales a otro tercer país u organización internacional observadas en ese país u organización internacional, la jurisprudencia, así como el reconocimiento a los interesados cuyos datos personales estén siendo transferidos de derechos efectivos y exigibles y de recursos administrativos y acciones judiciales que sean efectivos;

b) la existencia y el funcionamiento efectivo de una o varias autoridades de control independientes en el tercer país o a las cuales esté sujeta una organización internacional, con la responsabilidad de garantizar y hacer cumplir las normas en materia de protección de datos, incluidos poderes de ejecución adecuados, de asistir y asesorar a los interesados en el ejercicio de sus derechos, y de cooperar con las autoridades de control de la Unión y de los Estados miembros, y

c) los compromisos internacionales asumidos por el tercer país u organización internacional de que se trate, u otras obligaciones derivadas de acuerdos o instrumentos jurídicamente vinculantes, así como de su participación en sistemas multilaterales o regionales, en particular en relación con la protección de los datos personales".

3. LA ORDEN EJECUTIVA DEL PRESIDENTE DE LOS EE.UU.[29]

La Casa Blanca publicó el 7 de octubre de 2022 la Orden Ejecutiva del Presidente de los Estados Unidos (EE.UU.) sobre la mejora de las salvaguardas para las actividades de inteligencia de señales de los Estados Unidos (en inglés, *Executive Order On Enhancing Safeguards For United States Signals Intelligence Activities*[30]), que es relevante para las transferencias internacionales de datos entre la Unión Europea (UE) y los EE.UU.

La Orden Ejecutiva del Presidente de los EE.UU. tiene por objeto establecer nuevos límites y salvaguardas que gobiernen las actividades de inteligencia de señales de los EE.UU. y ordena que las agencias gubernamentales implementen dichas salvaguardas con el objetivo de impulsar las

---

[29] Este apartado se basa en el post jurídico que elaboré bajo el título ¿Qué significa la Orden Ejecutiva del Presidente de los Estados Unidos para la transferencia internacional de datos desde la Unión Europea? y que publicado por CMS Albiñana & Suárez de Lezo el 10 de octubre de 2022. Consultado en https://cms.law/es/esp/publication/que-significa-la-orden-ejecutiva-del-presidente-de-los-estados-unidos-para-la-transferencia-internacional-de-datos-desde-la-union-europea

[30] The White House, Executive Order On Enhancing Safeguards For United States Signals Intelligence Activities, 7 October 2022. Consultado, en inglés, en https://www.whitehouse.gov/briefing-room/presidential-actions/2022/10/07/executive-order-on-enhancing-safeguards-for-united-states-signals-intelligence-activities/

transferencias transatlánticas de datos personales entre la UE y los EE.UU., que son esenciales para el comercio en todos los sectores de la economía. Según la información ofrecida por la Casa Blanca, el comercio entre la UE y

Cabe señalar que las autoridades gubernamentales que quedarían sujetas a esta Orden Ejecutiva son el Departamento de Justicia; el Departamento de Comercio; las agencias de inteligencia, incluyendo la Oficina del Director Nacional de Inteligencia (en inglés, *Director of National Intelligence*); la Agencia Central de Inteligencia (en inglés, *Central Intelligence Agency*, CIA), la Agencia de Seguridad Nacional (en inglés, *National Security Agency*, NSA); la Oficina Federal de Investigaciones (en inglés, *Federal Bureau of Investigation*, FBI) y el Comité de Supervisión de Privacidad y Libertades Civiles (en inglés, *Privacy and Civil Liberties Oversight Board*).

La Orden Ejecutiva establece dos garantías significativas en relación con el derecho fundamental a la protección de datos personales. Por una parte, limita el acceso a datos personales por las autoridades gubernamentales, de manera que no se puedan producir accesos masivos y que queden sujetos a varios principios entre los que se encuentran la necesidad de autorización y garantías adecuadas.

Y, por otra parte, crea el Tribunal de revisión de protección de datos (en inglés, *Data Protection Review Court*) que estará integrado por un panel de tres jueces que, de manera independiente, revisará, mediante un proceso de recurso (en inglés, *redress process*) para europeos, las decisiones del *Civil Liberties Protection Officer of the Office of the Director of National Intelligence* (CLPO) si se ha producido una violación de la protección de datos por una autoridad gubernamental sujeta a la supervisión de la *Foreign Intelligence Surveillance Court* (FSIC) y determinará cuál es la solución aplicable.

Para las transferencias internacionales de datos desde la UE hacia los EE.UU. la Orden Ejecutiva es una respuesta a la sentencia del Tribunal de Justicia de la UE de 16 de julio de 2020 en el asunto C-311/18 (Facebook Ireland y Schrems —también, Schrems II—), por la que invalidó el Escudo de Privacidad (en inglés, *Privacy Shield*) que permitía dichas transferencias en virtud de la Decisión de Ejecución (UE) 2016/1250 de la Comisión Europea (la Comisión) por la que se reconocía que "los Estados Unidos garantizan un nivel adecuado de protección de los datos personales transferidos desde la Unión a entidades establecidas en los Estados Unidos en el marco del Escudo de la privacidad UE-EE. UU." (art. 1). Decisión que fue anulada por el Tribunal de Justicia.

Desde entonces, las empresas establecidas en la UE carecen de una decisión de adecuación de la Comisión para la transferencia internacional de datos a EE.UU., lo que requiere recurrir a otras garantías adecuadas como las cláusulas contractuales tipo (en inglés, *Standard Contractual Clauses*, SCC) o las normas corporativas vinculantes (en inglés, *Binding Corporate Rules*, BCR). Incluso en el caso de las cláusulas contractuales tipo, es obligación de toda empresa establecida en la UE evaluar el riesgo de la transferencia internacional de datos hacia países fuera del Espacio Económico Europeo (EEE), lo que incluye tanto a los EE.UU. como a cualquier otro país tercero, con la finalidad de asegurar el derecho fundamental a la protección de datos.

En definitiva, la Orden Ejecutiva del Presidente de los EE.UU. es una medida para impulsar las negociaciones que permitan llegar a un nuevo acuerdo entre la UE y los EE.UU. para facilitar las transferencias internacionales de datos hacia este último. El nuevo acuerdo deberá dar lugar a un marco transatlántico de privacidad de datos, según el compromiso[31] alcanzado el pasado 25 de marzo de 2022 por EE.UU. y la Comisión Europea. Al respecto, la presidenta de la Comisión ha mostrado su satisfacción por este paso de EE.UU. y ha señalado que ahora es necesario trabajar en una nueva decisión de adecuación. Y hasta que se adopte dicha decisión de adecuación, las empresas establecidas en la UE deberán seguir recurriendo a otras garantías adecuadas, tales como las SCC, en los términos ya planteados.

4. EL BORRADOR DE DECISIÓN DE ADECUACIÓN SOBRE EL MARCO DE PRIVACIDAD DE DATOS UE-EE.UU.

Tras el acuerdo entre la Presidente de la Comisión Europea y el Presidente de los Estados Unidos[32], anunciado en marzo de 2022, de la Orden

---

[31]   The White House, Fact Sheet: United States and European Commission Announce Trans-Atlantic Data Privacy Framework, March 25, 2022. Consultado, en inglés, en https://www.whitehouse.gov/briefing-room/statements-releases/2022/03/25/fact-sheet-united-staGtes-and-european-commission-announce-trans-atlantic-data-privacy-framework/

[32]   European Commission, European Commission and United States Joint Statement on Trans-Atlantic Data Privacy Framework, Brussels, 25 March 2022. Consultada, en inglés, en https://ec.europa.eu/commission/presscorner/detail/en/IP_22_2087

Ejecutiva del Presidente de los Estados Unidos y de las Regulaciones emitidas por Abogado General para implementar la Orden Ejecutiva en el Derecho de Estados Unidos[33], la Comisión Europea inició, el 13 de diciembre de 2022, el proceso para adoptar la decisión de adecuación sobre el Marco de Privacidad de Datos UE-EE.UU[34].

Desde un punto de vista general, el objetivo de la decisión de adecuación sobre el Marco de Privacidad de Datos UE-EE.UU. es triple, ya que:

(i)   Aborda las preocupaciones planteadas por el Tribunal de Justicia de la Unión Europea en la sentencia Schrems II.

(ii) Marca un compromiso sin precedentes por parte de Estados Unidos para llevar a cabo reformas que refuercen la protección de la intimidad y las libertades civiles aplicables a las actividades de inteligencia de señales de Estados Unidos; y

(iii) Fomentará las transferencias internacionales de datos en la UE y EE.UU.

De esta manera se trata de lograr que la decisión de adecuación proporcione estabilidad a los flujos internacionales de datos entre la UE y los EE.UU., que son claves para una relación económica que supera los 7,1 trillones de dólares estadounidenses y que, anualmente, supone una cifra de comercio transfronterizo de más de 1 trillón de dólares estadounidenses[35].

La decisión de adecuación que sea adoptada todavía requiere de medidas a adoptar a ambos lados del Atlántico de manera que los "compromisos estadounidenses se incluirán en una Orden Ejecutiva que constituirá la base de la evaluación de la Comisión en su futura decisión de adecuación"[36]. Entre los avances ya adoptados del lado estadounidense cabe señalar que el Marco de Privacidad de los Datos aseguraría que:

---

[33]   Véase Office of Privacy and Civil Liberties, Redress in the Data Protection Review Court, U.S. Department of Justice. Consultado, en inglés, en https://www.justice.gov/opcl/redress-data-protection-review-court

[34]   European Commission, Questions & Answers: EU-U.S. Data Privacy Framework, draft adequacy decision, Brussels, 13 December 2022. Consultado, en inglés, en https://ec.europa.eu/commission/presscorner/detail/en/QANDA_22_76

[35]   *Ibid.*, The White House, Fact Sheet …

[36]   Traducción del inglés: "these U.S. commitments will be included in an Executive Order that will form the basis of the Commission's assessment in its future adequacy decision". *Ibid.*

> *"• La recogida de datos de inteligencia de señales sólo podrá llevarse a cabo cuando sea necesario para alcanzar objetivos legítimos de seguridad nacional, y no deberá afectar de forma desproporcionada a la protección de la intimidad y las libertades civiles;*
> *• Los ciudadanos de la UE podrán recurrir a un nuevo mecanismo de recurso de varios niveles que incluya un Tribunal de Revisión de la Protección de Datos independiente, compuesto por personas elegidas fuera del Gobierno de los Estados Unidos, con plena autoridad para resolver las reclamaciones y adoptar las medidas correctoras necesarias.*
> *• Las agencias de inteligencia estadounidenses adoptarán procedimientos para garantizar la supervisión efectiva de las nuevas normas sobre privacidad y libertades civiles"*[37].

Y la adhesión al Marco de Privacidad de Datos EU-UU.EE. implicará que las empresas y organizaciones estadounidenses seguirán estando obligadas a adherirse a los Principios del Escudo de Privacidad, incluido el requisito de autocertificar su adhesión a los Principios a través del Departamento de Comercio de Estados Unidos", así como que los interesados "de la UE seguirán teniendo acceso a múltiples vías de recurso para resolver las reclamaciones sobre las organizaciones participantes, entre ellas la resolución alternativa de litigios y el arbitraje vinculante"[38].

Si se presta atención al borrador de decisión de adecuación, está compuesta por doscientos quince (215) considerandos, cuatro (4) artículos y varios anexos que, entre otras cuestiones, incluyen los principios aplicables

---

[37] Traducción del inglés que dice así:
  • *Signals intelligence collection may be undertaken only where necessary to advance legitimate national security objectives, and must not disproportionately impact the protection of individual privacy and civil liberties;*
  • *EU individuals may seek redress from a new multi-layer redress mechanism that includes an independent Data Protection Review Court that would consist of individuals chosen from outside the U.S. Government who would have full authority to adjudicate claims and direct remedial measures as needed; and*
  • *U.S. intelligence agencies will adopt procedures to ensure effective oversight of new privacy and civil liberties standards."* Ibid.

[38] Traducción de "Participating companies and organizations that take advantage of the Framework to legally protect data flows will continue to be required to adhere to the Privacy Shield Principles, including the requirement to self-certify their adherence to the Principles through the U.S. Department of Commerce. EU individuals will continue to have access to multiple avenues of recourse to resolve complaints about participating organizations, including through alternative dispute resolution and binding arbitration". *Ibid.*

en materia de privacidad de datos publicados por el Departamento de Comercio de los EE.UU.

Es una decisión de adecuación con un alcance mucho más amplio que el de las decisiones adecuación previas adoptadas por la Comisión Europea, respectivamente, sobre el Acuerdo de Puerto Seguro y el Escudo de Privacidad. Por ejemplo, el borrador de decisión de adecuación incluye garantías adicionales sobre el acceso y uso de datos personales por las autoridades públicas estadounidenses con fines de seguridad nacional, que se concretan en límites y garantías aplicadas a dicho acceso.

Lo anterior está estrechamente vinculado con los principios incluidos en los anexos de la decisión de adecuación y su futuro dependerá de su efectividad en la práctica, lo que indudablemente dependerá también en gran medida de las garantías previstas en el RGPD, tales como la revisión en caso de cambios relevantes en el lado estadounidense o los poderes que puedan ejercer las autoridades europeas de protección de datos, que quedarán vinculadas por esta decisión de adecuación. Y las empresas europeas que recurran a esta decisión de adecuación para las transferencias internacionales de datos a las adheridas al Marco de Privacidad de Datos no deberán olvidar la importancia de otros instrumentos como las cláusulas contractuales estándar.

5. HACIA LA DECISIÓN DE ADECUACIÓN UE-EE.UU.

La publicación por la Comisión Europea del borrador de decisión de adecuación sobre el Marco de Privacidad de Datos UE-EE.UU. es uno de los pasos del proceso para la adopción de la decisión de adecuación que reemplazará a la decisión de adecuación sobre el Escudo de Privacidad que fue anulada por el Tribunal de Justicia de la Unión Europea a través de la sentencia en el asunto Schrems II, ya citada.

Tras esta publicación, los siguientes pasos son:

(i) El dictamen del Comité Europeo de Protección de Datos (CEPD) sobre el proyecto de decisión adecuación (art. 70.1.s) del RGPD[39]);

---

[39] Este artículo indica que una de las funciones del Comité Europeo de Protección de Datos es que "facilitará a la Comisión un dictamen para evaluar la adecuación del nivel de protección en un tercer país u organización internacional, en particular para evaluar si un tercer país, un territorio o uno o varios sectores específicos de ese tercer país, o una organización internacional, ya no garantizan un nivel

(ii) La aprobación de un comité compuesto por representantes de los Estados miembros de la Unión Europea, debiendo tener en cuenta que el Parlamento Europeo tiene un derecho de escrutinio sobre las decisiones de adecuación[40], y

(iii) La adopción final por la Comisión Europea y su publicación en el Diario Oficial de la Unión Europea.

Además, en virtud de lo previsto en el RGPD, la posible futura decisión de adecuación, al igual que las demás decisiones de adecuación de la Comisión Europea, estará sujeta a revisión periódica, que deberá llevarse a cabo al menos cada cuatro años y tener en cuenta los acontecimientos relevantes que puedan afectar a su efectiva aplicación[41].

Si la decisión de adecuación es finalmente aprobada a lo largo de 2023, será uno de los hitos más relevantes en materia de protección de datos personales y tendrá repercusión para otros países y regiones fuera del EEE. En este sentido, implicará un cierto nivel de armonización del derecho fundamental a la protección de datos personales siguiendo la aproximación europea.

6. REFERENCIAS BIBLIOGRÁFICAS

ÁLVAREZ CARO, M. y RECIO GAYO, M. (2015), Hacia un acuerdo Safe Harbour renovado para la transferencia internacional de datos entre EE.UU. y la UE, Papeles de Derecho Europeo e Integración Regional, WP IDEIR nº 25.

BORCHARDT, K. (2017). El ABC del Derecho de la Unión Europea, Comisión Europea. Luxemburgo: Oficina de Publicaciones de la Unión Europea.

CORY, N., DICK, E. y CASTRO, D. (2020), The Role and Value of Standard Contractual Clauses in EU-U.S. Digital Trade, Information Technology & Innovation Foundation.

---

de protección adecuado. A tal fin, la Comisión facilitará al Comité toda la documentación necesaria, incluida la correspondencia con el gobierno del tercer país, que se refiera a dicho tercer país, territorio o específico o a dicha organización internacional".

[40] Sobre este derecho de escrutinio del Parlamento Europeo, véase LINTLER, P. y VACCARI, B. (2005), The European Parliament's Right of Scrutiny over Commission Implementing Act: A Real Parliamentary Control?, EIPASCOPE 2005/1. Consultado, en inglés, en http://aei.pitt.edu/5941/1/scop05_1_3.pdf

[41] Conforme a lo previsto en el artículo 45.4 del RGPD.

European Data Protection Board (2021), Guidelines 05/2021 on the Interplay between the application of Article 3 and the provisions on international transfers as per Chapter V of the GDPR.

European Data Protection Board (2021), Recommendations 01/2020 on measures that supplement transfer tools to ensure compliance with the EU level of protection of personal data.

KUNER, C. (2020), The EU General Data Protection Regulation (GDPR): A Commentary, Oxford.

MAQUEO RAMÍREZ, M. S., MORENO GONZÁLEZ, J., y RECIO GAYO, M. (2017). Protección de datos personales, privacidad y vida privada: la inquietante búsqueda de un equilibrio global necesario. Revista de Derecho, XXX(1), 77-96.

MAQUEO RAMÍREZ, M. S., MORENO GONZÁLEZ, J., y RECIO GAYO, M. (2021), Exploring the Awkward Secret of Data Transfer Regulation: the EDPB Guidelines on Article 3 and Chapter V GDPR, European Law Blog.

PIÑAR MAÑAS, J. L. (dir.), ÁLVAREZ CARO, M. y RECIO GAYO, M. (coords.) (2016), Reglamento general de protección de datos: hacia un nuevo modelo europeo de privacidad, Reus, ISBN 978-84-290-1936-0.

PIÑAR MAÑAS, J. L. (dir.), RECIO GAYO, M. (coord.) (2019), Memento Protección de Datos, Lefebvre, ISBN: 978-84-17544-49-2.

PIÑAR MAÑAS, J. L. y RECIO GAYO, M. (2018), El derecho a la protección de datos en la jurisprudencia del Tribunal de Justicia de la Unión Europea, Wolters Kluwer, ISBN 978-84-9020-722-2.

RECIO GAYO, M. (2019), Nivel adecuado para transferencias internacionales de datos. Derecho PUCP, (83), 207-240.

RECIO GAYO, M. ¿Qué significa la Orden Ejecutiva del Presidente de los Estados Unidos para la transferencia internacional de datos desde la Unión Europea?, post jurídico, CMS Albiñana & Suárez de Lezo, 10 de octubre de 2022.

Algunas consideraciones sobre el software en operaciones de Venture Capital

ALBERTO RODRÍGUEZ SAN JOSÉ

Counsel del departamento de Corporate de Bird & Bird

DAVID FUENTES LAHOZ

Associate del departamento de Propiedad Intelectual e Industrial de Bird & Bird

1. INTRODUCCIÓN

En el presente capítulo abordaremos algunas cuestiones que se suscitan recurrentemente en operaciones de financiación e inversión de start-ups de base tecnológica intensivas en el desarrollo de software (ya sea porque éste es su producto final ya sea porque para vender sus productos o prestar sus servicios han desarrollado un software). No pretendemos analizar exhaustivamente este tipo de operaciones sino compartir algunas de nuestras ideas y soluciones.

En primer lugar, daremos una visión práctica de cómo financiar el desarrollo de software en las fases iniciales de la vida de la start-up, prestando especial atención al sistema de inversión por hitos ligados al desarrollo del software. Exploraremos también la posibilidad de hipotecar el software en fases posteriores.

Después pondremos un ejemplo práctico de las manifestaciones y garantías que un inversor típicamente requerirá en relación con el software.

Finalmente analizaremos algunas de las contingencias que más comúnmente se identifican en procesos de inversión y la mejor forma de mitigarlas.

2. ALTERNATIVAS PARA LA FINANCIACIÓN DEL DESARROLLO DE SOFTWARE

Las posibilidades de financiación del desarrollo del software estarán generalmente ligadas al de la propia start-up. Así, una start-up de reciente creación que solo ha llevado a cabo una ronda *seed* tendrá menos alternativas de financiación que otra consolidada con una situación financiera óptima; tanto es así que ésta última podría eventualmente financiar el desarrollo con sus propios recursos.

En este capítulo nos centraremos en la primera start-up, que normalmente tendrá que acudir a terceros inversores o financiadores[1]. La diferencia fundamental entre ambos es que mientras los inversores toman una participación en el capital social de la start-up los financiadores se limitan a financiar sin devenir socios minimizando así su exposición al riesgo del proyecto.

La decisión de acudir a inversión o financiación será una de las más relevantes que la start-up haya de tomar en su corta existencia ya que, básicamente, condicionará en buena medida su futuro. A modo de ejemplo, el inversor no ostentará un crédito frente a la sociedad sino capital (con la consecuente dilución de los fundadores e inversores previos) y querrá involucrarse en el gobierno de la start-up y que los fundadores asuman ciertos compromisos (e.g. permanencia, no competencia) mientras que el financiador no requerirá dicha involucración (aunque sí ciertas obligaciones de hacer y de no hacer) pero su crédito habrá de repagarse junto con sus intereses[2].

2.1 Financiación/deuda

Cuando nos referimos a financiación lo primero que nos viene a la cabeza es la financiación bancaria tradicional. Pues bien, este tipo de finan-

---

[1]   Existen también otras opciones intermedias o mixtas como la financiación convertible en capital, aunque, teniendo en cuenta sus particularidades (como que generalmente se convierten en todo caso salvo en determinados supuestos excepcionales), podemos considerarlas a los efectos de este capítulo como una inversión más que como una financiación.

[2]   A modo ilustrativo de las ventajas y desventajas de la opción de inversión ver https://www.startups.com/library/expert-advice/venture-capital-advantages-disadvantages

ciación está generalmente vedado para las start-ups en sus fases iniciales ya que a los bancos nos les gusta asumir el riesgo inherente a una start-up en este estadio de su desarrollo, que, además, carecerá de activos atractivos que dar en garantía[3]. En pocas palabras, los bancos no "compran" el riesgo de una start-up de este tipo y aunque lo hicieran sería a un coste (esto es, interés) generalmente inasumible para la start-up.

Otra alternativa de financiación es el *venture debt*. Se trata de un tipo de financiación nacida en Estados Unidos como un híbrido entre la financiación tradicional y la inversión. Con carácter general esta financiación cubre aproximadamente hasta un 50% del importe levantado en una ronda de capital a la que se complementa. De forma que si la start-up no ha llevado a cabo una ronda de este tipo esta financiación no será, de nuevo, una alternativa.

Finalmente nos encontramos con la financiación que conceden organismos públicos y que típicamente reviste la forma de préstamos blandos o subvenciones. Existe un amplio abanico de instituciones que los ofrecen: tal vez los más conocidos sean la Empresa Nacional de Innovación, SME, S.A. (ENISA)[4] y el Centro para el Desarrollo Tecnológico Industrial, E.P.E. (CDTI)[5]. En nuestra experiencia ésta es la alternativa de financiación más factible para una start-up en sus primeras fases. No obstante, los importes financiados son limitados y a menudo solo cubren parte de las necesidades del desarrollo. Además, al menos en nuestra experiencia, muchas start-ups perciben el procedimiento y la burocracia que estos instrumentos llevan asociados muy desfavorablemente.

2.2 Inversión/capital

Como decíamos, la alternativa habitual a la financiación es la inversión en capital. Aunque existen muchos tipos de inversores (e.g. *business angels*, fondos de venture capital, *corporate venture capital*) en este capítulo usaremos el término de forma genérica.

---

[3]　Para los supuestos en que el desarrollo del software sea ya una realidad ver apartado 2.3 siguiente, donde explicamos la posibilidad de hipotecarlo.

[4]　https://www.enisa.es/

[5]　https://www.cdti.es/

La materialización de esta inversión consistirá, básicamente, en la adopción por la junta general de socios de la start-up de un acuerdo de aumento del capital social mediante la creación de nuevas participaciones o acciones a desembolsar con aportaciones dinerarias que serán suscritas y desembolsadas por el inversor. El importe así desembolsado puede entonces destinarse al desarrollo del software.

El anterior es el supuesto típico. Sin embargo, es cada vez más común que la inversión se implemente en fases sucesivas ligadas al desarrollo del propio software. Es decir, el inversor sólo va a invertir (y, consecuentemente, los socios de la start-up sólo se van a diluir) en la medida en que se vayan cumpliendo determinados hitos de desarrollo del software. Algunos hitos habituales son los siguientes: la terminación de la fase de contratación del personal necesario para el desarrollo, el diseño del software (en forma de características más o menos básicas) o la realización de una prueba de concepto o piloto. Los anteriores hitos se entenderán cumplidos cuando se entregue el *deliverable* acordado que haya pasado el correspondiente test.

Este mecanismo de inversión por hitos cuenta, entre otras, con la ventaja de que las partes comparten el riesgo del proyecto; de forma que el "precio" del inversor en este escenario debería ser menor que en el de haber sufragado todo el desarrollo desde el inicio. Dicha rebaja llegará típicamente en forma de mayor inversión total (cumplidas todas las fases) para un mismo porcentaje de capital o de un menor porcentaje de participación en el capital social.

Este mecanismo de inversión, afín a los modelos de desarrollo *non-corporate* del *publishing*, es más frecuente en países como Estados Unidos y el Reino Unido. Sin embargo, no lo es tanto en España, quizás porque nuestro ordenamiento jurídico no es tan ágil a la hora de facilitar la implementación de las sucesivas fases de inversión. A continuación, indicamos algunas consideraciones al respecto:

(i) Generalmente las start-ups se constituyen como sociedades de responsabilidad limitada (SL) de forma que (a) tanto el valor nominal como, en su caso, la prima de asunción han de satisfacerse íntegramente en el momento de desembolso del valor nominal y (b) no cabe la posibilidad del capital delegado ni del capital autorizado, es decir, que la junta autorice al órgano de administración para crear nuevas participaciones.

Por todo lo anterior, en el momento en que se cumpla cada hito habrá, al menos[6], que celebrar una junta general aprobando el aumento de capital, todos los socios deberán renunciar a su derecho de suscripción preferente, obtener el certificado bancario del desembolso del inversor, otorgar la correspondiente escritura pública de aumento de capital e inscribirla; lo que consume tiempo y recursos y no es generalmente bien percibido por los inversores, especialmente los extranjeros.

(ii) En el improbable caso de que la start-up fuese una sociedad anónima (SA) (a) sí podría aplazarse el pago de hasta el 75% del valor nominal (lo que se conoce como dividendos pasivos) aunque no de la prima y (b) podría autorizarse al órgano de administración para ejecutar un acuerdo de aumento de capital ya adoptado por la junta[7], lo que se conoce como el capital delegado, y para acordar en una o varias veces el aumento del capital social hasta una cifra determinada[8], lo que se conoce como el capital autorizado.

El régimen de la SA es más flexible que el de la SL, sin embargo sigue sin adaptarse bien al caso que analizamos ya que (i) (a) en este tipo de operaciones la mayor parte de la inversión se inyectará como prima de emisión y ésta debe desembolsarse íntegramente en el momento de desembolso también en el caso de una SA[9] y (b) dada la incertidumbre del desarrollo, los inversores no suelen estar cómodos soportando las consecuencias que se derivarían de una mora formal de los dividendos pasivos[10], principalmente, la posibilidad de verse privado de sus acciones y de sus principales derechos económicos y políticos[11]; (ii) en general, el ejercicio de la facultad

---

[6]   Asumimos en este supuesto que la junta general será universal y que los acuerdos se adoptarán por unanimidad. En caso contrario el proceso sería aún más largo y su resultado más incierto.

[7]   Art. 297.1 de la Ley de Sociedades de Capital (Real Decreto Legislativo 1/2010, de 2 de julio, por el que se aprueba el texto refundido de la Ley de Sociedades de Capital).

[8]   Art. 297.2 de la Ley de Sociedades de Capital.

[9]   Artículo 166.4.2º del Reglamento del Registro Mercantil (Real Decreto 1784/1996, de 19 de julio, por el que se aprueba el Reglamento del Registro Mercantil).

[10]   Es decir, del supuesto en el que formalmente exista un dividendo pasivo pendiente aunque al no haberse cumplido el hito de que se trate dicho desembolso no es debido.

[11]   En este sentido ver artículos 83 y 84 de la Ley de Sociedades de Capital.

del capital delegado debe tener lugar en el plazo máximo de un año, lo que no la hará apta para períodos de desarrollo más largos; (iii) el ejercicio de la facultad del capital autorizado tiene como límite aumentos que, en su conjunto, no sean superiores a la mitad del capital de la sociedad en el momento de la autorización con lo que no será una alternativa viable para supuestos en que el inversor vaya a obtener más de un 33,33% del capital social *post-money*[12]; y (iv) en todo caso las formalidades relativas a la escritura pública y al registro referidas para la SL aplican también a la SA. Por todo lo anterior, incluso en el supuesto de que la start-up sea una SA es probable que tengamos que seguir todo el procedimiento referido anteriormente para la SL.

2.3 *Hipoteca mobiliaria sobre software*

Como anticipábamos anteriormente, cuando la start-up haya avanzado en el desarrollo de su software podrá utilizarlo, entre otras cosas, como garantía de la financiación que obtenga para su desarrollo, ya que nuestro ordenamiento jurídico establece la posibilidad de hipotecar el software. Así, el artículo 53 de la Ley de Propiedad Intelectual (LPI)[13] y los artículos 12 y 46 de la Ley sobre hipoteca mobiliaria y prenda sin desplazamiento de posesión (LHMPSD)[14] establecen que se podrá constituir hipoteca mobiliaria sobre los derechos de explotación[15] del software.

---

[12] I.e. $(0,5*1)/1+(0,5*1)= 0,3333$. O lo que es lo mismo, para una sociedad con un capital social de 100 euros representado en 100 acciones de un 1 de valor nominal cada una el capital autorizado sólo faculta al órgano de administración a crear hasta 50 acciones de 1 euro de valor nominal cada una, de forma que el inversor que las suscriba ostentará tras la ampliación 50 acciones de un total de 150, esto es, un 33,33% del capital social.

[13] Real Decreto Legislativo 1/1996, de 12 de abril, por el que se aprueba el texto refundido de la Ley de Propiedad Intelectual, regularizando, aclarando y armonizando las disposiciones legales vigentes sobre la materia.

[14] Ley de 16 de diciembre de 1954 sobre hipoteca mobiliaria y prenda sin desplazamiento de posesión.

[15] La hipoteca no recaerá sobre el software mismo sino sobre los correspondientes derechos de explotación. En este sentido, DOMÍNGUEZ LUELMO, A., en Rogel Vide (Dir.), La hipoteca de Propiedad Intelectual, Reus, 2006, págs. 40 y ss.; y FUENTES LAHOZ, D., La integración de las creaciones en la masa activa del concurso de acreedores, en DENAE, VII Derecho del Entretenimiento y Tecnologías de la Información, DENAE, 2020, págs. 18 a 22.

Algunas consideraciones prácticas en relación con la constitución de hipoteca mobiliaria sobre software:

(i)   El software ha de estar previamente registrado en el Registro de la Propiedad Intelectual correspondiente[16], con independencia de que para adquirir los derechos de propiedad intelectual sobre el software no sea necesario registrarlo[17]. En nuestra experiencia este trámite puede resultar demasiado largo y hace que muchas start-ups desistan del registro o que para cuando se haya registrado ya hayan garantizado la financiación de otra manera. Ahora bien, no debe olvidarse que el registro puede, según el caso, ser preferible a efectos de protección primaria en sede autoral ya que el art. 145.3 LPI y el art. 27.1 del Reglamento del Registro General de la Propiedad Intelectual establecen la presunción *iuris tantum* de autoría, según la cual "se presumirá, salvo prueba en contrario, que los derechos inscritos existen y pertenecen a su titular en la forma determinada en el asiento respectivo"[18]. En cualquier caso, otra reticencia habitual de las start-ups a la hipoteca es tener que hacer público su software —en caso de que no se haya divulgado previamente—, ya que suelen preferir mantenerlo como secreto empresarial protegible a través de la Ley 1/2019, de 20 de febrero, de Secretos Empresariales.

---

[16]   Art. 46.3 LHMPSD. Véase apartado 4 siguiente sobre la inscripción del software.

[17]   La inscripción en el Registro de la Propiedad Intelectual es, en esencia, una inscripción con meros efectos declarativos. El carácter declarativo y no constitutivo de la inscripción de las creaciones se debe, entre otras cuestiones, al deseo de romper con el sistema registral de los arts. 33 y ss. de la Ley de Propiedad Intelectual de 1879 y los arts. 2 y 9 del Reglamento de Propiedad Intelectual de 1880, así como al espíritu del Convenio de Berna de 9 de septiembre de 1886 para la Protección de las Obras Literarias y Artísticas. En efecto, en su art. 5.2) se dispone —en referencia a los derechos de autor— que "el goce y el ejercicio de estos derechos no estarán subordinados a ninguna formalidad [...]". En este sentido, véase FUENTES LAHOZ, D., La integración de las creaciones en la masa activa del concurso de acreedores, en DENAE, VII Derecho del Entretenimiento y Tecnologías de la Información, DENAE, 2020, pág. 39.

[18]   En esta línea, J. M. GUIJO VÁZQUEZ, "El Registro de la Propiedad Intelectual como instrumento de protección de los derechos de autor", en El Registro de la Propiedad Intelectual (coord. E. Serrano Gómez), Reus, Madrid, 2008, p. 60.; y J. MARCO MOLINA, "Comentario al artículo 145", en Comentarios a la Ley de Propiedad Intelectual (coord. R. Bercovitz Rodríguez-Cano), 4ª edición, Tecnos, Madrid, 2017, p. 1919

(ii)   La hipoteca ha de constituirse en escritura pública, que habrá de ser posteriormente registrada en el Registro de Bienes Muebles, quien posteriormente dará traslado al Registro de la Propiedad Intelectual correspondiente[19].

(iii) En la escritura se incluirá el precio en el que se tasa el software a los efectos de ejecución de la hipoteca[20], lo que generalmente supone un importante punto de fricción entre la start-up y el acreedor hipotecario.

(iv)   Será frecuente que el acreedor hipotecario exija: (a) que la hipoteca se extienda a las actualizaciones del software, arreglos, adaptaciones, mejoras y cualquier otra transformación[21]; y (b) ciertos compromisos de mantener, no disponer y no gravar el software.

3. MANIFESTACIONES Y GARANTÍAS TÍPICAS RELATIVAS AL SOFTWARE EN OPERACIONES DE VENTURE CAPITAL

Como hemos visto en el apartado 2, es habitual que las start-ups tengan que abrirse a inversores para poder sufragar el desarrollo de su software. Teniendo en cuenta que, además, su principal activo será en todo caso el software ya desarrollado no es de extrañar que el inversor realice un *due diligence* técnico y legal del software. Además, asumiendo que no encuentra ninguna contingencia a cubrir con una indemnidad específica, el inversor obligará a los socios de la start-up a que realicen determinadas manifestaciones y garantías relativas al software en el acuerdo de inversión; y de no ser veraces, los socios tendrán que indemnizarle por los daños causados.

No se trata de analizar aquí el régimen de responsabilidad por manifestaciones y garantías en contratos de inversión. Creemos sin embargo que es interesante compartir algunas manifestaciones que el inversor esperará recibir en relación con el software, a saber:

(i)   Que el software es de titularidad originaria de la start-up y que no se encuentra gravado por ninguna licencia, autorización o derecho de o en favor de terceros. Es frecuente que se manifieste

---

[19]   Art. 3 LHMPSD.

[20]   Arts. 86 y ss. LHMPSD.

[21]   Ya que esto no aplica por defecto en el caso de propiedad intelectual (art. 46.4 LHMPSD) como sí ocurre con la propiedad industrial (art. 45.4 LHMPSD).

en relación con derechos de propiedad industrial susceptibles de registro (e.g. marcas) que éstos se encuentran debidamente registrados y al día en lo que se refiere a cualesquiera tasas; no es tan común en cuanto a software, precisamente por la protección de su confidencialidad a la que nos referimos en el apartado 2.3(i) anterior.

(ii) Que cualesquiera derechos de propiedad intelectual o industrial o cualesquiera otros que pudieran existir a favor de cualquier tercero (tales como, por ejemplo, empleados, colaboradores o prestadores de servicios) sobre el software de la start-up susceptibles de cesión han sido debidamente cedidos a la start-up de forma que ésta ostenta los mismos en exclusiva. Analizaremos en mayor detalle estos extremos en el apartado 4 siguiente.

(iii) Que, a salvo de eventuales límites legales, la start-up no ha de pagar regalías, royalties u honorarios a ninguna persona por razón de la propiedad y/o el uso del software.

(iv) Que la start-up no ha recibido ninguna reclamación, demanda o comunicación de cese y desistimiento de ninguna persona, ya sea por escrito o de otro modo, en relación con el software.

(v)   Que la start-up (a) dispone de copias con licencia de todo el software de venta al público (*retail software*) que ha utilizado para el desarrollo de su software y (b) no ha utilizado para el desarrollo de su software ningún software de código abierto (*open source software*).

(vi) Que la start-up nunca ha usado, infringido o se ha apropiado indebidamente de derechos de propiedad industrial o intelectual de terceros.

(vii) Que, en su caso, la start-up ha ejercitado la mayor diligencia y cuidado para salvaguardar el secreto y la confidencialidad del software.

Si los socios de la start-up no se encuentran cómodos realizando alguna de estas manifestaciones tendrán que tener una conversación con el inversor y convencerle de que ello no supone un riesgo para el software y, en definitiva, el negocio. De lo contrario es muy probable que el inversor tampoco se encuentre cómodo invirtiendo en su start-up.

4. CONTINGENCIAS HABITUALES RESPECTO DEL SOFTWARE DESARROLLADO POR EMPLEADOS Y FREELANCERS

Como señalábamos anteriormente, dado que el software es un activo esencial de la start-up el inversor llevará a cabo un profundo ejercicio de *due diligence* legal en el que, entre otras cosas, requerirá evidencias que acrediten[22] las manifestaciones referidas en el apartado 3 anterior. Sin perjuicio de que todas ellas son importantes, nos centraremos en este apartado en la titularidad del software y su evidencia.

Como cuestión inicial, tal y como hemos adelantado en el apartado 2.3(i) anterior, debe tenerse en cuenta que, de conformidad con el art. 1 de la LPI, la propiedad intelectual sobre el software corresponde al autor por el solo hecho de su creación y, por tanto, no existe un requisito formal para lograr la protección autoral. Así las cosas, la concurrencia o no de registro del software no debe considerarse *per se* una contingencia. De hecho, como hemos visto anteriormente, dado que el registro puede suponer una divulgación del software, según el caso podría considerarse que el registro mismo es una potencial contingencia.

Dicho lo anterior, resultará esencial determinar si la start-up es titular originaria o derivativa del software en cuestión y cómo puede acreditarse este extremo; o si, por el contrario, carece de derechos sobre el mismo. En nuestra experiencia, esta cuestión se plantea de una u otra forma en todas las operaciones de inversión.

4.1 Empleados

Un supuesto típico es que el software haya sido creado por un trabajador asalariado de la start-up y que en el contrato laboral (o de cualquier otra forma) no se haya pactado nada sobre los derechos de propiedad intelectual derivados de dicha creación intelectual.

Pues bien, en estos casos, el art. 97.4 LPI[23] establece una suerte de cesión automática de carácter exclusivo en favor de la start-up, de forma que

---

[22] En la medida de lo posible; en este sentido, no podrán aportarse evidencias de actos negativos (como por ejemplo de no haber recibido ninguna demanda) por ser imposible.

[23] Téngase en cuenta que el art. 97.4 LPI es *lex specialis* frente al art. 51 LPI. En este sentido, el propio art. 51.5 LPI recuerda que "la titularidad de los derechos sobre un programa de ordenador creado por un trabajador asalariado en el ejercicio

para que no ocurriese esta cesión de derechos de propiedad intelectual habría que incluir un pacto en contra. En concreto, el artículo referido establece que "*cuando un trabajador asalariado cree un programa de ordenador, en el ejercicio de las funciones que le han sido confiadas o siguiendo las instrucciones de su empresario, la titularidad de los derechos de explotación correspondientes al programa de ordenador así creado, tanto el programa fuente como el programa objeto, corresponderán, exclusivamente, al empresario, salvo pacto en contrario*"[24]. Debe quedar claro que, en estos casos, la start-up no sería autora del software, sino que simplemente tendría reconocida *ex lege* la titularidad derivativa exclusiva sobre los derechos patrimoniales —y no los morales, por ser irrenunciables e inalienables (art. 14 LPI)— que recaen sobre el software.

El art. 97.4 LPI presume la cesión en exclusiva de los derechos patrimoniales sobre el software sin limitación a un determinado fin o función, si bien tendremos que tener en cuenta lo siguiente:

(i)   Que la referida cesión no alcanzaría a las modalidades de utilización o medios de difusión del software inexistentes o desconocidos al tiempo de la cesión (art. 43.5 LPI).

(ii)   Que no entraría en juego la referida cesión automática cuando (a) el desarrollo del software no es fruto de una relación de naturaleza laboral y no es objeto del contrato de trabajo, o (b) cuando la compañía no proporcione instrucciones expresas y concretas sobre su creación.

(iii) Que tampoco cabría aplicar el art. 97.4 LPI cuando el trabajador hubiese desarrollado el software en su tiempo libre, por propia iniciativa y con sus propios medios, con independencia de que compañeros de trabajo o el empresario faciliten determinados da-

---

de sus funciones o siguiendo las instrucciones de su empresario se regirá por lo previsto en el apartado 4 del artículo 97 de esta Ley". Esto tiene su relevancia, puesto que el régimen del art. 97.4 LPI es más favorable para el empresario, ya que permite que se le cedan todos los derechos de explotación sobre el software, mientras que el art. 51.2 LPI únicamente establece la atribución de los derechos de explotación "con el alcance necesario para el ejercicio de la actividad habitual del empresario en el momento de la entrega de la obra realizada en virtud de dicha relación laboral".

[24]   En este contexto, surgiría el deber del trabajador de poner a la compañía en condiciones de explotar el software, de forma que pueda poner todos los medios necesarios para la efectividad de la explotación.

tos o ideas que no influyen en la parte creativa —o técnica, si se prefiere— del software[25].

Así las cosas, podemos concluir que en un supuesto como el que aquí analizamos (recordemos, creación ligada a la relación de empleo sin que las partes hayan acordado nada sobre la titularidad de los derechos de propiedad intelectual derivados) la start-up gozará de la protección legal en forma de cesión automática.

Pero no siempre es fácil determinar, y por tanto tener certeza de, si ha concurrido en el caso concreto alguno de los supuestos referidos en los apartados (ii).b y (iii) anteriores, de forma que el inversor requerirá complementar esa presunción con un documento suscrito por todos los trabajadores de la start-up en el que éstos cedan todos sus derechos cedibles en relación con el software en favor de la start-up sin recibir por ello contraprestación alguna. Normalmente es sencillo recabarlo de todos los que siguen siendo trabajadores de la start-up aunque no lo es tanto de los que no lo son, especialmente de aquellos con los que hubo algún conflicto.

Lo cierto es que tener que contar con la colaboración de los trabajadores en el momento de cerrar la inversión les colocará en una posición negociadora que podría haberse evitado incluyendo una sencilla cláusula en el contrato de trabajo y que dependiendo del papel que alguno de estos trabajadores haya tenido en el desarrollo del software y de sus pretensiones podría poner en riesgo la operación de inversión (por ejemplo, por pedir una contraprestación elevada por la firma del documento de cesión).

4.2 *Consideraciones sobre el software como obra colectiva*

Sin perjuicio de lo anterior, deberá analizarse en detalle la labor de coordinación de la start-up a la hora de desarrollar el software ya que podrían derivarse importantes consecuencias en cuanto a la propiedad del software.

---

[25] Al respecto, véase la Sentencia de la Audiencia Provincial de La Coruña (Sección 4ª), núm. 239/2003 de 17 octubre, y la Sentencia del Tribunal Supremo (Sala de lo Civil, Sección 1ª), núm. 696/2007 de 21 junio. Esta última resulta categórica al declarar que "no es lo mismo con ocasión del trabajo que en el "desempeño normal de su puesto de trabajo", que es el supuesto al que la Ley se refiere; y tampoco es lo mismo colaborar en la idea, o hacer indicaciones sobre el resultado o aspectos del mismo que se desean, que proporcionar "instrucciones sobre la creación"".

En este sentido, cuando nos encontremos ante un software creado por un equipo conformado por diversos trabajadores asalariados, podría llegar a valorarse la concurrencia de una obra colectiva, de conformidad con el apartado segundo del art. 97 LPI, siempre y cuando las aportaciones personales de los trabajadores asalariados se hubiesen realizado sin contacto directo con los demás trabajadores, asumiendo íntegramente la start-up la iniciativa y la ardua tarea de coordinar las referidas aportaciones individuales. Esta valoración es sumamente importante, puesto que los derechos de propiedad intelectual sobre el software como obra colectiva corresponderían en calidad de autora —titular originaria— a la start-up que edite y divulgue el software bajo su nombre, salvo pacto en contrario[26].

---

[26] Al respecto, téngase en cuenta que, hasta que no se traspuso la Directiva 91/250/CEE del Consejo, de 14 de mayo de 1991, sobre la protección jurídica de programas de ordenador (Diario Oficial de las Comunidades Europeas, L 122/42, de 17 de mayo de 1991, págs. 42 a 46), la posibilidad de admitir la autoría sobre de una persona jurídica no estaba clara, dado que ningún precepto legal vigente la reconocía con rotundidad. El único antecedente de reconocimiento claro de la autoría de una persona jurídica se encontraba en el art. 5.1. de la Ley 9/1975, de 12 de marzo, del Libro (Boletín Oficial del Estado, 14 de marzo de 1975, núm. 63, págs. 5278 a 5284), derogado posteriormente por la Ley de Propiedad Intelectual de 1987, produciendo así que ninguna disposición hablara expresamente de autoría de la persona jurídica a fecha de 1987. Hoy en día, gracias a la trasposición de aquella Directiva en 1993 (concretamente, a través de la Ley 16/1993, de 23 de diciembre de incorporación al Derecho español de la Directiva 91/250/CEE, de 14 de mayo de 1991, sobre la protección jurídica de programas de ordenador. Boletín Oficial del Estado, de 24 de diciembre de 1993, núm. 307, págs. 36816 a 36819) y el reconocimiento expreso de la autoría de la persona jurídica en el art. 97.2 LPI, la cuestión quedó aparentemente zanjada ex lege, de forma que la persona jurídica podría ser calificada como autora y, por consiguiente, como sujeto adquirente de los derechos morales y patrimoniales por el mero hecho de la creación. Para mayor detalle, véase FUENTES LAHOZ, D., *La integración de las creaciones en la masa activa del concurso de acreedores*, en DENAE, VII Derecho del Entretenimiento y Tecnologías de la Información, DENAE, 2020, págs. 29 a 31. Sin perjuicio de ello, existe doctrina crítica con esta regulación. Según RODRÍGUEZ TAPIA (J. M. RODRÍGUEZ TAPIA, "Comentario al artículo 8", en Comentarios a la Ley de Propiedad Intelectual (coord. R. Bercovitz Rodríguez-Cano), 4ª edición, Tecnos, Madrid, 2017, p. 152), al permitirse esa atribución "salvo pacto en contrario" a la persona natural o jurídica que la edite y divulgue bajo su nombre, se están provocando serios problemas interpretativos y de cohesión en el texto legislativo, puesto que se está desmoronando todo el sistema de derechos morales irrenunciables e inalienables al darse a entender que, en el caso de la obra colectiva, la autoría es una cuestión objeto de transacción o pacto. Por su parte, MARSAL GUILLAMET, defiende que la condición de autor de la

En caso contrario, si el software fuese creado en colaboración por distintos trabajadores asalariados dando lugar a un resultado unitario fruto de un contacto directo entre ellos, cuyas aportaciones personales fuesen fácilmente identificables y separables, los derechos de propiedad intelectual corresponderían a todos ellos en común (art. 97.3 LPI), sin perjuicio de la aplicación de la cesión automática en favor de la compañía *ex* art. 97.4 LPI[27].

4.3 Freelancers

Cuestión distinta es que nos encontremos ante un software desarrollado no por un empleado de la start-up sino por un freelancer. En estos casos, el freelancer (autor contratista) se obliga a proporcionar sus servicios de creación de software a la start-up(comitente) a cambio de un precio al amparo de un contrato de encargo. Pues bien, a diferencia del caso anterior y de lo que ocurriría en sistemas de *copyright* (como el estadounidense con las denominadas *works made for hire*) o en ciertos ordenamientos jurídicos de corte continental (como el portugués), en la normativa española en materia de propiedad intelectual no se contiene una regla que directa o indirectamente aborde quién debe considerarse titular originario o derivativo en los casos de software por encargo.

Ahora bien, en estos casos, el software suele ser encargado y hecho a medida de la start-up, que es precisamente la que corre con los gastos de investigación y desarrollo, lo que supone una considerable inversión. En este contexto, carecería de sentido que la viabilidad del software para el futuro pudiese dejarse al puro interés del freelancer como creador y mero proveedor del software. Este es el motivo por el que el art. 100 LPI contiene ciertos límites a los derechos de explotación sobre el software, de forma que en determinados casos la start-up (como usuaria legítima que encargó el software) no necesitaría autorización del freelancer, salvo disposición

---

persona jurídica que se prevé en el art. 97.1 TRLPI es, en todo caso, fruto de una inadecuada trasposición de la Directiva 91/250/CEE sobre protección jurídica de programas de ordenador (J. MARSAL GUILLAMET, "El sujeto del Derecho de Autor" en Propiedad Intelectual (coord. Mª A. Esteve Pardo), Tirant lo Blanch, Valencia, 2009, p. 53).

[27] En esta misma línea E. FERNÁNDEZ MASIÁ, "Comentario al artículo 97", en Comentarios a la Ley de Propiedad Intelectual (dir. Palau Ramírez, Felipe y Palao Moreno, Guillermo), Tirant lo Blanch, Valencia, 2017, p. 1222.

contractual en contrario, para llevar a cabo ciertos actos de explotación sobre el software[28].

De otro lado, se ha llegado a discutir la posibilidad de aplicar analógicamente el art. 97 LPI al software por encargo, defendiendo identidad de razón entre la relación laboral y el encargo de obra[29]. Al respecto, puede citarse la Sentencia del Tribunal Supremo (Sección 1ª), núm. 1204/2008, de 18 de diciembre de 2008, en la que se declara lo siguiente:

> *"La ley contempla la transmisión Inter vivos y mortis causa de los derechos de explotación de la propiedad intelectual a partir del artículo 42 y el 51 se refiere a la transmisión en caso de contrato de trabajo, que se presume conforme al apartado 2. Pero no contempla el caso del contrato de obra. Se debe entender que esta laguna del derecho debe ser suplida por la analogía y, tal como se mantiene en los recursos y se expone por la doctrina, el artículo 51 se aplica cuando la obra determina la transmisión de los resultados, concurriendo dos presupuestos: creación no espontánea del cedente, contratista, sino a instancia del cesionario, dueño de la obra (así lo llama el código y la doctrina civil) y la enajenación del resultado del trabajo. Todo ello concurre en el presente caso, en que se encargó a los demandantes una determinada obra para la actividad propia del periódico, se ejecutó la obra y se percibió un elevado precio y el resultado, en cuanto al derecho patrimonial, queda transmitido el dueño de la obra, llamada precisamente así, SOCIEDAD VASCONGADA".*

No obstante, nótese que la referida sentencia se limita a enjuiciar la aplicación analógica del art. 51 LPI, que únicamente establece la atribución de los derechos de explotación "*con el alcance necesario para el ejercicio de la actividad habitual del empresario en el momento de la entrega de la obra realizada en virtud de dicha relación laboral*".

No es el objeto de este trabajo valorar este pronunciamiento del Tribunal Supremo, pero téngase en cuenta que parte de la doctrina considera que esa aplicación analógica del art. 51 LPI (y más aún la del 97.4 LPI) podría resultar inadecuada si tenemos en cuenta sus potenciales amplios efectos en perjuicio del freelancer y la naturaleza de la relación contractual entre éste y la start-up. En este sentido, Juan Pablo Aparicio Vaquero sostiene que no es adecuada la aplicación analógica del art. 97.4 LPI "*por su estricto supuesto ("trabajador asalariado") y la diferente naturaleza de la relación*

---

[28] Véase Sentencia del Tribunal Supremo (Sección 1ª), núm. 492/2003, de 17 de mayo.

[29] Véase, al respecto, R. EVANGELIO LLORCA, en El encargo de obra intelectual, Dykinson, Madrid, 2006, págs. 168 y 169.

de trabajo (en que existe una dependencia o subordinación) y del contrato entre comitente y contratista (que es, además, puntual)"[30].

Además creemos que podrían considerarse como argumentos adicionales en contra de la aplicación analógica los siguientes:

(i) La ausencia de regulación al respecto se debe a una decisión premeditada del legislador comunitario. En este sentido, la Directiva 91/250/CEE sobre protección jurídica de programas de ordenador finalmente nada dijo al respecto, a pesar de que en la primera Propuesta de la Directiva se contemplaban expresamente los programas de ordenador creados por encargo y se establecía que el comitente adquiriría —sin mencionar el carácter exclusivo— los derechos de explotación sobre el programa resultante de su encargo. Por consiguiente, podría defenderse que la cuestión quedó relegada al plano nacional y, como hemos visto, el ordenamiento jurídico español nada dice al respecto.

(ii) Las llamadas leyes excepcionales no admiten aplicación de la analogía (art. 4 del Código Civil). En este sentido, podría defenderse que los arts. 51 y 97.4 LPI son una excepción a la regla general, ya que con carácter general la cesión en exclusiva debe otorgarse expresamente con este carácter (art. 48 LPI).

Ahora bien, se trata de una cuestión que habrá que analizar caso por caso.

Con independencia de lo anterior, debe quedar claro que el freelancer gozará de la autoría y titularidad originaria de los derechos de autor sobre el software encargado, de forma que la start-up sólo podrá ser titular derivativa de los derechos de autor sobre la obra de encargo mediante cesión del autor. En este contexto, con carácter general, habrá que estar a lo acordado entre las partes, a las disposiciones generales del Código Civil sobre contrato de obra, y a las normas generales del LPI sobre transmisión de derechos para determinar la cesión llevada a cabo. Así las cosas, salvo que otra cosa se hubiese pactado a través de un contrato de obra con cesión (atípica) de derechos de explotación, deberá tenerse en cuenta que la norma general será que la compañía únicamente adquiera la propiedad

---

[30]   J. P. APARICIO VAQUERO, "Comentario al artículo 97", en Comentarios a la Ley de Propiedad Intelectual (dir. Bercovitz Rodríguez-Cano; Rodrigo), Tecnos, Madrid, 2017, p. 1443.

ordinaria del soporte en que está incorporado el software, y no adquiera derechos de propiedad intelectual sobre el software[31].

Por ello, en el supuesto de desarrollos por terceros independientes el documentar apropiadamente la cesión en el correspondiente contrato de prestación de servicios será fundamental, siendo de aplicación por lo demás las consideraciones realizadas en el apartado 4.1 anterior.

5. CONCLUSIONES

A modo de conclusión de todo lo anterior podemos señalar que:

(i)   Dado que la deuda no es un mecanismo generalmente disponible para las start-ups en fases iniciales es habitual que éstas sufraguen el desarrollo de su software acudiendo a inversores en capital.

(ii)   Dicha inversión se implementa cada vez más mediante un sistema de desembolsos parciales en función de hitos de desarrollo del software y ello a pesar de que nuestro ordenamiento jurídico no es hoy lo suficientemente ágil.

(iii)   Cuando el software de la start-up adquiera cierta entidad podrá hipotecarse (hipoteca mobiliaria) en garantía de nueva financiación.

(iv)   Dado que el software es el activo esencial de las start-up que hemos analizado los financiadores e inversores lo examinarán de forma exhaustiva y exigirán ciertas coberturas frente a cualquier contingencia que le pueda afectar.

(v)   Las start-ups deberán acordar por escrito y de forma detallada con sus empleados y freelancers el alcance de la cesión de los derechos de propiedad intelectual sobre el software, idealmente en el momento de inicio de la relación.

---

[31]   Al respecto téngase en cuenta que nuestro LPI contiene una regla general en su art. 56.1, según la cual "el adquirente de la propiedad del soporte a que se haya incorporado la obra no tendrá, por este solo título, ningún derecho de explotación sobre esta última".

6. REFERENCIAS BIBLIOGRÁFICAS

AGUAYO, J., *Las manifestaciones y garantías en el derecho de contratos español*, Editorial Aranzadi, S.A., 1ª edición, 2011.

J. P. APARICIO VAQUERO, "Comentario al artículo 97", en *Comentarios a la Ley de Propiedad Intelectual* (dir. Bercovitz Rodríguez-Cano; Rodrigo), Tecnos, Madrid, 2017.

BERCOVITZ RODRÍGUEZ-CANO, R. (director), *Tratado de Contratos*, Tomo I, Tirant lo Blanch, Valencia, 2009.

CARRASCO PERERA, Á., CORDERO LOBATO, E. MARÍN LÓPEZ, Manuel J. *Tratado de derechos de garantía*, Thomson Reuters (Legal) Limitad, 2022, 4ª edición.

DOMÍNGUEZ LUELMO, A., en Rogel Vide (Dir.), *La hipoteca de Propiedad Intelectual*, Reus, 2006.

R. EVANGELIO LLORCA, en *El encargo de obra intelectual*, Dykinson, Madrid, 2006.

E. FERNÁNDEZ MASIÁ, "Comentario al artículo 97", en *Comentarios a la Ley de Propiedad Intelectual* (dir. Palau Ramírez, Felipe y Palao Moreno, Guillermo), Tirant lo Blanch, Valencia, 2017.

FUENTES LAHOZ, D., "La integración de las creaciones en la masa activa del concurso de acreedores", en *DENAE, VII Derecho del Entretenimiento y Tecnologías de la Información*, DENAE, 2020.

J. M. GUIJO VÁZQUEZ, "El Registro de la Propiedad Intelectual como instrumento de protección de los derechos de autor", en *El Registro de la Propiedad Intelectual* (coord. E. Serrano Gómez), Reus, Madrid, 2008.

J. MARCO MOLINA, "Comentario al artículo 145", en *Comentarios a la Ley de Propiedad Intelectual* (coord. R. Bercovitz Rodríguez-Cano), 4ª edición, Tecnos, Madrid, 2017, p. 1919

J. MARSAL GUILLAMET, "El sujeto del Derecho de Autor" en *Propiedad Intelectual* (coord. Mª A. Esteve Pardo), Tirant lo Blanch, Valencia, 2009.

VV.AA, *Adquisiciones de Empresas*, ÁLVAREZ ARJONA, J. M. Y CARRASCO PERERA, Á. (directores), Editorial Aranzadi, S.A. 2013.

VV. AA., *Manual de fusiones y adquisiciones de empresas*, SEBASTIÁN QUETGLAS, R. (director) y JORDANO LUNA, M. (coordinador), Wolters Kluwer España, S.A., 2ª ed., Madrid, 2018.

J. M. RODRÍGUEZ TAPIA, "Comentario al artículo 8", en *Comentarios a la Ley de Propiedad Intelectual* (coord. R. Bercovitz Rodríguez-Cano), 4ª edición, Tecnos, Madrid, 2017.

Tratamiento y protección de datos personales en el ámbito de los wearables

LOREA RONCAL GAÍNZA
Abogada Senior en ECIJA

DIANA ALEJANDRA RODRÍGUEZ GÓMEZ
Abogada asociada en ECIJA

1. INTRODUCCIÓN

1.1 Concepto y orígenes

Con carácter previo al desarrollo de la materia objeto de análisis, debe partirse de la definición conceptual de la tecnología o soportes Wearable (en adelante, "*weareable*" o "*wereables*" indistintamente) para poder desarrollar a posteriori la tipología de wearables existentes a día de hoy, así como el marco jurídico aplicable a esta tecnología.

Teniendo en consideración los retos y peligros que entraña su utilización al vincularse con el tratamiento de datos de carácter personal y sus implicaciones en materia de protección de datos, procede realizar una descripción de la evolución en la aplicación de este tipo de tecnología, para posteriormente analizar la normativa aplicable, con el objetivo de finalizar este estudio planteando las conclusiones derivadas del análisis previamente realizado.

Así, puede indicarse que, si bien los primeros hitos de la tecnología wearable se enmarcan en los "*early sixties*" (pudiendo citarse, a modo de ejemplo, el desarrollo y la comercialización de productos tales como audífonos, walkman, relojes-calculadoras…) no sería hasta bien entrada la década de los 2000 que el desarrollo de esta tecnología en distintos soportes, permitió la ampliación de los usos de aquellos, así como su democratización y, por tanto, la capacidad de llegar a un abanico de usuarios tan amplio como variado, haciendo de la tecnología wearable, una herramienta a disposición del consumidor medio, dejando de ser un ideal y un instrumento limitado a ciertos estratos de la sociedad.

Sentado lo anterior, cabe señalar que el concepto wearable proviene del anglicismo por el que se designa la tecnología que es "*ponible*" o "*vestible*". En este sentido, el término wearable, se refiere al conjunto de sistemas o dispositivos electrónicos inteligentes que se incorporan de distintas maneras al cuerpo de la persona y que, dependiendo de sus funciones podrán interactuar con éste, así como con otros dispositivos (por ejemplo, el teléfono móvil)[1]. A tal efecto, estos aparatos permiten recabar y emitir información de forma continua.

Cabe resaltar que la característica primordial de la tecnología wearable consiste en que la misma sea "*vestible*", "*ponible*" o "*llevable*", es decir, que sea usada corporalmente de tal modo que dichos dispositivos, implantes o accesorios, interactúen como una extensión del cuerpo o la mente del usuario, permitiendo la recogida, tratamiento y uso de sus datos personales relacionados con hábitos, salud, costumbres, rutinas del usuario que lo lleve, y en ocasiones de terceros que podrían incluso desconocer tal recogida, tratamiento y uso de sus datos personales. Así las cosas, cabe matizar que el hecho de que otro tipo de tecnologías también cuente con microprocesadores, como, por ejemplo, un *E-book* o una *Smart TV*, el hecho de no ser "*ponible*" determina que estos últimos no tengan la consideración de tecnología wearable.

En este sentido, puede encontrarse en el mercado una variedad de objetos cotidianos dotados de microprocesadores que brindan a los usuarios finales de los mismos determinados beneficios o funcionalidades adicionales a las inicialmente previstas para los mismos. A modo de ejemplo, podrían citarse los soportes en formato textil, como las camisetas o deportivas inteligentes; soportes electrónicos, tales como gafas, relojes, pulsera, cámaras…; o bien, cualquier otro soporte en diferente formato, siempre y cuando el mismo se adhiera al cuerpo e interactúe con el mismo como si se tratase de una extensión física del cuerpo o la mente del usuario final.

La fusión del ser humano con los microprocesadores hace posible la aplicación de la tecnología wearable en distintos escenarios, siendo los más comunes los siguientes:

---

[1]   *Vid.* https://www.aepd.es/es/prensa-y-comunicacion/blog/iot-ii-del-iot-al-iob

- La tecnología para llevar puesta (*wearable computing*);

- Los dispositivos móviles que registran información relacionada con la actividad física de las personas;

- Dispositivos de videovigilancia y domótica (oficinas y hogares con detectores, termostatos y sensores conectados, y cámaras integradas en vestimenta profesional que permiten el control y optimización del desempeño de las labores profesionales con el estado de salud del propio trabajador).

En cuanto a los escenarios de wearable computing y uso de dispositivos móviles que registran información relacionada con la actividad física de las personas, este estudio debe centrarse en la recogida, guarda y tratamiento de la información recabada por esta tipología de dispositivos:

- **Gafas Inteligentes**: gafas inteligentes controladas a través de voz, que permitan hacer fotografías y grabar videos de todo aquello se esté viendo y reproducirlos en otro instante; consultar el correo electrónico, el tráfico, noticias o la ruta más corta para llegar a un punto del mapa; traducir a cualquier idioma los carteles cuya imagen sea captada o realizar videoconferencias en directo, entre otros.

- **Accesorios y Complementos**: Relojes y pulseras activados por huella o voz, que permitan recabar y guardar toda la información relativa al modo de vida, hábitos de consumo (por ejemplo, permitiendo realizar pagos por medio de dispositivo), costumbres (tales como hábitos deportivos, rutas realizadas, ritmo cardíaco, ciclos de sueño…)

- **Industria Textil**: Prendas que indican la temperatura de quien las lleva, que contabilizan los kilómetros recorridos, la ruta, ritmo cardiaco, prendas que se iluminan para ser vistos en zonas oscuras, que mejoran movimientos corporales o corrigen respiraciones y movimientos musculares en el ejercicio de determinado deporte.

- **En el ámbito de la medicina y la salud**: Dispositivos de tecnología wearable que, implantados en el usuario controlan y registran niveles de glucosa, dispensadores automáticos de insulina, control de tiroides, reguladores de hormonas; información recabada por dispositivos llevables, y transferida a ordenadores y dispositivos a los que puede acceder todo un equipo médico, independientemente del país donde los actores —pacientes y médicos— se encuentren.

Lo anteriormente expuesto va ligado al desarrollo del concepto "Internet de los cuerpos" o *"Internet of Bodies"* (en adelante, "***IoB***"), entendido como el uso de objetos y dispositivos que captan, tratan y procesan datos e información relacionados con el cuerpo humano del "*portador*", permitiendo una monitorización y un seguimiento de actividades y/o rutinas, que puede implicar desde la recogida de información de localización a la de constantes vitales y otros datos de salud (datos biométricos, tempos de descanso y calidad del sueño, entre otros).

En este sentido, debe indicarse que existen tres niveles de implantación o generaciones de IoB, en función del grado de acoplamiento al cuerpo[2]:

- Primera generación: dispositivos externos al cuerpo. Las personas portan de forma continua accesorios que pueden enviar multitud de datos personales a diferentes entidades a través de Internet (pulseras de monitorización de actividad física o smartwatches con funcionalidades similares).

- Segunda generación: dispositivos internos al cuerpo. A esta generación pertenecen los dispositivos que se encuentran dentro del cuerpo de la persona, incluidos aquellos que puedan ser implantados (marcapasos o implantes cocleares, entre otros)

- Tercera generación: dispositivos fusionados con el cuerpo.

Por otro lado, y con carácter centrado en el uso de los wearables alejado de su explotación comercial, podrían constituir buenos ejemplos de tecnología o soportes wearables, el uso de cámaras y termostatos, así como de dispositivos GPS, en el ámbito laboral, siempre y cuando los mismos se encuentren integrados en los uniformes profesionales o equipos de protección individual exigidos en determinados puestos de trabajo que puedan implicar un riesgo para la seguridad y la salud de los trabajadores. Así las cosas, y a modo de ejemplo, podría considerarse como soporte wearable, el uso de cascos de bomberos, las cámaras integradas en determinados gruistas, o los termostatos vinculados a uniformes laborales que, además de ofrecer una posición más garantista en materia de seguridad y salud laboral, estén dotados de tecnologías que permitan una mayor optimización de estos medios y recursos, de forma que se pueda llevar a cabo un control más efectivo sobre la vigilancia de la salud del propio trabajador.

En definitiva, la utilización de wearables en la vida diaria de los usuarios implica una ampliación de su huella digital, toda vez que, en palabras de

---

[2]   Andrea M. Matwyshyn, *The Internet of Bodies*, 61 Wm. & Mary L. Rev. 77 (2019), página 91

la propia Agencia Española de Protección de Datos, los aspectos de las personas se "*datifican*", de forma que se pueden construir perfiles con mayor exactitud y profundidad, abarcando la globalidad de los aspectos de una persona que emplee este tipo de dispositivos[3].

2. MARCO JURÍDICO

2.1 *Normativa aplicable*

Al estudiar el origen de los wearables, se ha incidido en el hecho de que se trata de dispositivos que permiten la interacción con el cuerpo o la mente de los usuarios. Lo cual implica inevitablemente una recogida, tratamiento y uso de la información aportada por el propio usuario, o recabada del mismo mediante un acto dotado de mayor o menor voluntariedad, que puede referirse a diversos ámbitos de la vida cotidiana, dependiendo de la funcionalidad y el diseño para el cual se haya desarrollado dicha tecnología en cuestión, pudiendo conllevar desde el tratamiento de datos de salud o geolocalización, hasta el desarrollo de acciones comerciales con la implicación que ello puede tener en la forma en la que se diseñan los perfiles comerciales de los usuarios para impactarles a través de acciones publicitarias.

Habida cuenta de ello, al tratar información personal de los usuarios, su mera utilización permite identificar o hacer identificable al usuario que lo emplea, resultando imperativa la aplicación de la normativa vigente en materia de protección de datos, esto es, el Reglamento 2016/679 de Protección de Datos (en adelante, el "*RGPD*"), la Ley Orgánica 3/2018, de Protección de Datos y garantía de derechos digitales (en adelante, "*LOPD-GDD*"), así como la normativa sectorial que pueda resultar de aplicación, que se derive de la finalidad y ámbito de aplicación para el que se haya diseñado la tecnología wearable.

Ligado a ello, de conformidad con el artículo 4.1) del RGPD, se definen como "datos personales" "*toda información sobre una persona física identificada o identificable; se considerará persona física identificable toda persona cuya identidad pueda determinarse, directa o indirectamente, en particular mediante un identificador, como por ejemplo un nombre, un número de identificación, datos de lo-*

---

[3]   Vid.   *https://www.aepd.es/es/prensa-y-comunicacion/blog/iot-i-que-es-iot-y-cuales-son-sus-riesgos*

calización, un identificador en línea o uno o varios elementos propios de la identidad física, fisiológica, genética, psíquica, económica, cultural o social de dicha persona".

Asimismo, dado que la tecnología wearable implica la realización de operaciones sobre los datos personales, a través de procedimientos automatizados, ello resulta indicativo de que su utilización se encuentra ligada al concepto de "tratamiento" de datos personales, tal como se encuentra definido en el artículo 4.2) del RGPD: *"cualquier operación o conjunto de operaciones realizadas sobre datos personales o conjuntos de datos personales, ya sea por procedimientos automatizados o no, como la recogida, registro, organización, estructuración, conservación, adaptación o modificación, extracción, consulta, utilización, comunicación por transmisión, difusión o cualquier otra forma de habilitación de acceso, cotejo o interconexión, limitación, supresión o destrucción".*

2.2 Obligaciones en materia de protección de datos

Como cuestión previa al análisis de las implicaciones jurídicas del uso de los wearables, cabe aclarar que, con independencia del sector de la actividad que se esté analizando, en todo momento, pueden existir uno o más sujetos que intervengan en la realización de las operaciones de tratamientos de datos de carácter personal.

En este sentido, el Grupo de Trabajo del Artículo 29[4] a través del Dictamen 8/2014 sobre la evolución reciente del Internet de los objetos, señaló que las partes interesadas consideradas responsables del tratamiento de datos (ya sea independientemente o junto con otras) con arreglo al Derecho de la UE deben cumplir las diferentes obligaciones impuestas por la ya derogada Directiva 95/46/CE (actualmente, el RGPD y la normativa de desarrollo en cada Estado de la Unión Europea). Así las cosas, y de acuerdo con lo dispuesto en el artículo 4 del RGPD será responsable del tratamiento *"la persona física o jurídica, autoridad pública, servicio u otro organismo que solo o junto con otros, determine los fines y los medios del tratamiento".*

Sentado lo anterior, las implicaciones jurídicas derivadas del uso de la tecnología wearable no han sido ajenas a pronunciamientos de las Autoridades de Control. De este modo, la Agencia Española de Protección de

---

[4]   El Grupo de Trabajo del artículo 29 (GT Art. 29) es el grupo de trabajo europeo independiente que se ha ocupado de cuestiones relacionadas con la protección de la privacidad y los datos personales hasta el 25 de mayo de 2018 (entrada en aplicación del RGPD).

Datos ha estudiado la tecnología wearable a través de distintas guías y publicaciones, indicando que el uso de este tipo de tecnología ha de someterse a los requisitos establecidos en la normativa habilitante al efecto, siendo así que el tratamiento que se deriva de la recogida de datos por medio de tales dispositivos, supone, entre otros, que deberán observarse, en todo momento, los principios que rigen dicha operación, y que se recogen en el artículo 5 del RGPD.

En este punto, tal como ha indicado la Agencia Española de Protección de Datos (en adelante, "*AEPD*"), el incremento del uso de los wearables implica una serie de riesgos para la privacidad y la protección de datos, en tanto que su interacción con el ser humano puede implicar una revelación invasiva de pautas de comportamiento y elaboración de perfiles, ajena a la expectativa de privacidad que puede tener un usuario medio.

Como consecuencia, las empresas privadas como las autoridades públicas que utilicen los datos personales en el marco de los dispositivos wearables, deberán ajustar sus actividades a los los principios de licitud, lealtad y transparencia; calidad o exactitud de los datos; proporcionalidad de los datos, como consecuencia de la intersección de los principios de minimización, limitación de la finalidad y limitación del plazo de conservación de los datos; integridad y confidencialidad; así como el principio de responsabilidad proactiva o la capacidad de demostrar la observancia y aplicación efectiva de los principios anteriormente citados.

A mayor abundamiento, y con independencia del sector de actividad en el que se empleen los wearables, en todo momento, deberá observarse el principio de privacidad desde el diseño y por defecto, tal como se recoge en el artículo 25 del RGPD.

En este sentido, la AEPD ha señalado que uno de los principales riesgos derivado de la utilización de wearables, se deriva de la gran amplitud de categorías de datos personales que pueden llegar a ser tratadas a través de estos dispositivos. Así las cosas, si bien es cierto que algunos de los datos captados son facilitados conscientemente por los usuarios, existen otros datos derivados o inferidos, que se obtienen a partir del análisis de los datos facilitados por el propio usuario, y que también se pueden obtener de otras fuentes externas ajenas para la persona usuaria media.

Lo anterior implica que, no solo se tenga en cuenta, desde el momento en el que se lleva a cabo el diseño del dispositivo wearable, determinar la tipología, cantidad y origen de los datos que serán objeto de tratamiento, sino que además se lleve a cabo un análisis jurídico sobre la necesidad de los mismos, a fin de verificar que se ajustan a lo estrictamente necesario para cumplir con las finalidades buscadas.

A modo de ejemplo, no es lo mismo recabar datos con una finalidad de optimización del estado de salud del usuario, o que la finalidad de esta operativa consista en el uso de tales datos para mejorar el precio y/o prestaciones de un seguro o cobertura sanitaria[5].

La centralidad del análisis de la tipología de datos objeto de tratamiento es tal, que influye de manera directa en la base de legitimación que posibilitará su posterior tratamiento. Atendiendo al marco normativo vigente, si los datos objeto de tratamiento se corresponden con aquellos definidos como "*categorías especiales de datos personales*", y que según lo dispuesto en el artículo 9.1 del RGPD se corresponden con "l*os datos personales que revelen el origen étnico o racial, las opiniones políticas, las convicciones religiosas o filosóficas, o la afiliación sindical, y el tratamiento de datos genéticos, datos biométricos dirigidos a identificar de manera unívoca a una persona física, datos relativos a la salud o datos relativos a la vida sexual o las orientación sexuales de una persona física*", deberá tenerse en cuenta que su explotación, según la literalidad del apartado primero del precitado artículo, se encuentra protegida bajo un régimen de prohibición general.

No obstante, si bien se debe tener en consideración el régimen de protección reforzada establecido en el artículo 9.1 del RGPD, ello no impide que de algún modo se puedan tratar los datos personales de categoría especial. En este sentido, atendiendo a los potenciales usos que se pueden dar de los dispositivos wearables, la prohibición general de tratamiento se levantará en aquellas circunstancias en las que el tratamiento pueda legitimarse, con carácter general, conforme a lo dispuesto en el artículo 6.1 del RGPD:

- Consentimiento;
- Ejecución de un contrato;
- Cumplimiento de las obligaciones legales;
- Protección de los intereses vitales de los interesados;
- Cumplimiento de una misión en interés público;

---

[5]   Concretamente, en el sector asegurador, bajo la denominación de "*insurtech*" se define el uso y aplicación de la tecnología dentro del sector asegurador, provocando un fenómeno de startups que están aplicando la tecnología para optimizar y mejorar, fundamentalmente, el modelo de negocio de seguros actual.

Mientras que, con carácter específico de acuerdo con alguna de las bases jurídicas predispuestas en el artículo 9.2 del RGPD:

- Consentimiento;

- Cumplimiento de obligaciones legales;

- Protección de los intereses vitales de los usuarios o de otra persona física;

- Razones de interés público esencial;

- Cumplimiento de las obligaciones en materia de medicina preventiva o laboral;

- Interés público en el ámbito de la salud pública para garantizar elevados niveles de calidad y seguridad de la asistencia sanitaria y de los medicamentos o productos sanitarios sobre la base *del* Derecho de la Unión o de los Estados miembros.

En el ámbito de los seguros, si la puesta a disposición de los dispositivos wearables se fundamentase en la monitorización continua del estado de salud de los usuarios al objeto de determinar la subida o bajada del precio de la póliza, dicho tratamiento de los datos personales de salud, considerados especialmente protegidos, podría legitimarse con base en el cumplimiento de una obligación legal, derivada de la Ley 20/2015, de 14 de julio, de ordenación, supervisión y solvencia de las entidades aseguradoras y reaseguradoras (en adelante, "LOSSEAR"), como regulación sectorial, contempla en su artículo 99 cierta habilitación legal para el tratamiento de los datos de salud sin el consentimiento del interesado para la "determinación de la asistencia sanitaria" y "el adecuado abono a los prestadores sanitarios o el reintegro al asegurado o sus beneficiarios de los gastos de asistencia sanitaria"[6]

Otro ejemplo que podría traerse a colación sería el uso de dispositivos wearables adheridos a los equipos de protección individual o EPIS, con la finalidad controlar la efectiva aplicación de las medidas de prevención de riesgos laborales. La legitimación de tratamiento de los datos recabados de esta manera se fundamentaría en el cumplimiento de una exigencia legal imperante y determinada por normativa vigente (Real Decreto Legislativo 2/2015, de 23 de octubre, por el que se aprueba el texto refundido de la

---

[6]   Martínez Herrero, E.; Do Nascimento, L. "*Seguros de Salud y wearables: retos legales que plantea la monitorización de los datos de salud*".

Ley del Estatuto de los Trabajadores; la Ley 31/1995, de 8 de noviembre, de prevención de Riesgos Laborales, así como la demás normativa aplicable en materia laboral).

Igualmente, atendiendo al análisis que se lleve a cabo de la totalidad de las circunstancias que rodean el tratamiento de datos personales, una de las cuestiones determinantes a la hora de ponderar la proporcionalidad de la actividad que se realice con los mismos, viene ligada al establecimiento de los plazos de conservación de los datos objeto de tratamiento. En este punto, debe tenerse en consideración que ni el RGPD ni la LOPDGDD, por su propia naturaleza normativa, determinan los plazos que se deben observar, limitándose a señalar que los mismos deberán ser "*mantenidos durante no más tiempo del necesario para los fines del tratamiento de los datos personales*".

Por tanto, la observancia del principio de proporcionalidad en la adecuación de los plazos de conservación de los datos, se trata de una cuestión que directamente incumbe al responsable del tratamiento de los datos y, que en su observancia y delimitación, deberá tener en cuenta, no solamente la base legitimadora que posibilite el tratamiento de los datos, sino también las disposiciones legales aplicables al tratamiento, de las que se puedan derivar determinadas obligaciones en materia de conservación documental, que afectan indirectamente al mantenimiento de los datos personales utilizados, a fin de dar cumplimiento a las disposiciones normativas que resulten de aplicación.

Asimismo, y continuando con el análisis realizado, se deberá tener en cuenta el tipo de tecnología que se va a emplear para llevar a cabo la recogida y tratamiento de datos personales, dado que en este punto lo más probable es que se empleen tecnologías de inteligencia artificial y big data; lo que, a su vez, obligará a verificar que la recogida y explotación de la información se adecúa a los requisitos de ética y seguridad vigentes, de tal modo que garanticen un clima de confianza absoluta para el respeto de los derechos y libertades de los usuarios, así como una adecuación al enclave normativo que se espera desarrollar en años venideros sobre esta materia.

Ligado a ello, y al objeto de garantizar una adecuada protección de los derechos y libertades de los interesados, una cuestión esencial en el diseño de la privacidad de los wearables guarda relación con las medidas de seguridad que se vayan a aplicar a los datos objeto de tratamiento.

En este punto, debe tenerse en cuenta que uno de los riesgos relacionados con el uso de los wearables consiste en la falta de establecimiento de medidas de seguridad apropiadas, que permiten explotar las vulnerabilidades de los dispositivos, y que pueden concretarse en brechas de seguridad que afecten a los datos personales de los usuarios, comprometiendo de este modo su privacidad. Lo que se incrementa, dada la participación de múltiples actores en el desarrollo de este tipo de productos, pues determinados sujetos pueden ser más vulnerables a los ataques que puedan suponer una brecha de seguridad.

Como consecuencia de ello, el análisis de la seguridad de los wearables se convierte en una piedra angular para su desarrollo. Así, se debe considerar que el RGPD ha establecido que las medidas aplicables no solamente se centran en el ámbito técnico, sino que también abordan cuestiones organizativas, ya que las mismas deben ser apropiadas con miras a avalar que proporcionan garantías necesarias en el tratamiento, a fin de hacer cumplir los requisitos del propio RGPD y garantizar el respeto de los derechos de los usuarios.

Por otro lado, si bien es cierto que ni el RGPD ni la LOPDGDD establecen un catálogo de medidas técnicas y organizativas cerrado, sino que, al objeto de ajustarse a la dinámica normativa y tecnológica actual, por defecto, las mismas permitan garantizar que todos aquellos elementos definidos previamente se tratan conforme a los criterios normativos vigentes. De modo tal que únicamente se recaba la cantidad y tipología de datos inicialmente previstos en la fase del diseño del wearable, que se mantienen por el plazo de conservación fijado, y que son accesibles únicamente a aquellos interesados que legalmente se encuentran habilitados para ello.

La definición de las medidas técnicas y organizativas no se puede abordar como un compartimento estanco, alejado de la realidad tecnológica actual y futura. De tal modo que su determinación, se realice llevando a cabo una lectura conjunta con el artículo 32 del RGPD, y por el que se regula el principio de seguridad de los datos.

En este sentido, se deben considerar los avances constantes tecnológicos al objeto de conocer tanto las amenazas que pueden afectar a los datos personales como las salvaguardas a aplicar destinadas a garantizar un nivel de seguridad adecuado al objeto de combatir las amenazas previamente detectadas. De este modo, la definición de los datos objeto de tratamiento en la fase inicial del diseño, tendrá consecuencias en las medidas técnicas, organizativas y de seguridad objeto de aplicación, puesto que a mayor sensibilidad o especialidad del dato, mayores serán los perjuicios o injerencias que, se deriven de su tratamiento ilícito, pérdida, destrucción o daño accidental, y las consecuencias que ello pudiera tener en los derechos y libertades de los interesados.

Adicionalmente, y al objeto de definir las medidas de seguridad, técnicas y organizativas, también se tendrán en cuenta factores como el contexto, alcance y fines del tratamiento, así como el estado de la técnica y los costes de aplicación. Si bien el RGPD no determina la obligatoriedad de la observancia de las medidas que se indican en el precitado artículo 32 del RGPD, sí establece como un claro modo indicativo de aquellas medidas que pueden ser objeto de aplicación:

- La seudonimización y el cifrado de datos personales;

- La capacidad de garantizar la confidencialidad, integridad, disponibilidad y resiliencia permanentes de los sistemas y de los servicios de tratamiento;

- La capacidad de restaurar la disponibilidad y el acceso a los datos personales de forma rápida en caso de incidente físico o técnico;

- Un proceso de verificación, evaluación y valoración regulares de la eficacia de las medidas técnicas y organizativas para garantizar la seguridad del tratamiento.

Derivado de lo dispuesto en el artículo 32 del RGPD como cuestión esencial e inherente a la valoración de la seguridad del tratamiento, debe llevarse a cabo un análisis de los riesgos que presente el tratamiento de los datos, y, en todo caso, en el ámbito de los wearables aquellos que se produzcan como consecuencia de la destrucción, pérdida o alteración accidental o ilícita de los datos personales transmitidos, conservados o tratados de otra forma, o la comunicación o acceso no autorizados a dichos datos.

En congruencia con lo anterior, dada la habitualidad de la intervención de distintos proveedores en el marco del desarrollo de los wearables, debe tenerse en cuenta el acceso que a los datos personales puedan tener, no solamente el personal interno a la organización, sino también de terceros que cuenten con un acceso a datos de carácter personal.

De este modo, al objeto de observar con carácter general la normativa, en el ámbito de contratación con terceros, uno de los riesgos que debe tenerse en consideración es el acceso ilegítimo o la pérdida de control de los datos; cuestión por la que resulta esencial verificar si se han suscrito los preceptivos contratos de acceso a datos, compromisos o acuerdos de confidencialidad con aquellos.

En aquellos casos en los que se prevea que el proveedor en cuestión va a tener un acceso a los datos objeto de tratamiento, deberá verificarse que, con carácter previo a la contratación con el mismo, este proveedor ofrece garantías adecuadas que demuestre el cumplimiento de las obligaciones en materia de protección de datos. Algunos indicios que podrían guiar la actuación de los responsables en este contexto supondrían la emisión de certificaciones en materia de seguridad de la información, de auditorías que evalúen el grado de cumplimiento en materia de protección de datos o, en aquellos casos o contextos en los que pueda resultar de aplicación, la adhesión a códigos de conducta o certificaciones en materia de protección de datos, en caso de disponer de las mismas. Una cuestión que resulta indicativa sobre la fiabilidad de la contratación con los proveedores externos, supone la transparencia con la que emana la información relativa a las cadenas de subcontratación, localización geográfica de los datos y medidas de seguridad técnicas, jurídicas y organizativas puestas a disposición para la regulación de dichos puntos.

Ligado a ello, dado que los wearables no tienen la capacidad de almacenar los datos en sus microprocesadores, la práctica habitual determina que se presente como elemento necesario la contratación con prestadores de servicios de alojamiento en servidores cloud o en la nube. En este sentido, además de verificar que los proveedores cumplen los requisitos citados con anterioridad, se deberá realizar un análisis de la organización con la que se lleve a cabo la contratación, a los efectos de conocer la localización geográfica de los servidores, de modo que se pueda determinar si al contratar con este último se practicarán transferencias internacionales de datos o no, y en caso afirmativo, si las mismas se encuentran debidamente autorizadas, de conformidad con los requisitos establecidos en los artículos 46 y siguientes del RGPD.

Así las cosas, la labor del responsable del tratamiento consistiría en verificar que, en caso de que los servidores no se encuentren localizados dentro del Espacio Económico Europeo, se regularizará el traslado de dicha información al país en cuestión y, en su caso, si dicha traslación se encuentra autorizada bien por una Decisión de Adecuación, bien por la suscripción de cláusulas contractuales tipo.

Sentado lo anterior, y teniendo en cuenta los resultados obtenidos del análisis de los riesgos, en caso dado de que se detecte que, por alguno de los elementos estudiados, se deriva un elevado riesgo para los derechos y libertades de los interesados, ello sería indiciario de la necesidad de llevar a cabo una evaluación de impacto de privacidad (o "*PIA*" por sus siglas en inglés "*Privacy Impact Assessment*") en la que se tengan en cuenta, en mayor profundidad no únicamente los tipos de tratamiento que se van a realizar, el alcance, contexto y los fines, sino también la tecnología que pueden emplearse; y, en particular, si ésta por su especial naturaleza puede tener un elevado grado de injerencia en los derechos y libertades de los interesados.

A modo de catálogo[7] que pretende servir de guía a los responsables y encargados del tratamiento, la realización de una PIA podrá devenir obligatoria en los siguientes casos:

- "*Si se realiza una evaluación sistemática y exhaustiva de aspectos personales de personas físicas que se base en un tratamiento automatizado, como la elaboración de perfiles, y sobre cuya base se tomen decisiones que produzcan efectos jurídicos para las personas físicas o que les afecten significativamente o de modo similar*" (artículo 35.3, apartado a) del RGPD).

Tomando uno de los ejemplos citados con anterioridad, tal sería el supuesto de los dispositivos wearables empleados en el sector de seguros con el objeto de monitorizar el estado de salud de los asegurados que dé lugar a la toma de una decisión automatizada, que implique la subida o la bajada de la póliza en función de la mejora o empeoramiento del estado de salud del asegurado.

- "*Si se realiza un tratamiento de datos a gran escala de las categorías especiales de datos a que se refiere el artículo 9, apartado 1, o de los datos personales relativos a condenas e infracciones penales a que se refiere el artículo 10*" (artículo 35.3, apartado b) del RGPD).

Se podría citar a modo de ejemplo, la utilización de dispositivos wearables que, en el ámbito de la salud pública, se emplean para realizar un seguimiento de los usuarios con el objetivo de medir el grado de insulina en sangre en pacientes con diabetes.

En cualquier caso, la PIA que se lleve a cabo deberá centrarse en la realización de un estudio pormenorizado de la necesidad y proporcionalidad de las operaciones de tratamiento; los riesgos y libertades que las operaciones entrañan para los derechos de los interesados; y las garantías adicionales aplicables al tratamiento tendentes a garantizar una adecuada protección de los derechos de los interesados.

Por último, si del análisis de los resultados obtenidos en la PIA se deriva un resultado favorable, ello implicaría que podría llevarse a cabo el

---

[7]   Se recomienda la consulta del documento publicado por la AEPD, y por el que se establece el listado orientativo de tratamientos que requieren una evaluación pormenorizada del impacto que tienen en los derechos y libertades de los interesados, conforme al artículo 34.1 RGPD.

tratamiento de datos que se pretende. No obstante, si el resultado no es favorable por entrañar un riesgo muy alto para los derechos y libertades de los interesados, habrá de someterse al mismo al trámite de consulta previa, tal como se dispone en el artículo 36 del RGPD.

En cualquier caso, las obligaciones de las organizaciones no finalizan con la realización del análisis previo de los tratamientos de datos conforme los principios rectores del RGPD, sino que de forma adicional deberá realizarse una vigilancia continua, a fin de atender cualquier cambio o variación que implique un riesgo para los derechos y libertades de los usuarios.

Por otro lado, no se puede dejar de lado, la cuestión relativa con al cumplimiento del principio de transparencia informativa, que ha sido detectada por la AEPD como un factor de riesgo en el marco de la garantía del respeto del derecho de los interesados. Así, tal como pone de manifiesto la AEPD dicho riesgo se produce como consecuencia de las dificultades para controlar los datos que los propios usuarios facilitan, la falta de establecimiento de políticas de privacidad que informen de forma clara y concisa acerca de las finalidades de los tratamientos que se llevan a cabo, así como la ausencia de mecanismos tradicionales de obtención del consentimiento informado conforme a los criterios vigentes.

Por ello, una de las cuestiones que se deben tener en consideración en esta materia, es el establecimiento de mecanismos que permitan a los usuarios consultar dichas políticas informativas a los efectos de conocer de qué manera se van a tratar los datos; cuestión en la que se deberá incidir, cuando se prevea que no se van a tratar únicamente los datos facilitados directamente por el propio usuario, sino que se vayan tratar datos derivados del uso, y sobre todo, cuando los datos provengan de fuentes ajenas o terceros, haciendo referencia a las mismas. Asimismo, deberá informarse sobre el tipo de tecnología que se empleará para realizar el cruzado de los datos, debiendo verificarse, en todo caso, que la información facilitada emplea un lenguaje sencillo, claro y transparente, comprensible para cualquier usuario o interesado, tal como se dispone en el artículo 12 del RGPD.

Con motivo de lo anterior, al objeto de mejorar los mecanismos de transparencia en el ámbito de los wearables que, por su forma o tamaño presenten dificultades a la hora de mostrar la información a los usuarios, la AEPD estima que aquella podría facilitarle mediante el uso de altavoces o mecanismos similares, que posibilite a los interesados conocer qué datos se recogen, para qué se utilizan y de qué medios disponen para tomar el control de sus datos, mediante la puesta a disposición de direcciones que permitan hacer efectivos los derechos que se recogen en los artículos 15 al 22 del RGPD.

3. CONCLUSIONES

En la evolución teórica derivada de la transición conceptual del Internet de las Cosas al Internet de los Cuerpos, el uso de la tecnología wearable implica un claro ejemplo del tratamiento de datos personales, al posibilitar la directa identificación de los usuarios. Lo que a su vez, ha determinado que resulte de aplicación el marco regulatorio en materia de protección de datos y privacidad, provocando que todos aquellos sujetos que intervengan en el desarrollo y explotación de la tecnología wearable se encuentran sometidos al cumplimiento de las obligaciones recogidas en el RGPD, la LOPDGDD, así como normativa sectorial que resulte de aplicación.

En este sentido, la existencia de la tecnología wearable ha supuesto una revolución en términos inimaginables, debido a que la interacción de los mismos con el cuerpo, a fin de posibilitar la monitorización de diferentes aspectos relacionados con la salud, la seguridad laboral…, creando múltiples y variados beneficios para los usuarios. No obstante, una consecuencia directa de su utilización se encuentra ligada al elevado impacto en la privacidad de los mismos al desconocer la forma en la que se tratan los datos que se recaban y que se generan consecuencia de su uso.

Por consiguiente, en el marco del desarrollo de la tecnología wearable cobra un papel esencial la aplicación del principio de privacidad desde el diseño y por defecto, dirigido a garantizar el respeto de los derechos y libertades de los interesados, y más concretamente, su derecho a la protección y privacidad de los datos, con carácter previo al tratamiento de sus datos, de tal modo que su esté ligada al ciclo de vida de este tipo de tecnologías, comenzando por el diseño, pasando por su desarrollo, y teniendo en cuenta su comercialización.

Unido a ello, se tomará como punto de partida la aplicación de los principios de protección de datos al objeto de que los tratamientos realizados a partir de los wearables sean acordes a las expectativas de los interesados.

Asimismo, considerando el impacto que podría tener en los derechos y libertades de los interesados la materialización de una brecha de seguridad que afecte a datos personales debe prestarse especial atención a las medidas técnicas y organizativas aplicadas y aplicables, de tal modo que las mismas otorguen un nivel de seguridad adecuado a los datos objeto de tratamiento.

A mayor abundamiento deberá realizarse, con carácter previo un análisis de riesgos, y en caso de que se derive un riesgo elevado para los derechos y libertades de los interesados, realizar una PIA, que valore la proporcionalidad y la necesidad del tratamiento que se lleva a cabo. En todo caso, la PIA deberá entrar a valorar las cadenas de subcontrataciones que se produzcan, al objeto de determinar los riesgos que las mismas pueden suponer para los derechos y libertades de los interesados;

Sentado lo anterior, se deberán tomar todas aquellas salvaguardas que permitan dar cumplimiento al deber de transparencia, de tal modo que los usuarios sean conscientes de las implicaciones jurídicas que se derivan del tratamiento de sus datos a través de estos pequeños dispositivos que se encuentran presentes en nuestro día a día.

Por último, cabe reflexionar en torno a los innumerables e indudables beneficios que ofrecen las tecnologías en el día a día. Así se hace necesario que los usuarios no solo consideren este aspecto, sino que adquieran consciencia de lo que se hace con sus datos y del precio que se paga por ellos, a los efectos de establecer límites infranqueables para evitar una limitación a los derechos y libertades que tanto esfuerzo ha costado conseguir.

4. REFERENCIAS BIBLIOGRÁFICAS

Reglamento (UE) 2016/679 del Parlamento Europeo y del Consejo de 27 de abril de 2016 relativo a la protección de las personas físicas en lo que respecta al tratamiento de datos personales y a la libre circulación de estos datos y por el que se deroga la Directiva 95/46/CE (Reglamento general de protección de datos.

Ley Orgánica 3/2018, de 5 de diciembre, de Protección de Datos Personales y garantía de los derechos digitales.

Libro Blanco sobre la inteligencia artificial - un enfoque europeo orientado a la excelencia y la confianza. Publicado con fecha de 2 de febrero de 2019.

Dictamen 08/2014, del Grupo de Trabajo del Artículo 29, sobre la evolución reciente de la Internet de los objetos, adoptado el 16 de abril de 2014.

Guía de la Agencia Española de Protección de Datos, relativa a la privacidad desde el diseño. Publicada con fecha de 8 de octubre de 2020

Guía de la Agencia Española de Protección de Datos, relativa a la protección de datos en las relaciones laborales. Publicada con fecha de 18 de mayo de 2021.

Guía de la Agencia Española de Protección de Datos, relativa al Reglamento General de Protección de Datos. Publicada con fecha de 22 de mayo de 2018.

Guía de la Agencia Española de Protección de Datos, relativa a la gestión del riesgo y evaluación de impacto en el tratamiento de datos personales. Publicada con fecha de 29 de junio de 2021.

Andrea M. MATWYSHYN, The Internet of Bodies, 61 Wm. & Mary L. Rev. 77 (2019), https://scholarship.law.wm.edu/wmlr/vol61/iss1/3 (páginas 79 a 167).

Blog de la Agencia Española de Protección de Datos, IoT (I): Qué es IoT y cuáles son sus riesgos. Publicada con fecha de 3 de diciembre de 2020.

Blog de la Agencia Española de Protección de Datos, IoT (II): Del Internet de las Cosas al Internet de los Cuerpos. Publicada con fecha de 11 de enero de 2021.

MARTÍNEZ HERRERO, E.; Do Nascimento, L. "Seguros de Salud y wearables: retos legales que plantea la monitorización de los datos de salud". Publicado con fecha de 28 de enero de 2021 en el sitio web SEGUROS NEWS (https://segurosnews.com/opinion/seguros-de-salud-y-wearables-retos-legales-que-plantea-la-monitorizacion-de-los-datos-de-salud)

Mecanismos aleatorios de recompensa asociados a productos de software interactivo de ocio o "loot-boxes"

JOSÉ IGNACIO SALDARRIAGA

Socio del área de Innovative Businesses & Venture Capital de EJASO y Copresidente de la Sección de Esports, actividades recreativas y espectáculos públicos del ICAM

1. INTRODUCCIÓN

Este trabajo pretende reflejar el estado legal actual de un mecanismo muy antiguo de recompensa o aleatorio que, en los tiempos actuales, está generando debate por el impacto en la operabilidad de los videojuegos por parte de los jugadores, así como por las consecuencias en la industria del videojuego. También pretende anticiparse a una tendencia política y legislativa con respecto a las nuevas formas de entretenimiento en general y del *gaming* en particular.

Para ello, intentaremos descubrir qué son estos mecanismos aleatorios, llamados indistintamente "cajas botín" o "*loot-boxes*" y qué dicen los expertos sobre su naturaleza; recorreremos su historia y origen descubriendo que son mecanismos más antiguos de lo que creemos y que todos, alguna vez en nuestra vida, hemos abierto una caja botín. Por último, analizaremos los motivos que llevan a países de nuestro entorno a considerar que la normativa de juegos de azar debe ser aplicada a las "*loot-boxes*" y compararemos modelos regulatorios, viendo el impacto de la norma española sobre la industria en España y sobre el mercado único europeo.

2. CONCEPTO

A pesar de que existen diversas definiciones de las cajas botín o *"loot-boxes"*, y que muchas de ellas vienen sesgadas por una opinión sobre su efecto en el que las consume, intentaremos definirlo de manera aséptica: Las *"loot-boxes"* son elementos que se consumen en el entorno de un videojuego a cambio de una contraprestación —normalmente con dinero real o con tokens del videojuego— y que contienen objetos aleatorios que sirven al jugador como recompensa o premio para ser usado en el juego. Dada la naturaleza aleatoria, el contenido de estas "cajas misteriosas" es desconocido para el jugador antes de abrirlos.

Esta clase de mecanismos permite a los *publishers* o editores de videojuegos generar micro transacciones en el entorno del videojuego, y es implementado principalmente cuando el videojuego es de la categoría denominada *free-to-play*, esto es, cuando el juego permite que sea jugado de manera gratuita. De esta manera, las *"loot-boxes"* permite que juegos que son gratuitos puedan ser monetizados por el dueño o el editor del videojuego.

Normalmente las *"loot-boxes"* tienen por finalidad mejorar algún aspecto del juego para el jugador, ya sea mediante la consecución de determinadas herramientas para mejorar las características del personaje o personajes que utiliza el jugador o para mejorar su diseño.

Los elementos principales de esta definición son coincidentes las definiciones de las *"loot-boxes"* en países de nuestro entorno.

Por ejemplo, la *Kansspelcommissie*, que es la Comisión del Juego belga, define *"loot-boxes"* como el término que engloba uno o varios elementos de juego integrados en un videojuego por el que el jugador adquiere objetos del juego, ya sea a cambio de un pago o de forma gratuita, de una manera aparentemente aleatoria.

Para la autoridad de Países Bajos, las cajas de botín "son un tipo de cofre del tesoro que se incorporan a un número creciente de juegos. Las cajas de botín en los juegos crean una mezcla de juegos de azar y juegos de habilidad. Aunque el resultado de los juegos está determinado por la habilidad, el resultado de las cajas de botín está determinado por el azar".

Para la *Norwegian Consumer Council*, las cajas de botín son paquetes misteriosos en los que el jugador gasta moneda del juego para comprar una caja virtual, un paquete o un cofre que contiene uno o varios objetos aleatorios que se utilizan en el juego.

En España es el Ministerio de Consumo de España el organismo que ha denominado a las *"loot-boxes"* o cajas botín como mecanismos aleatorios de recompensa asociados a productos de software interactivo de ocio. A éstas las definen en el Anteproyecto de Ley que los regulará como "mecanismos aleatorios de recompensa son objetos o procesos virtuales de cualquier tipo integrados en la dinámica de determinados videojuegos cuya activación ofrece la oportunidad al jugador de obtener, con carácter aleatorio, recompensas o premios virtuales que pueden utilizarse en el entorno de estos productos de entretenimiento. Esos premios o recompensas virtuales tienen por finalidad mejorar las características de un personaje, optimizar parcial o totalmente su diseño gráfico, permitir la apertura de nuevas zonas o fases en el videojuego, o generar algún accesorio de naturaleza competitiva o meramente estética, entre otras muchas posibilidades".

Parece claro que el denominador común de todas ellas son los siguientes tres elementos:

a) Necesidad de activación por parte del jugador: El jugador puede acceder a las cajas botín de diversas maneras, en función de las funcionalidades del juego y del tiempo que desee dedicar el usuario. En tal sentido, el jugador puede acceder a determinadas *"loot-boxes"* mediante: (i) el propio juego, esto es, cuanto mejor o más tiempo juegue, el jugador más se acercará al acceso a una caja botín; o (ii) mediante el pago en dinero real o en dinero del juego (accediendo a este último con dinero real o como recompensa al tiempo de juego o destreza en el mismo); o (iii) visualizando publicidad para obtener la recompensa.

b) Aleatoriedad del objeto que se recibe: El jugador no conoce qué va a recibir hasta que accede y abre la caja. La naturaleza aleatoria hace que el mecanismo se acerque al azar.

c) Utilidad en el juego: Como decimos, este objeto aleatorio puede ser cosmético o mejorar la habilidad del personaje o personajes del juego.

3. ORIGEN E HISTORIA

Hasta este momento, podría parecer que las cajas botín son mecanismos inventados por la industria del videojuego. Nada más lejos de la realidad.

Por un lado, siempre han existido en la industria del videojuego. Resulta ilustrativo el ejemplo del videojuego Mario Bros., en el que el jugador accede a elementos útiles para la experiencia de juego, tales como vidas o velocidad para el personaje, golpeando con la cabeza del personaje una serie de cajas ilustradas con un interrogante.

Aunque sí podemos decir que, obviamente, la aplicación de estos mecanismos a la industria viene promovida por los propios editores o estudios, el mecanismo en el que se incluye la contrapartida monetaria para acceder a la caja botín, es todavía más analógico de lo que parece.

En concreto, millones de niños en Europa consumen o han consumido un mecanismo similar cuando adquieren una chocolatina con forma de huevo y que incluye una sorpresa en su interior. También lo consumen o consumían los niños españoles cuando introducen una moneda en una máquina, normalmente en un bar, y aleatoriamente cae una bola de plástico con un juguete en su interior. También en el caso de los cromos coleccionables en el deporte: cualquiera puede acceder a un sobre que contiene cromos de deportistas, adquiriéndolo en un quiosco a cambio de una contraprestación económica a fin de coleccionar e intercambiar con otros jugadores o coleccionistas. El mecanismo, fuera de un juego, lleva conviviendo con nosotros desde hace más de 30 años.

Todo esto es lo que se denomina realizar una "compra a ciegas". Y, precisamente, realizar una compra a ciegas es lo que hacen, desde hace años, muchos japoneses en las máquinas "gachapon" ("ガチャポン") o "gachapones". Estas máquinas permiten obtener una recompensa aleatoria, normalmente envuelta, previa introducción de una moneda. Estas máquinas son muy populares en Japón y, en algunas ocasiones, los gachapones entregan elementos de coleccionista, lo que hace a estos mecanismos similares a los cromos o a los *Non Fungible Tokens* (NFTs) que toman forma de "*lootboxes*", éstos últimos como los lanzados por Atari, creadora del videojuego "Pac-man", que en este 2022 ha lanzado "*The Atari 50th Anniversary Commemorative GFT Collection*" para conmemorar el 50 aniversario de la fundación de la compañía.

El uso de los mecanismos aleatorios de recompensa en videojuegos se ha extendido gracias a los denominados juegos *free-to-play*, ya que el jugador puede completar el juego jugando gratuitamente, pero permite micro transacciones que hacen que la experiencia de juego alcance modelos en los que se pague para progresar en el juego (*Pay-to-progress* o P2Pro), para saltar fases del juego (*Pay-to-fast* o P2F) o, incluso, para completar el juego (*Pay-to-win* o P2W). Entre estas micro transacciones se encuentran las que dan acceso a las cajas botín.

Algunos videojuegos incluyeron, desde la década de los 2010 y en adelante, estos mecanismos, popularizándolos y poniendo la atención de los reguladores en ellos desde el último tramo de la década y hasta la actualidad.

4. ¿EXISTEN MOTIVOS PARA UNA REGULACIÓN? MARCO EUROPEO

El principal motivo para una regulación "*ad hoc*" para estos mecanismos es que exista un problema social real como consecuencia del consumo de estos, esto es, que existan datos científicos y sociológicos que permitan determinar que existe, a ojos del legislador, una problemática con respecto al consumo de estos mecanismos.

Para ello, deben analizarse múltiples perspectivas que afectan a la naturaleza del mecanismo, al consumidor tipo de esta clase de mecanismos, a la existencia de un problema real o potencial y a la suficiencia de la regulación existente en este momento.

En cuanto a la naturaleza del mecanismo, como hemos indicado, las "*loot-boxes*" son mecanismos aleatorios y, por esta naturaleza aleatoria, podría entenderse que se trata de un juego de azar. Sin embargo, el hecho de que el mecanismo se consuma en el entorno de un videojuego conceptualizado con juego de habilidad, puede hacer que las cajas botín no cualifiquen como juegos de azar.

Por la parte del consumidor tipo de esta clase de productos en España, el perfil del consumidor de videojuegos es de una persona entre 11 y 24 años y, por tanto, estaremos hablando de una persona joven, si no, menor de edad. Cuestión distinta es cuántos de ellos son consumidores potenciales o reales de videojuegos que incluyen cajas botín. También es relevante poner encima de la mesa que, en abril de 2020, PEGI ("*Pan European Game Information*" o "PEGI" es un sistema de clasificación europeo del contenido de los videojuegos y otro tipo de software de entretenimiento) anunció la incorporación de un nuevo aviso para todos los juegos que incluyan "*loot-boxes*" de pago y mecánicas similares. La información se incluye en forma de aviso específico, ("Compras dentro del juego: Incluye ítems aleatorios") en los envases físicos y en los escaparates digitales.

La existencia de un problema real requiere de un análisis sociológico profundo que no es objeto de este trabajo.

Para determinar si la regulación existente en este momento es suficiente, es necesario analizar la actividad normativa actual en España, en países de nuestro entorno y a nivel comunitario.

4.1 La Memoria del análisis de impacto normativo del Anteproyecto de Ley por el que se regulan los mecanismos aleatorios de recompensa asociados a productos de software interactivo de ocio

En concreto, en España, la "Memoria del análisis de impacto normativo del Anteproyecto de Ley por el que se regulan los mecanismos aleatorios de recompensa asociados a productos de software interactivo de ocio" (en adelante, "MAIN") concluye que las "*loot-boxes*" deben categorizarse como juegos de azar porque existen suficientes elementos comunes entre los juegos de azar y las cajas botín, en concreto:

"(1) Que el intercambio esté determinado por el resultado de un evento futuro que se desconoce en el momento de la apuesta; (2) Que el resultado se deba, al menos en parte, al azar; (3) Que el necesario intercambio de bienes o, en su caso, de dinero, generalmente se haga sin trabajo productivo de ninguna de las partes; (4) Que las pérdidas puedan evitarse no participando; (5) que los ganadores siempre lo hagan a costa de los que pierden"

La MAIN, analiza varias razones que, en opinión del Ministerio de Consumo, motivan la aprobación de una norma que regule las "*loot-boxes*" que resumimos a continuación:

1. La presencia de los mecanismos aleatorios de recompensa en videojuegos: Como ya hemos indicado anteriormente, los titulares de los videojuegos incluyen en el entorno del propio videojuego esta clase de mecanismos "*loot-boxes*" que permiten transaccionar siendo el beneficiario el propio titular del videojuego y, por tanto, permitiéndole generar una nueva fuente de ingresos en la explotación del videojuego.

2. La relevancia económica de dichos mecanismos para el sector del videojuego: La Memoria hace mención a una encuesta que realiza en 2021 la Asociación Española de Empresas Productoras y Desarrolladoras de Videojuegos y Software de Entretenimiento ("DEV") en la que se preguntaba a 98 empresas de desarrollo y producción de videojuegos si habían incluido cajas botín, resultando que un 83% de las encuestadas no habían incluido cajas botín en sus videojuegos. A lo que la Memoria concluye que la industria del videojuego no

aporta datos desagregados y que no se puede conocer el impacto económico de las cajas botín en la industria del videojuego.

Mi opinión al respecto es que tanto la información que arroja la encuesta de DEV, como la conclusión y validación del motivo para concluir la conveniencia de la norma son insuficientes. No se puede concluir que, porque la industria no aporte datos suficientes, no sea necesario conocer, más allá de los datos aportados, la relevancia económica para la industria en nuestro país. Si bien es cierto que los ingresos de *publishers* internacionales por esta clase de mecanismos pueden ser suficientemente relevantes, la MAIN desconoce cómo puede afectar la regulación a la industria española y/o a las filiales de las empresas internacionales en España.

3. Las características comunes entre los mecanismos aleatorios de recompensa y los juegos de azar: Además de las características comunes, en la Memoria se reflejan una serie de singularidades de las "*lootboxes*", tales como: (i) la **distribución aleatoria** de las recompensas, esto es, la probabilidad de lo que suceda en un momento dado no depende de lo que sucedió en momentos anteriores; (ii) la utilización de ciertos **programas de reforzamiento** que se apoyan en la distribución aleatoria, esto es, como la obtención de la recompensa no depende de ningún evento pasado, puede generar una escalada en la conducta de participar más y más; (iii) los **efectos sonoros y visuales**, que generan un nivel de excitación fisiológica; (iv) la presencia de funcionalidades **"*near-miss*"** que hacen creer al jugador que ha estado cerca de alcanzar el objetivo propuesto, generando una conducta de mayor consumo; (v) siempre se recibe un premio, aunque sea de bajo valor "*losses disguised as wins*"; o (vi) en algunas ocasiones, el precio es muy inferior a la posible recompensa que puede obtenerse.

Esto hace que concluir al Ministerio, que las cajas botín comparten muchos elementos (o suficientes) con los juegos de azar por lo que, concluye la MAIN, que las cajas botín son juegos de azar.

4. La relación entre mecanismos aleatorios de recompensa y los problemas con los juegos de azar (juego problemático / trastornos asociados a la conducta de juego): La MAIN concluye que: (i) ya hay evidencias empíricas de vínculos asociativos entre el gasto en cajas botín y el nivel de intensidad de los eventuales problemas con los juegos de azar de esos mismos participantes al contrastar; (ii) que existe una relación clara entre los mecanismos aleatorios de recompensa

y el juego problemático, pudiendo ser las cajas botín una puerta de entrada para los menores de edad en los juegos de azar.

5. El uso de las cajas botín por los menores de edad: En el que se: (i) aportan datos sobre el uso de cajas botín en menores de edad en distintos países de nuestro entorno y en España; y (ii) se analizan una serie de efectos psicológicos de las cajas botín (asumiendo que su funcionamiento es similar al de los juegos de azar) sobre los menores de edad.

6. La aplicación del principio de precaución para la regulación de los mecanismos aleatorios de recompensa: La MAIN concluye que la evaluación científica no permite determinar un riesgo con la certeza suficiente, pero ello no obsta a que la autoridad adopte las medidas necesarias para evitar potenciales perjuicios que las cajas botín puedan derivar.

Resulta ciertamente sorprendente que no existiendo certeza sobre la existencia del problema en sí mismo, se pretenda regular un mecanismo con consecuencias para la libertad empresarial y para la generación de riqueza e inversión en nuestro país.

Concluye la MAIN que, "existen razones imperiosas de interés general que exigen la protección de los consumidores desde una perspectiva de salud pública, atendiendo a los potenciales efectos perjudiciales que la presencia de determinados mecanismos aleatorios de recompensa en videojuegos pueden ocasionar debido a su evidente conexión con modalidades de juegos de azar".

4.2 Regulación y situación en algunos países de nuestro entorno

En otros países europeos, las conclusiones no han sido muy distintas:

– En **Noruega**, la autoridad de consumo, "*The Norwegian Consumer Council*" ha concluido que "...el diseño y los mecanismos que impulsan las compras dentro del juego en estos juegos son depredadores, manipuladores y excesivamente agresivos, que se dirigen a las vulnerabilidades de los consumidores en cada oportunidad".

– En **Países Bajos**, en 2018, la "*Kansspelautoriteit*" opinó que las cajas de botín que requerían que los jugadores pagaran dinero del mundo real para comprar y cuyo contenido poseía un valor monetario del mundo real (porque el contenido puede transferirse posteriormente y, por lo tanto, comprarse y venderse entre los jugadores) para constituir legalmente un juego de azar, lo que contravenía la ley de juegos de azar si no se opera con la licencia. Consecuentemente, en 2019, sancionó al *publisher* Electronic Arts (EA) por ofrecer cajas botín ilegales, a lo que apeló el *publisher* y el Tribunal de Distrito de la Haya confirmó la sanción por entender que sí contraviene la ley del juego; sin embargo, EA apeló al más alto tribunal administrativo de los Países Bajos, cuya sentencia es firme e indica que la cuestión jurídica correcta no es si las cajas de botín constituyen un "juego de azar", sino si el videojuego general que las contiene constituye un "juego de azar" diciendo que el videojuego FIFA es un "juego de habilidad" con un elemento de azar (las cajas de botín).

— En **Bélgica**, Según la evaluación de la Comisión Belga del Juego, la recompensa que puede obtenerse de una actividad de juego no tiene que ser necesariamente de valor económico y eso implica que no es necesario que la recompensa de una caja de botín pueda transferirse a dinero del mundo real. Esto supuso que la autoridad belga

— Para la autoridad de **Francia**, esto es, la *Autorité de regulator des jeux en ligne* (ARJEL), y según la legislación francesa, la "actividad debe ofrecerse al público, debe realizarse un sacrificio financiero en previsión de alguna ganancia y (implícito, pero no declarado directamente) debe existir un elemento de azar" y no considera que en el caso de las "*loot-boxes*" sean apuestas porque los elementos que reciben los jugadores no tienen necesariamente un valor monetario en el mundo real.

Como vemos, en nuestro entorno en los que se ha considerado que las "*loot-boxes*" son juegos de azar, se ha optado por aplicar la calificación de "juego de azar" existente en cada país a las cajas botín y no por darle una configuración o clasificación jurídica propia, aplicando la normativa y sus obligaciones asociadas para su comercialización.

4.3 Unión Europea

La Comisión de Mercado Interior y Protección del Consumidor (IMCO) de la Unión Europea, encargó un estudio al Departamento Temático de Políticas Económicas y Científicas y de Calidad de Vida sobre las cajas botín y su efecto en los consumidores, en particular, los jóvenes, que se publicó en el año 2020 y en el que se definen las cajas de botín y describe sus efectos en el comportamiento, incluido el comportamiento problemático.

En las interesantes conclusiones, entre otras, se destacan las siguiente:

(i)   Las soluciones belga y neerlandesa afecta al mercado único de videojuegos, ya que hace heterogéneo el producto (videojuego) que se ofrece en el mercado común. En un país se comercializará un videojuego y en otros se comercializarán otros distintos o con distintas funcionalidades. Por lo que hace necesario un enfoque legislativo común.

(ii)   La alta capacidad de generar fórmulas de monetización alternativas y similares a las cajas botín hace que regular las cajas botín sin dar suficiente profundidad al problema puede resultar en una normativa rápidamente obsoleta.

(iii) No se deberían establecer medidas de control parental que tengan una alta complejidad en su utilización, ya que las medidas tiene que capacitar a los padres para proteger a los menores.

(iv)   La Unión Europea tiene suficientes competencias para armonizar la legislación en materia de protección al consumo y está en condiciones de adoptar un enfoque global con respecto a los elementos de diseño y monetización (que incluyen a las "*loot-boxes*").

5. REGULACIÓN LEGAL EN ESPAÑA. PRESENTE Y FUTURO

En España, la actividad legislativa con respecto a las cajas botín ha llegado, a la fecha en la que se escriben estas líneas, hasta la redacción del "*Anteproyecto de Ley por el que se regulan los mecanismos aleatorios de recompensa asociados a productos de software interactivo de ocio*" (En adelante, "AL"). Este texto se compone de tres capítulos, una disposición adicional, una disposición transitoria y tres disposiciones finales, con un total de 19 artículos. El Capítulo I contiene las disposiciones de general aplicación e incluye la definición de mecanismo aleatorio de recompensa. El Capítulo II, recoge el conjunto de las medidas de protección de los usuarios. El Capítulo III, aborda la regulación del régimen sancionador.

Por tanto, en España, el Ministerio de Consumo, ha enfocado el asunto con una legislación propia para las cajas botín y no calificando directamente estos mecanismos como juegos de azar o apuestas en los términos de la Ley 13/2011, de 27 de mayo, de regulación del juego.

–   **Definición de las cajas botín**: El AL califica a las "*loot-boxes*" o cajas botín como "mecanismo aleatorio de recompensa" y el artículo 3 del AL define a estos mecanismos como "*funcionalidad asociada a los productos de software interactivo de ocio que requiere, para la activación del* *proceso aleatorio en que consiste la totalidad o la mayor parte de su funcionamiento, <u>del previo pago de una cantidad de dinero o de un objeto virtual</u> que haya podido ser adquirido con dinero directa o indirectamente, y que ofrece al usuario, como resultado de dicho proceso aleatorio, <u>la obtención de un objeto virtual</u> que puede ser, alternativa o acumulativamente: 1.° Cedido o intercambiado entre los participantes de un producto de software interactivo de ocio. 2.° Canjeado por dinero o por otros objetos virtuales utilizados en ese producto de software interactivo, sean estos del tipo que sean".*

— **Medidas de protección**: El artículo 6 del AL es el que establece las medidas de protección y prohíbe el acceso a las "*loot-boxes*" o la activación de éstos por parte de menores de edad y exige que las entidades que comercialicen o exploten cajas botín habiliten un sistema de verificación de la identidad (con respeto a la normativa de Protección de Datos), de manera que, hasta que no se verifique la identidad del usuario no se le podrá dar acceso a la caja botín. También establece la obligación, para el comercializador u operador, de habilitar mecanismos de control parental que permitan excluir completamente la compra o la utilización de "*loot-boxes*".

— **Comunicaciones comerciales**: En materia de comunicaciones comerciales el artículo 7 del AL establece una limitación del contenido de las comunicaciones comerciales, no permitiendo que contengan manifestaciones que puedan tener efectos perjudiciales para el usuario o trasladen comportamientos discriminatorios; Se limita la actividad publicitaria relacionada con las cajas botín y se establece un mecanismo que habilita a la autoridad de regulación del juego para requerir el cese de comunicaciones comerciales que incumplan lo establecido en el precepto.

— **Derechos de información del usuario**: Para garantizar que los usuarios de "*loot-boxes*" las utilizan con conocimiento de su naturaleza, características y de las probabilidades de obtención de las recompensas los artículos 8 y 9 del AL fija una serie de derechos de ser informado por el comercializador sobre las cajas botín, entre los que están los riesgos derivados del uso de estos productos y la existencia de los instrumentos para garantizar su utilización con garantías.

— **Mecanismos de autoexclusión**: Los videojuegos, según el artículo 10 del AL, deben permitir que el propio jugador se excluya de la utilización de cajas botín en el juego, permitiendo la suspensión temporal de estos mecanismos y la devolución de las cantidades comprometidas para la activación de cajas botín.

- **Límites de gasto**: El artículo 11 establece la obligación de que el comercializador de mecanismos aleatorios de recompensa ofrezca a los jugadores la posibilidad de limitar el gasto y no modificarlos en, al menos, los tres meses siguientes.

- **Régimen Sancionador**: El Capítulo III (artículos 13 a 19 del AL) aborda la regulación del régimen sancionador. Establece qué infracciones son consideradas como muy graves (entre otras, permitir el acceso a personas menores de edad o realizar comunicaciones comerciales) o graves (incumplimiento de los artículos 8 y 9, entre otras), considerando como infracciones leves aquellas que no estén tipificadas como graves o muy graves.

  También establece un marco económico sancionador, que va, para las infracciones leves, desde el apercibimiento por escrito o multa de hasta veinticinco mil euros, y para las infracciones muy graves, hasta multas de cien mil a un millón de euros.

  En cuanto al régimen de prescripción, las infracciones (y las sanciones por ellas) muy graves prescriben a los cuatro años, las infracciones graves (y las sanciones por ellas) prescriben a los dos años, mientras que las infracciones leves (y las sanciones por ellas) prescriben al año.

- **Periodo de adaptación**: Los comercializadores de mecanismos aleatorios de recompensa que los comercialicen o exploten con anterioridad a la entrada en vigor la ley (ahora AL) tienen un periodo de adaptación o moratoria de 12 meses desde su entrada en vigor para adecuarse a la normativa.

- **Modificación de la Ley 13/2011, de 27 de mayo, de regulación del juego**: Precisamente con la finalidad de excluir de la aplicación de esta Ley a los mecanismos aleatorios de recompensa en productos de software interactivo de ocio que, como indicamos, tendrá su propia normativa.

  También se excluyen las "competiciones de e-sports" o, mejor dicho, las competiciones de videojuegos, para aquellos que se enfrentan en dichas competiciones a través de canales electrónicos, informáticos, telemáticos o interactivos, sin perjuicio de la aplicación de esta ley a las apuestas que puedan realizarse sobre tales competiciones. Esta mención es suficientemente relevante y positiva para el sector de los e-sports, ya que zanja la posibilidad de que se genere el debate que sí se generó en Francia sobre que los e-sports pudieran ser considerados como juegos de azar.

Según la disposición final cuarta, el horizonte que plantea el Ministerio de Consumo es que la ley pueda entrar en vigor el 2 de enero de 2024.

6. IMPACTO SOBRE LA INDUSTRIA DEL VIDEOJUEGO EN ESPAÑA

Las obligaciones previstas en el AL afectan principalmente a las entidades que explotan o comercializan mecanismos aleatorios de recompensa en España, que suele coincidir con el titular de los derechos de explotación de los videojuegos y que habitualmente es el *publisher*. Se trata de compañías españolas y extranjeras (principalmente y en cuanto a los títulos más conocidos). Estos van a tener que incorporar en los videojuegos que explotan y comercializan una serie de funcionalidades específicas para el mercado español que son "altamente gravosas para los titulares de los derechos de los videojuegos" como indican los abogados Patricia Lalanda y Julio Huélamo en la publicación AZARplus con motivo de la publicación del AL.

También es cierto que está por ver qué solución darán, desde el punto de vista técnico, los dueños del videojuego para adecuar sus títulos a la futura ley.

Esta regulación previsiblemente hará que las empresas extranjeras —normalmente extracomunitarias— comercializadoras de videojuegos que operen cajas botín y que pretendan comercializar su producto en España, deban comercializar un producto diferente en España que el que comercialicen en otros países en los que no haya regulación al respecto o, incluso, en aquellos en los que la interpretación que realiza la autoridad de juego es que están prohibidas. Esto perjudica al mercado único y a la percepción que dichas empresas tengan de la seguridad jurídica que tiene nuestro entorno.

Por otra parte, no todas las "*loot-boxes*" son mecanismos aleatorios a los efectos de la futura ley, ya que algunas no son intercambiables o canjeables en los términos de la AL y, por tanto, quedarían fuera de esta regulación.

Sin perjuicio de los anteriores efectos sobre la industria, es cierto que la protección del menor es un bien que merece protección en nuestra sociedad si se pretende un consumo responsable del videojuego. Si bien es cierto que no se pone en duda que estos mecanismos puedan tener efectos no deseados sobre los menores de edad, no existen suficientes estudios del mercado español de consumo de videojuegos que incluyen cajas botín, para poder considerar la necesidad de dictar una norma específica que regule las "*loot-boxes*".

7. REFERENCIAS BIBLIOGRÁFICAS

Kansspelcommissie (2018), "Onderzoeksrapport loot boxen". Disponible en: https://www.gamingcommission.be/opencms/export/sites/default/jhksweb_nl/documents/onderzoeksrapport-loot-boxen-final-publicatie.pdf.

Kansspelautoriteit (2018), "Onderzoek naar loot boxes - Een buit of een last?" Disponible en: https://kansspelautoriteit.nl/publicaties/onderzoek/

Departamento Temático de Políticas Económicas y Científicas y de Calidad de Vida. Unión Europea. (2020) "Loot boxes in online games and their effect on consumers, in particular young consumers" Disponible en: https://www.europarl.europa.eu/RegData/etudes/STUD/2020/652727/IPOL_STU(2020)652727_EN.pdf

Forbrukerradet, (2022). "Report on loot boxes: Insert coin" Disponible en: https://storage.forbrukerradet.no/media/wp-content/uploads/2022/05/2022-05-31-insert-coin-publish.pdf

AEVI (2021), "LA INDUSTRIA DEL VIDEOJUEGO EN ESPAÑA EN 2021", (2021). Disponible en: http://www.aevi.org.es/web/wp-content/uploads/2022/04/AEVI_Anuario_2021_FINAL.pdf

Dirección General de Ordenación del Juego, Ministerio de Consumo. Gobierno de España, (2022). Disponible en: https://www.consumo.gob.es/sites/consumo.gob.es/files/BORRADOR%20APL%20Y%20MAIN%20MECANISMOS%20ALEATORIOS%20RECOMPENSA%20010722.pdf

AZARplus, Patricia Lalanda, Julio Huélamo, sobre el Anteproyecto de Ley por el que se regulan los mecanismos aleatorios de recompensa asociados a productos de software interactivo de ocio (2022). Disponible en: https://www.azarplus.com/patricia-lalanda-y-julio-huelamo-arrojan-luz-en-relacion-al-anteproyecto-sobre-las-cajas-botin/

Criptomonedas ¿seducción legal?

PILAR SÁNCHEZ-BLEDA

Socia de AUREN ABOGADOS y Directora del Departamento de MEDIA & TECH

1. CONCEPTO & ORIGEN DE LAS CRIPTOMONEDAS

Las criptomonedas son **monedas digitales** (también denominadas activos financieros digitales o criptoactivos) con características tecnológicas basadas en el uso de la criptografía (técnica de cifrado o codificado de la información con el fin de hacerla ininteligible a receptores no autorizados), que permiten garantizar su titularidad, asegurar las transacciones financieras, controlar la creación de nuevas unidades y verificar la transferencia de activos.

Estas monedas al no estar disponibles de forma física, hay que recurrir a un servicio de monedero digital de criptomonedas (*wallet*) para su almacenamiento. No están reguladas ni controladas por ninguna institución y no requieren de intermediaros en las transacciones.

Se usa una base de datos descentralizada, _blockchain_ o registro contable compartido, para el control de estas transacciones. La tecnología *blockchain* funciona como un gran libro de contabilidad donde se pueden registrar y almacenar cantidades ingentes de información. Toda ella está compartida en la red y protegida de tal forma que todos los datos que alberga no se pueden alterar ni eliminar.

Aunque la primera criptomoneda que se emitió vio la luz el 3 de enero de 2009 a las 18:15 horas, sin embargo, el origen de las criptomonedas está íntimamente ligado al final de la década de los noventa. En los entresijos de Internet se encontraba una organización denominada "cypherpunks", donde los miembros de la organización se enviaban mutuamente correos electrónicos para debatir sobre ideas revolucionarias del mundo criptográfico.

En el año 1998, Wei Dai envió un correo electrónico desarrollando el concepto de la criptoanarquía, temática tratada anteriormente por los miembros de la comunidad. Para Wei Dai, una sociedad criptoanárquica no podría funcionar sin un medio de intercambio de valor y un medio que obligara a cumplir los contratos entre los participantes. Por ello, Wei Dai elaboró el ensayo sobre el "B-money" (protocolo descentralizado que pretendía incorporar ideas como el proof of stake, las claves públicas o los libros de registro de transacciones). Sin embargo, el B-money nunca se trasladó más allá del plano teórico.

El 31 de octubre de 2008, bajo el seudónimo de Satoshi Nakamoto se publica en la plataforma Mtezdow el ensayo denominado "*Bitcoin P2P e-cash paper*". En este documento se describe como a través de la red blockchain, los usuarios podrían realizar transacciones utilizando bitcoin sin necesidad de una institución financiera. La red blockchain incorporaría estampas de tiempo sobre cada transacción que sería verificada a través del proof of work y gravando cada transacción en un registro invariable.

Al contrario que algunos predecesores del Bitcoin, este si fue desarrollado para implementarlo en un plano práctico. El desarrollo fue llevado a cabo por Satoshi Nakamoto junto con varios programadores voluntarios para lanzar el Bitcoin el 3 de enero de 2009. Tras este gran hito, comienzan a desarrollarse diferentes proyectos basados en la tecnología blockchain, dando lugar a criptomonedas como Litecoin, Ripple, Dogecoin o Ether.

Otro factor que ayudó a democratizar los proyectos desarrollados en blockchain fueron los "*exchanges*" o plataformas de intercambio de valor, ya que a través de estas plataformas los usuarios sin conocimientos avanzados han podido adquirir criptoactivos de los proyectos basados en blockchain.

2. TIPOLOGÍA

Existen diferentes tipologías para poder clasificar las criptomonedas. La clasificación más básica consiste en diferenciar al bitcoin del resto de criptomonedas, denominando a las demás como altcoins. Esta clasificación obedece al origen de las criptomonedas y a la dominancia económica que ha tenido bitcoin sobre todo el mercado de criptoactivos. No obstante, es más acertado clasificar a las criptomonedas según su **naturaleza técnica** y, posteriormente, analizarlas según su **funcionalidad**.

Atendiendo a la naturaleza técnica, las criptomonedas, como ya se ha indicado en el punto precedente, son representaciones digitales de valor o derechos que utilizan la tecnología blockchain para transferirse o almacenarse electrónicamente. Todas las criptomonedas deben estar desarrolladas bajo una tecnología blockchain o similar. Por consiguiente, "un proyecto" debe ser quien programe esta red e instaure su propia criptomoneda para la misma. A las criptomonedas nativas de esa blockchain se les denomina "coins" y cuentan con un papel muy importante, debido a que será la criptomoneda principal del ecosistema donde se desarrollen los proyectos basados en dicha blockchain.

Es necesario realizar una referencia a Etherium que fue la primera blockchain que permitió desarrollar y ejecutar códigos informáticos dentro de su blockchain de una forma similar a la de los programas que no están basados en la tecnología blockchain. Este hito permitió que multitud de programadores basaran sus proyectos en esta red gracias a los smarts contracts o contratos inteligentes.

Con el fin de ejemplificar este sistema podemos pensar en estas blockchains como países que cuentan con su propio lenguaje, su propia divisa —coin— y sus impuestos —las tasas de transacción—. Las empresas, que serían los propios proyectos programados sobre las blockchain, eligen qué tipo de país les favorece más para desarrollarse y se someten a las características de la propia red.

Si bien la terminología es algo opaca a la hora de determinar y /o precisar ante qué tipo de criptomoneda nos encontramos, lo cierto es que en la práctica se vienen utilizando generalmente los términos "criptomoneda" y "token" como sinónimos.

Si atendemos a la **funcionalidad**, las principales categorías para clasificar los tokens serían:

- Security Tokens
- Utility Tokens
- Stable coins

Los *Security* **Tokens** serían todos aquellos tokens cuya finalidad está relacionada con la inversión o representan la propiedad legal de un bien físico o digital. Este tipo de criptomoneda está íntimamente ligada al valor de la empresa y puede representar digitalmente acciones, bienes raíces tokenizados, bonos, etc.

Si tomamos como ejemplo aquellos security tokens cuando cumplen funciones similares a las acciones, podemos observar cómo son más rentables debido al menor coste que conlleva su creación —relacionado con la creación tradicional de acciones bursátiles— y más seguras al estar basadas en la tecnología blockchain. Asimismo, al igual que ocurre con las acciones tradicionales, los tokens pueden reportar al propietario una serie de derechos como son el de voto, obtención de dividendos, de información, de suscripción preferentes... y obligaciones como la rendición de cuentas a la administración, o la responsabilidad sobre las deudas de la sociedad hasta el límite del capital aportado.

Actualmente, los proyectos intentan evitar que sus tokens se califiquen como security tokens, ya que estos han sido definidos como instrumentos financieros y están sometidos a la regulación de mercados de valores. Al margen del análisis que se llevará a cabo en puntos posteriores sobre este tema, es pertinente realizar una pequeña referencia al criterio seguido por la Comisión de Bolsa y Valores de Estados Unidos —SEC—.

La SEC aplica a este tipo de activos el criterio formado en el caso SEC vs Howey en el año 1946, determinando que un activo de cualquier índole deberá cumplir con la normativa de mercados de valores si cumple los siguientes requisitos:

1. Existe una inversión económica.

2. El inversor tiene la finalidad de obtener un rendimiento económico.

3. La inversión se realiza en una empresa y el activo o derecho se revaloriza dependiendo del desempeño de un tercero distinto al inversor.

En este sentido, los proyectos que desarrollan y lanzan tokens al mercado están intentando evitar el sometimiento de sus criptomonedas a esta regulación, a causa del gran número de obligaciones que deben cumplir y al régimen sancionador al que pueden enfrentarse. Sin embargo, los security tokens son los activos más fiables para los inversores, ya que sin lugar a dudas son los que se someten a un mayor control por parte de los organismos públicos.

Por contraposición, los *Utility tokens* son representaciones digitales que crean las empresas para que sean intercambiados por sus productos o servicios, bien en el momento de la adquisición o bien en un futuro. Los utility tokens funcionarían como los tickets regalo que las empresas tradicionales utilizan para intercambiarlos por sus servicios o productos.

En el plano teórico los utility tokens no estarían sometidos a las leyes de mercados de valores, pero sí a otro tipo de normativa como se analizará más adelante. Los utility tokens no se han librado del debate sobre si debieran estar sometidos a las regulaciones referentes del mercado de valores de cada país. La mayoría de los proyectos emiten sus utility tokens con carácter deflacionario, por lo que en un plano práctico son activos altamente especulativos.

Las ***Stables* Coins** normalmente son criptoactivos que están referenciadas al valor de una moneda de curso legal —por ejemplo, dólares o euros— y tienen como finalidad ser usadas para el intercambio entre criptomonedas. No obstante, también existen un tipo específico de stables coins que cuentan con un carácter híbrido, al referenciarse a la fluctuación de materias primas, de otros criptoactivos o un hibrido de ambas fluctuaciones.

Un punto y aparte merece la explicación de los tokens no fungibles —***NFTs***—. Con la llegada de la era digital se incrementó considerablemente el problema de la piratería, sobre todo para los bienes intangibles como libros, películas, canciones, etc. Posteriormente, llegaron las medidas de seguridad en estos activos para proteger este tipo de obras, pero con el inconveniente de que estas medidas usualmente no permitían la transmisión o reventa de dichos bienes intangibles. Este último problema lo solucionan los NFTs, ya que, este tipo de token representa cualquiera de estas obras intangibles y permite la compraventa de estas como si de un soporte físico se tratase.

Lo que hace especialmente atractivos a los NFTs es que son fácilmente rastreables y no se pueden destruir ni duplicar. Cualquier persona que posea un bien digital o que cuente con los derechos pertinentes puede elaborar un NFT basado en bienes físicos, canciones, videoclips, películas, libros, skins de videojuegos, tweets…

Por ejemplo, las características de los NFTs podrían utilizarse como prueba fidedigna para la venta de las obras de arte en soporte físico o joyas. En la mayoría de las ocasiones, el posible comprador exige pruebas de la originalidad de estos bienes antes de adquirirlos. En este sentido, la tecnología NFT podría facilitar este tipo de situaciones, pues desde la creación de un NFT basado en un bien físico, quedaría perfectamente trazable cada operación que haya sido efectuada.

3. REGULACIÓN LEGAL: ¿TERRITORIO SIN LEY?

Hay una gran diferencia entre la no regulación específica y la no aplicación de las normativas existentes. Las criptomonedas son activos que no cuentan con una regulación específica en la mayoría de los territorios, o en todo caso, cuentan únicamente con una *regulación marginal* sobre alguno de sus elementos, pero esta realidad no obsta para que todos los criptoactivos estén regulados de algún modo bajo las diversas normativas nacionales e internacionales.

De hecho, la tipología de los criptoactivos según su funcionalidad, es uno de los criterios que se han ido desarrollando por los organismos competentes para proteger a los inversionistas en los casos que se guarde un estrecho vínculo con instrumentos financieros.

3.1 Marco Regulatorio Europeo

En Europa se ha aprobado un reglamento denominado "*Reglamento del Parlamento europeo y del Consejo relativo a los mercados de criptoactivos y por el que se modifica la Directiva 2019/1937*" —**Reglamento MiCA**—. El objetivo de este reglamento que entrará en vigor en el año 2024 regulatoria es adaptar el marco normativo europeo a la revolución de digital de una forma que no suponga un obstáculo a la innovación, pero al mismo tiempo pretende reducir los riesgos para los consumidores y las empresas.

Como se ha puesto de manifiesto con anterioridad, el hecho que no exista una normativa específica de aplicación relativa a los criptoactivos no significa que no se deba cumplir con la normativa general aplicable. Por ello, otro de los puntos que pretende aclarar esta propuesta de Reglamento es el de definir qué criptoactivos estarán regulados bajo la Directiva relativa a los mercados de instrumentos financieros —MiFID II—.

Las bases sobre las que se basa el Reglamento MiCA son (i) la de desarrollar un marco normativo para aquellos activos no contemplados en la legislación relativa a los servicios financieros, (ii) apoyar la innovación con el fin de promover el desarrollo de los criptoactivos para la adopción generalizada de la tecnología de registro descentralizada, (iii) proteger adecuadamente a los consumidores e inversores y (iv) garantizar una estabilidad financiera.

Las bases de dicho Reglamento se desarrollan a través de la imposición de una serie de obligaciones a los proveedores de servicios sobre criptoactivos, y a los profesionales que realicen transacciones por cuenta de un tercero. El artículo 3 del Reglamento MiCA define de la siguiente forma a las:

- Fichas de Servicio o Utility tokens como un tipo de criptoactivo usado para dar acceso digital a un bien o un servicio, disponible mediante TRD, y aceptado únicamente por el emisor de la ficha en cuestión.

- Fichas referenciadas a activos o Asset-referenced tokens —ART— como un tipo de criptoactivo que, a fin de mantener un valor estable, se referencia al valor de varias monedas fiat de curso legal, una o varias materias primas, uno o varios criptoactivos, o una combinación de dichos activos.

- Fichas de dinero electrónico o Electronic money tokens —EMT— un tipo de criptoactivo cuya principal finalidad es la de ser usado como medio de intercambio y que, a fin de mantener un valor estable, se referencia al valor de una moneda fiat de curso legal.

El reglamento divide estos tres tipos de criptomonedas en regímenes independientes, imponiendo un mayor número de obligaciones dependiendo del riesgo que estas comportan en el mercado. Imponiendo en algunos casos como requisito *sine qua non* la autorización previa por parte de las autoridades antes de la emisión de estos activos en el mercado.

Sin embargo, estos tres regímenes cuentan en común con la redacción y publicación del libro blanco o whitepaper con el fin de dotar al público en general una información imparcial, clara y no engañosa. El whitepaper debe contener la información principal sobre el proyecto, incluyendo una descripción del emisor, el tipo del token, número de tokens del mercado, sus características, derechos, obligaciones y la tecnología subyacente del proyecto. Este cambio legislativo pretende equiparar a las entidades emisoras de tokens con las empresas financieras tradicionales que emiten instrumentos financieros al público.

El reglamento también está enfocado de una manera que permita emitir utility tokens a PYMES, sin que tengan que cumplir estrictamente con todos los requisitos legales de este texto normativo, fomentando de este modo las ventajas financieras que ofrece esta nueva herramienta.

Estamos ante uno de los grandes cambios legislativos que afectará de una manera notable a los criptoactivos, ya que les dotará de una regulación propia y armonizará la legislación entre los diferentes miembros de la Unión Europea. Su aprobación todavía es una incógnita. Sin embargo, teniendo en cuenta la evolución de la tecnología blockchain y la adopción de ésta por parte de las empresas, la Unión Europea es consciente de que el Reglamento MiCA es una prioridad y se estima su aprobación entre los años 2022 y 2023.

3.2 Marco Regulatorio de España

En España no existe un marco regulatorio propio para los criptoactivos, tal y como expone el Comunicado conjunto de la Comisión Nacional del Mercado de Valores (CNMV) y del Banco de España sobre el riesgo de las criptomonedas como inversión, de 9 de febrero de 2021: *"No existe todavía en la Unión Europea un marco que regule los criptoactivos como el Bitcoin, y que proporcione garantías y protección similares a las aplicables a los productos financieros. Actualmente, se está negociando a nivel europeo un Reglamento (conocido como MiCA) que tiene como objetivo establecer un marco normativo para la emisión de criptoactivos y los proveedores de servicios sobre estos. Desde el punto de vista legal, las criptomonedas:*

— *no tienen la consideración de medio de pago,*

— *no cuentan con el respaldo de un banco central u otras autoridades públicas y*

— *no están cubiertas por mecanismos de protección al cliente como el Fondo de Garantía de Depósitos o el Fondo de Garantía de Inversores".*

No obstante, recientemente se ha aprobado la *Ley 11/2021, de 9 de julio, de Medidas de Prevención y Lucha contra el Fraude Fiscal,* que incorpora dos grandes novedades:

• La obligación de suministrar información por parte de las plataformas que prestan servicios dedicados a salvaguardar las claves criptográficas privadas en nombre de sus usuarios, ya sea para mantener, almacenar o transferir monedas virtuales.

• La obligación de suministrar por parte de las personas físicas y jurídicas la información relativa a las operaciones realizadas con monedas virtuales, y a informar sobre estos bienes cuando se encuentren en el extranjero y superen el valor de 50.000 €.

La inexistencia de legislación específica sobre los criptoactivos lo único que conlleva es la no aplicación de mecanismos o regulaciones elaboradas específicamente para estos criptoactivos, pero no significa que estemos ante un territorio sin ley.

Como se ha indicado de modo previo, en la actualidad, hay que conocer ante qué tipo de criptoactivos nos encontramos para poder analizar los requisitos a los que se someten y las consecuencias jurídicas que conllevan.

Por ejemplo, si estamos ante una emisión de security tokens, el emisor deberá cumplir con la normativa MiFid II, MiFIR y la Ley de Mercado de Valores. En cambio, si nos encontramos ante un NFT, estas normativas no serían de aplicación, pero sí que serían de aplicación las normativas de consumo, publicidad, propiedad intelectual y propiedad industrial entre otros.

3.3 Marco Regulatorio en Otros Países

El marco regulatorio internacional dista mucho de ser homogéneo, ya que cada país se posiciona de manera diferente ante este tipo de activos.

Por un lado, encontramos países como El Salvador que ha aceptado el bitcoin como moneda de curso legal y, por otro lado, países como China o India que están en proceso de prohibir las criptomonedas.

Este tipo de posiciones gubernamentales afectarán directamente al valor de los criptoactivos, pero no a la tecnología que seguirá desarrollándose conforme pasen los años. En la mayoría de las ocasiones, estas posiciones están directamente vinculadas con la economía del país o con los modelos políticos, debido a que países que sufren una gran inflación podrían encontrar en las criptomonedas una solución. La mayoría de los países no poseen una regulación específica respecto a este tipo de activos, sino que, al igual que ocurre en España, o bien se regula una materia jurídica concreta del entorno criptomonedas o bien se aplican normas jurídicas generalistas que pueden tener su encaje en estas nuevas realidades.

Un ejemplo de un país que ha regulado más a fondo las criptomonedas es México, que publicó el 9 de marzo de 2018 la *"Ley para regular las instituciones de Tecnología Financiera"* con el fin de preservar la estabilidad financiera, prevenir operaciones ilícitas y proteger a los consumidores. Según el artículo 30 de esta Ley *"se considera activo virtual la representación de valor registrada electrónicamente y utilizada entre el público como medio de pago para todo tipo de actos jurídicos, y cuya transferencia únicamente puede llevarse a cabo a través de medios electrónicos"*.

Como característica propia de la regulación mexicana, las únicas criptomonedas que podrían estar sujetas a operaciones en dicho territorio serían aquellas que hayan sido determinadas por el Banco Mexicano.

En general, podemos observar que estamos en una fase embrionaria, donde la mayoría de los Estados están posicionándose a favor o en contra de los criptoactivos, sin legislar sobre ellos. No obstante lo anterior, la vertiente más común objeto de regulación suele ser la materia tributaria, ya que los Estados que están a favor de regular esta situación pretenden aportar una mayor seguridad jurídica a los potenciales inversores en criptoactivos.

4. APLICACIONES PRÁCTICAS

Las aplicaciones prácticas de la tecnología blockchain son infinitas. Sin embargo, no todas las industrias o modelos de negocio cuentan con las características para sacar el máximo provecho de esta tecnología, por lo que, podemos diferenciar aquellas empresas cuya intención sea financiarse a través de la emisión de criptomonedas o NFTs, de aquellas otras empresas que utilicen este tipo de tecnología para objetivos técnicos de sus proyectos.

Uno de los usos que se nos vienen a la mente cuando hablamos de criptoactivos son las *transacciones que se producen entre las criptomonedas*. Si bien la idea que buscó Satoshi Nakamoto en un primer momento fue la adopción masiva del bitcoin para transacciones cotidianas, la realidad es que, los proyectos que han ido desarrollándose a través de la tecnología blockchain están aplicándose a otros usos.

La inmutabilidad, seguridad y transparencia de la tecnología blockchain permite implementar medidas que mejorarían, entre otros, la *cadena de suministro y el control logístico de los productos*. Esta aplicación práctica permitiría *combatir las falsificaciones del mercado*, trazando la cantidad total de artículos que elabora el fabricante hasta la adquisición por parte del consumidor de estos.

En el año 2019, el comercio mundial de falsificaciones fue valorado en un total de 412.000 millones de euros, según el documento titulado "*Comercio ilícito: El comercio mundial de falsificaciones una amenaza preocupante*" que fue elaborado por la EUIPO (Oficina de Propiedad Intelectual de la Unión Europea) y la OECD (Organización para la Cooperación y el Desarrollo Económicos). La utilización de la tecnología blockchain para paliar esta amenaza no solo favorecería a las empresas fabricantes o distribuidoras, sino también a los usuarios que verían como los artículos que adquieren respetan las normativas de calidad y el origen empresarial de la empresa fabricante.

La posible solución contra las falsificaciones a través de la tecnología blockchain guarda una relación estrecha con las aplicaciones que podrían utilizarse, por ejemplo, para el **sector sanitario**. En los últimos años hemos sufrido una pandemia mundial, donde el abastecimiento de las vacunas ha sido una de las grandes preocupaciones. De este modo, utilizando mecanismos basados en blockchain las autoridades sanitarias podrían trazar el uso de las vacunas y las dosis que ha recibido cada ciudadano.

Siguiendo con las aplicaciones prácticas en el sector sanitario, el denominado "Pasaporte Covid" ha sido desarrollado a través de la tecnología blockchain ya que asegura, protege y garantiza la integridad de los datos del ciudadano, así como evita que se modifiquen los datos sobre el mismo.

El **sector audiovisual** y el **sector musical** también son sectores que encuentran en esta tecnología un aliado. Por un lado, a través de los NFTs las empresas o autores de estas obras podrían distribuir este tipo de activos incorporando fragmentos o adelantos de sus obras para obtener financiación y desarrollar su cortometraje, largometraje, álbum, videoclip, etc. Por otro lado, en este tipo de industrias, ligadas al entretenimiento, normalmente existen numerosos distribuidores en cada territorio para poder comercializar las obras. Sin embargo, a través de los smarts contracts (basados en tecnología blockchain) podrían automatizarse los pagos, mantener a los distribuidores esenciales y proteger a las obras frente a la piratería.

Un sector que, dentro de la mencionada industria del entretenimiento, se ha adaptado perfectamente a los criptoactivos es el **sector de los videojuegos**. Durante los últimos años, numerosos desarrolladores de videojuegos han establecido un sistema de micropagos dentro de sus videojuegos, intercambiando monedas de curso legal por representaciones digitales de valor. El mecanismo es el mismo que el utilizado por los utility tokens, pero con la diferencia de que estos activos no son intercambiables entre los usuarios. Estas representaciones de valor son estrictamente tickets o cupones intercambiables únicamente por los servicios que se incorporaban dentro del juego, y con ellos se podrían comprar skins, objetos, personajes, etc.

Con la implementación de la red blockchain en la industria de los videojuegos se ha creado otro nuevo tipo de modelo de negocio, los denominados *"play to earn"*. Dentro de los videojuegos *"play to earn"*, existe una gran variedad de mecánicas implementadas por los desarrolladores, las cuales, normalmente siempre siguen un mismo patrón.

Este patrón se basa en la emisión de utility tokens por parte de una sociedad con el fin de que los usuarios los adquieran para comprar NFTs. Una vez que un jugador adquiere un NFT, este podrá utilizarlo para jugar y así obtener utility tokens por ganar partidas, arrendar su NFT a otro jugador, etc. De este modo, cualquier jugador que posea un NFT puede obtener ingresos derivados del videojuego sin llegar a ser un jugador profesional de esports o ganar algún tipo de competición, lo que ha llevado a este tipo de videojuegos a alcanzar una gran popularidad.

Estos son sólo algunos de los ejemplos ilustrativos de sectores que se han adaptado perfectamente a la tecnología blockchain. Sin embargo, todo parece indicar que, en los próximos años, interactuaremos en mayor medida con programas desarrollados en estas redes, debido a que favorecen la transparencia, la inmutabilidad y la seguridad tanto de las acciones como de nuestros datos.

5. TENDENCIAS DE FUTURO

La tecnología blockchain podría transformar la sociedad tal y como la conocemos hoy día. Nos encontramos ante una fase muy primaria de adopción, ya que, por ahora, lo más conocido de los elementos que rodean a esta tecnología es el mercado de los criptoactivos. Sin embargo, si reflexionamos sobre el origen del bitcoin podemos llegar a la conclusión que, lo que comenzó siendo un experimento en una organización de Internet, ha llegado a adoptarse como moneda de curso legal en un país.

Si bien es difícil que se adopte masivamente el bitcoin como moneda de curso legal globalizada al afectar directamente a la soberanía de los Estados, las propias naciones o comunidades políticas sí que podrían *desarrollar su propia* **moneda digital**. Un ejemplo es China con la creación por parte del Banco Popular Chino del yuan digital.

La Unión Europea está estudiando la creación del euro digital. Entre los beneficios que podría traer la instauración de una criptodivisa en la Unión Europea cabría destacar la simplificación de pagos, y la existencia de un mecanismo de ayuda para combatir la economía sumergida. No obstante, a priori, no estaríamos ante una criptomoneda que eliminaría el dinero en metálico o el dinero bancario, sino ante un nuevo tipo de divisa aceptada.

Al margen de la aplicación económica de las criptomonedas, las redes de blockchain cuentan con una total transparencia e inmutabilidad, por lo que cualquier interesado es capaz de comprobar las transacciones o movimientos que en ella se han producido. Estas características las hacen idóneas, por ejemplo, para desarrollar mecanismos de democracia directa inspirados en la antigua Grecia, pudiendo en un futuro llevarse a cabo las *elecciones* **a través de sistemas criptográficos** basados en las claves privadas que cada usuario posea o someter a votación de una manera económica y eficaz cualquier decisión política.

Asimismo, los Estados estarían capacitados para establecer *sistemas de registro* para ser utilizados por las administraciones públicas. Este tipo de sistemas podrían implantarse en el registro mercantil, oficinas de registro de obras de propiedad intelectual, oficinas de registro de propiedad industrial, administraciones de educación, etc.

Una de las tendencias que facilitarían la integración de las tendencias anteriores sería la *identidad digital.* La identidad digital puede conceptuarse como el conjunto de nuestros datos en el ciberespacio. Hoy en día, todos nosotros cuando interactuamos en Internet desarrollamos una identidad digital vinculada a nuestros datos personales, nuestras fotografías, nuestras compras, las páginas que visitamos, etc. Todo este conjunto de datos está centralizado en gobiernos o en grandes corporaciones, lo que implicaría que tras un ciberataque podrían obtenerse todos estos datos en el caso de que la red fuera vulnerable.

Al margen de las vulnerabilidades propias de la centralización, hoy en día, uniendo la tecnología blockchain a la identidad digital, el control sobre todos estos datos pertenecería al individuo que podría utilizar esta base de datos desvelando únicamente los datos necesarios para llevar a cabo la acción. Por ejemplo, un ciudadano podría contar en pocos segundos con toda la documentación relativa a su persona, como número de identidad, carnet de conducir, tarjetas de crédito, contratos de propiedad, etc.

Por último, una de las revoluciones más esperadas es la relativa a los *metaversos.* **El metaverso es un mundo virtual**, al que nos conectaremos utilizando una serie de dispositivos que nos harán **pensar que realmente estamos inmersos dentro de él**, interactuando con todos sus elementos.

La aplicación de los metaversos podría cambiar el panorama social, relacionándonos inversivamente con otras personas e incluso pudiendo establecer comercios y realizar negocios dentro de los mismos. Es importante resaltar que el metaverso no busca ser un mundo de fantasía, sino **una especie de realidad alternativa** en la que podremos hacer las mismas cosas que hacemos hoy en día fuera de casa, pero sin movernos de la habitación.

Esta tendencia se ha popularizado en el mapa de los criptoactivos, incrementándose el número de empresas que apuestan por este nuevo sector digital. Si bien todavía no estamos en una etapa, donde podamos concebir un metaverso en los términos expuestos anteriormente, si que se están construyendo mundos virtuales en el que los usuarios ya pueden visitar tiendas digitales y adquirir bienes digitales que tienen efectos en el mundo real.

6. REFERENCIAS BIBLIOGRÁFICAS

ALPAÑÉS, E. (2021, agosto 4). Arranca el desarrollo del euro digital, la nueva moneda de la UE. EL PAÍS. https://elpais.com/economia/estar-donde-estes/2021-08-04/arranca-el-desarrollo-del-euro-digital-la-nueva-moneda-de-la-ue.html

AST, F. (2021, mayo 9). Tokens No Fungibles (NTFs): Dilemas Legales sobre Activos Digitales. Astec. https://medium.com/astec/tokens-no-fungibles-ntfs-dilemas-legales-sobre-activos-digitales-4e547ea47777

BARANES, E., HEGE, U., & KIM, J.-H. (2021). Utility tokens financing, investment incentives, and regulation. SSRN Electronic Journal. https://doi.org/10.2139/ssrn.3784358

BIT2ME ACADEMY. (2018, noviembre 21). ¿Qué es un Security Token? Bit2me.com. https://academy.bit2me.com/que-es-un-security-token/

CALVO, M. Token fungible (FT) Vs Token no fungible (NFT). Blockchainservices.es. Recuperado el 13 de diciembre de 2021, de https://www.blockchainservices.es/novedades/token-fungible-ft-vs-token-no-fungible-nft/

Criptomonedas: una incipiente regulación se abre paso en Latinoamérica. (2020, octubre 28). Garrigues.com. https://www.garrigues.com/es_ES/garrigues-digital/criptomonedas-incipiente-regulacion-abre-paso-latinoamerica

CUADRADO, C. (2020, octubre 14). Aplicaciones de blockchain - 11 usos de blockchain que no conocías. Armadilloamarillo.com. https://www.armadilloamarillo.com/blog/aplicaciones-de-blockchain-11-usos-de-blockchain-que-no-conocias/

El Consejo Europeo aprueba dos propuestas de activos digitales. (2021, noviembre 25). Cointelegraph. https://es.cointelegraph.com/news/european-council-approves-two-digital-asset-proposals

LANGA, B. (2018). Blockchain for business: A hands-on approach: Understand the technical principles of blockchain and learn how to build successful business models based on this technology. Independently Published.

Las criptomonedas: un futuro alejado del anonimato. (2021, septiembre 13). Elderecho.com. https://elderecho.com/las-criptomonedas-un-futuro-alejado-del-anonimato

LIU, B., MCCONNELL, J. J., & WANG, J. (2021). The incentives of crypto experts in initial coin offerings. SSRN Electronic Journal. https://doi.org/10.2139/ssrn.3776935

Comunicado conjunto de la CNMV y del Banco de España sobre el riesgo de las criptomonedas como inversión. Cnmv.es.

MORENO, I. S. (2021). La Nueva Economia Blockchain Y Criptomonedas En 100 Preguntas La Nueva Economia Blockchain Y Criptomonedas En 100 Preguntas. Nowtilus.

PALUZIE, À. P., & PERFIL, V. (2018, noviembre 22). El Test de Howey y su relevancia en las criptomonedas - tokens. Leyesyjurisprudencia.com. https://www.leyesyjuris-prudencia.com/2018/11/el-test-de-howey-y-su-relevancia-en-las.html

PRITZKER, Y. (2019). Inventemos Bitcoin: La explicacion sobre el primer dinero ver-daderamente escaso y descentralizado (A. Contreras, Trad.). Independently Publis-hed.

SCHINK, M., WAGNER, A., UNTERSTEIN, F., & HEYSZL, J. (2021). Security and trust in open source security tokens. IACR Transactions on Cryptographic Hardware and Embedded Systems, 176-201. https://doi.org/10.46586/tches.v2021.i3.176-201

SMITH, M. (2019). Blockchain: Conociendo la Revolucion del Blockchain y la Tec-nologia detras de su Estructura (Libro en Espanol/Blockchain Book Spanish Ver-sion). Guy Saloniki.

WRIGHT, C. S. (2008). Bitcoin: A peer-to-peer electronic cash system. SSRN Electronic Journal. https://doi.org/10.2139/ssrn.3440802

WEI DAI. Weidai.com. Recuperado el 13 de diciembre de 2021, de http://www.weidai.com/bmoney.txt

Metaverso y resolución de litigios en línea ('ODR')

JOSÉ AITOR SANTANA TRUJILLO

Responsable del Área de Procesal y Arbitraje en Ramón Hermosilla Abogados

1. INTRODUCCIÓN

El desarrollo acelerado de la tecnología ha impactado en muchas áreas, entre ellas, el Derecho y, en particular, la resolución de conflictos. Quedaron atrás aquellos acuerdos que se cerraban con un apretón de manos, siendo sustituidos ahora por un clic en el botón "aceptar". En el metaverso surgen problemas legales ciertamente complejos y, por ello, en este artículo se analizará la conveniencia de recurrir a las ODR (acrónimo de *Online Disputes Resolution*).

2. METAVERSO: PRINCIPALES CONFLICTOS

2.1 *Concepto y características*

El metaverso es un universo virtual alternativo que, gracias a la tecnología de realidad virtual, permite a los usuarios —como avatares digitales— interactuar con objetos y personas representados digitalmente, asistir a eventos y experimentar todo tipo de situaciones, como lo harían en el mundo real.

Es el núcleo de la tercera generación de Internet —la web 3—, caracterizada (entre otros factores) por la descentralización, *es decir, "por la idea de que Internet es propiedad de muchos y ningún actor puede poseerla o controlarla"*. También permitirá a los usuarios la interacción con los datos gracias a la inteligencia artificial y la tecnología de aprendizaje automático[1]. Además, gracias al desarrollo de la tecnología *blockchain*, permite a los usuarios poseer y comprar y vender activos digitales, compartir contenidos, y trascender de las limitaciones geográficas; dando paso a la propiedad de una amplia gama de activos digitales[2].

Mark Zuckerberg, CEO de Facebook, afirmó que se trata de *"la próxima generación de Internet... un Internet corporeizado, en el que se está en la experiencia"*[3], más allá de ser un mero espectador. Desde su anuncio de inversión de 10.000 millones de dólares para hacer realidad el "metaverso", se desató una carrera empresarial por crear un nuevo espacio virtual que cambie el mundo, tal vez a la escala de la Internet original. Aunque todavía se encuentra en una fase de temprano desarrollo, se espera que el mercado mundial del metaverso alcance los 758.000 millones de dólares en 2026[4].

Como ocurre con todo desarrollo tecnológico innovador, el metaverso dará lugar a complejas cuestiones jurídicas, aunque muchas tendrán la misma naturaleza que los que encontramos hoy en el mundo físico, como la dificultad (y, a veces, incluso la imposibilidad) de identificar a las partes en un litigio, la ausencia de normas jurídicas adaptadas al caso concreto y la falta de ejecutabilidad directa de las sanciones[5], entre otras.

---

[1]   CHAN E., OGER, E., y otros (2022). *Paris Arbitration Week Recap: Metaverse-Related Sessions.* Disponible en http://arbitrationblog.kluwerarbitration.com/2022/04/24/paris-arbitration-week-recap-metaverse-related-sessions/.

[2]   Por ejemplo, las parcelas más pequeñas de Sandbox y Decentraland, pueden costar más de 11.000 y 10.000 dólares respectivamente; o el hecho de que la propiedad y el uso de los activos NFT no se limitan a la plataforma de la que se obtienen ya que al igual que las criptomonedas, están vinculadas a sus monederos personales y pueden utilizarse en múltiples plataformas.

[3]   Wasel & Wasel Arbitrator Services Inc. (2022). *Avatar v Avatar: A Look at International Arbitration within the Metaverse Canada.* Disponible en https://waselandwasel.ca/canada/avatar-v-avatar-a-look-at-international-arbitration-within-the-metaverse/.

[4]   ASSO, J. & AZARIA, L (2022). *The Metaverse and International Arbitration —How to Anticipate and Resolve Web 3.0 Disputes.* Disponible en https://www.lalive.law/the-metaverse-and-international-arbitration-how-to-anticipate-and-resolve-web-3-0-disputes/.

[5]   OGER GRIVNOVA, E. (2022). *The* implications of the Metaverse for dispute resolution - delosdr, online. Disponible en: https://delosdr.org/the-implications-of-the-metaverse-for-disputeresolution/?utm_source=rss&utm_medium=rss&utm_campaign=the-implications-of-the-metaverse-for-dispute-resolution.

Actualmente no es posible predecir todas las implicaciones que el metaverso tendrá para la resolución de litigios, pero al menos tres aspectos ya se han puesto de manifiesto: i) una nueva perspectiva de los litigios tradicionales; ii) nuevos actores, como los robots manejados por Inteligencia Artificial; y, iii) nuevos marcos procesales, en la medida en la que constituye un nuevo terreno para abogados especializados en la resolución de conflictos que tendrán la forma tradicional, híbrida[6] o descentralizada de resolución[7].

2.2 *Principales controversias*

Fundamentalmente, las controversias jurídicas que pueden surgir en el metaverso se pueden clasificar en aquellas que surgen: 1) entre los usuarios y las plataformas de metaverso; y 2) entre usuarios de las plataformas[8].

2.2.1 Conflictos entre los usuarios y las plataformas

Destacan, entre muchos otros, los relativos a la vulneración de los datos personales de los usuarios, a causa de la falta de garantías por parte de las plataformas que eviten los ataques informáticos; y los relacionados con "propiedades", que pueden verse alterados por las decisiones operativas de la plataforma[9]. Ante estos casos, se vuelve necesaria la comprobación de las condiciones de uso aceptadas por el usuario[10].

---

[6]   A falta de un sistema universal de metajurisdicción y metaejecución, se podrían adaptar las herramientas tradicionales; en cuanto al régimen aplicable, se podría optar por el régimen *ex aequo et bono* en lugar de una ley nacional concreta; y, en cuanto a la ejecución, se podría extender la potestad de las jurisdicciones tradicionales para dictar órdenes de embargo preventivo o de propiedad contra los activos digitales para garantizar la futura ejecución.

[7]   Tribunales descentralizados, como Kleros, Aragón y Jur que, aunque difieren en la oferta, permiten la ejecución de activos digitales mediante los contratos inteligentes subyacentes.

[8]   CHAN E., OGER, E., y otros (2022). Op. Cit.

[9]   El volumen transaccional se ha disparado, alcanzando 500 millones de USD en 2021 (incluida una única transacción de 2,43 millones de dólares en Decentraland). Los usuarios adquieren los bienes con determinadas condiciones, pero: ¿qué ocurre si la plataforma decide cambiarlas o cierra sus servidores? Las acciones de la plataforma afectarían negativamente el valor de la inversión y por lo tanto darían lugar a un litigio.

[10] CHAN E., OGER, E., y otros (2022). Op. Cit.

La mayoría de las plataformas han optado por incluir en las condiciones de contratación un ADR (acrónimo de *Alternative Dispute Resolution*) y una ley aplicable —véase por ejemplo las condiciones de uso de Decentraland[11] y Oculus[12]—. Otras también incluyen cláusulas con referencias a tribunales de menor cuantía, entre otras opciones, y excepciones específicas, para litigios de propiedad intelectual[13].

Por lo tanto, por un lado, las plataformas deben tener en cuenta aquellas leyes imperativas las cuales pueden afectar a la validez del acuerdo[14]; y por otro, los inversores, antes de invertir en el mercado metaverso, han de comprobar cuidadosamente las condiciones de uso aplicables.

2.2.2 Conflictos entre usuarios de las plataformas

A) Conflictos generales

Entre los usuarios de las plataformas, además de los conflictos habituales por delitos y otros agravios del mundo físico —como las vulneraciones de ciberseguridad o estafas—, también surgirán disputas en relación con las transacciones —que dependen de si se trata de una relación C2C, B2C

---

[11]   Recoge un arbitraje con arreglo a los normas de arbitraje de las Islas Caimán, estableciendo además que cualquier disputa que no pueda ser objeto de arbitraje se resolverá por dichos tribunales. Disponibles en: https://decentraland.org/terms.pdf

[12]   Que incluye en el Apartado 19 *"disposición relacionada con un acuerdo de arbitraje vinculante de conflictos (salvo las demandas de escasa cuantía y las relacionadas con la propiedad intelectual e industrial especificadas) y una cláusula de renuncia a determinados derechos de juicio con jurado o demandas colectivas"*. Se somete el arbitraje a Asociación Estadounidense de Arbitraje (AAA) y a sus normas Disponible en: https://www.meta.com/es/legal/quest/terms-for-oculus-account-users/

[13]   CHAN E., OGER, E., y otros (2022). Op. Cit.

[14]   Por ejemplo, en materia de protección de datos (el Reglamento General de Protección de Datos; o la protección de los consumidores (Reglamento 2017/2394 sobre la cooperación entre las autoridades nacionales responsables de la aplicación de la legislación en materia de protección de los consumidores), y las demás leyes internas imperativas de cada Estado Miembro.

o B2B[15]— entre usuarios, que aumentarán en la medida en la que aumenten su volumen y valor[16].

Otros conflictos posibles que cabe mencionar es el referente al reparto de bienes ganaciales en el metaverso durante un proceso de divorcio, la usurpación de la propiedad de los diversos bienes (muebles o inmuebles) entre usuarios, la multiplicación fraudulenta de avatares[17]; y los relacionados con la propiedad intelectual, como la reclamación por el uso de una obra protegida.

B) *Conflictos relacionados con la propiedad intelectual*

Las principales disputas legales surgidas hasta ahora en relación con el metaverso giran en torno a la propiedad intelectual. La mayoría versan sobre los derechos de crear y vender NFT[18] (acrónimo de *non fungible tokens* o tokens no fungibles). El objeto de este debate es ¿realmente quienes poseen derechos de propiedad intelectual, fuera de la cadena de bloques, pueden explotarlos en el metaverso? Esta cuestión fue el núcleo de la reclamación presentada por la productora Miramax contra Quentin Tarantino, tras el anuncio de subastar NFT de siete escenas exclusivas de su guión de Pulp Fiction[19], alegando que el proyecto de NFT de Tarantino incumple su contrato, aunque éste se celebró mucho antes de la invención de las NFT.

Otros ejemplos que pueden señalarse son: la reclamación presentada por Hermès contra el artista digital Mason Rothschild por crear y vender 100 MetaBirkin NFT que representaban el icónico bolso Birkin de la empresa. O el caso de Nike, que en febrero de 2022 reclamó al revendedor

---

[15]   C2C o Consumer to Consumer, es la relación entre particulares. B2C o Business to Consumer, es la relación entre empresas y consumidores. Decir, las empresas venden sus productos a los consumidores. El negocio de toda la vida. B2B o Business to Business, que consiste en que una empresa ofrezca sus servicios a otra.

[16]   Esto se deriva de los servicios que pueden ofrecerse mutuamente entre usuarios; la creación de activos digitales; la compra, venta, alquiler de parcelas de terreno virtual, entre otras. CHAN E., OGER, E., y otros (2022). Op. Cit.

[17]   OGER GRIVNOVA, E. (2022). Op. Cit.

[18]   Que son activos digitales encriptados. Se trata de un tipo especial de token criptográfico que representa digitalmente algo único, sin que puedan ser intercambiados o comercializados de forma equivalente a otros activos digitales.

[19]   ASSO, J. & AZARIA, L (2022). Op. Cit.

StockX, alegando que vendía NFT que mostraban sin autorización marcas registradas[20].

En el futuro será fundamental abordar jurídicamente a quién pertenecen los derechos de propiedad intelectual en relación con las NFT y el metaverso. Asimismo, a fin de prevenir los eventuales conflictos, antes de invertir en el metaverso, se deben evaluar las garantías que ofrece la plataforma y sus derechos en caso de infracción. Esto incluye revisar las condiciones de uso, con atención especial a la ley aplicable y al método de resolución de conflictos.

2.3 Algunas notas sobre la resolución de disputas

Los usuarios esperan que los procesos de resolución de litigios sean rápidos, eficientes y asequibles. Para ello, en algunos casos incluso están dispuestos a sacrificar sus garantías procesales. Etham Kathy, padre de la resolución de disputas en línea, afirma que *"el poder de la tecnología para resolver disputas es superado por el poder de la tecnología para generarlas"*[21].

Ante las disputas tecnológicas, resulta imperativo que el marco actual de resolución de litigios se reinvente para tener en cuenta la configuración tecnológica del nuevo entorno que dinamiza los procesos. Nuestro sistema jurídico se basa en la geografía física, que suele ser estable. Pero en el metaverso, donde avatares anónimos de todo el mundo interactúan y se relacionan entre sí, el tiempo, la ubicación y la identidad son realidades que conllevan que los conceptos jurídicos de nacionalidad, residencia habitual, sede de la persona jurídica o ubicación de la propiedad inmobiliaria (que tradicionalmente constituyen el núcleo de las normas de Derecho Internacional Privado) carezcan de sentido.

Técnicamente, las transacciones dentro del metaverso podrían realizarse a través de contratos inteligentes o s*mart contract*, que se limitan a establecer obligaciones monetarias y temporales, sin establecer derechos u obligaciones más complejas. Por lo tanto, una solución a los eventuales

---

[20]   ASSO, J. & AZARIA, L (2022). Op. Cit.

[21]   ETHAM KATSH & ORNA RABINOVICH-EINY (2017). *Digital justice: technology and the internet of disputes* (Traducción propia). Disponible en https://ssrn.com/abstract=3095933. Un ejemplo de la generación de esas disputas recae en el margen de error, en el 2016 un estudio reveló que hay 100 errores por 1000 líneas codificadas. Amy J. Schmitz (2022). *Metaverse Arbitration for Resolving Blockchain Disputes 1.0.* Disponible en línea.

litigios que puedan surgir en algunas transacciones, es que antes se deben celebrar contratos tradicionales que plasmen la identidad real de los usuarios, la ley aplicable —que abordaría todas las cuestiones que no pudieran preverse al codificar el contrato inteligente o al redactar el contrato— y el mecanismo de resolución de conflictos elegido[22].

Algunos retos futuros para el ejercicio de la abogacía son: (i) determinación de la ley aplicable; (ii) identificación de las partes, cuando el avatar de la contraparte no es identificable (iii) la determinación de la jurisdicción del responsable, cuando conceptos como el lugar de establecimiento y la orientación a mercados específicos pueden carecer de sentido; y (iv) la aplicación de los resultados, en relación con los activos digitales.

Actualmente existen al menos tres posibles herramientas de resolución de conflictos digitales: 1) la resolución "tradicional" en los tribunales ordinarios o los mecanismos alternativos, como la negociación, mediación y arbitraje; 2) el arbitraje internacional adaptado a los litigios digitales, que conlleva una modificación de sus normas tradicionales; y, 3) sistemas de justicia descentralizados, apoyado en la tecnología blockchain[23].

3. ODR

3.1 Concepto y características

Los ODR (acrónimo de *Online Dispute Resolution*) o plataformas de resolución de conflictos en línea, son un conjunto de metodologías en línea que permiten la resolución de conflictos con el uso de la tecnología, la información y la comunicación, también llamadas TIC's.

No se debe confundir a los ODR con los ADR (acrónimo de *Alternative Dispute Resolution*), por no ser equivalentes. Los procedimientos de ODR pueden no satisfacer el requisito alternativo de los ADR, ya que pueden

---

[22] ASSO, J. & AZARIA, L (2022). Op. Cit.

[23] La justicia descentralizada es una alternativa, que se trata de un sistema en línea apoyado en la tecnología blockchain, que entre otras cosas ofrece: (i) la elección de jurados al azar; (ii) la ejecución, a través de contratos inteligentes que se ejecutan cuando se realizan las condiciones preprogramadas y garantizadas con los cripto activos depositados/retenidos; y (iii) el anonimato, ya que los usuarios podrían conectarse al tribunal digital con sus monederos, lo que garantiza —hasta cierto punto— el anonimato de su titular. CHAN E., OGER, E., y otros (2022). Op. Cit.

incluir *cybercourts* o tribunales virtuales[24]. Los ADR no son más que los sistemas de resolución alternativa de litigios que están conectados a la Plataforma ODR para solucionar esas situaciones controvertidas a través de fórmulas, como la mediación o arbitraje, evitando la vía judicial.

A pesar del gran desarrollo de la práctica de la resolución de litigios a través de Internet y otras aplicaciones digitales modernas, los sistemas como los ODR no han avanzado a la misma velocidad que el surgimiento de nuevos tipos de litigios[25], pese a que tanto los consumidores como las empresas están interesados en promover una compensación en línea justa, equitativa y eficaz.

Aún así, los sistemas ODR parecen ser una herramienta aparentemente eficaz para litigios transfronterizos de escasa cuantía y, en ocasiones, también de elevadas cuantías[26], por lo que el surgimiento del metaverso parece ser el momento idóneo para potenciarlos. Además, la forma tradicional de los métodos alternativos de resolución de disputas, no parecen ser los medios óptimos para dar solución a esos conflictos en el contexto digital[27].

Lo cierto es que, en determinadas relaciones, como las asimétricas en el ámbito de consumo, las ODR brindan muchas ventajas a los consumidores y a los proveedores, como se verá más adelante en el ejemplo de *marketplaces* como eBay, que incluye procedimientos propios para litigios de baja cuantía y otros para los de elevadas cuantías.

Se debe mencionar que los ODR no deben ceñirse a los ADR tradicionales, sino que pueden incluir mecanismos de resolución propios. Aquí cabe mencionar la posibilidad de implementar servicios de justicia descentralizada. Así, las plataformas podrían empezar a ofrecer mecanismos de resolución de conflictos justos, transparentes e imparciales para las disputas entre usuarios, permitiendo, por ejemplo, que éstas se resuelvan a través de un tercero en un sistema de justicia descentralizada, como el utilizado

---

[24]   FRANCO, O. (2018). *Clarificando conceptos básicos sobre los ODR y la Mediación On-Line.* Disponible en https://www.lawandtrends.com/noticias/justicia/clarificando-conceptos-basicos-sobre-los-odr-y-la-mediacion-on-line-1.html

[25]   ETHAM KATSH & ORNA RABINOVICH-EINY (2017). Op. Cit.

[26]   Un comprador insatisfecho de un artículo en eBay va a preferir un proceso en línea en lugar de litigar con el vendedor, que puede tener su sede en otro país.

[27]   LUCA DAL PUBEL (2018). *eBay dispute resolution and revolution: an investigation on a successful ODR model.* Disponible en https://www.researchgate.net/publication/330181756_E-BAY_DISPUTE_RESOLUTION_AND_REVOLUTION_AN_INVESTIGATION_ON_A_SUCCESSFUL_ODR_MODEL

por eBay a inicios del 2000; o prever una ejecución automática[28] de esas decisiones, respetando así el anonimato entre avatares[29].

Jean Sternlight[30] considera que los diseñadores de ODR tienen que pensar detenidamente en la psicología de las partes y no dar por hecho que la tecnología siempre conduce a las mejores resoluciones. No se puede obviar la importancia de satisfacer las necesidades psicológicas de los litigantes —aprovechando el conocimiento que se tiene de las necesidades psicológicas de los litigantes y la neurociencia de las disputas— ya que parte del éxito del metaverso dependerá, sin duda, de su capacidad para abordar cuestiones de resolución de disputas.

3.2 Unión Europea

La Comisión Europea puso en marcha un sistema ODR que permite la resolución de conflictos en línea. La creación y desarrollo de la plataforma se dispuso en el Reglamento 524/2013 sobre resolución de litigios en línea en materia de consumo[31].

La plataforma europea[32] tiene como fin hacer el comercio electrónico más seguro y equitativo a través del acceso a herramientas de resolución de litigios de calidad que ayuden a los consumidores y comerciantes —que residan en un país de la UE o en Noruega, Islandia o Liechtenstein— a resolver los problemas derivados de las compras en comercios electrónicos o la contratación de servicios en línea (excluidas el resto de las modalidades de contratación a distancia).

El sitio web —gratuito e interactivo— permite a los consumidores y empresas resolver por vía extrajudicial, sus conflictos nacionales y europeos. El procedimiento consiste en la canalización de los litigios hacia los orga-

---

[28] Así, a través de los *smart contracts* se podría llegar a eliminar en gran medida la necesidad de complicadas y costosas cartas de crédito, fianzas y acuerdos de garantía al digitalizar la ejecución o el pago automático.

[29] ASSO, J. & AZARIA, L (2022).

[30] JEAN STERNLIGHT J. (2020), "Pouring a Little Psychological Cold Water on Online Dispute Resolution". Disponible en línea.

[31] Otra normativa relevante es la Directiva 2013/11/UE, relativa a la resolución alternativa de litigios en materia de consumo; y la Ley 7/2017 por la que se incorpora al ordenamiento jurídico español la Directiva.

[32] Disponible en: https://ec.europa.eu/consumers/odr/main/?event=main.home. howitworks

nismos de ADR que estén conectados a la plataforma (arbitraje o mediación) evitando así la vía judicial. La plataforma cuenta con un listado de organismos de resolución de litigios[33] homologados según normas de calidad en cuanto a equidad, eficiencia y accesibilidad, que en general, tienen sus propias normas, procedimiento y algunos tienen un coste. El usuario de la plataforma puede: 1) contactar con la empresa a fin de resolver el litigio directamente, en este caso tiene 90 días para llegar a un acuerdo; y, 2) encargar a un organismo que resuelva el litigio por él, contando con 30 días para acordar con la empresa qué organismo de resolución de litigios utilizar.

El Centro Europeo del Consumidor de España es el punto de contacto de la plataforma ODR en España, en funcionamiento desde el 2016. Cualquier consumidor que tenga un problema con una compra online podrá tratar de resolver su situación por vía extrajudicial. Destacan como organismos de resolución alternativa de conflictos, entre otras: Asociación de Mediación *Mediation Quality, Autocontrol*, Asociación para la Autorregulación de la Comunicación Comercial, y el Comité de Mediación de la Asociación *Confianza Online*.

Sin duda, en materia de consumo, la teoría sobre el uso de las ODR se preveía eficaz y eficiente, pero lo cierto es que en la práctica tal mecanismo no ha logrado consolidarse a nivel nacional y comunitario.

3.3 UNCITRAL

En el 2010, la Comisión de UNCITRAL creó el "UNCITRAL Working Group III on Online Dispute Resolution" a fin de crear normas y mecanismos que facilitaran la implantación de los sistemas ODR. El reto al que se enfrentó este Grupo fue concebir normas que superasen las diferencias y restricciones impuestas por los legisladores nacionales en relación con los ODR[34].

A causa de un gran desacuerdo entre las jurisdicciones, como la de EE.UU, que permite los acuerdos pre-contenciosos de arbitraje con consumidores y considera válidos y ejecutables los laudos; y otras, como los

---

[33] Disponible en: https://ec.europa.eu/consumers/odr/main/?event=main.adr. show2

[34] LUCA DAL PUBEL (2018). Op. Cit.

Estados Miembros de la Unión Europea, que no los consideran vinculantes para los consumidores, no se llegó a un consenso final.

Como consecuencia de la falta de consenso sobre el contenido de las normas, en julio del 2015, la Comisión de UNCITRAL decidió redefinir el mandato del Grupo de Trabajo para elaborar un documento no vinculante que reflejara los elementos de un proceso de ODR, sobre los que sí había consenso, con exclusión de la cuestión sobre la naturaleza de la etapa final del proceso —arbitraje o no arbitraje—[35].

Finalmente, en 2016, en su 49° periodo de sesiones la Comisión de UN-CITRAL finalizó y adoptó las Notas Técnicas sobre Solución de Controversias en Línea[36]. Se trata de normas no vinculantes, propuesta como una guía y ayuda, con independencia absoluta de la estructura y el marco que establezca un determinado sistema de ODR, que puede ofrecer una variedad de mecanismos de resolución de conflictos como la conciliación, la negociación, la mediación, la solución facilitada y el arbitraje[37].

Las Notas consideran que los sistemas ODR deben basarse en los principios de: imparcialidad, debido proceso, responsabilidad y transparencia; y deben ser sencillos, rápidos y eficaces. Además, considera que deberían basarse en tres fases: 1) una negociación inicial en la que las partes negocien directamente entre sí a través de la plataforma ODR; ante el fracaso de ésta, 2) se pasa a una "solución facilitada", en la que el proveedor de Resolución de Litigios en Línea asigna a un tercero neutral que ayude a las partes a alcanzar el acuerdo; y, finalmente, 3) el inicio de una etapa del procedimiento en la que el administrador de la ODR informa a las partes, o expone a las partes, las posibles opciones de proceso a elegir[38].

Según estas normas, los sistemas ODR deben sustentarse en los principios de imparcialidad y debido proceso. Exigiendo el primero que se ofrezca a los participantes un proceso justo y equitativo; y, el segundo, el respeto a las reglas y principios establecidos. El debido proceso se compone de dos principios fundamentales: 1) *nemo judex in parte sua*, que significa que

---

[35]　Documentos Oficiales de la Asamblea General, septuagésimo período de sesiones, Suplemento No. 17 (A/70/17), par. 352.

[36]　Documentos Oficiales de la Asamblea General, septuagésimo período de sesiones A/RES/71/138.

[37]　UNCITRAL Grupo de Trabajo III, 33° período de sesiones, A/CN.9/WG.III/WP.140, par. 5.

[38]　UNCITRAL Grupo de Trabajo III, 33° período de sesiones, A/CN.9/WG.III/WP.140, par. 19, 20, 21, 26 y 41.

ninguna persona debe ser juez en un caso en el que tenga un interés; y, 2) *audi alteram partem* o de audiencia justa, que conlleva que cada parte goce de las mismas oportunidades procesales[39].

3.4 Caso de éxito: eBay

Algunos proveedores de transacciones en línea a gran escala, como eBay, Amazon y Alibaba, ya ofrecen sus propios sistemas de resolución de disputas a fin de maximizar el número de transacciones exitosas.

Entre ellos, eBay ha estado a la vanguardia de la creación y el desarrollo de recursos para apoyar los procesos ODR. Su Centro de Resolución de Disputas, de facto es uno de los mayores sistemas ODR del mundo[40], siendo este uno de los ejemplos más exitosos. Se calcula que anualmente resuelve más de 60 millones de pequeños litigios —con un valor medio entre 70 y 100 dólares[41]— entre comerciantes y compradores mediante una comunicación directa y en su mayoría, sin intervención de terceros.

En caso de que las partes no puedan encontrar una solución, los usuarios pueden presentar su reclamación en el Centro de resoluciones de eBay[42]. La empresa responsabiliza a los vendedores mediante un sistema de reputación pública, que permite a los compradores dejar reseñas positivas, negativas o neutras sobre los vendedores. Al mismo tiempo, responsabiliza a los compradores a través de informes privados de los vendedores. Confía en los vendedores para informar cuando un comprador ha infringido la política. A través de su sistema de opiniones, eBay pretende proteger y premiar a vendedores y compradores y hacerles responsables de posibles comportamientos poco profesionales y deshonestos.

---

[39] LUCA DAL PUBEL (2018). Op. Cit.

[40] Una investigación empírica realizada en eBay sobre los beneficios económicos de la reparación efectiva confirmó que ofrecer a los consumidores soluciones en línea a sus litigios, con independencia del resultado, aumenta la confianza y el uso del mercado, independientemente. Colin Rule, "Quantifying the Economic Benefits of Effective Redress," *University of Arkansas Little Rock Law Review, 34,* no. 6 (2012): 767-776.

[41] Términos y condiciones *Q4 2010,* EBAY INC. (2010). Disponibles en http://www.ebayinc.com/content/fact_sheet/ebay_inc   corporate_fact_sheet_ q4_2010_

[42] Puede verse el procedimiento en el *eBay Seller Center.* http://pages.ebay.com/ seller-center/service-and-payments/case-resolution.html

En general, eBay proporciona a los clientes información transparente y accesible sobre sus derechos y los pasos necesarios para tramitar y resolver una disputa. Esta transparencia se refleja en el libre acceso de los usuarios a la información a lo largo de las distintas fases del procedimiento[43]. Además, se debe recalcar que esa transparencia y confianza ha generado un sentimiento de comunidad entre los usuarios de la plataforma que permite esa resolución efectiva y eficaz.

3.4.1 Reclamaciones de baja cuantía

Aunque inicialmente su sistema original se centró únicamente en "alertas de fraude", éste se amplió para dar soporte a la resolución de otros tipos de problemas, como "artículo no recibido" y "artículo no conforme a la descripción", o "artículo impagado"[44]. El sistema ODR de eBay, desde el principio, ha tenido de facto un marco de bajo valor porque se empaquetó como una **especie de garantía de devolución del dinero**: la recuperación se limita al precio de compra para el comprador, y el reembolso total para el vendedor. Esto excluye necesariamente la indemnización por daños y perjuicios[45].

3.4.2 Reclamaciones de alta cuantía

Adicionalmente, de forma gradual en Ebay se han ido añadiendo plataformas de resolución dedicadas a varias categorías de compras: las incluidas en el programa Protección de Compra de Vehículos (VPP) para reclamaciones sobre vehículos de costos superiores a 100 dólares e inferiores a 50.00; y el programa de Protección de Compra de Equipamiento Empresa-

---

[43]   LUCA DAL PUBEL (2018). Op. Cit.

[44]   En el sistema de eBay, los compradores deben pagar el artículo antes de que el vendedor lo envíe. En los casos de en lugar de subastas, los vendedores deben recibir el pago antes del envío del artículo, si no lo realizan, el vendedor puede recuperar la tarifa por "artículo impagado", derecho que adquiere con el pago por el uso de la plataforma.

[45]   DEL DUCA, L. COLIN RULE. C, y RIMPFEL, K (2014). *eBay's De Facto Low Value High Volume Resolution Process: Lessons and Best Practices for ODR Systems Designers.* Disponible en https://elibrary.law.psu.edu/cgi/viewcontent.cgi?article=1060&context=arbitrationlawreview.

rial (BEPP) para reclamaciones sobre equipos de costos superiores a 1000 dólares e inferiores a 20.000[46].

3.4.3 Funcionamiento del sistema

eBay, que administra con PayPal su sistema básico de resolución de disputas, ofrece a las partes una guía a través de su sitio web que incluye: la razón de la reclamación del comprador y su propuesta de solución; y la convocatoria a compradores y vendedores para que se comuniquen con su plataforma de mensajería. Si la negociación entre las partes no surte efecto, la disputa se eleva al equipo de Servicio de Resolución de Atención al Cliente, donde se evalúan las posturas de las partes y se toman las decisiones correspondientes[47].

En relación con productos diferentes a los ofertados, donde las reclamaciones quedan fuera de la cobertura de la política de eBay, la página web guía a las partes con preguntas por vías diferentes. Los compradores dispondrán de treinta días desde la fecha de entrega para, a través de la plataforma, ponerse en contacto con el vendedor. Si el contacto directo no resuelve el problema en un plazo de tres días laborables desde la comunicación inicial, el comprador puede elevar el caso al Centro de Resoluciones de eBay, quien se pondrá en contacto con el comprador en un plazo de 48 horas para determinar si el caso reúne los requisitos para el reembolso completo del precio de compra más el envío original.

En cambio, en las reclamaciones por los artículos impagados, se contacta con el comprador y se le dan varias opciones de respuesta: a) pagar la puja de subasta, b) demostrar que la puja de subasta ya está pagada; o c) solicitar que se cancele la transacción. Cuando este responde, las partes pueden comunicarse para intentar resolver el problema de mutuo acuerdo. Sin embargo, si el comprador no responde o el vendedor no queda satisfecho, éste tiene el derecho unilateral de sancionar al comprador con una "suspensión por impago", con el riesgo de que su cuenta quede suspendida si recibe muchas suspensiones en un corto periodo de tiempo.

Este proceso, que gestiona decenas de millones de disputas al año, está totalmente automatizado. La única intervención humana que entra en el proceso de resolución de impagados es cuando el comprador decide recu-

---

[46]   See VPP Policy, *supra* note 7; BEPP Policy, *supra* note 7.
[47]   DEL DUCA, L. COLIN RULE. C, y RIMPFEL, K (2014). Op. Cit.

rrir un impago (es decir, una puja de subasta) que ha recibido[48]. Asimismo, si la apelación es por una segunda o posterior, un representante del servicio de atención al cliente de eBay revisará manualmente el caso para tomar una decisión.

4. PROPUESTA DE MECANISMO HÍBRIDO: ODR, JURISDICCIÓN Y ADR

Aunque la experiencia adquirida en los litigios de la web 2.0, permite que las herramientas existentes de resolución de litigios se puedan adaptar al metaverso, —especialmente si existe una cláusula de resolución de litigios adaptada y específica— lo cierto es que el metaverso amplifica los retos existentes y crea otros nuevos[49].

En relación con el arbitraje, la práctica exige que el árbitro se identifique, tanto en sus órdenes procesales como en los laudos, pero en el metaverso, esta identificación se vuelve complicada. Igualmente, algunas instituciones arbitrales —como la CCI[50], la LCIA[51], la HKIAC[52] y el ICDR[53]— obligan a las partes a revelar, al inicio del procedimiento, sus nombres "reales" y sus direcciones físicas y las de sus abogados[54]. Sin embargo, actualmente, algunas normas de arbitraje en línea —como las Reglas de Resolución de Disputas Digitales publicadas por el Grupo de Trabajo sobre Jurisdicción del Reino Unido en abril de 2021[55]— admiten el anonimato de las partes. No obstante, la regla general sigue siendo que las partes deben proporcionar detalles y acreditación de su identidad. En cualquier caso, el derecho al anonimato no puede considerarse como absoluto, ya que prevalece el interés de una resolución justa si así lo exige cualquier ley o reglamento aplicable u orden judicial.

---

[48]   DEL DUCA, L. COLIN RULE. C, y RIMPFEL, K (2014). Op. Cit.

[49]   CHAN E., OGER, E., y otros (2022). Op. Cit.

[50]   Artículo (a)-(b) y artículo 5(a)-(b), ICC Rules of Arbitration 2021

[51]   Artículo 1(i), artículo 2(i) y artículo 4.7, LCIA Rules of Arbitration 2020

[52]   Artículo 4.3 y artículo 5.1, HKIAC Rules of Arbitration 2018

[53]   Artículo 2(3)(b) y artículo 3(3), ICDR International Dispute Resolution Procedures: International Arbitration Rules 2021

[54]   Wasel & Wasel Arbitrator Services Inc. (2022). Op. Cit.

[55]   Artículo *13, Digital Dispute Resolution Rules (Rules), UK Jurisdiction Taskforce*

En aras de la digitalización, actualmente está en auge el *Arbitraje Blockchain*, promovido por aplicaciones como Kleros, que utilizan una red de jurados humanos anónimos en la red, seleccionados aleatoriamente, pudiendo ser jurados cualquiera que se postule[56].

A simple vista parece que el arbitraje tal como está actualmente configurado no parece estar preparado para el metaverso, entre otras cosas porque hay muchos factores —como la inmediatez de las transacciones, el anonimato de los usuarios, o los principios del debido proceso, el uso de la red blockchain con fines probatorios, y otros— que aún deben tenerse en cuenta para adaptar el arbitraje y alinearlo con los valores que defienden los usuarios de la red blockchain y metaversos[57].

Aunque, con su actual configuración el arbitraje internacional, podría carecer de la eficiencia necesaria para resolver el elevado volumen de litigios transfronterizos que se generarán en el metaverso, se auguran importantes avances, como el desarrollo de la 'teoría del arbitraje autónomo'.

La teoría del arbitraje autónomo, en palabras de Julian Lew (2005), es un arbitraje "*libre de interferencias estatales*" y añade Ralf Michaels[58] que "*debe tener su propio mecanismo de ejecución*". En consecuencia, los arbitrajes internacionales deben regirse por normas y prácticas internacionales y no por leyes nacionales, no obstante, los defensores de esta teoría han reconocido que las partes deben recurrir a los tribunales para la ejecución de los laudos arbitrales[59].

En este sentido, la creación de plataformas *blockchain* como Kleros, Jur y Aragón, facilitan la ejecución automática de las decisiones arbitrales formulando los laudos como contratos inteligentes que realizan ejecutabilidad inmediata[60], aunque limita el alcance del arbitraje autónomo ya que, a diferencia de los laudos convencionales, las partes no tienen la opción de

---

[56]   "Twenty-First Century Arbitration: Who Do You Trust?", Sophie Nappert and Avani Agarwal

[57]   JALAL EL AHDAB, CLAIRE BENTLEY (2022) - *Paris Arbitration Week Recap: Blockchain, NFTs and the Metaverse, Kluwer Arbitration Blog*. Disponible en línea. 4

[58]   RALF MICHAELS, 'Is Arbitration Autonomous' in C. L. Lim (ed) The Cambridge Companion to International Arbitration (CUP, 2021) 115, 119

[59]   SNEHA VIJAYAN (2022). *Autonomous Arbitration in the Era of the Metaverse - Blog, online*. Disponible en http://arbitrationblog.kluwerarbitration.com/2022/03/11/autonomous-arbitration-in-the-era-of-the-metaverse/.

[60]   Por ejemplo, ordenará que los fondos representados digitalmente, el una cuenta previamente bloqueada en la que las partes habrán transferido una cantidad es-

solicitar ante los tribunales el embargo de los bienes de una parte incumplidora[61].

Los desarrolladores de estos mercados tendrán que considerar cómo generar confianza y contribuir con el rediseño de los procesos de resolución de conflictos. Un ejemplo es la ya mencionada justicia descentralizada, que no depende de leyes nacionales o la geografía, sino más bien del código.

Atendiendo a lo anterior, para la resolución de controversias en el metaverso se propone un modelo híbrido que permita la convivencia de la jurisdicción ordinaria, los ADR y el uso de los sistemas ODR para su desarrollo.

En ciertos casos, la jurisdicción ordinaria es necesaria a fin de salvaguardar la tutela judicial efectiva y, en determinados temas, por ejemplo, los conflictos penales que requieren un mayor rigor procesal.

En otros casos, los litigios en el metaverso también deberían permitir el arbitraje (tras una posible mediación) en lugar del litigio judicial, evitando así dilaciones innecesarias en los tribunales ordinarios. Estos mecanismos alternativos ofrecen valiosas ventajas para las transacciones digitales, siempre que se adapten a los retos de la tecnología y la sensibilidad temporal: posibilidad de acordar de antemano la ley aplicable o el idioma del procedimiento, flexibilidad del proceso, experiencia de los árbitros en las tecnologías en cuestión, facilidad de ejecución de los laudos arbitrales en virtud de la Convención de Nueva York, etc.

Sin duda, los sistemas ODR podrán proporcionar respuestas o alternativas de solución frente a controversias que presenten las partes en disputa. Por ello conviene tener en cuenta esta forma de resolución de conflictos en el momento actual de origen incipiente de las tecnologías del metaverso, resultando recomendable tener en cuenta las lecciones de mecanismos empleados con éxito en el pasado, como el caso expuesto de eBay, donde el sentimiento de comunidad extrapolable al metaverso ha demostrado ser verdaderamente útil a fin de agilizar la resolución de disputas.

---

tipulada, se transfieran a la parte ganadora desde una cuenta vinculada a dicho contrato.

[61]   SNEHA VIJAYAN (2022). *Op. Cit.*

5. REFERENCIAS BIBLIOGRÁFICAS

COLIN RULE (2010). *Using Technology to Manage High Volume Caseloads: The eBay/PayPal Experience - Washington, DC.*
Disponible en: https://www.archives.gov/files/ogis/events-presentations/acus-colin.pdf

MARCELINO ABAD (2022). *La moda se protege de las falsificaciones en el metaverso - Madrid*
Disponible en: https://elpais.com/economia/negocios/2022-11-13/la-moda-se-protege-de-las-falsificaciones-en-el-metaverso.html

ARANYA CHATTERJEE, SHARIQUE UDDIN (2021). *Online Dispute Resolution: An Effective Mechanism and an Alternative Tool for Justice at a Reasonable Time* - Chartered Institute of Arbitrators, online.
Disponible en: https://kluwerlawonline.com/journalarticle/Arbitration:+The+International+Journal+of+Arbitration,+Mediation+and+Dispute+Management/87.4/AMDM2021036

SNEHA VIJAYAN (2022). *Autonomous Arbitration in the Era of the Metaverse - Blog, online*
Disponible en: http://arbitrationblog.kluwerarbitration.com/2022/03/11/autonomous-arbitration-in-the-era-of-the-metaverse/

Wasel & Wasel Arbitrator Services Inc. (2022). *Avatar v Avatar: A Look at International Arbitration within the Metaverse - Canada*
Disponible en: https://waselandwasel.ca/canada/avatar-v-avatar-a-look-at-international-arbitration-within-the-metaverse/

ETHAN KATSH (2004). *Bringing Online Dispute Resolution to Virtual Worlds: Creating Processes Through Code - Digital commons, online.*
Disponible   en: https://digitalcommons.nyls.edu/cgi/viewcontent.cgi?article=1316&context=nyls_law_review

FEDERICO AST (2020). *Colin Rule y el Futuro del Online Dispute Resolution - Astec, online.*
Disponible en: https://medium.com/astec/colin-rule-y-el-futuro-del-online-dispute-resolution-b7dae3190e1e

Online Dispute Resolution - Library Guides at University of Missouri Libraries (2022). *Online Dispute Resolution: Companies Implementing ODR - Columbia, MO.*
Disponible en: https://libraryguides.missouri.edu/c.php?g=557240&p=3832247

DECENTRALAND (2022). Terms and Conditions - *Online Decentraland platform.*
Disponible en: https://decentraland.org/terms/

CAROLINA MAURO (2022). *Dispute Resolution in the Metaverse: Watch Out for Who the Next Gods Are.*
Disponible en: https://cyberarb.com/dispute-resolution-in-the-metaverse-watch-out-for-who-the-next-gods-are/

LUCA DAL PUBEL (2018). *E-Bay dispute resolution and revolution: an investigation on a successful ODR model.*
Disponible en: https://www.researchgate.net/publication/330181756_E-BAY_DISPUTE_RESOLUTION_AND_REVOLUTION_AN_INVESTIGATION_ON_A_SUCCESSFUL_ODR_MODEL

LOUIS F. DEL DUCA, COLIN RULE, KATHRYN RIMPFEL (2014). *eBay's De Facto Low Value High Volume Resolution Process: Lessons and Best Practices for ODR Systems Designers.*

Disponible en: https://elibrary.law.psu.edu/cgi/viewcontent.cgi?article=1060&contex
t=arbitrationlawreview

NICK HILBORNE (2019). *Arbitration and ODR to settle smart contract disputes - online*

Disponible en: https://www.legalfutures.co.uk/latest-news/arbitration-and-odr-to-sett
le-smart-contract-disputes

International Journal on Online Dispute Resolution (2022). *ODR in the* Metaverse -
online

Disponible en: http://colinrule.com/writing/metaverse.pdf

CARLOS ÁLVAREZ LÓPEZ y ÁNGEL CARRASCO PERERA (2022) - *Operadores y responsabilidad civil en el metaverso*

Disponible en: https://www.ga-p.com/wp-content/uploads/2022/03/Metaverso_lia-
bility-2.pdf

BRITTANY MUNN y AMY SCHMITZ (2022) - *Musings of Metaverse Arbitration.*

Disponible en: https://arbitrate.com/musings-of-metaverse-arbitration/

ARANYA CHATTERJEE y SHARIQUE UDDIN (2021) - *Online Dispute Resolution: An
Effective Mechanism and an Alternative Tool for Justice at a Reasonable Time- kluwerlaw,
online*

Disponible en: https://kluwerlawonline.com/journalarticle/Arbitration:+The+Inte
rnational+Journal+of+Arbitration,+Mediation+and+Dispute+Management/87.4/
AMDM2021036

JALAL EL AHDAB, CLAIRE BENTLEY (2022) - *Paris Arbitration Week Recap: Blockchain,
NFTs and the Metaverse, Kluwer Arbitration Blog*

Disponible en: http://arbitrationblog.kluwerarbitration.com/2022/05/14/paris-arbi-
tration-week-recap-blockchain-nfts-and-the-metaverse/

ELIZABETH CHAN, EKATERINA OGER GRIVNOVA, IPEK INCE, EMILY HAY, JU-
LIETTE ASSO-RICHARD, and YASMIN MOHAMMAD (2022) - *Paris Arbitration
Week Recap: Metaverse-Related Sessions.*

Disponible en: http://arbitrationblog.kluwerarbitration.com/2022/04/24/paris-arbi-
tration-week-recap-metaverse-related-sessions/

FEDERICO AST (2020) - *Resolución de Disputas en Línea: Sistemas deJusticia Privados*

Disponible   en: https://medium.com/astec/resoluci%C3%B3n-de-disputas-en-
l%C3%ADnea-sistemas-de-justicia-privados-f02690980ba4

COLIN RULE (2009). Online *Dispute Resolution and the UDRP: The eBay/PayPal Perspective - Online*

Disponible en: https://www.wipo.int/export/sites/www/amc/en/docs/rule31.pdf

AMY J. SCHMITZ (2022). *Metaverse Arbitration for Resolving Blockchain Disputes 1.0... -
papers.ssrn, online.*

Disponible en: https://papers.ssrn.com/sol3/papers.cfm?abstract_id=4144760

EKATERINA OGER GRIVNOVA (2022). *The implications of the Metaverse for dispute resolution - delosdr, online*

Disponible   en: https://delosdr.org/the-implications-of-the-metaverse-for-dispute-
resolution/?utm_source=rss&utm_medium=rss&utm_campaign=the-implications-
of-the-metaverse-for-dispute-resolution

JULIETTE ASSO (RICHARD), LAURA AZARIA (2022). *The Metaverse and International
Arbitration - How to Anticipate and Resolve Web 3.0 Disputes*

Disponible en: https://www.lalive.law/the-metaverse-and-international-arbitration-how-to-anticipate-and-resolve-web-3-0-disputes/

MARK ZUCKERBERG (2022). *The Metaverse and International Arbitration (Part I): ADR in this Virtual Era - mappingadr, online.*

Disponible en: https://www.mappingadr.in/post/the-metaverse-and-international-arbitration-part-i-adr-in-this-virtual-era

El nuevo régimen jurídico de la publicación de las reseñas en internet: prácticas desleales y protección de los consumidores

ÁLVARO SEIJO BAR y **JASMINE FITZGIBBON CAJA**
Abogados de Uría Menéndez Abogados, S.L.P.

1. INTRODUCCIÓN

Imaginemos que queremos buscar un nuevo restaurante, alojarnos en un hotel durante nuestras vacaciones, cambiar de coche o, en definitiva, buscar la mejor opción entre las miles de ofertas que existen para los distintos tipos productos y servicios ofrecidos en internet. Las valoraciones, las "estrellas", las fotografías, los comentarios con experiencias previas, opiniones y recomendaciones de otros consumidores, son fundamentales para cualquier negocio e influyen directamente en su popularidad y relevancia frente a otros competidores. Hoy en día, un negocio con reseñas negativas de sus clientes (o sin reseñas), corre el riesgo de ser invisible en internet.

Cada vez más, los consumidores se basan en las reseñas y opiniones de otros consumidores a la hora de tomar la decisión de contratar un producto o servicio[1]. De hecho, en la era del comercio electrónico, las reseñas (o

---

[1]   Según datos publicados por la Comisión Europea, los consumidores a menudo confían en las reseñas de otros consumidores cuando toman decisiones de com-

la ausencia de reseñas) de otros consumidores juegan un papel clave en la contratación a través de internet, pues a menudo los consumidores o potenciales consumidores recurren a estas reseñas como una de las principales fuentes de información antes de contratar. En parte por ello, las reseñas y aprobaciones también tienen su reflejo en la clasificación de los resultados de búsqueda de un determinado producto o servicio (y, con ello, en la visibilidad en la plataforma donde se promocionen), pues es común que los parámetros de clasificación de estos resultados incluyan entre sus criterios la puntuación obtenida en las reseñas de anteriores consumidores.

De esta forma, las reseñas se han convertido una herramienta clave para generar confianza entre los consumidores y usuarios que navegan en internet en busca de productos y servicios, contribuyendo tanto al éxito de las plataformas en línea, como al de los empresarios que dan a conocer su negocio a través de internet. Además, este sistema de reseñas contribuye a que los empresarios, siendo conscientes del impacto y relevancia de estas reseñas en el mercado, se esmeren por mejorar y ofrecer un mejor servicio a sus clientes, al tiempo que les permite obtener información de las posibles deficiencias de su negocio.

No obstante, este fenómeno, que *a priori* es positivo y deseable por sus efectos procompetitivos, también ha dado lugar a usos inadecuados de este tipo de herramientas (por ejemplo, mediante la publicación o promoción de reseñas falsas o distorsionadas), tanto por parte de los titulares de los negocios como de sus competidores, que buscan afectar su posición en el mercado. En efecto, la creciente relevancia de las reseñas en la toma de decisión del consumidor ha generado un "mercado de compraventa de reseñas"[2] (a pequeña y gran escala), donde el empresario, a cambio una recompensa económica o de ofrecer productos gratuitos, obtiene reseñas y valoraciones "positivas" sobre sus productos o servicios, con el fin de me-

---

pra, especialmente en determinados sectores de consumo. En concreto, entre el 71 y el 77% de los consumidores considera que las opiniones y experiencias previas de otros consumidores son importantes a la hora de elegir: un alojamiento vacacional; ropa y calzado; un nuevo coche; comparar servicios y compañías telefónicas; o servicios de seguros, entre otros (*vid.* para más información resultados de las encuestas del "*Market Monitoring Survey*" 2019-2020 publicados por la Comisión Europea [disponible en: https://ec.europa.eu/info/sites/default/files/mms-overview-report-19-20_en.pdf]).

[2]   ORTEGA REDONDO, Ana, "La modificación de la Ley de Competencia Desleal para adaptarla al mercado digital: novedades del Real Decreto-ley 24/2021", *Revista Actualidad Jurídica Uría Menéndez*, núm. 58, Madrid 2022, pág. 134.

jorar artificialmente su posición en el mercado situando sus productos o servicios entre los mejor valorados[3]. Por otro lado, la publicación de reseñas falsas e intencionadamente negativas por parte de competidores en el mercado que, a través de perfiles falsos que aparentan ser consumidores de una empresa, tratan de perjudicar la imagen pública y reputación en internet del oferente de un bien o servicio. Incluso, no es infrecuente que consumidores reales publiquen reseñas que no se corresponden con la realidad a modo de venganza o chantaje por no haber quedado totalmente insatisfechos[4] (si bien el estudio de este concreto tipo de conductas no está comprendido en el objeto de este artículo).

A la luz de lo anterior, observamos en la publicación de reseñas en internet un fenómeno con bastantes luces, pero también algunas sombras, que en su vertiente ilícita (p.ej., la publicación de reseñas falsas —tanto positivas como negativas—), perjudica a la confianza de los consumidores y afecta al funcionamiento del mercado en general.

Este fenómeno ha llevado al legislador europeo a dotar a la publicación de reseñas en internet de un régimen específico a través de la reciente reforma introducida por la Directiva 2019/2161 del Parlamento Europeo y del Consejo, de 27 de noviembre de 2019[5], transpuesta a nuestro ordena-

---

[3]   *Vid.* noticia publicada el 10 de mayo de 2021 por el periódico 20 Minutos "Filtran una red masiva de reseñas falsas en Amazon" (disponible en: https://www.20minutos.es/tecnologia/actualidad/filtran-una-red-masiva-de-resenas-falsas-en-amazon-4691282/) en la que se explica que *"Safety Detectives, una empresa dedicada a la ciberseguridad, afirma haber descubierto 'una base de datos abierta de ElasticSearch que expone una estafa organizada de reseñas falsas que afecta a Amazon"*, con información sobre más de 13 millones de reseñas falsas y que podrían implicar a más de 200.000 personas.

[4]   En este sentido, la jurisprudencia ha entendido que, pese a existir un derecho de los consumidores a ejercer una crítica pública al empresario a través de las reseñas (p.ej., por las discrepancias surgidas durante el servicio recibido), emitir valoraciones negativas a través de perfiles falsos (o en coordinación con terceros no consumidores) va más allá de este derecho, en tanto que lo que se busca es atacar el prestigio profesional del empresario [*vid.* entre otras, las Sentencias del Juzgado de Primera Instancia núm. 7 de Santander, núm. 86/2021 de 23 de marzo de 2021, (*Tol 8372894*); y de la Audiencia Provincial de Santander, núm. 441/2021 de 11 de noviembre de 2021 (*Tol 8654054*)].

[5]   Directiva (UE) 2019/2161 del Parlamento Europeo y del Consejo, de 27 de noviembre de 2019, por la que se modifica la Directiva 93/13/CEE del Consejo y las Directivas 98/6/CE, 2005/29/CE y 2011/83/UE del Parlamento Europeo y del Consejo, en lo que atañe a la mejora de la aplicación y la modernización de las normas de protección de los consumidores de la Unión (la "**Directiva 2019/2161**").

miento por el Real Decreto-ley 24/2021, de 2 de noviembre de 2021[6], y en vigor desde el 28 de mayo de 2022.

En este artículo trataremos las principales novedades e implicaciones del régimen jurídico introducido por esta normativa y que, como veremos, se extiende tanto al ámbito de la protección de los consumidores y usuarios, como al de la competencia desleal.

2. MARCO NORMATIVO: LA DIRECTIVA 2019/2161 PARA LA MEJORA Y MODERNIZACIÓN DE LAS NORMAS DE PROTECCIÓN DE LOS CONSUMIDORES Y SU TRANSPOSICIÓN AL ORDENAMIENTO JURÍDICO ESPAÑOL

La aptitud de las reseñas como herramienta para generar confianza en los consumidores reside, precisamente, en la expectativa razonable de que estas reseñas provienen de consumidores reales, esto es, que realmente han contratado el producto o servicio valorado. Por ello, el uso fraudulento de estos servicios de reseñas no solo despliega sus efectos en las relaciones entre competidores, sino que afecta de lleno a la confianza de los consumidores y al funcionamiento del mercado.

Por este motivo, el legislador europeo ha considerado necesaria la introducción de un nuevo régimen específico de tutela de la publicación de reseñas en internet, que no se limita a la modificación del catálogo de prácticas desleales en las relaciones con consumidores, sino que comprende asimismo obligaciones específicas en materia de consumo para los empresarios que faciliten acceso a reseñas.

---

[6]   Real Decreto-ley 24/2021, de 2 de noviembre, de transposición de directivas de la Unión Europea en las materias de bonos garantizados, distribución transfronteriza de organismos de inversión colectiva, datos abiertos y reutilización de la información del sector público, ejercicio de derechos de autor y derechos afines aplicables a determinadas transmisiones en línea y a las retransmisiones de programas de radio y televisión, exenciones temporales a determinadas importaciones y suministros, de personas consumidoras y para la promoción de vehículos de transporte por carretera limpios y energéticamente eficientes (**Real Decreto-ley 24/2021**).

Así, la Directiva 2019/2161 introduce una serie de modificaciones en la Directiva 2005/29/CE[7], relativa a las prácticas comerciales desleales, precisamente con la finalidad de velar por que las reseñas publicadas en internet reflejen genuinamente la experiencia de consumidores reales y, además, los operadores que faciliten acceso a dichas reseñas cumplan unos requisitos mínimos de información y transparencia (*vid.* considerando 47[8]).

En particular, las disposiciones introducidas por la Directiva 2019/2161 operan en dos planos: (i) las obligaciones de información sobre el origen y la forma de procesamiento de las reseñas; y (ii) la tipificación como desleales de determinadas prácticas en este ámbito.

En relación con el primer plano, se establece la obligación de los empresarios que faciliten acceso a reseñas de informar "*acerca de si el comerciante garantiza que las reseñas publicadas pertenezcan a consumidores que hayan realmente utilizado o adquirido el producto*"[9] (nuevo apartado 6 del artículo 7 de la Directiva 2005/29/CE). Asimismo, de acuerdo con el considerando 47 de la Directiva 2019/2161, si se garantiza que las reseñas publicadas pertenecen a consumidores reales, los comerciantes también deberán informar "*sobre cómo se realizan las comprobaciones*", así como "*facilitar información clara a los consumidores sobre la forma en que procesan las reseñas*".

---

[7]   Directiva 2005/29/CE del Parlamento Europeo y del Consejo, de 11 de mayo de 2005, relativa a las prácticas comerciales desleales de las empresas en sus relaciones con los consumidores en el mercado interior, que modifica la Directiva 84/450/CEE del Consejo, las Directivas 97/7/CE, 98/27/CE y 2002/65/CE del Parlamento Europeo y del Consejo y el Reglamento (CE) n° 2006/2004 del Parlamento Europeo y del Consejo ("**Directiva 2005/29/CE**").

[8]   "*Los consumidores confían cada vez más en las reseñas y aprobaciones de otros consumidores cuando toman decisiones de compra. Por tanto, cuando los comerciantes faciliten el acceso a las reseñas de los consumidores sobre los productos, estos deben informar a los consumidores acerca de si se han aplicado procesos o procedimientos para garantizar que las reseñas publicadas pertenezcan a consumidores que realmente hayan adquirido o utilizado los productos. Si se han aplicado tales procesos o procedimientos, los comerciantes deben facilitar información sobre cómo se realizan las comprobaciones así como proporcionar información clara a los consumidores sobre la manera en que se procesan las reseñas* [...]".

[9]   En este sentido, el artículo 7 de la Directiva 2005/29/CE considera que es engañosa toda práctica comercial que omita información sustancial que el consumidor medio precise para tomar una decisión informada sobre una transacción, o que ofrezca la información de forma poco clara, ambigua, ininteligible, o en un momento inadecuado. Así, a raíz de las modificaciones introducidas por la Directiva 2019/2161, la información relativa de los consumidores que publican las reseñas y aprobaciones pasa a considerarse también "información esencial".

En cuanto al segundo plano, la Directiva 2019/2161 tipifica como prácticas desleales por engañosas (incluidas en el Anexo I de la Directiva 2005/29/CE)[10] las consistentes en (vid. nuevos apartados 23 ter y quater del Anexo I de la Directiva 2005/29/CE):

(i) Afirmar que las reseñas de un producto son añadidas por consumidores que han utilizado o adquirido realmente el producto, sin haber tomado medidas razonables y proporcionadas para comprobar que tales reseñas verdaderamente provengan de tales consumidores.

En este sentido, la Directiva 2019/2161 no introduce la obligación como tal para los empresarios[11] de verificar el origen de las reseñas. No obstante, en el caso de que se afirme garantizar que estas reseñas han sido emitidas por consumidores reales será obligatorio haber adoptado "medidas razonables y proporcionadas"[12] para verificar su origen, so pena de incurrir en una práctica comercial desleal.

(ii) Añadir o encargar a un tercero que añada reseñas o aprobaciones de consumidores falsas, así como distorsionar reseñas de consumidores o aprobaciones sociales con el fin de promocionar productos.

Resulta destacable que estas dos nuevas prácticas se incardinen entre las tipificadas específicamente como desleales por engañosas en el Anexo I de la Directiva 2005/29/CE. Ello conlleva su consideración como desleales en cualquier circunstancia y sin necesidad de analizar pormenorizadamente si concurren o no los requisitos generales de deslealtad recogidos en el artículo 6 de la Directiva 2005/29/CE[13]. Este aspecto, a nuestro modo de ver,

---

[10]   El Anexo I de la Directiva 2005/29/CE incluye un listado de prácticas comerciales que se consideran desleales en cualquier circunstancia.

[11]   A estos efectos, al referirnos a "empresarios" (en el ordenamiento jurídico español) o "comerciantes" (en la normativa europea), debe entenderse en sentido amplio, abarcando tanto a los propios comerciantes/empresarios, como a las plataformas en línea, sitios web u cualesquiera otros operadores que, en la medida en que pongan a disposición, faciliten el acceso o suministres reseñas de consumidores, les serán igualmente de aplicación las obligaciones previstas en nuevo régimen jurídico sobre la publicación de reseñas.

[12]   Respecto a qué ha de entenderse por "medidas razonables y proporcionadas" a estos efectos nos referiremos en el apartado 3.3.1.

[13]   Así lo dispone el considerando 17 de la Directiva 2005/29/CE, donde se señala que el Anexo I identifica las únicas prácticas comerciales que "se consideran desleales en cualquier circunstancia" y "sin necesidad de un examen pormenorizado de que se dan en cada caso concreto los supuestos contemplados en los artículos 5 a 9" de la

es la principal novedad sustantiva de la reforma introducida por la Directiva 2019/2161, pues más allá de la tipificación de las conductas (que, como veremos, ya tenían encaje en el régimen general de actos y prácticas desleales anterior a esta reforma), lo relevante es que desde esta reforma serán considerados como desleales en todo caso, sin que sea preciso analizar pormenorizadamente y probar que se cumple cada uno de los requisitos necesarios para que una práctica sea considerada engañosa (incluyendo, en particular, su verdadera aptitud para inducir a engaño al consumidor y para influir en la decisión del consumidor sobre una transacción).

En este sentido, la reforma introducida por la Directiva 2019/2161 supone una actualización de la Directiva 2005/29/CE a nuestro tiempo[14] y a (algunas de) las nuevas realidades del entorno digital.

La citada Directiva 2019/2161 ha sido transpuesta al ordenamiento jurídico español por medio del Real Decreto-ley 24/2021 (ya célebre por la amplitud de su objeto y el elevado número de directivas implementadas por medio de él). Esta norma introdujo modificaciones tanto en la Ley de Competencia Desleal (en cuyos artículos 27.7 y 27.8 se recogen las prácticas desleales a las que venimos haciendo referencia)[15], como la Ley General para la Defensa de los Consumidores y Usuarios (cuyo artículo 20.4 contempla las nuevas obligaciones de información sobre el origen y procesamiento de las reseñas)[16], todas ellas en vigor desde el 28 de mayo de 2022, y que serán en las que nos centraremos en el presente artículo.

En cualquier caso, las disposiciones introducidas por el Real Decreto-ley 24/2021 no presentan diferencias ni añadidos sustanciales respecto del escueto régimen ya previsto en la Directiva 2019/2161.

Directiva 2005/29/CE. En este sentido, la Sentencia del TJUE de 4 de julio de 2014 (C-421/12) afirma en su apartado 56 respecto de las practicas contenidas en el Anexo I de la Directiva 2005/29/CE: *"como precisa expresamente el considerando 17 de dicha Directiva, se trata de las únicas prácticas comerciales que pueden considerarse desleales sin necesidad de un examen pormenorizado de que se dan en cada caso concreto los supuestos contemplados en los artículos 5 a 9 de la Directiva 2005/29"*.

[14] DE MIGUEL ASENSIO, Pedro: "Modernización de las normas sobre competencia desleal y protección de los consumidores en el entorno digital mediante el Real-Decreto ley 24/2021", *La Ley de la Unión Europea*, núm. 98, Madrid 2021, págs. 18-19.

[15] Ley 3/1991, de 10 de enero, de Competencia Desleal (**"LCD"**).

[16] Real Decreto Legislativo 1/2007, de 16 de noviembre, por el que se aprueba el texto refundido de la Ley General para la Defensa de los Consumidores y Usuarios y otras leyes complementarias (**"TRLGDCU"**).

Dada la parquedad de ambas normas, resultan de especial interés las explicaciones contenidas en la Guía de la Comisión Europea de 29 de diciembre de 2021 (especialmente en su apartado 4.2.4)[17], que tratan de arrojar luz y delimitar el alcance de algunos de los conceptos y elementos manejados por la Directiva 2019/2161. Sin duda, se trata de un documento particularmente relevante y al que será inevitable acudir en tanto que no exista un cuerpo jurisprudencial (nacional o de la Unión) que interprete la nueva normativa.

3. NUEVO RÉGIMEN JURÍDICO. PRÁCTICAS DESLEALES Y PROTECCIÓN DE LOS CONSUMIDORES

En este apartado analizaremos los principales aspectos de la reforma operada por el Real Decreto-ley 24/2021 a la luz tanto de la Directiva 2019/2161, como de la Guía de la Comisión Europea. En primer término, clarificaremos el alcance de los conceptos de "reseñas" y "aprobaciones", esenciales para interpretar las nuevas disposiciones, y a continuación analizaremos las nuevas disposiciones normativas, comenzando por las obligaciones de información introducidas en el TRLGDCU, para después abordar las nuevas prácticas desleales introducidas en la LCD.

3.1 El concepto de reseñas y aprobaciones de los consumidores

Ni la Directiva 2019/2161 ni las disposiciones que la transponen al ordenamiento jurídico español definen qué ha de entenderse por "*reseñas*" y "*aprobaciones*" de los consumidores.

---

[17] La Guía sobre la interpretación y la aplicación de la Directiva 2005/29/CE del Parlamento Europeo y del Consejo relativa a las prácticas comerciales desleales de las empresas en sus relaciones con los consumidores en el mercado interior, publicada por la Comisión Europea en el Diario Oficial de la Unión Europea el 29 de diciembre de 2021 (la "**Guía de la Comisión Europea**"). En este sentido, para comprender el alcance y principales implicaciones de las novedades introducidas por la Directiva 2019/2161, revisten especial interés las consideraciones de la Guía de la Comisión Europea en lo relativo a las reseñas de usuarios y su nuevo régimen específico, dado que se trata de una reforma muy reciente, y por el momento, se ha escrito poco al respecto.

Sin embargo, tanto de los considerandos de la Directiva 2019/2161 como de la Guía de la Comisión Europea se desprende que estos conceptos deben interpretarse en sentido amplio[18]. Así:

– deberá entenderse por "*reseñas*" no solo las valoraciones, conclusiones, creencias o experiencias de los consumidores, sino también las prácticas relacionadas con las calificaciones emitidas (p.ej., a través de un sistema de puntuación de estrellas); y

– se considerarán "*aprobaciones*" de los consumidores, las relacionadas con los seguidores, así como las reacciones y el número de visualizaciones de un determinado contenido (en relación con un producto o servicio), entre otros.

La trascendencia de la distinción entre ambos conceptos reside, esencialmente, en que las disposiciones relativas al deber de informar sobre si el empresario verifica o no la procedencia son únicamente aplicables a las reseñas, mientras que la prohibición de falseamiento o distorsión es aplicable a ambas.

Asimismo, para determinar cuál es el ámbito de aplicación objetivo de las nuevas disposiciones es preciso definir qué reseñas son relevantes a estos efectos. En otras palabras, debemos plantearnos si todas las reseñas (y, en su caso, aprobaciones) de consumidores en relación con cualquier actividad empresarial, independientemente de su objeto, quedan comprendidas en el alcance de esta normativa o no.

En este sentido, procede recordar que la Directiva 2005/29/CE define como "prácticas comerciales desleales" aquellas que estén directamente relacionadas con la promoción, la venta o el suministro de un producto a los consumidores. Ello ha llevado a la Comisión Europea a especificar en su Guía (*vid.* apartado 4.2.4) que quedarán comprendidas todas aquellas reseñas que, pese a no abordar los productos ni sus características en sentido estricto, tengan por objeto aspectos como las cualidades y el desempeño de los comerciantes al ofrecer o vender dichos productos, en la medida en que pueden utilizarse como herramienta para promocionar sus productos y ser relevantes para el consumidor a la hora de tomar su decisión. Ello

---

[18] En concreto, el apartado 4.2.4 de la Guía de la Comisión Europea de 29 de diciembre de 2021, dispone que: "[e]*l concepto de "reseñas" debe interpretarse en sentido amplio, incluidas las prácticas relacionadas con las calificaciones. […]. El concepto de "aprobaciones" debe interpretarse en sentido amplio, abarcando también las prácticas relacionadas con los seguidores, las reacciones y las visualizaciones falsos*".

puede ocurrir, por ejemplo, cuando las reseñas evalúen parámetros como la calidad, la fiabilidad o la rapidez de entrega de los productos.

En cambio, las reseñas que evalúen las cualidades del comerciante fuera del contexto de las relaciones entre empresas y consumidores (e.g., la responsabilidad social, las condiciones laborales, la fiscalidad, el liderazgo en el mercado, los aspectos éticos, etc.), al no estar referidas a la promoción, venta o suministro de bienes y servicios, quedarían fuera del ámbito de aplicación de las nuevas disposiciones sobre las reseñas de los consumidores.

3.2 Modificaciones a la Ley General para la Defensa de los Consumidores y Usuarios: deberes de información

Como adelantábamos, si bien la Directiva 2019/2161 introduce todas sus modificaciones en la misma norma (la Directiva 2005/29/CE de prácticas comerciales desleales), el legislador español ha optado en su transposición por desglosar la reforma en dos cuerpos normativos: el TRLGDCU, en el que se han introducido las obligaciones de información en sentido positivo de quienes faciliten acceso a reseñas, y la LCD, donde se han incorporado las nuevas prácticas comerciales desleales.

Por lo que respecta al TRLGDCU, se añade un nuevo apartado 4 en el artículo 20, relativo a la "*información necesaria en la oferta comercial de bienes y servicios*" que se deberá proporcionar al consumidor o usuario para que pueda tomar una decisión sobre la contratación.

En particular, el nuevo artículo 20.4 TRLGDCU establece que, en todas las prácticas comerciales con consumidores en las que se facilite el acceso a las reseñas de los consumidores sobre bienes y servicios, el empresario deberá:

(i) Informar "*sobre el hecho de que el empresario garantice o no que dichas reseñas publicadas han sido efectuadas por consumidores y usuarios que han utilizado o adquirido realmente el bien o servicio*".

Del tenor del precepto se deduce que en todos los supuestos en que se facilite acceso a reseñas deberá existir una advertencia o leyenda que especifique, ya sea en sentido negativo o positivo, si se garantiza que las reseñas han sido efectuadas por consumidores y usuarios reales.

La elección de la posición que el empresario adopte a este respecto no es baladí, puesto que, como expondremos en el apartado 3.3.1, quienes afirmen garantizar la procedencia de las reseñas, deberán adoptar medidas razonables y proporcionadas a estos efectos, so pena de incurrir en una práctica comercial desleal ex artículo 27.8 LCD.

(ii) Además, "*el empresario deberá facilitar información clara a los consumidores y usuarios sobre la manera en que se procesan las reseñas*"[19].

El tenor literal del precepto apunta a que la obligación de informar sobre la manera en que se procesan las reseñas operaría en todo caso, es decir, independientemente de si el empresario garantiza o no que las reseñas hayan sido emitidas por consumidores que verdaderamente hayan adquirido el producto. Sin embargo, la Directiva 2019/2161 en su considerando 47[20] solo contempla esta obligación en relación con los empresarios que garanticen que las reseñas provienen de consumidores reales.

Ello genera la duda de si, de acuerdo con el principio de interpretación conforme, el artículo 20.4 TRLGDCU debería interpretarse en el sentido de que solo los empresarios que garanticen el origen real de las reseñas deben facilitar este tipo de información. En este sentido, la Guía de la Comisión Europea especifica en su apartado 4.2.4 que "*la nueva obligación de información se aplica a todo comerciante que proporcione acceso a las reseñas de los consumidores, incluso cuando un comerciante promocione en su interfaz en línea las reseñas facilitadas por otro comerciante, como una herramienta de valoración especializada*". Ello parece apuntar a que la obligación de informar sobre "*la manera en*

---

[19] Sobre el particular, a pesar de que el considerando 47 de la Directiva 2019/2161 advierte específicamente de la necesidad de "*proporcionar información clara a los consumidores sobre la manera en que se procesan las reseñas*" cuando se garantice que las reseñas publicadas pertenezcan a consumidores que realmente hayan adquirido o utilizado los productos, es llamativo que esta concreta obligación no se incluya específicamente como parte del articulado de esta Directiva. No obstante, la Comisión Europea entiende que esa obligación ha de entenderse implícita (se garantice o no el origen de las reseñas) en el nuevo apartado 6 del artículo 7 de la Directiva 2005/29/CE, por resultar así de su lectura conjunta con el considerando 47 (*vid.* apartado 4.2.4 de la Guía de la Comisión Europea).

[20] "*Si se han aplicado tales procesos o procedimientos, los comerciantes deben facilitar información sobre cómo se realizan las comprobaciones así como proporcionar información clara a los consumidores sobre la manera en que se procesan las reseñas, por ejemplo, si todas las reseñas, positivas o negativas, se publican o si estas reseñas han sido patrocinadas o influidas por una relación contractual con un comerciante*".

que se procesan las reseñas" (junto con la obligación de indicar si se garantiza o no que hayan sido efectuadas por consumidores y usuarios reales), también será de aplicación con carácter general a todos los empresarios que faciliten el acceso a reseñas. Por tanto, pese a que el artículo 20.4 TRLGDCU no coincide con el tenor literal del considerando 47 de la Directiva 2019/2161, sí estaría en línea con la interpretación que de este último hace la Comisión Europea.

Por otro lado, en cuanto al tipo de información que deberá incluirse sobre el procesamiento, ello comprende los datos relativos a si todas las reseñas se publican, la forma de obtención, el cálculo de las puntuaciones medias, así como si se trata de reseñas patrocinadas o en algún modo influidas por relaciones contractuales con los comerciantes alojados en la plataforma[21]. Asimismo, si el empresario garantiza que las reseñas provienen de consumidores reales, la información sobre el procesamiento deberá comprender, al menos, una explicación sobre las medidas específicas implementadas para verificar el origen de las reseñas.

En todo caso, esta información deberá ser expuesta de forma clara, comprensible y estar disponible desde la misma interfaz en la que se publican las reseñas para su consulta, incluyendo, en el caso de que las reseñas sean importadas de un tercer sitio web, los correspondientes hipervínculos, suficientemente visibles y accesibles para que el consumidor pueda acceder fácilmente a las reseñas en el sitio en que fueron originalmente publicadas.

Uno de los ámbitos donde las obligaciones que acabamos de exponer gozan de especial trascendencia es el de las plataformas en línea. En efecto, estas nuevas disposiciones suponen un refuerzo de los deberes de transparencia y de supervisión de contenidos de estas plataformas, tanto si consideramos el régimen previsto en la Directiva 2000/31/CE[22] (transpuesta al ordenamiento jurídico español a través de la Ley 34/2002, de 11 de julio, de servicios de la sociedad de la información y de comercio electrónico), como en el recientísimo Reglamento de Servicios Digitales o *Digital Ser-*

---

[21]   *Vid.* Considerando 47 de la Directiva 2019/2161 y Guía de la Comisión Europea, apartado 4.2.4.

[22]   Directiva 2000/31/CE del Parlamento Europeo y del Consejo, de 8 de junio de 2000, relativa a determinados aspectos jurídicos de los servicios de la sociedad de la información, en particular el comercio electrónico en el mercado interior ("**Directiva sobre el comercio electrónico**").

vices Act[23]. Por lo que respecta al régimen de supervisión, ambos cuerpos normativos son claros en cuanto a la inexistencia de una obligación de monitorización general de los contenidos, preconizando un sistema de supervisión generalmente pasiva que se activará ante el conocimiento efectivo o sospecha de la ilicitud del contenido (normalmente, mediante denuncia de un usuario)[24].

Sin embargo, como consecuencia de la reforma operada —y, más concretamente, la lectura conjunta de los nuevos artículos 20.4 TRLGDCU y 27.8 LCD— el escenario cambia, pues las plataformas deberán informar sobre si garantizan o no que las reseñas han sido realizadas por consumidores o usuarios (extremo que, como es lógico, tendrá relevancia en el posicionamiento de la plataforma y su capacidad de generar confianza en el consumidor) y, en el caso de que lo hagan, deberán adoptar medidas razonables y proporcionadas para garantizarlo. De esta forma, se obliga a estas plataformas a adoptar un papel más activo en la supervisión de las reseñas, incluso mediante la adopción de mecanismos *ex ante*, más próximos a una labor de monitorización (o, al menos, de filtrado) que a un sistema de supervisión reactivo.

En este ámbito, desde la aprobación de la Directiva 2019/2161 muchos operadores han venido implementando sistemas de verificación y reforzando los existentes con el fin de adecuarse a la nueva normativa (lo que, en la mayoría de los casos, se ha realizado mediante la implantación de las comúnmente denominadas "opiniones verificadas", que coexisten en las plataformas con opiniones no verificadas)[25].

Asimismo, las principales plataformas que incluyen reseñas de consumidores han incorporado avisos donde se indica si garantizan o no el origen de las reseñas. Es cierto que la mayor parte de estos avisos son en sentido negativo, lo que ha abierto el debate sobre si este nuevo régimen jurídi-

---

[23]   Reglamento (UE) 2022/2065 del Parlamento Europeo y del Consejo de 19 de octubre de 2022 relativo a un mercado único de servicios digitales y por el que se modifica la Directiva 2000/31/CE (**"Reglamento de Servicios Digitales"**)

[24]   MALDONADO MOLINA, Javier: "Las reseñas online de los consumidores: régimen aplicable" [en línea], *Gaceta Jurídica de la Empresa Andaluza (La Clave)*, núm. 66, 2021, <https://www.hispacolex.com/wp-content/uploads/2021/07/LA-CLA-VE.pdf> [consulta: 10 de octubre de 2022].

[25]   ORTEGA REDONDO, Ana, "La modificación de la Ley de Competencia Desleal para adaptarla al mercado digital: novedades del Real Decreto-ley 24/2021", *Revista Actualidad Jurídica Uría Menéndez*, núm. 58, Madrid 2022, pág. 134.

co suple las deficiencias que presentaba el ordenamiento de los Estados miembros de la UE y, en particular, acerca de si debería obligarse al titular de la plataforma a implementar medidas que aseguren razonablemente que se impide la manipulación de reseñas[26]. Por el momento, no es este el modelo por el que ha abogado el legislador europeo en la Directiva 2019/2161.

Entre las razones a favor de la opción legislativa adoptada se encuentran, sin duda, los recursos técnicos y humanos que serían necesarios para implementar este tipo de sistemas de verificación, que podrían suponer una barrera de entrada para nuevos operadores, y el convencimiento de que cuantas más opciones se encuentren a disposición de los consumidores para acceder a las experiencias de otros usuarios y compartir las propias, mejor será el funcionamiento del mercado. De ahí que el legislador haya puesto el foco en la transparencia frente al consumidor y haya dado la opción a los operadores de elegir si implementar o no mecanismos de verificación. Creemos que esta opción legislativa es adecuada y acorde a la realidad del mercado, puesto que evita imponer cargas excesivamente onerosas a los operadores y, al tiempo, incentiva a aquellos que disponen de medios suficientes a implementar mecanismos de verificación que les permitan diferenciarse en el mercado y ofrecer una mayor confianza a los consumidores. Prueba de ello es la progresiva implementación de sistemas de reseñas verificadas en las grandes plataformas, así como la aparición de nuevas plataformas que utilizan precisamente sus sistemas de verificación de reseñas como elemento diferencial de sus servicios e incluso de proveedores de servicios de verificación.

3.3 Modificaciones a la Ley de Competencia Desleal: nuevas prácticas comerciales desleales con consumidores y usuarios

El Real Decreto-ley 24/2021 modifica el artículo 27 de la LCD para añadir los dos nuevos tipos específicos de prácticas desleales por engañosas. En particular, conforme a los nuevos apartados 7 y 8 de la LCD, se consideran desleales por engañosas las prácticas que:

---

[26] WINNER, Martin: "La regulación jurídica de los contratos celebrados a través de plataformas: el Derecho europeo" [en línea], *Almacén De Derecho*, 2020 <https://almacendederecho.org/la-regulacion-juridica-de-los-contratos-celebrados-a-traves-de-plataformas-el-derecho-europe> [consulta: 10 de octubre de 2022].

> *"7. Afirmen que las reseñas de un bien o servicio son añadidas por consumidores y usuarios que han utilizado o adquirido realmente el bien o servicio, sin tomar medidas razonables y proporcionadas para comprobar que dichas reseñas pertenezcan a tales consumidores y usuarios.*
> *8. Añadan o encarguen a otra persona física o jurídica que incluya reseñas o aprobaciones de consumidores falsas, o distorsionen reseñas de consumidores o usuarios o aprobaciones sociales con el fin de promocionar bienes o servicios".*

A continuación analizaremos brevemente los elementos configuradores de cada uno de estos tipos.

3.3.1 Afirmación de que las reseñas provienen de consumidores y usuarios reales sin haber adoptado medidas razonables y proporcionadas para verificar este extremo

El nuevo apartado 7 del artículo 27 LCD tipifica como acto de competencia desleal la conducta de quien afirme que las reseñas de un bien o servicio son añadidas por consumidores y usuarios que realmente han utilizado o adquirido el bien o servicio, sin haber adoptado medidas razonables y proporcionadas para comprobar que dichas reseñas pertenezcan a tales consumidores y usuarios.

Pese a que el precepto no indica expresamente quiénes son los potenciales sujetos activos del tipo, de su tenor se desprende que el sujeto típico será el responsable del sitio web donde se incluyan originariamente las reseñas (ya sea este el oferente del producto o servicio o, más frecuentemente, el operador de la correspondiente plataforma), pues es sobre quien recae la responsabilidad y quien tiene el conocimiento efectivo respecto de las medidas implementadas para verificar la veracidad de las reseñas. No obstante, entendemos que también podría incurrir en este tipo de competencia desleal quien importe a su sitio web reseñas de un sitio web de terceros indicando que estas han sido verificadas pese a que el sitio web original no lo garantice.

Respecto a qué debe considerarse por *"medidas razonables y proporcionadas"*, el considerando 47 de la Directiva 2019/2161 incluye como ejemplo el empleo de medios técnicos para verificar la fiabilidad de la persona que publica la reseña y, en particular, solicitar información para comprobar que el consumidor ha adquirido o utilizado realmente el producto (por ejemplo, con un número de reserva o un ticket de compra).

Asimismo, la Guía de la Comisión Europea (*vid.* apartado 4.2.4) incluye una serie de ejemplos de otras medidas que podrían considerarse razonables y adecuadas a estos efectos, tales como:

- exigir a las personas que publican las reseñas que se registren;

- utilizar medios técnicos para verificar que la persona que publica las reseña es realmente un consumidor (e.g., comprobación de la dirección IP o verificación por correo electrónico);

- establecer normas claras para las personas que publican las reseñas, que prohíban las reseñas patrocinadas falsas y no divulgadas;

- desplegar herramientas para detectar automáticamente las actividades fraudulentas; o

- disponer de medidas y recursos adecuados para responder a las reclamaciones sobre reseñas sospechosas.

La Guía de la Comisión Europea no especifica si se trata de medidas que los operadores deberían implementar cumulativamente o, en su caso, cuántas de estas medidas deberán adoptarse para que se considere que el empresario ha cumplido con su deber de diligencia. El análisis, por tanto, deberá ser eminentemente casuístico. No obstante, es evidente que algunas de ellas, por sí solas, no serán suficientes para considerar cumplido el deber de diligencia (por ejemplo, la exigencia de un registro o disponer de mecanismos para responder a reclamaciones sobre reseñas sospechosas), pues no suponen ningún esfuerzo de verificación ni permiten discernir, ni siquiera indiciariamente, las reseñas auténticas de las falsas. A nuestro modo de ver, las "*medidas razonables y proporcionadas*" han de pasar, al menos, por la exigencia de un principio de prueba de la existencia de la transacción subyacente. Cuántas medidas adicionales deban exigirse al operador en cuestión dependerá de aspectos como el tamaño de la plataforma, la onerosidad de las medidas, el estado de la técnica en cada momento, etc. Por tanto, el estándar de diligencia será en todo caso dinámico y dependiente de las circunstancias del caso.

3.3.2   Adición y encargo a tercero de reseñas o aprobaciones falsas y distorsión de reseñas o aprobaciones de consumidores y usuarios

El nuevo artículo 27.8 LCD tiene por objeto dos categorías de conductas: (i) las consistentes en añadir o encargar a un tercero que incluya reseñas o aprobaciones de consumidores falsas; y (ii) la distorsión de reseñas de consumidores o usuarios o aprobaciones sociales.

En todos los casos, la conducta ha de realizarse con el fin de promocionar bienes o servicios[27]. Esta referencia a la finalidad de promoción de bienes o servicios suscita la duda de si las reseñas o aprobaciones han de ir referidas en todo caso a productos y servicios del propio empresario o si también quedarían comprendidas las reseñas y aprobaciones falsas o distorsionadas respecto de los productos y servicios de los competidores. En este sentido, el precepto no señala expresamente que la reseña falsa o distorsionada deba referirse necesariamente a las prestaciones propias. Asimismo, la mera referencia a la finalidad de *"promoción de bienes o servicios"* tampoco excluye necesariamente que la conducta pueda dirigirse a las prestaciones de un competidor, pues a la adición de reseñas o aprobaciones falsas sobre las prestaciones de un tercero puede subyacer un objetivo de promoción de las prestaciones propias y de atracción de la clientela de su competidor. Sin embargo, en la medida en que tradicionalmente se ha entendido que los actos de engaño (artículos 5 y 27 LCD) han de ir referidos a las prestaciones propias, como línea divisoria entre los actos de engaño y otros actos de competencia desleal[28], es posible que, en los casos en que las reseñas falsas o distorsionadas se refieran a prestaciones de terceros, la jurisprudencia se oriente a encuadrar estas conductas en el ámbito de los actos denigración (artículo 10 LCD) o, en su caso, de comparación (artículo 9 LCD).

A la hora de determinar qué ha de entenderse por reseñas y aprobaciones "falsas" o "distorsionadas", ha de tenerse en cuenta que cada vez son más numerosas y variopintas las técnicas para influir positivamente en la posición de un empresario en el mercado (p.ej., aumentando el número de reseñas positivas, o restando importancia a las negativas).

En general, quedarán comprendidas en el ámbito de este precepto aquellas reseñas o aprobaciones que, bien no han sido emitidas por consumidores que realmente hayan contratado el producto o servicio valo-

---

27 Si bien el tenor literal del precepto puede resultar ambiguo en cuanto a si el inciso final (*"con el fin de promocionar bienes o servicios"* se refiere a todas las conductas o solo a la distorsión de reseñas y aprobaciones, el considerando 49 de la Directiva 2019/2161 no deja lugar a dudas a que se refiere también a las conductas consistentes en añadir o encargar la inclusión de reseñas falsas (*"Debe prohibirse asimismo a los comerciantes que añadan reseñas y aprobaciones de consumidores falsas, como indicaciones de "me gusta" en las redes sociales, o que encarguen a otros que lo hagan para promocionar sus productos […]"*).

28 MASSAGUER, José: "Comentario a la Ley de Competencia Desleal", *Civitas*, Madrid 1999, Capítulo 1, artículo 7 (actos de engaño), pág. 220.

rado; o bien, por el contexto en que fueron emitidas o la forma en que se presentan, omiten, manipulan y/o disfrazan información relevante de estos productos y servicios, lo que influye en la toma de decisiones por los consumidores y usuarios en el mercado.

Sin embargo, en principio no quedarán comprendidas las prácticas publicitarias consistentes en efectuar afirmaciones exageradas o respecto de las que no se pretenda una interpretación literal[29] (por ejemplo, supuestos de publicidad testimonial, siempre que por su contenido y su contexto quede claro que se trata de un contenido publicitario y no de una reseña).

A continuación analizaremos brevemente los elementos de cada una de las conductas:

(i) Añadir o encargar "*a otra persona física o jurídica que incluya reseñas o aprobaciones de consumidores falsas*".

Esta conducta comprende cualquier tipo de inclusión y encargo de reseñas o aprobaciones que no provengan de consumidores reales (esto es, que hayan efectivamente adquirido el bien o disfrutado del servicio), incluidas las compras de reseñas y las llamadas fábricas de "me gusta".

Serán sujetos activos del tipo tanto el empresario que incluya directamente o encargue a un tercero la inclusión de reseñas o aprobaciones falsas, como el tercero que lo realice por encargo del comerciante. Este tercero no tiene por qué ser necesariamente un profesional dedicado a esta actividad (por ejemplo, mediante la creación y empleo de perfiles falsos, ya sea de forma manual o por medios automatizados), sino que también podría serlo un consumidor que actúe en connivencia con el empresario.

De hecho, la Guía de la Comisión Europea (*vid.* apartado 4.2.4) encuadra en esta conducta la práctica de implicar a consumidores reales que compran el producto y reciben una remuneración por la publicación de reseñas positivas (si bien, a nuestro modo de ver, esta práctica tendría mejor encaje sistemático como forma de dis-

---

[29] En este sentido, el considerando 19 de la Directiva 2019/2161 dispone que: "[l] *as disposiciones de la presente Directiva relativas a las reseñas y aprobaciones de los consumidores deben entenderse sin perjuicio de la práctica publicitaria habitual y legítima de efectuar afirmaciones exageradas o afirmaciones respecto de las cuales no se pretenda una interpretación literal*".

torsión de las reseñas de los consumidores, pues no necesariamente se tratará de reseñas falsas).

Sin embargo, como bien señala la Comisión Europea (y compartimos), esta conducta no será aplicable a las plataformas en línea que simplemente albergan y dan acceso a las reseñas de los consumidores, siempre que no hayan participado activamente en la inclusión de las reseñas o aprobaciones falsas.

(ii) Distorsionar reseñas o aprobaciones de consumidores.

En esta categoría se englobarían prácticas que, sin consistir estrictamente en el añadido o encargo de reseñas falsas, sean susceptibles de manipular o modificar el sentido de las reseñas y aprobaciones de los consumidores de modo tal que estas no reflejen su experiencia real. En este caso, el sujeto activo típico será el empresario que emplee este tipo de tácticas en la promoción de sus productos y servicios.

Algunos ejemplos de prácticas susceptibles de ser calificadas como desleales conforme al artículo 27.8 LCD serían los siguientes[30]:

1. Técnicas de *cherry picking*, consistentes en presentar únicamente las reseñas positivas, ocultando o eliminando las negativas.

   Cabría plantearse si esta prohibición, además de referirse a la ocultación o eliminación de reseñas negativas en el sitio de origen, sería aplicable al empresario que "exporta" a su sitio web las reseñas incluidas por los consumidores en otras plataformas (o una selección de ellas). A nuestro modo de ver, esta práctica sí quedaría comprendida en el ámbito de aplicación de la norma, si bien deberá atenderse a las concretas circunstancias del caso para determinar si existe verdaderamente una distorsión de las reseñas. Para ello, habrá que tener en cuenta circunstancias como la forma de presentación, la concreta muestra de reseñas seleccionada, la advertencia de que se trata de una selección realizada por el propio empresario o la disponibilidad de un hipervínculo claramente visible al sitio de origen.

---

[30] Los dos primeros ejemplos están expresamente contemplados en el considerando 49 de la Directiva 2019/2161, mientras que el resto de ejemplos se proponen en el apartado 4.2.4 de la Guía de la Comisión Europea de 29 de diciembre de 2021.

2. Vincular las aprobaciones de los consumidores a contenidos diferentes a los previstos por estos.

Ello ocurre, por ejemplo, cuando la interacción positiva de un usuario con determinados contenidos en línea —e.g., a través de indicaciones de "me gusta" en las redes sociales— se vincula o transfiere a contenidos diferentes (normalmente, otros contenidos de la misma empresa), generando la impresión de que la opinión positiva del usuario se extiende a contenidos a los que no se refería su aprobación.

3. Proporcionar a los consumidores plantillas de reseñas positivas pre-cumplimentadas.

En línea con este ejemplo, facilitado por la Guía de la Comisión Europea, podría concluirse que, en general, serán desleales todas aquellas conductas por las que se dan instrucciones u orientaciones a los consumidores de modo tal que sean susceptibles de afectar al sentido de sus reseñas.

4. Participar con los consumidores en el proceso de moderación para alentarlos a cambiar sus reseñas o retirar las reseñas negativas.

5. Presentar las calificaciones de reseñas consolidadas (esto es, la calificación global que suele acompañar al perfil del producto o servicio y que normalmente responde a la valoración media o global de cada una de las reseñas individuales) sobre la base de criterios no divulgados u opacos.

Asimismo, como hemos adelantado, consideramos que también tendrían encaje en esta categoría las prácticas consistentes en ofrecer incentivos a consumidores (por ejemplo, premios, descuentos o, directamente, una remuneración) a cambio de que formulen una reseña positiva, salvo que se indique de forma visible, clara e inequívoca que se trata de una reseña patrocinada[31].

---

[31] El considerando 47 de la Directiva 2019/2161 viene a admitir la posibilidad de que existan "*reseñas patrocinadas o influidas por una relación contractual con un comerciante*", si bien en tales casos se deberá informar de este extremo. Asimismo, la Comisión Europea califica como desleales aquellas prácticas en las que "*los comerciantes incentivan a los consumidores para probar sus productos a cambio de publicar sus reseñas (reseñas patrocinadas) sin desvelar el patrocinio*" (*vid.* apartado 4.2.4 de la Guía de la Comisión Europea). Por tanto, quedaría la puerta abierta a la existencia de

En cambio, las prácticas que consistan exclusivamente en promover o incentivar la mera realización de reseñas, sin influir en el sentido de estas, no deberán a nuestro modo de ver considerarse desleales conforme a este precepto.

4. CONCLUSIONES

La reforma introducida por el Real Decreto-ley 24/2021 (en transposición de la Directiva 2019/2161) viene a reforzar las obligaciones de transparencia de los sitios web que incluyen reseñas de consumidores y a positivizar, a través de tipos específicos, las principales prácticas desleales existentes en el ámbito de las reseñas y aprobaciones de consumidores. De este modo, la reforma arroja luz sobre las reglas del juego de la publicación de reseñas en internet, tanto desde la perspectiva de competencia desleal como en el marco de la protección de los consumidores y usuarios.

En lo que atañe a las obligaciones de transparencia, el eje central de esta reforma se resume en la obligación, para todas las empresas y plataformas que pongan a disposición o faciliten el acceso a reseñas de productos o servicios, de: (i) especificar si garantizan o no que las reseñas provengan de consumidores reales (y, en caso afirmativo, haber adoptado medidas razonables y proporcionadas para verificar su origen); y (ii) explicar el modo en que procesan estas reseñas.

En nuestra opinión, la reforma en este ámbito es positiva, pues favorece un mercado más transparente para los consumidores. Asimismo, creemos que la opción legislativa de poner el foco en la transparencia y no una obligación general de verificación es *a priori* adecuada, en la medida en que evita imponer barreras de entrada a los operadores, al tiempo que incentiva a aquellos que disponen de medios suficientes a incluir mecanismos de verificación de reseñas como elemento de valor añadido que permita generar una mayor confianza en el consumidor. En todo caso, aún es pronto para alcanzar conclusiones contundentes sobre la eficacia de esta legislación (pues a nadie escapa que, en caso de que los operadores recurriesen de manera sistemática y generalizada a no garantizar ni verificar el origen de las reseñas, de poco se diferenciaría el nuevo escenario del existente antes de la reforma).

---

reseñas patrocinadas, siempre y cuando se especifique claramente la existencia de un patrocinio.

Por lo que respecta a los nuevos preceptos de la LCD, en realidad, se ha venido a positivizar conductas que ya con anterioridad a la reforma podían catalogarse como desleales. En este ámbito, la principal novedad de la reforma reside en su inclusión en el catálogo de prácticas que se consideran desleales en cualquier circunstancia y sin necesidad de analizar pormenorizadamente si concurren o no los requisitos generales de deslealtad. Con ello, la reforma contribuye a una mayor seguridad jurídica, si bien, como hemos expuesto, los nuevos preceptos no están exentos de áreas de incertidumbre, por lo que deberá ser la jurisprudencia la que vaya delimitando los contornos de cada uno de los nuevos tipos de la LCD[32].

Finalmente, cabe destacar que, si bien desde la aprobación de la Directiva 2019/2161 las principales plataformas han venido introduciendo cambios para adecuarse a estos nuevos estándares, todavía queda mucho camino por andar, pues son numerosos los operadores que todavía se encuentran en proceso de adecuación de sus sitios web y de los correspondientes textos legales. De hecho, según un estudio realizado en 2021 por la Comisión Europea (cuyos resultados fueron publicados el 20 de enero de 2022), al menos el 55% de los sitios web analizados podían estar infringiendo las disposiciones de la Directiva 2019/2161 en lo que respecta a las reseñas de los consumidores en línea[33].

---

[32] De hecho, es de esperar que en el corto plazo empiecen a llegar las primeras resoluciones judiciales en este ámbito. De hecho, algunas plataformas como Amazon ya han interpuesto demandas en varios países contra operadores por considerar que estarían incurriendo en prácticas desleales en materia de reseñas [*vid.* entre otras, la noticia publicada en El Confidencial el 20 de octubre de 2022: "Amazon, contra las reseñas falsas: demanda en España por regalar productos por 5 estrellas", disponible en: https://www.elconfidencial.com/empresas/2022-10-20/amazon-resenas-falsas-demanda-espana-regalar-productos-estrellas_3509489/].

[33] Los resultados de un estudio realizado en 2021 (publicados el 20 de enero de 2022) por la Comisión Europea, en coordinación con las autoridades nacionales de protección del consumidor de 26 estados de la Unión Europea, Islandia y Noruega concluyen que, en lo que respecta a las reseñas de los consumidores en línea, al menos el 55% de los sitios web infringen potencialmente la Directiva 2005/29/CE sobre prácticas comerciales desleales. En particular, de los 223 sitios web examinados: 104 no informaban a los consumidores sobre cómo se recopilan y procesan las reseñas; 118 no contenían información sobre cómo se previenen las reseñas falsas; y 176 de los sitios web no mencionan que las revisiones incentivadas están prohibidas según sus políticas internas o, siendo así, que estas se señalarán como tal [disponible en: https://ec.europa.eu/commission/presscorner/detail/es/ip_22_394].

Por todo ello, deberá prestarse especial atención a la evolución del mercado y a las prácticas que progresivamente adopten las empresas que faciliten el acceso a reseñas para valorar si los estándares introducidos por la nueva normativa (y sus mecanismos de aplicación y ejecución) son verdaderamente eficaces para evitar las prácticas que se pretenden combatir.

5. REFERENCIAS BIBLIOGRÁFICAS

DE MIGUEL ASENSIO, Pedro: "Modernización de las normas sobre competencia desleal y protección de los consumidores en el entorno digital mediante el Real-Decreto ley 24/2021", *La Ley de la Unión Europea*, núm. 98, Madrid 2021.

MALDONADO MOLINA, Javier: "Las reseñas online de los consumidores: régimen aplicable" [en línea], *Gaceta Jurídica de la Empresa Andaluza (La Clave)*, núm. 66, 2021, <https://www.hispacolex.com/wp-content/uploads/2021/07/LA-CLAVE.pdf> [consulta: 10 de octubre de 2022].

MASSAGUER FUENTES, José: "Comentario a la Ley de Competencia Desleal", *Civitas*, Madrid 1999.

ORTEGA REDONDO, Ana: "La modificación de la Ley de Competencia Desleal para adaptarla al mercado digital: novedades del Real Decreto-ley 24/2021", en *Revista Actualidad Jurídica Uría Menéndez*, núm. 58, Madrid 2022, págs. 132-134.

WINNER, Martin: "La regulación jurídica de los contratos celebrados a través de plataformas: el Derecho europeo" [en línea], *Almacén De Derecho*, 2020 <https://almacendederecho.org/la-regulacion-juridica-de-los-contratos-celebrados-a-traves-de-plataformas-el-derecho-europe> [consulta: 10 de octubre de 2022]

Estudio de la Comisión Europea: "Proteger a los consumidores de las opiniones engañosas: el 55 % de los sitios web examinados infringen la legislación de la UE" [en línea], *Web oficial de la Unión Europea*, 2022 <https://ec.europa.eu/commission/presscorner/detail/es/ip_22_394> [consulta: 10 de octubre de 2022].

Comunicación de la Comisión Europea: "Guía sobre la interpretación y la aplicación de la Directiva 2005/29/CE del Parlamento Europeo y del Consejo relativa a las prácticas comerciales desleales de las empresas en sus relaciones con los consumidores en el mercado interior" [en línea], *Diario Oficial de la Unión Europea*, 29 de diciembre de 2021 <https://eur-lex.europa.eu/legal-content/ES/TXT/HTML/?uri=CELEX%3A52021XC1229%2805%29> [consulta: 10 de octubre de 2022].

Retos jurídicos de la economía del metaverso

ANTONIO SERRANO ACITORES

CEO de Spacetechies. Abogado. Doctor en Derecho

1. INTRODUCCIÓN

La palabra metaverso es, sin duda alguna, la palabra de moda. Pero, ¿qué es el metaverso? ¿Existe ya o está en construcción? ¿Cuáles son sus principales características? ¿Por qué ha cobrado tanta importancia en los últimos tiempos?

Con toda seguridad, el hecho de que MARK ZUCKERBERG comunicara el pasado 28 de octubre de 2021 en el evento "Facebook Connect 2021" que la compañía de la red social más conocida del mundo iba a cambiar su nombre por el de "Meta Platforms, Inc." (Meta) con el objetivo no solo de relanzar la compañía tras varios escándalos, sino también de apostar claramente por el metaverso como la siguiente gran evolución de internet, ha puesto el foco en este concepto tan interesante.

También el fundador de Windows, BILL GATES, ha prestado recientemente especial interés al metaverso. Así, el pasado 7 de diciembre de 2021 publicaba en su blog su tradicional repaso del año, no dudando en hablar sobre el futuro de la tecnología y la llegada del metaverso[1].

De este modo, según el magnate y filántropo estadounidense, el metaverso será todo un éxito en el mercado laboral en un periodo que él fija entre dos y tres años con un buen número de encuentros virtuales que

---

[1] GATES, B., *My End-Of-Year Letter 2021.* Puede consultarse en https://www.gatesnotes.com/media/YIR2021/My-End-of-Year-Letter-2021.pdf.

pasarán de la representación en 2D de nuestra gente a los avatares en 3D, es decir, representaciones digitales de uno mismo.

"La idea es que eventualmente usarás tu avatar para conocer gente en un espacio virtual, espacio que replica la sensación de estar en una habitación real con ellos", señala en su publicación GATES, que cree que el impacto será significativo a medida que más y más empresas inviertan tiempo y recursos en la creación de nuevas herramientas, hardware y software para el metaverso.

En este sentido, para GATES el metaverso es una forma de ciberespacio que representará la nueva frontera de la comunicación digital. Esto se verá reforzado por la aceleración de la innovación tecnológica que ha tenido lugar durante y como consecuencia de la pandemia de la COVID-19 que ha afectado duramente a todas las industrias[2].

Así las cosas, el metaverso pretende crear un mundo virtual alternativo donde la vida se desarrolle sin limitaciones. Cualquiera de nosotros, convertidos en avatares o a través de la utilización de gemelos digitales, podremos sumergirnos en el metaverso para trabajar, comprar, relacionarnos o jugar.

En definitiva, nos enfrentamos a la siguiente generación de Internet que va a pasar de las dos dimensiones a tres y cuatro dimensiones, con experiencias inmersivas y auditivas que nos van a llevar a otro nivel.

Ello va a conllevar numerosas ventajas ya que el metaverso se utilizará en la educación, el comercio, la atención médica, el entretenimiento y en las redes sociales, entre otras.

Ahora bien, también implicará numerosos riesgos. Entre ellos, sin duda, cabe destacar los riesgos jurídicos que conlleva el desarrollo de una tecnología tan potente.

Por ello, el propósito de este artículo es analizar qué impacto puede tener el metaverso en el Derecho y cómo este puede afrontar los numerosos riesgos y conflictos jurídicos que, sin duda, surgirán a raíz de la implantación y desarrollo del mismo.

---

[2]   ESPADA, B., "La peligrosa advertencia de Bill Gates sobre el Metaverso", *OK diario*, 19 de diciembre de 2021. Puede consultarse en https://okdiario.com/curiosidades/peligrosa-advertencia-bill-gates-sobre-metaverso-8281644.

2. LA ECONOMÍA DEL METAVERSO

2.1 Antecedentes históricos

El fenómeno de los mundos virtuales no es nuevo pudiendo encontrar ya referencias en el mito de la caverna que describió PLATÓN en *La República* para explicar la teoría de las ideas. De hecho, el concepto metaverso apareció por primera vez en 1992 en el libro de ciencia ficción escrito por NEAL STEPHENSON titulado *Snow Crash* en el que Hiroaki Hiro Protagonist, un repartidor de pizza en el mundo real, se convierte en un príncipe guerrero samurái en un universo generado informáticamente que un ordenador dibuja sobre un visor y que se vuelve completamente inmersivo a través de unos auriculares.

Por su parte, en 1999 vio la luz la primera película de la saga *Matrix*, una realidad virtual diseñada por una inteligencia artificial que permitía tener dormida y controlada a toda la humanidad.

Y en el año 2011, ERNEST CLINE escribiría la novela *Ready Player One*, que sería trasladada al cine por STEVEN SPIELBERG en el año 2018, y en la que reflejaría la existencia de un mundo virtual inmersivo llamado "OASIS" configurado como un videojuego de rol multijugador masivo en línea o MMORPG en el que los distintos participantes compiten por encontrar un huevo de pascua de tal forma que quien lo consiga se hará con el control de OASIS y heredará la mayor fortuna del mundo.

Sin embargo, el antecedente más claro del metaverso lo encontramos con la aparición de *Second Life* en 2003, un espacio virtual creado por la empresa norteamericana Linden Lab en el que durante la década de 2000 se llenó de avatares de usuarios virtuales que se relacionaban o intercambiaban objetos o terrenos virtuales.

Es precisamente en el sector de los videojuegos donde se encuentran muchos de los metaversos más conocidos a día de hoy pudiendo destacar, entre otros, *World of Warcraft, Minecraft, Roblox* o *Fortnite*.

Ahora bien, el uso de la tecnología *blockchain* con los *smart contracts* y los NFTs (*non fungible tokens* o tokens no fungibles) como grandes protagonistas, así como el desarrollo de otras tecnologías exponenciales como el Internet de las cosas, la realidad virtual, la realidad aumentada, la computación en la nube, el *big data* y la inteligencia artificial están permitiendo la creación de nuevos mundos virtuales o metaversos descentralizados como *Decentraland* o *The Sandbox* que se están convirtiendo en auténticos agregadores de aplicaciones y tecnologías que van a cambiar en los próximos años las reglas del juego, nunca mejor dicho.

Esto está llevando a que marcas como *Fortnite, Minecraft, Epic Games, Roblox, H&M, Nike, Adidas, Zara, Ralph Lauren, Gucci, Balenciaga* o *Louis Vuitton* ya estén posicionándose en un mundo que será regido por el *blockchain,* las criptomonedas y los NFTs y donde podrán comprarse inmuebles, vehículos, armas o *skins,* entre otras muchas cosas.

2.2 La nueva economía digital: de la economía del dato a la economía del metaverso

Como decíamos, la crisis de la COVID-19, por suerte o por desgracia, ha sido un catalizador de transformación, en general, y de transformación digital, en particular, afectando a todo: a nuestra manera de trabajar, a nuestra manera de estudiar, a nuestra manera de relacionarnos e incluso a nuestra manera de jugar o disfrutar de nuestro tiempo de ocio. En definitiva, ha acelerado aún más los procesos de la cuarta revolución industrial.

¿Quiénes le van a sacar partido? Quienes se den cuenta de que la economía ha cambiado totalmente. La economía ahora se caracteriza por varios adjetivos o grupos preposicionales que complementan a ese sustantivo y que conviene tener presentes. Así:

(i)   Se trata de una economía digital, donde los activos se pueden convertir en ceros y unos y hacerse accesibles y distribuibles. Se pasa, por tanto, de los átomos a los bits. Ello supone pasar de la escasez a la abundancia.

(ii)   Se trata de una economía basada en los datos como petróleo del siglo XXI, es decir, una economía en la que la información y su análisis cuantitativo y cualitativo generan un gran valor.

(iii)   Se trata de una economía exponencial, con múltiples tecnologías disruptivas como la realidad virtual, la robótica, el Internet de las cosas, la inteligencia artificial o el *blockchain.* Ello supone pasar de lo lineal a lo exponencial, es decir, de cambios sobre la base de una progresión aritmética a cambios sobre la base de una progresión geométrica, lo cual no siempre es sencillo de entender para la mente del ser humano.

(iv)   Se trata de una economía de la automatización donde a través de la robótica y la inteligencia artificial todo lo que se pueda mecanizar y automatizar, se automatizará, y donde se eliminarán puestos de trabajo y tareas repetitivas que no aporten valor.

(v)   Se trata de una economía de plataformas configuradas como pequeños estados virtuales dentro del ciberespacio por ostentar características típicas de la configuración de los estados como, por ejemplo, territorio, población, soberanía o moneda.

(vi)   Se trata de una economía colaborativa donde gracias al uso de las tecnologías de la información y la comunicación se facilita el contacto entre usuarios con intereses comunes y cuyo objetivo es adquirir, suministrar, intercambiar, alquilar, compartir o solicitar diversos productos o servicios, de tal forma que en esta transformación del mercado las personas son los actores primarios de la economía, y las compañías pasan a un segundo plano como intermediarios que facilitan el contacto[3].

(vii)   Se trata de una economía de la atención en la que las diversas plataformas se pelean por capturar lo más valioso que tenemos, nuestro tiempo, para dejar en ellas nuestros datos y así puedan conocernos mejor[4].

---

[3]   CABALLERO MARTÍNEZ, J., "Conceptualización y aproximación a las nuevas categorías jurídicas del panorama digital", *Disrupción tecnológica, transformación digital y sociedad, colección "Así habla el Externado", Derecho, innovación y Tecnología: Fundamentos para el mundo digital*, Tomo III, Colombia, 2021, págs. 122-124. Puede consultarse en https://www.uexternado.edu.co/wp-content/uploads/2021/04/Capitulo2Tomo3.pdf.

[4]   En este sentido, resulta muy revelador el documental de JEFF ORLOWSKI titulado *El Dilema Social* y emitido por Netflix en el año 2020. En dicho documental expertos de Silicon Valley rebelan que todas las estrategias de los gigantes tecnológicos están enfocadas en captar y mantener nuestra atención. Trabajan primero en atraernos a la red, y una vez que estamos ahí, hacen todo para que permanezcamos el mayor tiempo posible y que, de alguna manera, nos hagamos "adictos". Así, nos hacen atractivo y sumamente fácil dar información sobre quiénes somos, qué nos gusta, qué hacemos cotidianamente, qué comemos, a dónde vamos, quiénes son nuestros amigos y familiares, en quién confiamos, cuáles son nuestros gustos e intereses, a qué le tenemos miedo, qué nos emociona, qué nos preocupa, y un largo etcétera. Y, finalmente, ordenan toda nuestra información en enormes bases de datos de las que, a través de complejos algoritmos, les es posible extraer casi cualquier cosa de nosotros: clasificarnos, organizarnos, predecir nuestras reacciones y, muy especialmente, persuadirnos de hacer casi cualquier cosa. A este respecto, véase GÓMEZ PÉREZ, M., "Cautivos en la red. El impacto del metaverso en el derecho de acceso a la información y la protección de datos personales",

(viii) Se trata de una economía de la experiencia donde lo más importante ya no es la propiedad de las cosas sino el acceso a las mismas
a través de experiencias transformadoras.

(ix) Se trata de una economía criptográfica en la nube donde se prima
el valor sobre el precio y en la que con la tokenización de activos
y la tecnología *blockchain* se pretende cambiar radicalmente el sistema económico y financiero a través de la desintermediación.

(x) Se trata, confiemos que temporalmente, de una economía *contact-
less* como consecuencia de la COVID-19 en la que nos hemos visto
obligados a realizar las mismas acciones, tanto económicas como
sociales, que realizábamos en la antigua normalidad pero asegu-
rando la distancia física y garantizando la ausencia de contacto
por motivos de seguridad y salud.

(xi) Y se trata de una economía de la incertidumbre en la que, como
consecuencia de cisnes negros como la COVID-19 o, más recientemente, de la vuelta a la guerra en Europa con la invasión de Rusia
a Ucrania, nos hace movernos en lo que la *United States Army War
College* definió como entornos VUCA, es decir, llenos de volatili-
dad (*volatility*), incertidumbre (*uncertainty*), complejidad (*comple-
xity*) y ambigüedad (*ambiguity*) y que recientemente se han rebau-
tizado como entornos BANI, que dan cuenta de un mundo frágil
(*brittle*), ansioso (*anxious*), no lineal (*non-linear*) e incomprensible
(*incomprehensible*).

En definitiva, nunca fue más cierto lo que decía HERÁCLITO DE ÉFE-
SO de que todo fluye, todo cambia. Así, se ha pasado de lo sólido, carac-
terizado por ser permanente, con formas definidas y de límites fácilmente
definibles, a lo líquido en el sentido de que los líquidos se transforman,
cambian, no perduran y son de límites difusos.

Como se puede observar, todas estas características han generado un
caldo de cultivo óptimo para el desarrollo del metaverso y, lo que es más
interesante la creación de su propia economía virtual y paralela a través de
la utilización de la tecnología *blockchain*, los *smart contracts* y los tokens no
fungibles (*non fungible tokens* o NFTs).

IUS ET SCIENTIA, Vol. 7, No. 2, 2021, págs. 88-95. Puede consultarse en https://
revistascientificas.us.es/index.php/ies/article/view/19845.

3. CONCEPTUALIZANDO EL METAVERSO

Al estar todavía en construcción y evolución constante, y anticipando que no será fácil diferenciar entre la era "antes del metaverso" y la era "después del metaverso", proporcionar un concepto definitivo no va a resultar sencillo.

Así las cosas, las aproximaciones al metaverso son a día de hoy de lo más variopintas. De este modo:

(i)   Algunos consideran que el metaverso es una construcción de MARCK ZUCKERBERG para relanzar su compañía y sepultar así escándalos como el de Cambridge Analytica o el más reciente referente a la filtración por la antigua directora de producto de Facebook, Frances Haugen, de varios documentos internos que revelan prácticas éticamente controvertidas por parte de la compañía.

(ii)   Para otros, el metaverso es la evolución natural de Internet, encontrándonos, por tanto, ante la ya mencionada Web 3.0. Así, el metaverso es la forma de visualizar Internet pero en vez de hacerlo en dos dimensiones a través de un navegador se hará en tres dimensiones a través del navegador y de otros dispositivos de realidad virtual o realidad aumentada. Es decir, nos encontraríamos ante un Internet ciberfísico y potenciado por la tecnología, capaz de superar el paradigma del Internet móvil convirtiéndose en el siguiente salto evolutivo de nuestras capacidades de interconexión física y digital, y, por tanto, también de nuestra vida social.

(iii) En esta misma línea, otros consideran que nos encontramos ante la siguiente etapa de las redes sociales consistente en la generación de redes más inmersivas de tal forma que se generarán nuevos mundos virtuales en los que participaremos con avatares y en los que podremos conocer gente y vivir experiencias con ellos.

(iv) Algunos otros creen que nos encontramos ante una nueva generación de videojuegos que, entre otras cosas, fomenta el fenómeno del *play to earn* y que va a permitir a los jugadores ganar recompensas a cobrar bien en el mundo virtual, bien en el mundo real.

(v)   Y finalmente, están aquellos que consideran al metaverso como una nueva forma en la que las empresas podrán generar nuevos espacios colaborativos de trabajo o vendernos sus productos y servicios.

Probablemente, todas las aproximaciones anteriores sean correctas y reflejen alguna de las caras de un concepto poliédrico.

Sea como fuere, metaverso es una palabra construida a partir del prefijo griego meta- ("más allá") y de la contracción de universo (verso) que ha sido definida por algunos autores como una red de entornos digitales que, gracias a la realidad aumentada, realidad virtual y *blockchain*, junto con otras tecnologías disruptivas y exponenciales como el *big data*, la inteligencia artificial y el Internet de las cosas, habilitan la creación de espacios virtuales simulados, generando una experiencia inmersiva y en muchos casos multisensorial, aplicada a diferentes casos de uso.

De igual modo, otros autores han considerado al metaverso como una combinación de espacios virtuales 3D persistentes, multiusuario y compartidos que se entrelazan con el mundo físico y se fusionan para crear un universo virtual unificado y perpetuo.

En definitiva, el metaverso se erige en un auténtico agregador de aplicaciones y tecnologías exponenciales capaz de generar universos virtuales de infinitas posibilidades que van a cambiarlo todo, desde la manera en la que nos relacionamos, hasta la manera en la que trabajamos, nos educamos o nos entretenemos.

4. CARACTERÍSTICAS DEL METAVERSO

De las anteriores definiciones podemos extraer las siguientes características del metaverso:

(i)   Inmersividad: en la última década hemos asistido a la revolución del Internet móvil, que ha permitido el acceso a nuestras aplicaciones *online* y ecosistemas sociales desde prácticamente cualquier lugar.

Sin embargo, actualmente nuestra capacidad de entrar y disfrutar de entornos virtuales está limitada por el uso de pantallas y dispositivos móviles.

Con la llegada del metaverso, en cambio, el acceso a los espacios virtuales en línea será posible también a través de las tecnologías de realidad aumentada y realidad virtual.

De hecho, dos de las características clave y distintivas del metaverso son su omnipresencia y su inmersión, que se alcanzarán mediante una fusión sin precedentes entre los mundos virtual y físico.

Así, el metaverso es omnipresente e inmersivo de múltiples maneras, tanto en la forma en que accedemos a él e interactuamos con él, como en la forma en que recibimos información de él. Por ejemplo, el acceso inmersivo móvil al metaverso será posible gracias a la próxima generación de dispositivos inteligentes con realidad aumentada (por ejemplo, gafas inteligentes compactas). En cambio, el acceso en el trabajo o en casa será posible con gafas de realidad virtual ligeras y cómodas.

El paso de las interfaces 2D a los espacios virtuales 3D irá acompañado de una serie de posibilidades adicionales que potenciarán cada vez más la inmersión. En primer lugar, muchas de las aplicaciones y servicios 2D que utilizamos a diario (por ejemplo, Dropbox, Slack, Zoom, Facebook, Instagram y muchas otras), se convertirán en aplicaciones integradas en el metaverso. Entonces, los usuarios habitarán el metaverso en forma de avatares, pasando así de imágenes de perfil 2D estáticas a avatares 3D interactivos y personalizados. En función de la actividad, la aplicación o el espacio virtual que se utilice, los usuarios podrán representarse con avatares fotorrealistas, caricaturescos o totalmente ficticios. Los usuarios también tendrán la posibilidad de crear copias virtuales de objetos físicos (es decir, gemelos digitales) y compartirlos en el metaverso, reduciendo así aún más la brecha entre la dimensión virtual y la física. Por último, el uso de sensores *wearables* estrechará el vínculo entre nuestros mundos físico y virtual al introducir en el metaverso magnitudes y datos provenientes del mundo real y ofrecer a los usuarios una retroalimentación sensorial sin precedentes.

(ii) Interoperabilidad: el metaverso está formado por numerosos mundos virtuales con características diversas en términos de gobernanza, economía, propósito, naturaleza o rol del usuario y el mayor reto es conseguir la interoperabilidad sin fisuras entre los mismos.

En efecto, desde el punto de vista arquitectónico, el metaverso puede considerarse un marco o sustrato unificador que conecta la multitud de aplicaciones y servicios que se integran en él. Como tal, la interoperabilidad es otra característica clave del metaverso y sus usuarios la experimentarán de múltiples maneras.

Por ejemplo, podrán interactuar simultáneamente con múltiples aplicaciones, de forma similar a lo que solemos hacer en nuestros ordenadores de sobremesa o dispositivos móviles. Hoy en día, este nivel de interoperabilidad entre diferentes aplicaciones es normal y esperado para los dispositivos físicos de uso general. Sin embargo, no tiene precedentes en los entornos virtuales en línea. Pensemos, por ejemplo, en los MMO, mundos virtuales masivos en los que los jugadores solo pueden realizar un subconjunto limitado de actividades similares y relacionadas. Ampliando este concepto, en el metaverso también los espacios y actividades estarán interconectados. De hecho, será posible desplazarse sin problemas por diferentes espacios virtuales temáticos, o interrumpir una actividad para iniciar otra nueva (por ejemplo, dejar de jugar en un espacio exclusivo para reunirse con un amigo en otro espacio). Los objetos virtuales, como los trajes de los avatares, también formarán parte de esta interconexión. De hecho, en una de las posibles evoluciones del metaverso, los objetos serán propiedad de los usuarios, en lugar de las plataformas, y la interoperabilidad del metaverso permitirá a los usuarios comprar determinados objetos virtuales como NFTs en la tienda de una aplicación y utilizarlos con sus avatares en otras aplicaciones y espacios, y en todo el metaverso.

Así por ejemplo, una experiencia de usuario podría incluir una capacidad multiplataforma que permitiera que un vehículo desbloqueado en un juego de carreras se utilizase en otro juego de aventuras, o que una prenda de vestir comprada en el metaverso se pudiese "llevar" y utilizar en juegos, conciertos y cualquier otro entorno virtual disponible. A medida que el metaverso vaya más allá de los juegos, las empresas que participen en él tendrán que ir más allá de los actuales métodos patentados para afianzar su posición en el mercado.

(iii) Persistencia: el metaverso existirá independientemente del tiempo y el lugar.

(iv) Sincronicidad: los participantes del metaverso podrán interactuar entre sí y con el mundo digital en tiempo real, reaccionando a su entorno virtual y a los demás como lo harían en el mundo físico.

(v) Disponibilidad: todo el mundo podrá conectarse simultáneamente y no habrá límite en el número de participantes.

(vi) Economía: los participantes, incluidas las empresas, podrán suministrar bienes y servicios a cambio de un valor reconocido por los demás. Ese valor puede empezar como (o incluir) el tipo de valor que los jugadores de videojuegos ya utilizan ahora (por ejemplo, moneda fiduciaria intercambiada por oro virtual y objetos del juego). También puede incluir *tokens* no fungibles, criptomonedas y dinero electrónico, junto con la moneda fiduciaria más tradicional. Estos intercambios de valor dependerán de tecnologías como el *blockchain* y los contratos inteligentes, así como de tecnologías que aún no han sido imaginadas.

5. ACTIVIDADES A DESARROLLAR EN EL METAVERSO

Constituido, por tanto, el metaverso como un universo virtual, o un sustrato, capaz de soportar e interconectar una multiplicidad de aplicaciones diferentes, las actividades que los usuarios podrán llevar a cabo en el mismo serán tan diversas como las aplicaciones integradas en él.

En cualquier caso, las actividades que con toda seguridad se van a ir desarrollando son las siguientes:

(i) Actividades sociales: las posibilidades de conexión sin precedentes que ofrece el metaverso lo hacen especialmente conveniente para realizar actividades sociales. Las actividades tradicionales, como entablar amistad con otros usuarios o participar en chats y llamadas de audio y vídeo, también se podrán llevar a cabo en el metaverso. Una de las formas en que estas funcionalidades estarán disponibles será a través de la integración de las aplicaciones de mensajería y videoconferencia existentes en el metaverso. Además de estas actividades, que apenas representan una portabilidad de los esquemas de interacción ya existentes, los espacios virtuales compartidos del metaverso también permitirán otras formas de interacción social, como las interacciones entre avatares 3D típicas de los juegos multijugador masivos en línea (*massively multiplayer online games* o MMO).

(ii) *Gaming* y otras formas de entretenimiento, incluida la posibilidad de participar en espectáculos artísticos y conciertos: estas representarán otro grupo importante de actividades del metaverso. Y es que, como ya se ha comentado, los metaversos heredan varias características de los MMO. Además, el sector del juego está en constante crecimiento, tanto en términos de ingresos como de usuarios. La combinación de estos dos factores asegura que los juegos, y el entretenimiento en general, estarán entre las actividades más frecuentes en el metaverso. En particular, los espectáculos del metaverso pueden ser tanto nativamente virtuales, como en el caso de los numerosos conciertos que se celebran dentro de los mundos virtuales de juegos en línea como *Fortnite*, *Minecraft* y *Roblox*, o nativamente físicos pero no obstante accesibles a través del metaverso, como en el caso de un concierto del mundo real que permite a los usuarios del metaverso participar a través de la realidad virtual.

(iii) Los deportes y el *fitness* son otro grupo de actividades que se beneficiarán de la integración ciberfísica que permite el metaverso. En particular, los sensores *wearables*, la realidad aumentada y la realidad virtual permitirán realizar simulaciones deportivas virtuales realistas y envolventes, con oportunidades de personalización y adaptación sin precedentes.

(iv) Las mismas consideraciones pueden hacerse para el aprendizaje y otras actividades educativas, que se beneficiarán enormemente de la inmersión y las capacidades 3D del metaverso.

(v) De igual forma, el metaverso también se utilizará para el trabajo y los negocios. En efecto, los gemelos digitales, la realidad virtual y la disponibilidad de aplicaciones de mensajería y videoconferencia integradas permitirán celebrar reuniones ricas y envolventes en el metaverso. Este parece ser el camino que está tomando, por ejemplo, Microsoft, en el desarrollo de su propio entorno virtual.

(vi) Finalmente, el metaverso coadyuvará en el impulso del comercio. De este modo, tanto las formas tradicionales de comercio como las nuevas contarán con el apoyo de uno o varios mercados en línea, en los que se pondrán a la venta productos tanto físicos como digitales. Y en cuanto a esto último, esto es, la venta de activos digitales, el mercado conectará a los creadores de contenidos independientes con sus clientes potenciales (es decir, los usuarios del metaverso), lo que permitirá ampliar las oportunidades de negocio a niveles sin precedentes.

6. RETOS JURÍDICOS DE LA ECONOMÍA DEL METAVERSO

6.1 *Las grandes preguntas*

Vistas ya las características y aplicaciones del metaverso, no podemos olvidar que, a pesar de la enorme publicidad y las grandes expectativas que se están generando en torno a él, todavía quedan grandes interrogantes para su completo desarrollo y expansión.

Esos interrogantes no solamente atañen a cuestiones sociales, de negocio, o incluso a las propias variantes tecnológicas, sino también al adecuado encaje jurídico o regulación del metaverso, al tratarse de un fenómeno novedoso y complejo[5]. Y es que el Derecho no puede permanecer ajeno a la progresiva implantación de unas tecnologías que, más allá de proporcionar la inmersión en realidades paralelas, están transformando la realidad económica[6].

En pura lógica, los primeros interrogantes tienen una naturaleza más amplia o genérica. Por ejemplo, ¿cómo se regulará el metaverso?; ¿qué ramas del ordenamiento jurídico se verán más afectadas y en qué medida?; ¿qué implicaciones tendrá para los usuarios?

Sin embargo, a medida que el jurista va involucrándose en un mundo tan fascinante como el del metaverso, preguntas más específicas se vuelven legión. Así, ¿cómo afectará el metaverso a las leyes que regulan la protección de datos?; ¿los derechos de propiedad intelectual se regularán en el metaverso?; ¿qué papel va a tener el Derecho de cada jurisdicción en los contratos que se realicen?; ¿cómo se protegen los derechos, las patentes y las marcas en el metaverso?; ¿se puede usurpar la personalidad y la intimidad?; ¿se verá afectada la fiscalidad?; ¿y las normas de competencia?; ¿cabe pensar en un sistema legal paralelo al actualmente existente en el metaverso? En definitiva, ¿existe el Derecho del metaverso?

Todas ellas son cuestiones que pudieran resultar de ciencia ficción en este momento, pero que en un corto plazo de tiempo convendrá empezar a plantearse de forma más decidida[7].

---

[5] ÉCIJA, *Metaverso: una primera aproximación jurídica y algunas cuestiones sin resolver*, 2022, págs. 16-17.

[6] MONTERROSO CASADO, E., "La validez de los contratos celebrados en mundos virtuales", *Revista CEFLEGAL*, número 106, 2009, pág 21.

[7] SAGARDOY DE SIMÓN, I., "El metaverso y los derechos laborales", *El Confidencial*, 22 de febrero de 2022. Puede consultarse en https://blogs.elconfidencial.

6.2 Principales riesgos jurídicos del metaverso

La cuarta revolución industrial, la consiguiente transformación digital y ahora el metaverso han traído consigo la aparición de nuevas categorías indeterminadas para el ordenamiento jurídico.

En efecto, con la digitalización de la sociedad han aparecido nuevos fenómenos que presentan el desarrollo de relaciones jurídicas complejas no previstas en el ordenamiento, lo que conlleva la necesidad de afrontar nuevas categorías, o revaluar las existentes, con el fin de ampliar las fuentes del Derecho que permitan a los operadores jurídicos resolver controversias, sin duda, complejas[8].

Y es que si bien la frontera digital que implica el metaverso abre nuevas e infinitas oportunidades, no debemos desconocer que estamos todavía ante un *cosmos incogniti* que va a alterar profundamente la manera en la que actuamos, socializamos, trabajamos y vivimos nuestras vidas y que va a generar nuevos riesgos y peligros que, sin embargo, no se encuentran aún regulados por el Derecho.

En efecto, muchas son las preguntas que podemos formularnos. Por ejemplo, ¿cuál será la fiscalidad del metaverso? o ¿qué va a suceder con conceptos como propiedad o posesión si entran en juego los NFTs? o ¿cuál serán la ley y la jurisdicción aplicables en el caso de que se plantee un conflicto dentro del metaverso?

Por otra parte, siendo uno de los retos clave del metaverso conseguir la interoperabilidad sin fisuras entre cada uno de los mundos virtuales con todo lo que ello implica en términos de identidad digital, gestión de derechos y propiedad. ¿Qué implicaciones legales presenta el metaverso?

Todas las anteriores preguntas darían para una monografía, por lo que en este artículo simplemente vamos a apuntar ahora las que en nuestra opinión van a suponer las principales preocupaciones jurídicas en materia metaversal, a saber:

(i) De una parte, de la privacidad de los usuarios, debiendo:

- Velar por la protección de datos personales, teniendo en cuenta que como consecuencia de la utilización de dispositivos como las gafas o cascos de realidad virtual o sensores neuronales, en el

---

com/juridico/tribuna/2022-02-22/elmetaverso-derechos-laborales_3375982/.

8   CABALLERO MARTÍNEZ, J., *op. cit.*, págs. 121-122.

metaverso se podrá acceder a datos mucho más sensibles de los que se obtienen a día de hoy, pudiendo señalarse, entre otros, gestos, movimientos y ondas cerebrales.

- Evitar que con esos datos se desarrollen técnicas de perfilado avanzado que permitan predecir los comportamientos de los usuarios, llegando incluso a manipularlos.

- Proteger, por tanto, su información personal, su manera de comportarse y sus comunicaciones personales.

(ii) De otra parte, de la seguridad de dichos usuarios:

- Tanto en sus relaciones con otros usuarios dentro del metaverso, evitando que se produzcan en su seno conductas como el *cyberbulling* o el acoso sexual dentro del mismo, más aún si se trata de menores.

- Como frente a la falta de transparencia de algoritmos de inteligencia artificial cada vez más complejos que irán poco a poco tomando el control de unos entornos virtuales cada vez más descentralizados.

- Todo ello, sin olvidar cuestiones de seguridad tan relevantes como la autenticación de los usuarios y la integridad de los contenidos que aparezcan en el mismo.

En definitiva, en esta nueva realidad que supone el desarrollo del metaverso tenemos que cuidarnos muy mucho de que la protección jurídica de los derechos de los usuarios sea, por lo menos, equivalente (y en ocasiones, incluso superior) a la de la realidad natural. De lo contrario, este nuevo universo destinado a dejar volar la imaginación y a cumplir muchos sueños puede convertirse en una auténtica pesadilla.

7. A MODO DE CONCLUSIÓN

A la luz de todo lo expuesto en este trabajo, y a modo de conclusión, resulta evidente que las implicaciones del metaverso para la comunidad legal y su posible regulación van a ser enormes. Todavía es pronto, pero la tendencia y el desarrollo del metaverso son imparables. En los próximos años veremos cómo los operadores legales tendremos que estar atentos a las implicaciones que ello conlleva, y habrá que cambiar la mentalidad de una interpretación legal que para muchos es por el momento claramente más analógica que digital[9].

De nuevo, la humanidad cruza una nueva frontera en su exploración del universo, ahora creando el suyo propio, debiendo tener claras dos certezas: en primer lugar, este futuro que ya está aquí tendrá un aspecto muy diferente en las próximas décadas; y, en segundo lugar, el metaverso será mucho más que un juego[10].

El resto de nuestra historia por este *cosmos incogniti* y su regulación a través del Derecho del metaverso aún están por escribir[11].

8. REFERENCIAS BIBLIOGRÁFICAS

ADSUARA, B., "El reverso perverso del metaverso: ciberdelitos e identificabilidad", *La información*, 11 de febrero de 2022. Puede consultarse en https://www.lainforma-cion.com/opinion/borja-adsuara/reverso-perverso-metaverso-ciberdelitos-identi-ficabilidad/2859627/.

CABALLERO MARTÍNEZ, J., "Conceptualización y aproximación a las nuevas categorías jurídicas del panorama digital", *Disrupción tecnológica, transformación digital y sociedad, colección "Así habla el Externado", Derecho, innovación y Tecnología: Fundamentos para el mundo digital*, Tomo III, Colombia, 2021. Puede consultarse en https://www.uexternado.edu.co/wp-content/uploads/2021/04/Capitulo2Tomo3.pdf.

DE LA QUADRA-SALCEDO, T. (Coord.), *Carta de Derechos Digitales*, Gobierno de España, Plan de Recuperación, Transformación y Resiliencia, 14 de julio de 2021. Puede consultarse en https://www.lamoncloa.gob.es/presidente/actividades/Documents/2021/140721-Carta_Derechos_Digitales_RedEs.pdf.

DIAMANDIS, P. H., "The 6 D'S", *Diamandis Blog*, 21 de noviembre de 2016. Puede consultarse en https://www.diamandis.com/blog/the-6ds.

ÉCIJA, *Metaverso: una primera aproximación jurídica y algunas cuestiones sin resolver*, 2022.

ESPADA, B., "La peligrosa advertencia de Bill Gates sobre el Metaverso", *OK diario*, 19 de diciembre de 2021. Puede consultarse en https://okdiario.com/curiosidades/peligrosa-advertencia-bill-gates-sobre-metaverso-8281644.

---

[9]   SAGARDOY DE SIMÓN, I., *op. cit.*

[10] PALOMO ZURDO, R., "La vida en el metaverso: un nuevo horizonte para las relaciones sociales y la economía", *Revista Telos de Fundación Telefónica*, 11 de marzo de 2022. Puede consultarse en https://theconversation-com.cdn.ampproject.org/c/s/theconversation.com/amp/la-vida-en-el-metaverso-un-nuevo-horizonte-para-las-relaciones-sociales-y-la-economia-178953

[11] GARON, J. M., "Legal Implications of a Ubiquitous Metaverse and a Web3 Future", *SSRN*, 3 de enero de 2022, pág. 63. Puede consultarse en https://ssrn.com/abstract=4002551.

ESTÉVEZ, M., "El metaverso también tendrá implicaciones legales", *Economist & Jurist*, 2 de enero de 2022. Puede consultarse en https://www.economistjurist.es/premium/la-firma/el-metaverso-tambien-tendra-implicaciones-legales/.

GARON, J. M., "Legal Implications of a Ubiquitous Metaverse and a Web3 Future", *SSRN*, 3 de enero de 2022. Puede consultarse en https://ssrn.com/abstract=4002551.

GATES, B., *My End-Of-Year Letter 2021*. Puede consultarse en https://www.gatesnotes.com/media/YIR2021/My-End-of-Year-Letter-2021.pdf.

GÓMEZ PÉREZ, M., "Cautivos en la red. El impacto del metaverso en el derecho de acceso a la información y la protección de datos personales", *IUS ET SCIENTIA*, Vol. 7, No. 2, 2021. Puede consultarse en https://revistascientificas.us.es/index.php/ies/article/view/19845.

GRIDER, D., *The Metaverse. Web 3.0 Virtual Cloud Economies*, Grayscale, noviembre de 2021. Puede consultarse en https://grayscale.com/wp-content/uploads/2021/11/Grayscale_Metaverse_Report_Nov2021.pdf.

IBERDROLA, *Industria 4.0: ¿qué tecnologías marcarán la Cuarta Revolución Industrial?*, consultado el 12 de marzo de 2021 en https://www.iberdrola.com/innovacion/cuarta-revolucion-industrial.

LÓPEZ, J., "Metaverso y derechos digitales", *Revista Byte*, 18 de enero de 2022. Puede consultarse en https://revistabyte.es/legalidad-tic/metaverso-y-derechos-digitales/.

MONTERROSO CASADO, E., "La validez de los contratos celebrados en mundos virtuales", *Revista CEFLEGAL*, número 106, 2009.

NISA ÁVILA, J. A., "El Metaverso: conceptualización jurídica, retos legales y deficiencias normativas", *El Derecho*, 30 de noviembre de 2021. Puede consultarse en https://elderecho.com/el-metaverso-conceptualizacion-juridica-retos-legales-y-deficiencias-normativas.

PALOMO ZURDO, R., "La vida en el metaverso: un nuevo horizonte para las relaciones sociales y la economía", *Revista Telos de Fundación Telefónica*, 11 de marzo de 2022. Puede consultarse en https://theconversation-com.cdn.ampproject.org/c/s/theconversation.com/amp/la-vida-en-el-metaverso-un-nuevo-horizonte-para-las-relaciones-sociales-y-la-economia-178953.

PRYOR, G. y SESSA, S. E., "The metaverse and what it means for business", *Reed Smith Guide to the Metaverse*, Reed Smith, mayo de 2021. Puede consultarse en https://www.reedsmith.com/en/perspectives/metaverse.

ROMERO, J., "En qué se diferencian la web 1.0, la 2.0, la 3.0 y la 4.0", *TreceBits Redes Sociales y Tecnología*, 5 de diciembre de 2020. Puede consultarse en https://www.trecebits.com/2020/12/05/que-es-y-en-que-se-diferencian-la-web-1-0-la-2-0-la-3-0-y-la-4-0/.

SAGARDOY DE SIMÓN, I., "El metaverso y los derechos laborales", *El Confidencial*, 22 de febrero de 2022. Puede consultarse en https://blogs.elconfidencial.com/juridico/tribuna/2022-02-22/elmetaverso-derechos-laborales_3375982/.

SERRANO ACITORES, A., *Metaverso y Derecho*, Tecnos, 2022.

VERMAAK, W., "¿Qué es la Web 3.0?", *CoinMarketCap*, 11 de marzo de 2022. Puede consultarse en https://coinmarketcap.com/alexandria/es/article/what-is-web-3-0.

Retos y soluciones ante el problema del Escrow notarial

LUIS MANUEL TOLMOS RODRÍGUEZ-PIÑERO

Abogado especialista en tecnología. Profesor de Universidad. Cofundador de Registrasoft.com

SUMARIO: 1. PROBLEMÁTICA DEL ESCROW NOTARIAL. 1.1 Contexto jurídico y definición del término Escrow de Software. 2. ELEMENTOS Y CONSIDERACIONES GENERALES. 2.1 El secreto tecnológico en el contrato escrow. 2.2 La observación de la novedad tecnológica, que no puede ofrecer el depósito Notarial. 3. RETOS LEGALTECH Y EL PAPEL DEL NOTARIADO. 3.1 ¿Qué es el depósito en garantía como servicio (EaaS)? 3.2.1 Respecto a la posición del licenciatario del software. 3.2.2 Respecto al Licenciante y su propiedad intelectual. 3.2.3 Respecto al Notario y su papel en el Escrow como servicio. 4. CONCLUSIÓN.

1. PROBLEMÁTICA DEL ESCROW NOTARIAL

1.1 Contexto jurídico y definición del término Escrow de Software

El contrato escrow tiene como objeto la prestación de servicios de depósito, por un tercero de confianza, pero del depósito o custodia de tecnología, de cierta complejidad legal y técnica, cuyo origen contractual se remonta en los EE.UU. alrededor de los años 80, cuando inicialmente en los contratos de bienes raíces se formulaban acuerdos a tres partes entre el comprador, vendedor y un depositario al que se le hacía entrega de las llaves de la casa por parte del vendedor y del dinero, por parte del comprador.

Así las cosas, el depositario, llamado escrow agent o agente escrow —en castellano— verificaba el cumplimiento de las condiciones contractuales de la compraventa y a cada parte le hacía entrega de su depósito de la parte contraria, por tanto, al comprador le entregaba las llaves y al vendedor el dinero, transfiriendo de este modo la propiedad y haciendo las labores administrativas en los registros oportunos para formar la voluntad y la nuda propiedad.

Esta misma situación se imitó en el mundo de la tecnología, se desarrolló por primera vez en la empresa Microsoft ® en EE.UU. cuando en el mundo todos sus partners debían hacer un depósito de la tecnología para sus clientes, esto es, el desarrollador —licenciante— depositaba el código fuente del programa de ordenador que había personalizado para su cliente —licenciatario—. En este sentido se despliega un ecosistema de empresas privadas que se acreditan en Microsoft® bajo la certificadora americana Lion Bridge, teniendo así un elenco de agencias escrow en el mundo cuyo objetivo era ser los custodios de la tecnología licenciada a cientos de miles de empresas a través de los contratos escrow, así en España fue la compañía Registrasoft ® quien fue la certificada para tal fin, con un horizonte desde 2008 hasta 2020 para poder ir materializando las custodias de códigos fuente de desarrolladores Microsoft españoles.

Entrando en el aspecto más jurídico del contrato escrow, éste consiste en un acuerdo entre tres partes que garantiza la disponibilidad de software para la continuidad del negocio del Licenciatario, siendo un acto por el que al mismo tiempo genera pruebas de autoría y materializa los derechos de propiedad intelectual entre el licenciante y el licenciatario. El acuerdo está redactado desde una perspectiva jurídica para prevenir el riesgo y proteger a todas las partes involucradas ante la desaparición del desarrollador.

En cuanto al "lugar del depósito", es en sí mismo un problema que ha ido teniendo soluciones más tecnológicas que jurídicas, a lo largo de los años.

De una parte, con la aparición de los lenguajes de programación COBOL, BASIC y PASCAL (1959-1971), fue implementándose en las máquinas IBM y ya con la aparición del ordenador de sobremesa junto a la introducción de Internet en 1983, la programación HTML y lo más evolucionado que era programación PERL, hace que la industria informática se desarrolle partiendo de una base de programación con soluciones puestas en el mercado con Microsoft. El problema apareció, en el momento en el que las empresas de desarrollo bloqueaban el acceso al código fuente a sus clientes, hasta que España firma como miembro de la Organización Mundial de la Propiedad Intelectual el 20 de diciembre de 1996, generando los registros de propiedad intelectual, algo totalmente artesanal en esa época el depositar un programa de ordenador imprimiendo en papel el código fuente, quedando depositado a los efectos de obtener un certificado del Ministerio de Cultura quedando la empresa con un documento en el que se oficializaba la titularidad de propiedad intelectual, sin ser un acto constitutivo, ya que la propiedad intelectual nace con la finalización de la creación de la obra original, siendo voluntario el registro.

La realidad no fue otra que, debido a la cantidad de burocracia necesaria de ir con documentación de los autores asalariados, autores colaboradores por relación mercantil o terceros proveedores, se empezó a usar otro tipo de prácticas jurídicas más ágiles como alternativa al registro de la propiedad intelectual, los depósitos Notariales, regulados en el Decreto 2 junio 1944, por el que se aprueba con carácter definitivo el Reglamento de la organización y régimen del Notariado. Artículo 216 *"Los notarios pueden recibir en depósito los objetos, valores, documentos y cantidades que se les confíen, bien como prenda de contratos, bien para su custodia…"… "El depósito notarial de documentos que estén extendidos en soporte informático se regirá además por las siguientes normas:*

1.º El soporte digital que contenga un documento electrónico se entregará en depósito al notario, por el plazo y condiciones que convenga éste con el requirente o requirentes; en el acta de depósito, o en el documento en que deba quedar unido, bastará con hacer referencia depósito con reseña de las características del documento electrónico y de su soporte, tales como su fecha, formato y su extensión, si las tiene, la unidad de medida, en su caso, así como las demás características técnicas que permitan identificarlos.

2.º La Dirección General de los Registros y del Notariado en los términos previstos en el artículo 113.3 de la Ley 24/2001, de 27 de diciembre, podrá acordar, cuando innovaciones técnicas lo hagan aconsejable, el traslado sistemático del contenido de documentos informáticos depositados a un nuevo soporte, más adecuado para su conservación, lectura o reproducción, dictando las normas que garanticen la fiabilidad de las copias. En todo caso, deberá citarse a los interesados, quienes podrán oponerse retirando el documento.

También podrá realizarse, con la misma finalidad, el traslado a un nuevo soporte a instancia de la persona que depositó el documento o sus causahabientes. El traslado del contenido del documento deberá hacerse por medios técnicos adecuados que aseguren la fiabilidad de la copia."

De esta manera, aparece la primera sentencia[1] de nuestro Tribunal Supremo, a través del *"contrato de suministro de equipos informáticos, paquete de programas y aplicaciones informáticas, la entidad actora interpuso demanda sobre reclamación de cantidad contra los demandados, que fue estimada parcialmente en grado de apelación por la AP, condenando a éstos al pago de la indemnización señalada en la sentencia, y a la compañía informática actora a indemnizar a estos*

---

[1]	Documento (*Tol 274503*). *Jurisdicción: Civil. Ponente: D. José de Asís Garrote. Origen: Tribunal Supremo. Fecha: 17/05/2003. Tipo resolución: Sentencia. Sala: Primera. Sección: Única. Número Sentencia: 492/2003. Número Recurso: 2792/1997. Supuesto de hecho: Contrato de suministro de equipos informáticos, paquete de programas e instalaciones informáticas.*

por los perjuicios derivados del incumplimiento contractual de aquella, relativo a la no entrega de las fuentes o llaves de los programas informáticos instalados, y a la no terminación del proyecto de informatización según lo pactado. La mercantil actora interpone recurso de casación ante el TS, que desestima el mismo. Señala el Ts que no puede hablarse de incumplimiento contractual por los demandados, ya que la explotación y desarrollo del programa pueden ser enajenados sin perjuicio del derecho inmaterial de la autoría a otras personas o entidades. Y ello porque, al tratarse de un programa individualizado, el usuario legítimo, puede sin autorización del titular, transformarlo para el cumplimiento de su finalidad."

Así, a raíz de dicha sentencia toma su origen en España **el contrato de escrow, es una especialidad del contrato de depósito, siendo considerado como un "contrato atípico"**, normalizado por el Código de Comercio [arts. 303 al 310] y por el Código Civil [arts. 1758 a 1789], y entre las obligaciones contenidas en los contratos de software, cuando se halle la cláusula de "entregar los códigos fuente de los componentes o módulos Core y Arquitectura", "y para ello habrá de interpretarse el contrato guiados por el tenor de los arts. 1281 y ss. del Código Civil"[2].

Y, los depósitos se seguían consolidando, a través de la figura del Notario, quien sin duda aporta su claridad jurídica y legal ante los mismos, sin embargo, se va complicando con la evolución de la tecnología que evoluciona y va creando nuevas modalidades contractuales en la relación entre los desarrolladores y compradores de licencias o servicios a medida, basados en los programas de ordenador. Así las sentencias[3] más llamativas en la que una empresa de software proveedora de MANGO, les formula demanda de reclamación de cantidad y tiene como prueba la pericial que realiza accediendo al depósito y sucesivos depósitos de los evolutivos del software contratado, reflejando esta sentencia ambas cuestiones, la evolución de los contratos informáticos y la modalidad del depósito Escrow:

---

[2]   Documento (*Tol 7474193*). PROCESAL: Reconvención. Jurisdicción: Civil. Ponente: Manuel Conde Núñez. Origen: Audiencia Provincial de La Coruña. Fecha: 19/07/2019. Tipo resolución: Sentencia
Sección: Quinta. Número Sentencia: 289/2019. Número Recurso: 475/2018. Numroj: SAP C 1761:2019. Ecli: ES: APC: 2019:1761

[3]   Documento (*Tol 8699654*) PROCESAL: Incongruencia. Aclaración y rectificación de error. Jurisdicción: Civil. Ponente: Agustín Vigo Morancho. Origen: Audiencia Provincial de Barcelona. Fecha: 19/10/2021. Tipo resolución: Sentencia. Sección: Decimocuarta. Número Sentencia: 481/2021. Número Recurso: 390/2019. Numroj: SAP B 11986:2021. Ecli: ES: APB: 2021:11986

"en materia de contratos informáticos encontramos una tipología variada, en la que se observan elementos característicos de varias figuras contractuales, como el contrato de compraventa, el contrato de obra, el contrato de arrendamiento de servicios, el contrato de depósito (escrow) y otras modalidades, de ahí que más bien nos encontramos ante contratos atípicos, a los que se les pueden aplicar la normativa de contratos típicos que, en cada caso, se asemeje más a cada uno. En este tipo de relaciones contractuales, en las que subyacen derechos de autor sometidos a la Ley de Propiedad Intelectual, tenemos contratos como los siguientes: 1) el contrato de licencia de software; 2) el contrato de escrow, cuyo objeto es la garantía de acceso al código fuente; 3) el contrato de desarrollo de programas..."

"En el dictamen pericial de Don Germán consta que ha examinado toda la documentación contractual y que acudió a la notaría para obtener el Código Fuente a fin de analizar su funcionamiento. En cuanto al contrato de 19 de abril de 2016, que figura datado en fecha de 18 de enero de 2016, concluye que OPENTRENDS fue contratada por MANGO para entrar en un proyecto, del que le efectuó una descripción inicial que OPENTRENS plasmó en el primer contrato, pero que en los contratos sucesivos van apareciendo nuevas funcionalidades, que hacen que el proyecto se multiplique, en duración y coste, por seis. Ahora bien, el citado perito, que elaboró un informe exhaustivo y tuvo acceso al código fuente, aclaró sus conclusiones en el acto del juicio, manifestando que "hay tres contratos, en cada uno de ellos se describe cada vez lo que debe hacerse. En cada versión se agregan nuevas funciones e incluso hay cambios de cosas que deben realizarse de otro modo. Esta circunstancia es la que retrasó el desarrollo de la aplicación. Efectué las pruebas con la versión 1.9.5 corregida, pues la última versión del cliente fue la 1.9.5, en la que detectó una serie de deficiencias. OPENTRENDS las arregló y depositó la versión ante un Notario. Esta versión es la que consulté y por eso la denomino 1.9.5 corregida. Yo examiné dicha aplicación y me centré en las incidencias, comprobando cada una de las deficiencias, concluí que estaban arregladas todas, menos una, pues estaban pendientes de que el cliente les dijera como quería resolver esa incidencia. Aparte observé el tema del rendimiento, <u>pero lo hice con otras máquinas...</u>"

"Observé incongruencias en la base de datos de MANGO. El Código lo saqué del Notario, por lo que la cadena de custodia es fidedigna". Respecto a este informe pericial debe tenerse en cuenta que el perito utilizó el programa REDMINE, que es una aplicación detectora de incidencias, indicando al respecto que "MANGO nunca dice voy a cambiar el requerimiento, sino que no funcionaba bien; convertía las incidencias en cambios de especificación. Esta circunstancia se aprecia en el REDMINE; y que todo lo que se leía en REDMINE era aceptado por las partes, pactándose entre ellas las funcionalidades". En tercer lugar, el Germán también se refirió a la versión corregida 1.9.5, afirmando que "examino la aplicación con una versión que nunca se entregó a MANGO. Los sistemas que utilice son los de OPENTRENDS. Para car-

gar los datos debe hacerse un filtrado previo; debía arreglarse la base de datos para que funcionara la aplicación. La base de datos de MANGO creo que está mal, por ejemplo, uno sobre las características de las fotografías, pero luego todo salía mal y desorganizado…"

Lo sorprendente de esta sentencia se encuentra en que **el depósito Notarial pierde su sentido porque la evolución tecnológica es rápida y las versiones de código se suceden con tanta velocidad que es inviable ir depositando notarialmente cada versión.**

"Por el contrario, el perito Sr. Gerardo —por parte de MANGO— mantiene una conclusión distinta en cuanto al cumplimiento del contrato. Este perito no pudo examinar el código fuente, pues le encargaron la pericial dos años más tarde y MANGO les dijo que no tenía sentido levantar este código porque los sistemas y base de datos, de que depende este código, han evolucionado, por lo que saldría un error que no sabríamos cuando se produjo, si en el anterior código o en el actual…"

Y lo mejor, es que pone de manifiesto que el contrato escrow ante Notario pierde sentido técnico tanto en cuanto se dan las razones siguientes:

1. Pruebas realizadas en un entorno no real de producción de Mango.

2. Confirma que se mantienen los problemas de rendimiento, impide el uso de la aplicación incumpliendo los objetivos del proyecto, aunque no haya errores de otro tipo.

3. Estas pruebas no convalidan la validación por parte de Mango.

Así las cosas, nos encontramos que la tecnología depositada en pendrives o USB ante Notario pierde sentido técnico aunque no jurídico, porque existen tecnologías como servicio con potentes bases de datos conectadas entre sí, denominándose de esta manera: PaaS —Platform as a Service— y SaaS —Software as a Service— desarrollando nuevos modelos de los contratos escrow, que nacen para la "continuidad de negocio" incluyendo en tiempo real las bases de datos y no solo el código fuente, de tal modo que para casos de ransomware ('secuestro de datos', es un software malicioso implantado por un tercero cuya finalidad es la de restringir el acceso a la tecnología de la empresa, solicitando un pago millonario a cambio de quitar esta restricción) sirve como continuidad de negocio como plan C (Tercero de Confianza) con el que no contaba el Hacker. Así nacen los contratos de Escrow as a Services (EaaS), por el que el tercero de confianza en vez de un Notario, es una empresa legaltech, especializada en propiedad intelectual del software que tiene un ecosistema de servidores donde sus clientes realizan los depósitos a dos efectos, el primero es el hecho de generar pruebas de autoría para crear una evidencia electrónica en materia de propiedad intelectual y, el segundo, para custodiar la tecnología objeto del contrato escrow: código fuente, bases de datos, manuales… o simplemente un backup completo y en vivo, del servidor de producción del licenciante o del licenciatario según se acuerde en el contrato.

2. ELEMENTOS Y CONSIDERACIONES GENERALES

2.1 El secreto tecnológico en el contrato escrow

La fórmula de la Coca-Cola no se registró, sino que se depositó, durante años lleva así.

En términos de tecnología, el know-how se compara con el "secreto comercial", en general, cualquier empresa atesora entre sus empleados un conocimiento y forman productos y servicios que hacen en su conjunto que se comercialicen en el mercado diferenciándose por su calidad, eficiencia, precio o simplemente, por su singularidad.

Así, las empresas han optado por desarrollar una política de registros de patentes en materia de software, que en cierto modo es menos eficiente que el hecho de realizar un depósito de tecnología, utilizando la fórmula del contrato escrow: de una parte, interviene la empresa depositante, de otra la agencia escrow y puede participar opcionalmente un Notario a los efectos de dejar una evidencia adicional, en su caso. La custodia no es otra cosa que "el secreto tecnológico" siendo este todo tipo de información, sea cual sea, almacenada o mantenida actualizada, en las que el propietario ha tomado medidas razonables para mantener en secreto y que tiene un valor económico independiente.

Sin embargo, la tecnología es algo intangible y la forman miles de pequeños detalles que la hacen especialmente sensible ante los competidores, guardando por tanto no solo el secreto del código fuente que la conforme sino todas las formas y tipos de información financiera, comercial, científica, técnica, económica o de ingeniería, incluidos patrones, planes, compilaciones, dispositivos de programa, fórmulas, diseños, prototipos, métodos, técnicas, procesos, procedimientos, programas o códigos, ya sean tangibles o intangibles, y si o cómo se almacenan, compilan físicamente, electrónicamente, gráficas, etc…, para no ser fácilmente accesible por los medios adecuados por el público en general. En parte, de ahí viene el llamado espionaje industrial, "*la presunción de la concurrencia de ilícitos de competencia desleal y revelación de secretos, por cuanto, del análisis del dictamen pericial adjunto con la solicitud se desprendía que los requeridos pudieran haber destinado códigos fuentes y programas protegidos como secreto empresarial por la solicitante en la actividad profesional desempeñada en las sociedades requeridas, correspondiendo a un eventual procedimiento declarativo plenario el análisis sobre el contenido y alcance de dicha infracción."*[4]

A diferencia de las patentes, que deben ser tanto novedosas como un paso más allá del "arte previo", los secretos comerciales deben ser solo "mínimamente novedosos". *Kewanee Oil Co. v. Bicron Corp*[5]. En otras palabras, un secreto comercial debe contener algún elemento que no se conoce y lo distingue de lo que generalmente se conoce, algo que en el código fuente es cuanto menos parte del secreto.

La historia legislativa deja claro que la definición del término secreto comercial no incluye conocimientos, habilidades o habilidades generales. Por lo tanto, los empleados, por ejemplo, que cambian de empleador o inician sus propias empresas no pueden ser procesados sobre la base de una afirmación de que estuvieron expuestos a un secreto comercial mientras estaban empleados, a menos que se pueda establecer que robaron o se apropiaron indebidamente de un secreto comercial en particular. *"Disponía de pruebas "contundentes" de la realización de actos ilícitos de obtención de secretos empresariales, y de reproducción inconsentida de códigos fuente por los extrabajadores, suficientes para ejercitar acciones por infracción de secretos empresariales y violación de derechos de propiedad intelectual sobre sus programas de ordenador frente a los cinco de los ex-trabajadores requeridos."*[6]

---

[4]   Documento (*Tol 8728230*) PROCESAL: Diligencias preparatorias. Jurisdicción: Civil Ponente: MARIA ISABEL LOPEZ MONTAÑEZ. Origen: Juzgados de lo mercantil. Fecha: 15/11/2021. Tipo resolución: Auto. Sección: Duodécima. Número Sentencia: 528/2021. Número Recurso: 193/2020. Numroj: AJM B 4000/2021. Ecli: ES: JMB: 2021:4000A

[5]   Documento (*Tol 511808*). Jurisprudencia. Elfred v. Ashcroft. Propiedad intelectual. Constitucionalidad de la extensión Cabecera: temporal de la protección del Copyrihgt. Revisión de doctrina anterior. Texto en inglés. Votos particulares. St peters schol. Jurisdicción: Jurisprudencia comparada. Ponente: Justice GINSBURG. Origen: Estados Unidos. Fecha: 15/01/2003. Tipo resolución: Sentencia

[6]   Documento (*Tol 8728230*) PROCESAL: Diligencias preparatorias. Jurisdicción: Civil Ponente: MARIA ISABEL LOPEZ MONTAÑEZ. Origen: Juzgados de lo mercantil. Fecha: 15/11/2021. Tipo resolución: Auto. Sección: Duodécima. Número Sentencia: 528/2021. Número Recurso: 193/2020. Numroj: AJM B 4000/2021. Ecli: ES: JMB: 2021:4000A

Lo que, si está claro, es que no puede procesarse a un individuo por aprovechar los conocimientos generales y las habilidades o la experiencia que obtiene o se presenta durante su relación laboral en una empresa.

La *condición sine qua non* de la información que constituye un secreto comercial es que no se conoce públicamente y que la información no se haya divulgado públicamente a través, por ejemplo, de revistas técnicas u otras publicaciones y deben determinar si la información era obvia para los competidores en la industria.

No es necesario que cada parte de la información sea completamente confidencial para calificar para la protección como un secreto comercial. Un secreto comercial puede incluir una combinación de elementos que son de dominio público si el secreto comercial constituye una integración única, efectiva, exitosa y valiosa de los elementos de dominio público.

El alcance de las medidas de seguridad adoptadas por el propietario del secreto comercial no tiene por qué ser absoluto, sino que debe ser razonable dadas las circunstancias, dependiendo de los hechos del caso específico. Los "esfuerzos razonables" pueden incluir informar a los empleados de la existencia de un secreto comercial, limitar el acceso a la información a una "base de necesidad de conocimiento", requerir que los empleados firmen acuerdos de confidencialidad, y mantener los documentos secretos "bajo llave".

Los tribunales en EE.UU., han sostenido que la información puede seguir siendo un secreto comercial incluso si el propietario revela la información a sus licenciatarios, proveedores o terceros con fines limitados, como así se sentenció en el caso de *Rockwell Graphic Sys., Inc. v. DEV Industries, Inc.* en 1991.

Finalmente, el secreto comercial debe derivar "valor económico independiente", es decir, lo que tu competidor estaría dispuesto a pagar por dicha tecnología y el know-how.

En este sentido, el contrato escrow como secreto comercial de la tecnología y el know-how de la empresa, es una figura que cada vez toma mayor peso a la hora de "guardar bajo llave" y adoptar las medidas o esfuerzos razonables por custodiar el secreto.

"El programa de ordenador es protegible en cuanto expresión de una idea original, teniendo en cuenta que el criterio de originalidad es singular, ya que un programa de ordenador es original por ser una creación intelectual propia de su autor. Debe asimismo recalcarse que lo que se conoce como el código fuente se identifica con la fase creativa y por su complejidad y laboriosidad, así como por su funcionalidad

suele ser uno de los secretos mejor guardados por los programadores. Es más, es práctica habitual en esta materia que en los contratos de cesión del código fuente para su modificación en algunas de sus funciones suele intervenir un tercero que hace de custodio o depositario permitiendo el acceso sólo a concretas partes es el conocido como contrato de Escrow."[7]

2.2 *La observación de la novedad tecnológica, que no puede ofrecer el depósito Notarial*

La custodia o el depósito Notarial, como ya se ha mencionado anteriormente se encuentra en las recomendaciones legales por nuestros Tribunales. Así, del mismo modo que ha ido ocurriendo con el avance de los depósitos en los registros de la propiedad intelectual, podemos ver que partieron de la "impresión del código fuente" como de una obra literaria pasando con el transcurso de los años a un disco duro con límites de capacidad, que posteriormente son extraídos y vueltos a depositar en el caso del registro de la Propiedad Intelectual en sus sistemas, devolviendo el disco al depositante, que a diferencia del Notario no custodia para una entrega a un tercero.

El Notario, tan solo custodia lo que se le deposita, con el riesgo de que dicha circunstancia cuando se cumpla, la tecnología quede obsoleta o bien ni sirva para el propósito de continuar un desarrollo al estar desfasada la versión, o bien se rompan cadenas de custodia posteriormente a la retirada del depósito Notarial, cuando por ejemplo se vaya a practicar una pericial, "Observé incongruencias en la base de datos de MANGO. El Código lo saqué del Notario, por lo que la cadena de custodia es fidedigna"." "El caso más claro es la prueba de usuario de la iteración 1.9.5, que en el acta de seguimiento de 7 de abril se declara, por parte de OpenTrends, libre de errores, y el 25 de abril, tras las pruebas de Mango, ya se está planificando la corrección de los nuevos errores detectados. La evolución de aparición de errores siempre ha sido continua y constante. Por tanto, la certificación real de que la versión analizada por el Sr. Germán está libre de errores debería hacerse también por parte de Mango, y esto ya no es posible, debido a que todos los entornos de pruebas y de producción han sido desinstala-

---

[7]   Documento (*Tol 1051689*) PROCESAL: Legitimación activa. Jurisdicción: Civil. Ponente: Patricia Rodríguez de Aza. Origen: Juzgados de lo mercantil. Fecha: 09/01/2007. Tipo resolución: Sentencia. Sección: Primera. Número Sentencia: 11/2007. Número Recurso: 188/2005

dos, y los sistemas de Mango de los que dependía el sistema han cambiado y ahora no serían compatibles."

El agente escrow, en cambio, sí ofrece un entorno tecnológicamente preparado para los tiempos actuales, donde las tecnologías evolucionan y están vivas permanentemente, creciendo ante la demanda del mercado. Lo que hace necesaria una evolución del contrato de depósito hacia el modelo de Escrow como Servicio (EaaS), como se verá posteriormente en los retos donde el derecho debe convertirse en la nueva arquitectura de los procesos jurídicos basándose en una tecnología blanda y flexible, adaptable a cada ecosistema de los desarrolladores y de sus licenciatarios. El agente escrow al mismo tiempo debe ser suficientemente conocedor de los contratos de nivel de servicio (SLA) para comprender los eventos e hitos sujetos a las evidencias para crear una planificación de auditorías que signifiquen de modo alguno la continuidad de negocio de las partes, detectando los posibles problemas y anticipar cualquier posible contingencia de índole financiera, técnica o contractual por los sucesivos anexos a los contratos pactados entre las partes, que se subsanen en plazo y ponga de común acuerdo a las partes.

Una agencia escrow es más que un tercero de confianza, es más que el papel de un Notario o que el de un registro de propiedad intelectual, es un garante de la continuidad de negocio de tecnología en un ecosistema cada vez más complejo, en un entorno globalizado dominado por un mercado altamente competitivo.

3. RETOS LEGALTECH Y EL PAPEL DEL NOTARIADO

3.1 *¿Qué es el depósito en garantía como servicio (EaaS)?*

El depósito en garantía como servicio o también llamado Escrow como Servicio, ofrece todas las garantías de un servicio de depósito, sin embargo, está diseñado específicamente para facilitar su uso en un entorno cloud, permitiendo el acceso cuando se cumplan las cláusulas del contrato escrow.

3.2.1 Respecto a la posición del licenciatario del software

De una parte, a la empresa licenciataria le facilita a tomar el control del riesgo del software del licenciante y garantiza que las aplicaciones SaaS críticas para su negocio estén seguras, protegidas y siempre disponibles. En otro sentido, también se garantiza un nuevo modelo de seguridad llamado

EL PLAN C, que consiste en la posibilidad de activar el "botón rojo" ante un ataque de ransomware tanto al servidor de producción como a los de backup del Licenciante y del Licenciatario, activando la última esperanza de este modo el sistema de EaaS como si de Epimeteo y la "caja de pandora" se tratase, sirve para continuar prestando el servicio crítico al mercado.

3.2.2 Respecto al Licenciante y su propiedad intelectual

Es quizás donde mayor valor añadido tiene el contrato de escrow como servicio. De una parte, el Licenciante puede disponer de un servidor de producción para sus clientes, pero adicionalmente se le puede realizar un back-up en vivo para que, en caso de ser necesario, sus licenciatarios puedan tener la tranquilidad y la confianza de que dicho software crítico para su negocio se deposita en un entorno seguro, accesible para situaciones pactadas en el contrato.

Adicionalmente, el Licenciante puede utilizar los contratos EaaS para proteger su secreto comercial, esto es, depositar en vivo su ecosistema tecnológico, pero también otros elementos basados en el know-how de la singularidad que ofrece al mercado su empresa, con la ventaja de tokenizar determinados elementos.

Poniendo un claro ejemplo de las Características de EaaS en Microsoft bajo el ecosistema de AZURE podemos resaltar una serie puntos:

- Protección del código fuente, el entorno y los datos del software en la nube.

- Depósito almacenado de acuerdo con GDPR y regulaciones de protección.

- El entorno de nube monitoreado las 24 horas del día, los 7 días de la semana por un SOC —Centro de Operaciones de Seguridad— globalizado.

- Opciones de prueba de verificación de código fuente, tanto en la calidad como en la predicción de errores posibles que dejen brechas de seguridad de la información.

- Escalamiento de la demanda de espacio a medida que la tecnología cubre un mayor alcance.

Beneficios de EaaS

- Demuestra un enfoque proactivo para la mitigación de riesgos

- Demuestra buen gobierno corporativo
- Protege la propiedad intelectual del proveedor de software independiente
- Brinda tiempo para la transición a arreglos alternativos.
- Proporciona acceso a la información del entorno de la aplicación.
- Proporciona acceso a datos específicos del cliente.

3.2.3 Respecto al Notario y su papel en el Escrow como servicio

¿Podría el Notario utilizar un modelo de EaaS para ofrecerlo a los clientes aprovechando el rigor jurídico y su papel como garante de la legalidad de la información, así como de la verificación del consentimiento que aporta el notario en el documento público? La respuesta está clara: SI. Según la normativa de la *Dirección General de los Registros y del Notariado en los términos previstos en el artículo 113.3 de la Ley 24/2001, de 27 de diciembre.*

Y cuál es el problema o por qué no utilizan estos medios más modernos, sencillamente porque el papel del Notario no es el de interpretar ni auditar los contratos de mantenimiento del software, sino el de ser simplemente depositarios y garantizar que dicho depósito se realiza conforme a la legalidad de la información y con la verificación del consentimiento, pero sin entrar en más, siendo precisamente lo importante lo que deja de hacer, "garantizar la continuidad del negocio a las partes depositantes y beneficiarias del mismo, verificando y anticipándose a la posible problemática de la desaparición del servicio por causas como la quiebra del desarrollador o por un simple bloqueo de las contraprestaciones, como la del pago o la del evolutivo".

Sin embargo, el Notario si podría recoger el guante del reto que supondría tener una Plataforma Notarial como Servicio de Escrow, realizando en el ecosistema notarial los depósitos, los contratos inteligentes (Smart contract) o incluso el entorno de mediación prestado por una agencia escrow ante una disputa por la interpretación del SLA, confiriendo así al agente escrow un servicio tecnológico que facilite en otros países con la apostilla electrónica de la Haya, el reconocimiento jurídico ante otras instituciones públicas o privadas de terceros que estén otros países sus domicilios fiscales o legales.

Sí, al menos en el notario latino-germánico debería promoverse una evolución tecnológica, consolidar un ecosistema notarial global por el que la solución permita resolver a una agencia escrow, por ejemplo, desbloquear un servicio mediante el contrato electrónico de escrow, evitando enormes costes a las partes y agilizando de esta manera a los tribunales de justicia, causas que con el paso del tiempo terminan haciendo perder ingentes sumas de dinero y dejando la tecnología depositada obsoleta, facilitando por ello una zona de confort legal a las agencias escrow para dar mayor garantía de la identidad de las partes representantes que vinculan a las empresas en dichos contratos escrow, siendo un servicio propio del funcionario público facultado para dar rigor a los acuerdos extrajudiciales que un agente escrow desde una plataforma notarial permita ir creando un "hash" o "huella digital" de la traza de cada auditoría y que no tuvieran que ir los peritos a plataformas del licenciante o del licenciatario a realizar pruebas de funcionamiento del código fuente.

Los "hash" o "tokens no fungibles" (NFTs) permiten "sellar digitalmente" un archivo bien para su identificación como huella electrónica ocultando cierta información, anonimizando información en una transmisión de datos en la red, o bien para hacer firmar archivos, certificando con códigos alfanuméricos los mismos haciéndolos únicos, que, aun estando distribuidos, todas esas transacciones quedan en un "libro mayor" único que rastrea el flujo de intercambios de archivos digitales.

Es decir, de un lado, si el Notariado tuviera que evolucionar tecnológicamente debería ser quien supliera el "registro de archivo" del actual blockchain, ya que le agrega la "legalidad" que subyace en sus funciones y que el blockchain ahora no agrega más allá de ser una solución inalterable, pero que no "atiende la seguridad jurídica".

De otro lado, si bien el Notario cobra más relevancia ante una incorporación de una tecnología PaaS Escrow que agregue una serie de servicios tales como el Hash del depósito de la tecnología en producción, firma de contratos, verificación de la identidad por huella biométrica, etc. las agencias escrow aportarían la interpretación de los contratos escrow para poder activar o desactivar las llaves de acceso al código fuente en un entorno jurídicamente avanzado.

Así las cosas, el Notariado podría disponer una Plataforma como Servicio que incluyera la función del blockchain a la par de convertirse más allá de un registro internacional de transacciones de paquetes digitales, en un repositorio cuyo registro permitiría a las agencias escrow depositar copias de los activos cuya propiedad intelectual, siendo intangible, se pudiera centralizar de tal suerte que quedaría identificados los activos de sus titulares en un ecosistema mundial, aunque local, por los países sujetos a los tratados internacionales de la OMPI, Convenio de Berna, entre otros.

Los activos intangibles, como el software y los soportes de registro y de almacenamiento digitales se han formulado en la NCL12-2023 que entrará en vigor a partir del 1 de enero de 2023 "Clase 9: Aparatos e instrumentos científicos, de investigación, de navegación, geodésicos, fotográficos, cinematográficos, audiovisuales, ópticos, de pesaje, de medición, de señalización, de detección, de pruebas, de inspección, de salvamento y de enseñanza; aparatos e instrumentos de conducción, distribución, transformación, acumulación, regulación o control de la distribución o del consumo de electricidad; aparatos e instrumentos de grabación, transmisión, reproducción o tratamiento de sonidos, imágenes o datos; soportes grabados o descargables, software, soportes de registro y almacenamiento digitales o análogos vírgenes;….".

Prácticamente cualquier activo intangible con NFT supondría dotarlo de identidad jurídica en una red de blockchain, minimizando amenazas frente a terceros, pero que sí, pero el Notariado lo llena de sentido cuando éste sea el quien se convierta en el registrador en un repositorio que sirva como plataforma de servicio a empresas que actúan también como terceros de confianza. No se trata de si es el Notario el agente escrow, como queda ya de manifiesto que no puede ni está en sus funciones las de interpretar los incumplimientos de los contratos escrow en cuanto a las garantías ni los niveles de servicio, sino la de un mero custodio que entrega el depósito según conste en el acta de manifestaciones, dado que las numerosas sentencias demuestran que los depósitos notariales de tecnología han quedado obsoletos y desactualizados, es por lo que las agencias escrow han sido la solución referenciada por los tribunales, para realizar no solo la custodia del depósito de los fuentes, sino para intervenir incluso como un acuerdo extrajudicial ante posibles conflictos.

Por qué es importante para el blockchain la función del Notariado, porque una red blockchain no deja de ser una cadena descentralizada de información y además es abierta, pero en el que ninguna parte verifica si lo depositado es conforme a la legalidad vigente, ya que se presume. El Blockchain es perfecto para tener la información del flujo de procesos entre el Licenciante y el Licenciatario que además, vaya sujeto en el marco de un repositorio de custodia de la tecnología y que permita a un agente escrow como empresa privada y tercero de confianza actuar de inmediato, puesto que se proporciona una información inmediata, accesible y transparente almacenada en un entorno inalterable, al que el licenciante, el licenciatario y el agente escrow únicamente tienen acceso; haciendo seguimiento de los requerimientos del Licenciante al desarrollador, guardando los tickets de soporte, presupuestos de los evolutivos y alcances, entre otros temas. Y el Notario es quien aporta que esa fuente sea fedataria y por tanto "acreditada", mientras que un agente escrow actúa como un tercero de confianza, siendo especialmente conocedor del derecho comparado y local, pero la red de blockchain del libro mayor del Notariado además sería quien en su función, intervenga y verifica los poderes de representación de las partes, si se cumplen las normativa legal vigente y que de modo alguno, junto al agente escrow que interpreta, audita, verifica el nivel de servicio de los contratos de mantenimiento y desarrollo, se convertirían en una alternativa al depósito tradicional notarial y al depósito escrow, pero el blockchain por sí solo, no podría sustituir la función notarial.

4. CONCLUSIÓN

El Notariado se ha quedado obsoleto ante lo que se entiende hoy en día en el mercado internacional como contrato escrow, en el que una **empresa privada actúa como tercero de confianza llamada así agencia escrow**, que además de ser depositaria, en servidores certificados con ISO 27001 de la tecnología objeto del contrato, adicionalmente audita, verifica e incluso ejecuta el funcional de la tecnología para garantía del licenciatario y que, además, deja traza de todo el flujo de información entre licenciante y licenciatario, guardando un registro del versionado del código.

Normalmente estas agencias a través de un abogado especialista en derecho digital, interpretan y median entre las partes, analizan la propiedad intelectual y resuelven con un informe técnico, emitiendo un certificado a las partes que está tokenizado, y que forma parte del seguimiento que hay que desarrollar en los contratos escrow. Así, de una parte, acreditan la evidencia y legalidad del contenido depositado, pero, de otra, resuelven un conflicto que tiene solución extrajudicial, desahogando por ende los juzgados, aportando agilidad a las partes en la toma de decisiones y garantizando la propiedad intelectual y la continuidad de negocio tanto del Licenciante como la del Licenciatario.

Tokenización: Una nueva forma de inversión en activos inmobiliarios

JAVIER VILLANUEVA REDONDO y **VÍCTOR VECINO BÉCARES**

Abogados de Uría Menéndez Abogados, S.L.P.

SUMARIO: 1. INTRODUCCIÓN. 2. TRD, BLOCKCHAIN Y TOKEN: CONCEPTOS. 3. NUEVAS FORMAS DE INVERSIÓN EN ACTIVOS INMOBILIARIOS A TRAVÉS DE SU TOKENIZACIÓN. 3.1 Tokenización del derecho de propiedad. 3.2 Tokenización de derechos reales limitados. Rendimientos: derecho a percibir las rentas y las plusvalías de la venta del inmueble. 3.3 Tokenización de préstamos participativos para adquirir inmuebles. 3.4 Tokenización de acciones o participaciones. 4. CONCLUSIÓN. 5. REFERENCIAS BIBLIOGRÁFICAS.

1. INTRODUCCIÓN

La Ley 11/2009, de 26 de octubre, por la que se regulan las Sociedades Anónimas Cotizadas de Inversión en el Mercado Inmobiliario (las "**SOCIMIs**") introducía en España una figura inspirada en los ya existentes *Real Estate Investment Truts* ("**REITs**") americanos, vehículos de inversión inmobiliaria que nacieron en EEUU en la década de 1960[1] y que desde entonces han sido adoptados e implementados, en multitud de países, incluyendo la mayoría de los miembros de la Unión Europea, y cuya actividad principal consiste en la tenencia y arrendamiento de activos inmobiliarios, disfrutando (al menos por ahora) de un régimen fiscal especial. El objetivo de estos vehículos era facilitar la inversión de pequeños y medianos ahorradores en activos inmobiliarios, a través de una gestión profesionalizada, aumentando el nivel de liquidez y negociabilidad de estos activos, y combinando estas ventajas con un tratamiento fiscal especialmente favorable, convirtiéndolos, a priori, en un vehículo idóneo para canalizar la inversión *retatil* o minorista hacia el mercado inmobiliario. Sin embargo, si atendemos a los datos, aunque es cierto que a raíz de la reforma operada en el régimen

---

[1]   Public Law 86-779 de 14 de septiembre de 1960.

SOCIMI en 2012[2] este tipo de vehículos han experimentado un gran desarrollo y expansión, multiplicándose el número de SOCIMIs cotizando tanto en el IBEX como en el segmento BME Growth de BME MTF Equity (anteriormente, el Mercado Alternativo Bursátil o MAB), es cuanto menos cuestionable que las SOCIMIs hayan logrado su objetivo primigenio de facilitar y acercar la inversión en activos inmobiliarios a los inversores minoristas, convirtiendo los inmuebles en activos verdaderamente líquidos.

Frente a estas figuras, el desarrollo de las tecnologías de registros distribuidos ("**TRDs**"), entre las que se encuentra *blockchain* (si bien no es la única), puede abrir un nuevo abanico de posibilidades para atraer y canalizar inversión procedente de actores particulares y minoristas hacia el sector inmobiliario, mediante la creación de diferentes tipos de activos altamente negociables y líquidos, los tokens, y ofreciendo a los inversores y actores profesionales nuevas formas de acceso a financiación.

El objetivo de este artículo es analizar la posible aplicación de este tipo de tecnologías a la inversión inmobiliaria mediante la tokenización de los activos inmobiliarios, y la conjugación de este fenómeno con la legislación hipotecaria, registral y del mercado de valores española, con el propósito de dilucidar si podrían ser una herramienta que permita alcanzar uno de los objetivos principales para los que inicialmente se idearon los REITs, o las SOCIMIs, en España: dotar de liquidez a la inversión inmobiliaria.

2. TRD, BLOCKCHAIN Y TOKEN: CONCEPTOS

De cara a analizar la conveniencia y capacidad de la TRD para ser usadas como catalizador de la inversión, y, en particular, de la inversión en activos inmobiliarios, es necesario apuntar algunas de sus características fundamentales. La TRD permite a los usuarios grabar y almacenar permanente, simultánea y públicamente los datos introducidos en un programa que comparte un colectivo de personas en distintas máquinas telemáticas o servidores informáticos llamados *nodos*[3], haciendo así accesible a todas ellas, al mismo tiempo, una determinada información que deviene inmutable.

---

[2]   Ley 16/2012 de 27 de diciembre, por la que se adoptan diversas medidas tributarias dirigidas a la consolidación de las finanzas públicas y al impulso de la actividad económica.

[3]   IBÁÑEZ JIMÉNEZ, J. W.: *BLOCKCHAIN: Primeras cuestiones en el ordenamiento español*, Madrid: Editorial Dyckinson, 2018.

Cada uno de esos nodos posee una copia fiel de dicha información, que puede ser consultada en cualquier momento, pero no modificada, alterada o eliminada, todo ello sometido a determinadas reglas de autorización y validación prefijadas en la TRD y al previo pago de las correspondientes comisiones (*fees* o *gas*). Por tanto, estas "*redes descentralizadas*" permiten crear registros de información fiable e inmutable, que hagan posible la realización de transacciones entre los participantes de la red (i) de forma directa, sin intermediarios y actuando los participantes como iguales (*peer to peer*); (ii) sobre la base de información pública, fiable e inmutable; y (iii) dejando un registro de cada una de las transacciones que podrá ser consultado y cotejado (pero no modificado ni alterado) en cualquier momento por cada uno de los participantes de la red. Estas características de fiabilidad, inmutabilidad e inmediatez pueden crear un entorno propicio para que los usuarios puedan establecer auténticas relaciones jurídicas[4].

Dentro de estas TRDs se encuadran las *blockchain* o cadenas de bloques, utilizándose ambos términos, en multitud de ocasiones, como sinónimos, si bien pueden existir, y existen, TRDs que por sus características no deben ser consideradas, al menos en sentido estricto, blockchains. Una blockchain, o cadena de bloques, es un tipo de TRD en la que la información resultante de las transacciones realizadas por los usuarios de la red se almacena en la misma en forma de "bloques". A muy a grandes rasgos, solamente puede crearse un nuevo bloque si los datos contenidos en el mismo concuerdan con el anterior, debiendo la información de dicha transacción ser "*validada*" por un determinado número de nodos de la red a través de pruebas matemáticas o algoritmos de consenso, por ejemplo, los mecanismos de "*prueba de trabajo*" o "*proof of work*" (como en el caso de la red Bitcoin), mecanismos de "*prueba de participación*" o "*proof of stake*" (como en el caso de la red Ethereum o Cardano), u otro tipo de algoritmos.

Un concepto fundamental dentro del ecosistema blockchain es, sin duda, el de criptoactivo o "*token*". Aunque en la actualidad carece de una definición legal vigente, la Propuesta de Reglamento del Parlamento Europeo y el Consejo relativo a los mercados de criptoactivos y por el que se

---

[4]   La compraventa de multitud de tipos de activos sería el ejemplo más recurrente, pero actualmente sobre las TRDs ya se están llevando a cabo otro tipo de negocios que tradicionalmente se han desarrollado en el mundo "analógico", como préstamos o depósitos de activos.

modifica la Directiva (UE) 2019/1937[5] (conocida como "MiCa" por sus siglas en inglés) define el término "criptoactivo" como "*una representación digital de un valor o derecho que puede transferirse y almacenarse electrónicamente mediante la TRD o una tecnología similar*". También podría definirse el token como un activo digital, emitido, registrado y negociado mediante procedimientos criptográficos sobre una red descentralizada, y que representa un determinado derecho que su poseedor ostenta sobre un activo subyacente, ya sea este digital o físico, y que en ocasiones le otorga determinadas facultades como poseedor del mismo. Esta definición debe tomarse con cautela, pues el derecho sobre el activo subyacente o las facultades de actuación o decisión que el token otorga a su poseedor variarán sustancialmente en función del tipo de token de que se trate o incluso del funcionamiento de la TRD en la que opere y se negocie dicho token. En cualquier caso, para que los bienes y derechos puedan negociarse en el ámbito electrónico deben dotarse de una representación digital, es decir, deben "*tokenizarse*". Tokenizar es, por tanto, una ficción jurídica que supone considerar que el token es el activo subyacente, de forma que acreditar que se es titular del token equivale a acreditar que se es titular del derecho representado, y que negociar con el token tiene los mismos efectos jurídicos que negociar con el activo subyacente[6]. Así, la posibilidad de representar derechos, incluso derechos reales, a través de tokens, se sustenta en nuestro ordenamiento jurídico, a día de hoy, en el principio de la autonomía de la voluntad consagrado en el artículo 1.255 del Código Civil, y en el sistema de *numerus apertus* de derechos reales que permite la construcción de nuevos derechos reales atípicos no previstos expresamente por la ley, o la modificación del contenido y alcance de los ya existentes.

Estos activos digitales "nativos" de las redes blockchain o TRD, pueden aportar importantes ventajas respecto a los activos tradicionales, como son la gran liquidez que ofrecen (al poder comprarse y venderse de forma prácticamente instantánea, en cualquier momento y desde cualquier lugar), su divisibilidad (al poder ajustarse casi a medida la utilidad directa que otorgan a su poseedor, en función del tipo de token de que se trate), o su universalidad (al permitir representar cualquier tipo de activo o derecho). Estas características permiten que los tokens puedan convertirse en un mecanismo ideal para captar financiación o fondos, o para la diversifi-

---

[5]   Disponible en: https://data.consilium.europa.eu/doc/document/ST-13198-2022-INIT/en/pdf

[6]   RUIZ-GALLARDÓN GARCÍA DE LA RASILLA, M.: "*Fe pública y tokenización de activos en blockchain*", en "*Criptoderecho. la regulación de blockchain*", La Ley, 2018.

cación de una cartera de inversión en el subyacente representado por los tokens (en principio útil no solo para pequeños, sino también por grandes inversores).

Sin perjuicio de lo anterior, es fundamental señalar que no todos los tokens son iguales, y que en función de sus características, el activo o derecho que representan, o las facultades que otorgan a su poseedor, pueden clasificarse de múltiples maneras. Por simplificar, proponemos la siguiente categorización[7]:

(i) *Currency tokens*: Son aquellos tokens que tienen como objetivo cumplir con las funciones que la teoría económica ha asignado tradicionalmente al dinero, es decir, pretenden ser utilizados como medio de pago, servir como unidad de cuenta, y actuar como reserva de valor. Entre ellos se encontraría, por ejemplo, Bitcoin.

(ii) *Security token*: Son tokens que, debido a sus características y a que, en palabras de la CNMV, "*generalmente otorgan una participación en los futuros ingresos o el aumento del valor de la entidad emisora o de un negocio*", serán considerados como instrumentos financieros digitales, y tanto su naturaleza jurídica como la regulación aplicable (MiFID II[8], MiFIR, el Texto Refundido de la Ley del Mercado de Valores ("**TRLMV**"), y el resto de normativa del mercado de valores), quedarán completamente determinadas en consecuencia[9]. Los security tokens pueden dividirse en "*equity tokens*", cuando representan un derecho de propiedad y permiten a su poseedor participar en las ganancias futuras del emisor, incorporando en ocasiones derechos políticos y económicos en la empresa[10], y "*debt*

---

[7]   NASARRE AZNAR, S.: *Naturaleza Jurídica y régimen civil de los "tokens" en "blockchain"*, Cizur Menor, Aranzadi, 2020.

[8]   Directiva 2014/65/UE del Parlamento Europeo y del Consejo, de 15 de mayo de 2014, relativa a los mercados de instrumentos financieros y por la que se modifican la Directiva 2002/92/CE y la Directiva 2011/61/UE.

[9]   LÓPEZ-LAPUENTE, L., NIETO BRACKELMANNS, E., SAINZ DE AJA TIRAPU, B., SEIJO BAR, A. y TEROL CHÁFER, S. en VALPUESTA GASTAMINZA, E. y HERNÁNDEZ PEÑA, J. C.: Blockchain: aspectos jurídicos de su utilización, LA LEY, 2022.

[10]   Nótese que la similitud con las acciones o participaciones sociales se observa más claramente desde una perspectiva económica que desde una perspectiva mercantil, pues los security tokens no siempre implican derechos de propiedad en la sociedad que los emite.

tokens", que representan una participación en la deuda de la entidad que los emite[11].

(iii) *Utility tokens*: Se trata de tokens que permiten a su poseedor acceder a un servicio o recibir un producto por parte del emisor del token[12], o incluso ejercitar determinadas facultades dentro de la red a la que pertenecen, como participar activamente en la toma de decisiones o gobernanza de la misma o validar transacciones y recibir recompensas a cambio.

(iv) *Asset-backed tokens*: Son tokens que representan la totalidad o parte de un activo tangible, existente en el mundo real, y por tanto su valor no procede de la utilidad del token o de las facultades que otorga a su poseedor en la red en la que opere, sino que se encuentran intrínsecamente ligados al valor del activo subyacente que representan.

Vista la anterior clasificación, son varios los tipos de token que podrían utilizarse para estructurar la tokenización de activos inmobiliarios con el fin de canalizar la inversión hacia los mismos.

La tokenización de activos inmobiliarios implica en sentido estricto la representación digital (token) de un activo físico y tangible (en este caso, un inmueble) —o de una participación indivisa del mismo— a través de un valor digital creado y gestionado en una TRD. Esta representación digital de activos inmobiliarios presenta características sustancialmente diferentes a la tokenización de otro tipo de activos o derechos, debido a la especialidad de su objeto y de su regulación, que condicionará la manera en la que se desarrollarán e implementarán estas nuevas formas de inversión en el mercado inmobiliario[13]. En España, como es bien conocido, los Registros de la Propiedad juegan un papel fundamental para garantizar los mayores niveles de seguridad jurídica y publicidad en el tráfico inmobiliario pues-

---

[11] PEDREIRA MENÉNDEZ, J. y ÁLVAREZ PÉREZ, B.: Las ICO como vía de financiación empresarial a través de tokens, Revista Quincenal Fiscal núm. 15/2020, Cizur Menor, Aranzadi, 2015.

[12] Comunicado conjunto de la CNMV y el Banco de España sobre "criptomonedas" y "ofertas iniciales de criptomonedas" (ICOs), de 8 de febrero de 2018, disponible en https://www.bde.es/f/webbde/GAP/Secciones/SalaPrensa/NotasInformativas/18/presbe2018_07.pdf.

[13] SIERRA GIL, J. y CAMPUZANO GÓMEZ-ACEBO, J.: *Blockchain, tokenización de activos inmobiliarios y su protección registral*, Revista Crítica de Derecho Inmobiliario, N 775, págs. 2277 a 2318, 2019.

to que tienen por objeto, conforme a lo previsto en los artículos 605 del Código Civil y 1 de la Ley Hipotecaria, la inscripción o anotación de los actos y contratos relativos al dominio y demás derechos reales sobre bienes inmuebles. El acceso a los Registros de la Propiedad no es automático, sino que el dominio o los derechos reales limitados solo acceden al Registro de la Propiedad previo control de legalidad.

La inscripción de los derechos reales en el Registro de la Propiedad garantiza su eficacia *erga omnes*, su prevalencia frente a cualquier otro derecho sobre el inmueble no inscrito, su presunción de existencia y su pertenencia al titular registral, conforme a los principios hipotecarios de legitimación y exactitud, oponibilidad, fe pública registral y el principio de control de legalidad, consagrados por los artículos 18, 32, 34 y 38 de la Ley Hipotecaria. Esta práctica, desde el punto de vista de la seguridad jurídica, ha proporcionado y proporciona un elevado nivel de protección a los distintos agentes en el mercado inmobiliario. La tokenización de activos inmobiliarios y su tráfico jurídico a través de la TRD no pueden ignorar esta realidad. De lo contrario, si los tokens, o la transacciones sobre los mismos, no tienen acceso al Registro de la Propiedad, podrían surgir universos paralelos entre la realidad resultante del Registro de la Propiedad (que tendería a "*congelarse*" en el tiempo) y la que resulta del tráfico del token (actualizada, pero que no contaría con la protección que resulta de los principios hipotecarios).

3. NUEVAS FORMAS DE INVERSIÓN EN ACTIVOS INMOBILIARIOS A TRAVÉS DE SU TOKENIZACIÓN

Como ya se ha señalado, la tecnología TRD permite reflejar y formalizar hechos, actos o negocios jurídicos de forma digital, acreditando su existencia y contenido[14], así como constatar y acreditar, de manera fehaciente e inmutable, las partes, fecha y contenido de las transacciones realizadas en la red, información que se almacena en los nodos de la red y que cualquier usuario de dicha red puede consultar. Las TRDs ofrecen, por tanto, una nueva forma de reflejar y acreditar hechos, digitalmente.

La implementación de la tecnología TRD en el tráfico inmobiliario español y la canalización de la inversión en activos inmobiliarios a través de la tokenización de los mismos puede realizarse de múltiples maneras, ya sea

---

[14]　SIERRA GIL, J. y CAMPUZANO GÓMEZ-ACEBO, J.: *Op. Cit.*

representando mediante tokens, entre otros, (i) el derecho de propiedad de sobre la totalidad o parte de un determinado activo inmobiliario; (ii) un derecho real limitado, como sería el derecho a percibir los rendimientos generados por el activo; (iii) el préstamo participativo solicitado para la adquisición del inmueble en cuestión; o (iv) incluso las acciones de una sociedad propietaria de un activo inmobiliario. Cada una de estas alternativas objeto de análisis presenta implicaciones jurídicas notablemente diferentes, tanto por los derechos que en su caso se adquieren mediante la adquisición del token en cuestión, como por los requisitos y formalidades necesarias tanto para la emisión del token como para su tráfico y celebración de negocios jurídicos sobre el mismo.

3.1 Tokenización del derecho de propiedad

La primera y más obvia de las alternativas a la hora de plantearse la tokenización de un activo inmobiliario es la tokenización del derecho de propiedad de quién sea titular del inmueble, es decir, de su "dominio" o poder directo, inmediato y absoluto, oponible *erga omnes*. La diferente naturaleza y configuración del derecho de propiedad, como derecho real pleno, frente a los derechos reales limitados (o los meramente personales u obligacionales), y la especial regulación de su existencia, titularidad, oponibilidad y protección frente a terceros a través de su inscripción en el Registro de la Propiedad, son aspectos que necesariamente condicionan el proceso de tokenización y el desenvolvimiento del mismo.

La tokenización del derecho de la propiedad es un negocio jurídico unilateral a través del cual el titular de un activo inmobiliario decide representar digitalmente (mediante tokens) su derecho dominical para poder acceder a un mercado mucho más global y accesible en el que se opere de manera más segura, rápida, transparente y eficiente a la TRD.

Para que las operaciones que se realicen a través de la TRD sobre tokens (que representen activos inmobiliarios) puedan tener transcendencia real, producir efectos jurídicos válidos y realizarse con las máximas garantías, es imprescindible que se ajusten a las reglas establecidas en el ordenamiento jurídico español.

La transmisión del derecho de propiedad se asienta en derecho español sobre la teoría del título y modo. Para que se produzca el efectivo traspaso patrimonial se requiere la concurrencia de dos elementos: (i) la voluntad de las partes de adquirir y transmitir respectivamente (el título) y (ii) la entrega (*traditio* —o desplazamiento posesorio—) de la cosa (el modo).

El acuerdo de voluntades, sin *traditio*, no conllevaría la transmisión de la propiedad (hasta el momento en que se produzca la traditio, el *accipiens* tendría una relación con puro valor obligacional[15]). Y la *traditio*, por sí sola, es insuficiente para transmitir y adquirir el dominio o derecho real (ha de ir siempre acompañada de una intención de las partes), únicamente produciría el traspaso posesorio.

La *traditio* puede instrumentarse de distintas formas: (i) la *traditio real* (o la entrega material de la cosa), (ii) la *traditio instrumental* (o el otorgamiento de la escritura pública), (iii) la *traditio* simbólica (o la entrega de una cosa accesoria al inmueble como pueden ser las llaves o los títulos de pertenencia) o (iv) la *traditio consensual* (o el acuerdo de las partes). En el ámbito de la transmisión de tokens (que representen el derecho de propiedad), la *traditio* se podría configurar como la *traditio consensual* (que se manifestaría a través de la interacción de las partes en la propia TRD) o la *traditio simbólica* (mediante la entrega de títulos de propiedad del token que generase la propia TRD)[16]. En lo que respecta al acuerdo de las partes, deberá de plasmarse a través de la forma contractual que libremente decidan, si bien tendrán que concurrir el consentimiento de las partes, un objeto cierto y la causa de la obligación que se establezca[17].

En cuanto a la forma del contrato, aunque el artículo 1280.1 del Código Civil dispone que tiene que constar en documento público "*los actos y contratos que tengan por objeto la* creación, *transmisión, modificación o extinción de derechos reales sobre bienes inmueble*", el Tribunal Supremo[18] ha confirmado que lo dispuesto en éste artículo no altera ni modifica el principio de libertad de forma de los contratos sobre activos inmobiliarios establecido en el artículo 1278 del Código Civil, sino que faculta a las partes a compelerse y exigirse recíprocamente a otorgar la escritura pública. En este sentido, en el ámbito de la tokenización de activos inmobiliarios, el artículo 24 de la ley 34/2002, de 11 de julio, de servicios de la sociedad de la información y de comercio electrónico, ha reconocido expresamente la posibilidad de formalizar contratos por vía electrónica al establecer que "*el soporte electrónico*

---

15   DÍEZ-PICAZO, L. y GULLÓN, A.: *Sistema de Derecho Civil*, Volumen II Derecho de cosas y Derecho Inmobiliario Registral, Tecnos.

16   SIERRA GIL, J. y CAMPUZANO GÓMEZ-ACEBO, J.: *Blockchain, tokenización de activos inmobiliarios y su protección registral*, Revista Crítica de Derecho Inmobiliario, N 775, págs. 2277 a 2318, 2019.

17   Conforme a lo previsto en el artículo 1261 del Código Civil.

18   Sentencia núm. 285/1995, de 29 de marzo, del Tribunal Supremo.

en que conste un contrato celebrado por vía electrónica será admisible en juicio como prueba documental". En consecuencia, la transmisión de los derechos reales sobre bienes inmuebles (particularmente, del derecho de propiedad) se puede materializar, con carácter general, a través de cualquier forma contractual, público o privado, incluso la forma electrónica.

Ahora bien, para que las operaciones en el tráfico jurídico inmobiliario sobre el derecho de la propiedad puedan beneficiarse por completo del régimen de protección, defensa y publicidad propios de los referidos principios hipotecarios, es necesario que las mismas accedan, a instancia de parte, al Registro de la Propiedad, puesto que tiene atribuidas las competencias de inscripción de los actos relativos al dominio y demás derechos reales sobre bienes inmuebles.

A todos los efectos legales, los derechos reales existen y pertenecen a su titular en la forma determinada en el Registro de la Propiedad. De ahí la importancia del acceso de las operaciones jurídico-inmobiliarias al Registro de la Propiedad, puesto que, conforme a los principios de transparencia y publicidad, pueden ser conocidas por todo aquel que alegue un intereses legítimo. Para que las operaciones puedan acceder al Registro de la Propiedad, es necesario que los documentos en los que se formalizan reúnan las condiciones necesarias para que se garantice su autenticidad. En tal sentido, el artículo 3 de la Ley Hipotecaria dispone con carácter imperativo que los documentos inscribibles han de constar en escritura pública, ejecutoria o documento autentico expedido por autoridad judicial o por el gobierno o sus agentes en la forma que prescriban los reglamentos.

La inscripción en el Registro de la Propiedad no es automática. Al contrario, viene precedida de un previo control de legalidad realizado por el Registrador que califica, bajo su responsabilidad, la legalidad del documento cuyo inscripción se solicita, la capacidad jurídica de sus otorgantes y la validez de los actos dispositivos contenidos en el, por los efectos que la inscripción produce (genera una presunción *iuris tantum* de exactitud a favor del titular actual inscrito y una protección *erga omnes* a favor de los que de él adquieran).

Todo lo anterior será también de aplicación a las operaciones que se realicen sobre los tokens que representen el derecho propiedad sobre los activos inmobiliarios, siempre que se pretenda asegurar el mismo régimen de protección que el ofrecido por el sistema registral hipotecario a las operaciones inmobiliarias que se realizan en el mundo real (*offchain*).

De lo contrario, si no se dejase constancia de estas operaciones sobre los tokens en el Registro de la Propiedad, conforme al artículo 34 de la Ley

Hipotecaria, aquel tercero que de buena fe adquiera a título oneroso de quien aparezca como titular registral en el Registro de la Propiedad será mantenido en su adquisición, una vez haya inscrito su derecho, y aunque con posterioridad se anule o resuelva el título de propiedad de quien le transmitió. Así, aunque el derecho de propiedad se hubiera tokenizado con carácter previo y hubiera sido objeto de diversas transmisiones tras su tokenización, las mismas no podrían afectar al comprador de buena fe que hubiera adquirido de quién apareciera inscrito como propietario, si la tokenización del inmueble (y sus posteriores transmisiones) no se hubiera reflejado en el Registro de la Propiedad. Sin acceso al Registro de la Propiedad, de nada le servirá al adquiriente del token demostrar que su adquisición *onchain* se materializó con carácter previo a la transmisión del inmueble *offchain*, por cuanto que al no haber accedido al Registro de la Propiedad su título no tendrá eficacia erga omnes (y, por tanto, no puede perjudicar a terceros).

Así, sin constancia registral de la existencia de la tokenización del derecho de la propiedad, la transmisión del token no podrá realizarse con eficacia absoluta o *erga omnes*, es decir, no podrá afectar a terceros de buen fe que adquieran el derecho de la propiedad en base a la información del Registro de la Propiedad. El reflejo registral de la tokenización del derecho de la propiedad deberá de producirse mediante el cumplimiento de los requisitos mencionados (i) existir acuerdo entre las partes y producirse la entrega de la cosa (mediante la *traditio* instrumental —*otorgamiento de la escritura pública*— o la *traditio simbólica* —*la entrega de los títulos de pertenencia del token*—), (ii) que concurran en el contrato los elementos esenciales previstos en el artículo 1261 del Código Civil (consentimiento, objeto y causa), (iii) la constancia de la transmisión en escritura pública y (iv) la presentación a inscripción de dicho título habilitante en el Registro de la Propiedad de conformidad con el principio de rogación registral. Todo ello, dificulta y "neutraliza" alguna de las ventajas que el uso de la tecnología blockchain y la tokenización de activos inmobiliarios podría ofrecer, tales como la inmediatez, transparencia y globalización en la ejecución de las operaciones y la consecuente mayor liquidez de los activos inmobiliarios, pero lo contrario arrastraría al mercado inmobiliario a un vacío legal de inseguridad jurídica inasumible.

De esta manera, al menos en el mercado hipotecario español, el Registro de la Propiedad se perfila como la herramienta que servirá de nexo entre el mundo real (*offchain*) y el mundo digital (*onchain*), vinculando de manera inseparable el inmueble con su representación digital (token), y aportando plena seguridad jurídica a las operaciones de transmisión del derecho de la propiedad que se realicen a través de los tokens. En este ámbito, el Colegio de los Registradores de España ya presentó y viene trabajando desde 2019 en el proyecto REGTURI, mediante el cual está desarrollando una plataforma que ofrezca un servicio de certificación de inmuebles con uso turístico basado en blockchain o cadena de bloques que conectará a propietarios, inquilinos, Registros de la Propiedad y otras administraciones (policía, agencia tributaria, entre otras)[19].

El principal objetivo del programa REGTURI es reducir y dificultar la existencia de fraude en el sector de servicios e intermediarios turísticos por la falta de coordinación entre los distintos agentes y participes del mercado de manera que se cree un ecosistema más transparente, seguro y eficiente. Así, a través del proyecto REGTURI tras la calificación y validación de los registradores de qué inmuebles pueden ser objeto de uso turístico, se generará un código objeto individual que se identificará en nota marginal en cada uno de los inmuebles, de manera que los inmuebles turísticos estén perfectamente identificados. Este proyecto puede ser la antesala de la implementación de la tecnología blockchain al mercado inmobiliario y el paso previo al reflejo registral de la creación y transmisión de tokens representativos del derecho de la propiedad.

De esta manera, los titulares registrales podrán reflejar en el Registro de la Propiedad la creación y la emisión de tokens representativos del derecho de propiedad sobre la base del sistema de *numerus apertus*, que admite bajo ciertas premisas moldear la configuración del contenido de los derechos reales típicos a las nuevas realidad socioeconómicas, de manera que una vez inscritos, cualquier tercero pueda conocer su existencia y características. Así, los titulares registrales podrán delimitar el contenido típico de su derecho dominical para hacer constar en el Registro de la Propiedad su representación digital mediante tokens, con el alcance y las características que se les atribuyan.

En todo caso, la formalización de las transacciones inmobiliarias sobre los tokens en documentos públicos y ante notario, la presentación en el correspondiente Registro de la Propiedad y la realización por parte del Registrador del pertinente juicio de legalidad antes de la inscripción de la correspondiente transacción en la hoja registral del inmueble, son trámites que se antojan inamovibles para la consecución de dichos objetivos, si bien

---

[19] ARGELICH COMELLES, C.: *Hacia una smart property inmobiliaria: tokenización, internet of things y blockchainización registral*, Revista Jurídica de la Universidad de Santiago de Compostela, 30(1), págs. 13 a 14, 2021.

la creación de entornos digitales completamente seguros, públicos, transparentes y que permiten realizar transacciones de forma casi inmediata y desde cualquier parte del planeta a través de redes distribuidas podría, a largo plazo y necesariamente mediante un profundo y escrupuloso procedimiento de adaptación y modernización normativa y procedimental previo, abrir la puerta a la realización de transacciones inmobiliarias sobre el derecho de propiedad de una forma mucho más ágil, rápida y accesible, sin renunciar, necesariamente, a los altos niveles de seguridad jurídica requeridos y que actualmente proporciona la legislación hipotecaria, mediante la tokenización del derecho de propiedad sobre los activos inmobiliarios.

Las TRD no pueden, al menos a día de hoy, constituir un registro jurídico público, como es el Registro de la Propiedad, por cuanto no pueden realizar un control de legalidad sobre los negocios jurídicos realizados en la red, ni realizar pronunciamiento jurídicos con eficacia frente a terceros sobre el alcance, el contenido o las limitaciones del derecho representado por el token en cuestión. A pesar de esto, las TRDs sí pueden configurarse como plataformas o mercados donde exista un tráfico seguro de tokens que representen distintos activos y derechos, incluyendo los que recaen sobre los activos inmobiliarios, o incluso implementarse, como hemos visto, en el propio Registro de la Propiedad.

No obstante, con la configuración actual y teniendo en cuenta que las operaciones a través de las TRD se caracterizan por su fiabilidad, inmutabilidad, universalidad e inmediatez, cabría plantear la posibilidad de configurar la tokenización del dominio y su posterior transmisión a través de un sistema similar al que se utiliza para la incorporación y posterior transmisión de una deuda hipotecaria representada mediante títulos al portador, en la que se ejercitan los derechos del acreedor hipotecario por aquel que presenta la deuda hipotecaria al pago, o el título a la ejecución. No es relevante quienes hayan sido sus titulares anteriores; es el último, el que posee el título al portador, el que ejercita (con plena protección registral) los derechos del acreedor hipotecario. Para ello, obviamente, las reglas del juego están perfectamente delimitadas desde la inscripción de la deuda hipotecaria representada mediante títulos al portador en el Registro de la Propiedad. Cualquier tercero podrá saber que el activo está gravado con hipoteca en garantía de una deuda determinada, a favor de un acreedor inicial, pero siendo la regla de circulación de la deuda (y de la hipoteca) la entrega del título al portador. Eso mismo podría tratar de aplicarse a la tokenización del dominio y su posterior transmisión: el propietario real inscribe una primera escritura de "emisión" del token en la que se pacta como se representa el título de propiedad del activo (de todo o parte) y su posterior transmisión mediante las TRD de forma que, en cualquier momento (o en determinados momentos) el último titular (o titulares) de los tokens representativos del derecho de la propiedad pueda acudir al Registro de la Propiedad y presentar el título para: (i) "destokenizar" y obtener la inscripción del activo a su nombre (de todo o parte según los tokens de los que sea propietario y esté interesado en destokenizar) o, (ii) incluso sin necesidad de destokenizar, "actualizar" la información registral, que no coincidirá con la realidad extra-registral, para reflejar que él es el titular real del activo (de todo o parte, según corresponda) a través de los tokens de los que es titular. De la misma forma que haría el titular de una letra de cambio al portador que está garantizada por una hipoteca sobre un activo.

3.2 Tokenización de derechos reales limitados. Rendimientos: derecho a percibir las rentas y las plusvalías de la venta del inmueble

La tecnología Blockchain ofrece también la posibilidad de representar digitalmente, mediante tokens, cualquier otro tipo de derechos reales limitados que coexisten con el derecho real por excelencia (es decir, el derecho de la propiedad). De entre ellos, es interesante analizar la posibilidad de tokenizar el derecho a percibir las rentas del arrendamiento y plusvalías de la venta de un inmueble[20], una especie de derecho (probablemente de carácter temporal) "al rendimiento".

Como tal, este derecho carece de regulación positiva en nuestro ordenamiento jurídico pero conforme a la doctrina del *numerus apertus* sería posible encapsular del derecho de propiedad la facultad de percibir los rendimientos y configurarla como un nuevo derecho real atípico que permitiera a sus titulares percibir las rentas del arrendamiento o las plusvalía de una futura venta, ya que se ha admitido la eficacia de la autonomía de la voluntad en la creación de nuevos derechos reales que se adapten a las nuevas realidades socioeconómicas, siempre que concurran ciertos requisitos en su constitución: (i) que reúna los requisitos típicos de los derechos reales (*i.e.*, poder directo e inmediato del hombre sobre la cosa o que se construya a semejanza de figuras que se conceptúan como derechos reales), (ii) que no contradiga el orden público, (iii) que se describa perfectamente el objeto gravado y el derecho que pretende inscribirse, (iv) que reúna los requisitos de forma de acceso al Registro de la Propiedad, y (v) que exista la necesidad de una tutela jurídica a través de la creación del derecho

---

[20]   SIERRA GIL, J. y CAMPUZANO GÓMEZ-ACEBO, J.: *Op. Cit.*

real. Nótese, además, que la Dirección General de Seguridad Jurídica y Fe Pública ha manifestado en reiteradas ocasiones[21] que el *numerus apertus* reconocido en nuestro ordenamiento jurídico presupone la satisfacción de determinadas exigencias estructurales, tales como la existencia de una razón justificativa suficiente, la determinación precisa de los contornos del derecho real configurado y la inviolabilidad del principio de libertad del tráfico, requisitos que consideramos se verían perfectamente cumplidos en el caso del derecho real de rendimientos mencionado.

El derecho real de rendimientos cumpliría con todos estos requisitos y se constituiría como una nueva figura dentro de los conocidos derechos reales de goce, a través del cual su titular tendría derecho exclusivamente a la adquisición de los rendimientos que se generen sobre el inmueble (*e.g.*, las rentas provenientes del arrendamiento y/o las plusvalías derivadas de su futura venta). Actualmente no existe ningún derecho real limitado que ofrezca a su titular la posibilidad de percibir únicamente las rentas del arrendamiento y/o las plusvalía de la venta del inmuebles. Existen otros derechos reales típicos (e.g., el usufructo o la anticresis) que compartirían ciertas similitudes con el derecho real de rendimiento, pero que con su configuración no sirven para satisfacer las necesidad de esta nueva realidad económica porque, o bien conceden a su titular facultades adicionales que podrían colisionar con otros intereses (como el derecho de uso en el caso del usufructo) o están configurados para atender a otro negocio jurídico (servir de garantía adicional a los acreedores en el caso de la anticresis). Y de ahí surge la necesidad de cubrir esta laguna con un nuevo instrumento jurídico cuya implementación, potencial tokenización y posterior negociación en un mercado secundario permita hacer más líquidos los activos inmobiliarios (mediante la constitución de un derecho real de rendimientos), al permitir a los inversores participar directamente de los rendimientos generados por el inmueble mediante la inversión de un capital mínimo, tan bajo como el valor de cada uno de los tokens representativos del derecho de rendimientos.

La creación de este nuevo derecho no vaciaría totalmente de contenido el derecho real de propiedad, ya que su titular seguiría teniendo la potestad directa y dominical sobre el inmueble, aunque la configuración del derecho real de rendimientos podría determinar ciertas limitaciones o sujeciones a su capacidad de decisión sobre el mismo. En todo caso, ello

---

[21] Entre otras, Resolución de la Dirección General de los Registros y el Notariado de 5 de junio de 1987.

dependerá de su configuración por lo que es imprescindible regular con detalle el régimen jurídico aplicable al derecho real de rendimientos para su constitución como derecho real y que por su alcance debe de ser objeto de un estudio separado (e.g., objeto, plazo, derechos y obligaciones del y del rentista, modos de extinción, etc.). En esta nueva realidad socio-económica, sería posible representar digitalmente (mediante tokens) este nuevo derecho real de rendimientos. La representación digital mediante tokens podría ser unitaria o parcial, de manera que incluso se pudieran representar partes alícuotas de este nuevo derecho que hicieran más líquido este activo en un mercado global.

El propietario del inmueble acordaría la constitución de este nuevo derecho real de rendimientos a favor de un tercero (el titular del token en cada momento) y configurarlo para que el mismo pueda acceder al Registro de la Propiedad a efectos de que su constitución y creación tenga eficacia *erga omnes*. Asimismo, se podrá dejar constancia en el Registro de la Propiedad mediante anotación de la representación digital (mediante tokens) de este derecho, al igual que, como hemos señalado anteriormente, podría ocurrir con la representación digital del derecho de propiedad. De esta manera, los propietarios de los token constituidos, una vez inscrito su derecho real de rendimientos representando mediante tokens, podrían no sólo negociar y transmitir dichos tokens, sino oponer los derechos que los mismos representan frente a cualquier futuro propietario del inmueble.

Para la constitución y transmisión de este derecho sería de aplicación todo lo que se ha indicado en el apartado 3.1 anterior en cuanto la teoría del título y modo, la concurrencia de los requisitos del artículo 1261 Código Civil y el cumplimiento del requisito de forma para el acceso al Registro de la Propiedad.

El disfrute y ejecución de los derechos adscritos a los tokens representativos del derecho real de rendimientos se podría articular a través de los conocidos como *smart contracts*, con el objetivo de que automaticen todo el proceso durante la vida del derecho real de rendimientos de manera que sus titulares puedan percibir los rendimientos del inmueble de manera eficiente, transparente y directa, conforme a lo previsto de antemano en los *smart contracts*, que estarían integrados en la propia cadena de bloques y que podrían estar vinculados directamente con los propios contratos de arrendamiento o el contrato de compraventa que se formalicen en relación con el inmueble.

3.3 Tokenización de préstamos participativos para adquirir inmuebles

Como ya se ha mencionado, los tokens pueden representar un derecho real sobre un activo inmobiliario, pero también pueden usarse para representar digitalmente un determinado derecho de crédito. Esto significa que la inversión en activos inmobiliarios podría también estructurarse mediante la tokenización de determinados derechos de crédito de los que el poseedor del token sería acreedor frente al emisor del mismo, que se situaría en la posición deudora de tales derechos de crédito digitalmente representados. Así, una de las formas a través de las cuales se puede vertebrar la tokenización de activos inmobiliarios, y que, de hecho, resulta ser una de las que hasta la fecha está presentando una mayor adopción en España, es la tokenización de un préstamo participativo mediante el cual la entidad propietaria del inmueble ha financiado o pretende financiar su adquisición.

A efectos meramente ilustrativos, un préstamo participativo no es sino una clase de préstamo (si bien puede tratarse también de un crédito participativo) que se caracteriza por estar retribuido además de por un interés fijo, por un interés variable que se fija en función de una determinada magnitud relacionada con la marcha o evolución del deudor, como puede ser el importe neto de su cifra de negocio, el beneficio antes de intereses o impuestos, el resultado del ejercicio o el patrimonio neto.

Así, cuando los tokens en cuestión otorguen a su poseedor el derecho a recibir la devolución del capital prestado en el marco del préstamo participativo como principal, así como unos determinados intereses, que en este caso podrían vincularse al resultado de la sociedad deudora y propietaria o promotora del inmueble en cuestión, las particularidades de los mismos los asemejarían a un título de deuda, y por tanto deberían ser considerados como un valor negociable a los efectos del artículo 2 del TRLMV. Esto implicaría su sujeción a la supervisión del regulador del mercado de valores, en los mismos términos y con las mismas limitaciones en cuanto a su representación como anotaciones en cuenta aplicables a los tokens que representen acciones, tal y como se analiza en el apartado siguiente. A pesar de lo anterior, en caso de tokenización de un préstamo participativo, a diferencia de lo que ocurre en el supuesto de tokenización de acciones, y en la medida en que el token únicamente otorgue a su poseedor derechos económicos y no derechos políticos sobre la sociedad emisora, dicho *token-holder* tendría la consideración de acreedor frente a la misma, restringiéndose sus derechos a la recuperación del principal prestado junto con los intereses pactados, de forma que su crédito tendría un orden de prelación preferente al de los accionistas en caso de concurso de la sociedad emisora.

Por tanto, la tokenización de un préstamo participativo podría servir como vía para la financiación de la adquisición de un determinado activo inmobiliario, de forma que los poseedores del token, a pesar de no adquirir ningún derecho dominical sobre el inmueble, ni tener la condición de socios de la sociedad propietaria, proporcionarían el capital necesario para acometer la inversión y se colocarían como acreedores de la sociedad emisora, teniendo derecho a recibir la cantidad prestada en concepto de principal junto con un interés compuesto por una parte fija y una parte variable, determinada en función de la rentabilidad obtenida por el activo, principalmente a través de las rentas y de la plusvalía en caso de eventual enajenación.

En el marco de la tokenización de un préstamo participativo, será necesario tener en cuenta no sólo las implicaciones de la consideración de los tokens como valores negociables a efectos de la legislación del mercado de valores, si no que habrá que atender particularmente a lo dispuesto en la Ley 5/2015, de fomento de la actividad empresarial, y en los artículos 401 y siguientes de la Ley de Sociedades de Capital sobre emisión de obligaciones, de así como la normativa en materia de protección de los consumidores y usuarios, protección de datos personales, prevención del blanqueo de capitales, etc.

3.4 Tokenización de acciones o participaciones

Otra de las formas a través de la que podría canalizarse la inversión en activos inmobiliarios, aprovechando la ventajas que el uso de TRD podría ofrecer, sería la tokenización de las acciones de una sociedad de capital que fuese propietaria de uno o varios activos inmobiliarios.

Así, podría estructurarse una suerte de *share deal*, es decir, la venta de las acciones representativas del capital de una sociedad propietaria de uno o varios activos inmobiliarios, como forma indirecta de transmisión de la propiedad de los mismos. De esta forma, el titular registral del activo no cambiaría en ningún momento, pues seguiría siéndolo la sociedad "target", es decir, la sociedad cuyas acciones son objeto de transmisión, de forma que los nuevos socios de dicha sociedad pasarían a ostentar la propiedad indirecta del inmueble.

Esta forma de transmisión indirecta de la propiedad puede combinarse con el uso de la tecnología TRD para ofrecer a potenciales inversores la posibilidad de participar en una determinada inversión inmobiliaria movilizando una cantidad de capital muy inferior a la que normalmente requeriría la adquisición directa de un inmueble, mediante la suscripción de acciones de la sociedad propietaria del inmueble directamente emitidas en una TRD y representadas mediante tokens, o posteriormente tokenizadas; o bien mediante la adquisición únicamente de determinados derechos correspondientes a los titulares de las acciones, previamente tokenizados. Nótese que en este apartado nos referiremos únicamente a la tokenización de acciones y no de participaciones de sociedades de capital, por cuanto la limitación general a la total liberalización de la transmisión de las mismas y la imposibilidad de su representación mediante títulos conforme a los artículos 108 y 114 de la Ley de Sociedades de Capital plantean, actualmente serias dificultades para su tokenización.

En cuanto a la naturaleza de los tokens que en su caso representarían a las acciones de la sociedad target, propietaria del bien inmueble en cuestión, teniendo en cuenta el tipo de derechos e intereses de los que sería titular el poseedor de los mismos, parece claro que nos encontraríamos en el ámbito de los *security tokens*, cuya definición ya ha sido brevemente expuesta en párrafos anteriores. Los security tokens que representen acciones deberían ser considerados como valores negociables, una clase de instrumentos financieros conforme a la Directiva MiFID II y que comprende las acciones de sociedades y otros valores equiparables[22]. Así, los security tokens serán tratados como valores negociables cuando (i) atribuyan derechos o expectativas de participación en la potencial revalorización o rentabilidad de negocios o proyectos o, en general, presenten u otorguen derechos equivalentes o parecidos a los propios de las acciones, obligaciones u otros instrumentos financieros incluidos en el artículo 2 del TRLMV[23], o (ii) se ofrezcan haciendo referencia, explícita o implícitamente, a la expectativa de obtención por el comprador o inversor de un

---

[22] En el derecho nacional, el Anexo del TRLMV incluye en la categoría de instrumentos financieros los valores negociables, entendiendo como tales cualquier derecho de contenido patrimonial, cualquiera que sea su denominación, que por su configuración jurídica propia y régimen de transmisión, sea susceptible de tráfico generalizado e impersonal en un mercado financiero, incluyendo las siguientes categorías de valores, con excepción de los instrumentos de pago, los cuales incluyen las acciones de sociedades y otros valores equiparables a las acciones de sociedades, y recibos de depositario.

[23] Sin perjuicio de cumplir el resto de características de un valor negociable definidas en el Anexo del TRLMV.

beneficio como consecuencia de su revalorización o de alguna remuneración asociada al instrumento, o mencionando su liquidez o la posibilidad de negociación en mercados equivalentes o pretendidamente similares a los mercados de valores sujetos a la regulación. Por tanto, respecto a los tokens que sean considerados como valores negociables, deberá tenerse en cuenta la normativa financiera y de mercado de valores tanto a nivel europeo como a nivel nacional. Una de las exigencias más relevantes impuesta por la normativa de mercado de valores en caso de que los tokens sean considerados como valores negociables es la necesidad de que los mismos estén representados como anotaciones en cuenta conforme al artículo 6.2 TRLMV. La CMNV parece entender que ello no es posible, y que, por tanto, no es posible actualmente su negociación en mercados regulados ni la creación de un mercado interno en una plataforma no regulada (*exchange*) localizada en España, si bien nada obstaría para que dichos tokens fuesen negociados en mercados no españoles[24].

Sin embargo, es posible que la actual situación de incertidumbre legislativa este próxima a su fin, por cuanto el Proyecto de Ley de los Mercados de Valores y de los Servicios de Inversión de 12 de septiembre de 2022[25] incluye ya en la definición de instrumentos financieros los valores negociables cuando se emitan utilizando tecnología de registros distribuidos u otras tecnologías similares, de forma que estos podrán representarse igualmente por medio de sistemas basados en TRD. Esta propuesta legislativa prevé incluso que la inscripción o registro de la transmisión de valores en una TRD tendrá los mismos efectos que la entrega de los títulos y será oponible frente a terceros desde el momento de tal inscripción, así como la constitución de derechos reales limitados y otros gravámenes mediante su inscripción en la TRD, su oponibilidad frente a terceros y la presunción de titularidad del titular del valor que conste inscrito como tal en la TRD. De aprobarse finalmente en estos términos esta legislación, que traspone hasta cinco directivas europeas[26], y el recientemente aprobado Reglamen-

---

[24]   CNMV: "Criterios en relación con las ICOs (*Initial Coins Offers*)", 200 de septiembre de 2018.

[25]   Disponible   en   https://www.congreso.es/public_oficiales/L14/CONG/BOCG/A/BOCG-14-A-114-1.PDF

[26]   Directiva 2019/2177 del Parlamento Europeo y del Consejo, de 18 de diciembre de 2019; a Directiva 2020/1504 del Parlamento Europeo y del Consejo, de 7 de octubre de 2020; Directiva 2021/338 del Parlamento Europeo y del Consejo de 16 de febrero de 2021; Directiva del Parlamento Europeo y del Consejo por la que se modifican las Directivas 2006/43/CE, 2009/65/CE, 2009/138/UE, 2011/61/

to (UE) 2022/858 del Parlamento Europeo y del Consejo de 30 de mayo de 2022 sobre un régimen piloto de infraestructuras del mercado basadas en la TRD, que será aplicable con carácter general el 23 de marzo de 2023, podrían dar claridad a alguna de las cuestiones regulatorias que actualmente dificultan el uso generalizado de los sistemas TRD para la emisión y negociación de valores, y facilitar enormemente el uso de la tokenización como vía para la canalización de la inversión.

Por otro lado, sería necesario analizar también el impacto de otra serie de previsiones legales que resultarían de aplicación, como el respeto de la sociedad cuyas acciones se tokenizan a las previsiones de la Ley de Sociedades de Capital, por ejemplo, en materia de endeudamiento, o la observancia de las obligaciones impuestas por la normativa de protección de los consumidores, en su caso.

En cuanto a las principales implicaciones, ventajas o inconvenientes de dicha representación mediante tokens, la tokenización de las acciones podría ayudar a solventar alguna de las ineficacias de los sistemas de intermediación de tenencia de acciones o participaciones que impiden o dificultan la implicación y participación efectiva de los accionistas en la sociedad, como podría ser la falta de comunicación entre la sociedad y los socios, o las instrucciones de voto que no se ejecutan correctamente, así como a mejorar, automatizar y dotar de mayor transparencia determinados procedimientos, como el registro de votos en el contexto de la junta general de la sociedad (evitando así supuestos de doble voto) o el pago de dividendos, mediante la implementación de *smart contracts*[27], facilitar el registro y acceso a determinada información, como pudiera ser el libro de registro de socios, de forma totalmente transparente, inmutable e inmediata, o promover el cumplimiento de las normativas tanto nacionales como europea en materia de identificación de accionistas o transmisión de la información, así como evitar cualquier conducta humana dilatoria que pudiese afectar a los anteriores procesos.

Podría, alternativamente, tokenizarse solamente determinados derechos, tanto económicos como políticos, inherentes a la titularidad de las acciones o participaciones, como por ejemplo el derecho de voto en una

---

UE, 2013/36/UE, 2014/65/ UE, (UE) 2015/2366 y (UE) 2016/2341; y Directiva 2019/2034 del Parlamento Europeo y del Consejo, de 27 de noviembre de 2019.

[27] Códigos informáticos que contienen cláusulas contractuales y sus remedios, capaz de auto-ejecutar prestaciones si se verifica la producción de un determinado evento externo del que se ha hecho depender dicha ejecución.

determinada junta general, o el derecho a percibir determinados dividendos, de forma que el ejercicio de dichos derechos a través de una TRD garantizaría la transparencia en el mismo y permitiría que dicho ejercicio no sólo quedase registrado de manera inmutable en el registro distribuido, sino que se hiciera de forma inmediata y con acceso a dicha información por parte del resto de socios. Podría incluso tokenizarse un derecho real de usufructo sobre las acciones.

Frente a las potenciales ventajas expuestas, probablemente el mayor riesgo asociado a la tokenización de acciones, o de derechos vinculados a las mismas, sea la inexistencia actual de un marco regulatorio adecuado que permita dar confianza y seguridad jurídica a los inversores sobre la naturaliza de los tokens representativos de las acciones o participaciones, los derechos que ostentarían como titulares de los mismos y su cotización, negociación y transmisión en los mercados, si bien, como ya se ha señalado, es previsible que el legislador nacional dé respuesta pronto a las cuestiones regulatorias que actualmente entorpecen la generalización de la tokenización como catalizador de la inversión, y en concreto de la inversión inmobiliaria.

Una vez examinadas las implicaciones, ventajas y riesgos de la tokenización de acciones o participaciones, procede analizar cómo podría utilizarse para canalizar la inversión inmobiliaria. Mediante la venta de los tokens representativos de las acciones podría darse entrada a múltiples inversores, que adquirirían un porcentaje en el capital social de la sociedad e, indirectamente, el dominio indirecto sobre el inmueble. Las ventajas de la tokenización de dichas acciones son, como ya hemos explicado, numerosas, no sólo porque permitirían (al menos en teoría) la existencia de mercados secundarios con gran liquidez en los que los tokens podrían negociarse y transmitirse entre usuarios de forma continua, transparente e inmediata, sino porque además, y particularmente en el caso de la inversión inmobiliaria, dicha tokenización permitiría la automatización y transparencia de los flujos monetarios desde la sociedad hacia los inversores, de forma que los ingresos generados por el inmueble a través, por ejemplo, de las rentas, podrían distribuirse a los inversores poseedores de los tokens regularmente y de forma automática e igualmente transparente, o incluso ayudar a financiar la compra del activo por parte de la sociedad. Dicha tokenización permitiría incluso estructurar la gobernanza y toma de decisiones respecto al activo inmobiliario a través de la propia blockchain, de forma que los usuarios pudiesen votar directamente e involucrarse en la toma de decisiones sobre la venta o reforma del activo, por ejemplo, o incluso someter propuestas al voto del resto de inversores.

Por último, es necesario señalar que mediante la tokenización de acciones podría salvarse uno de los principales obstáculos señalados respecto a la tokenización del derecho de propiedad, como es la necesidad de formalizar la transmisión de los tokens en documento público y la posterior inscripción en el Registro de la Propiedad del derecho del nuevo poseedor del token. Esto se debe, obviamente, a que el poseedor de un token representativo de una acción de una sociedad propietaria de un activo inmobiliario en ningún momento ostentará un derecho dominical directo sobre el inmueble inscribible en el Registro de la Propiedad, sino que únicamente participará como socio y, por tanto, como propietario indirecto del mismo.

4. CONCLUSIÓN

A la vista de todo lo anterior, es evidente que el uso de las tecnologías TRD tiene la capacidad para transformar el tráfico inmobiliario y las formas tradicionales de canalizar la inversión y de obtener financiación en este sector. Sin embargo, tal y como se ha expuesto, la actual regulación tanto civil e hipotecaria como del mercado de valores tendrá un gran impacto en la manera en que esta tecnología deberá estructurarse e implementarse y en el modo en que la tokenización puede utilizarse para facilitar y democratizar la inversión en activos inmobiliarios, haciendo estos activos más líquidos y permitiendo la inversión de actores minoristas de una forma rápida, segura, transparente y aprovechando las ventajas mencionadas en los párrafos anteriores.

Como ya se ha señalado, para que el uso generalizado de tales tecnologías sea una realidad será necesario, primero, un profundo y cuidadoso proceso legislativo y de adaptación de las instituciones jurídicas para que los procesos de tokenización puedan realizarse con los estándares de seguridad jurídica que son preceptivos en el marco del sector inmobiliario, y la posterior negociación y tráfico de los tokens resultantes den lugar a la transmisión de derechos con todas las garantías. Los avances legislativos que ya se están produciendo, y que sin duda continuarán implementándose en el futuro inmediato, abrirán la puerta a la adopción masiva de este tipo de tecnologías y ofrecerán a los actores del mercado inmobiliario un marco regulatorio en el que las formas de tokenización expuestas en estas líneas podrían convertirse en importantes catalizadores de inversión y financiación en el sector inmobiliario. Con las cautelas jurídicas adecuadas, y con la imprescindible implicación, colaboración y adaptación de las instituciones públicas, en particular del Registro de la Propiedad, las diferentes formas de tokenización inmobiliaria podrían contribuir notablemente a la necesaria dinamización del sector inmobiliario y lograr el objetivo largamente perseguido de convertir los activos inmobiliarios en activos líquidos y accesibles.

5. REFERENCIAS BIBLIOGRÁFICAS

IBÁÑEZ JIMÉNEZ, J. W.: BLOCKCHAIN: Primeras cuestiones en el ordenamiento español, Madrid: Editorial Dyckinson, 2018.

RUIZ-GALLARDÓN GARCÍA DE LA RASILLA, M.: "Fe pública y tokenización de activos en blockchain", en "Criptoderecho. la regulación de blockchain", La Ley, 2018.

NASARRE AZNAR, S.: Naturaleza Jurídica y régimen civil de los "tokens" en "blockchain", Cizur Menor, Aranzadi, 2020.

LÓPEZ-LAPUENTE, L., NIETO BRACKELMANNS, E., SAINZ DE AJA TIRAPU, B., SEIJO BAR, A. y TEROL CHÁFER, S. en VALPUESTA GASTAMINZA, E. y HERNÁNDEZ PEÑA, J. C.: Blockchain: aspectos jurídicos de su utilización, LA LEY, 2022.

PEDREIRA MENÉNDEZ, J. y ÁLVAREZ PÉREZ, B.: Las ICO como vía de financiación empresarial a través de tokens, Revista Quincenal Fiscal núm. 15/2020, Cizur Menor, Aranzadi, 2015.

SIERRA GIL, J. y CAMPUZANO GÓMEZ-ACEBO, J.: Blockchain, tokenización de activos inmobiliarios y su protección registral, Revista Crítica de Derecho Inmobiliario, N 775, págs. 2277 a 2318, 2019.

DÍEZ-PICAZO, L. y GULLÓN, A.: Sistema de Derecho Civil, Volumen II Derecho de cosas y Derecho Inmobiliario Registral, Tecnos.

ARGELICH COMELLES, C.: Hacia una smart property inmobiliaria: tokenización, internet of things y blockchainización registral, Revista Jurídica de la Universidad de Santiago de Compostela, 30(1), págs. 13 a 14, 2021.